T'es branché? 4

For use with AP®
French Language and Culture

Contributors

Martine Corsain   **Eliane Grandet**

Nathalie Gaillot   **Diana Moen**

Adrien Payet

EMC Publishing®

ST. PAUL

Developmental Editor: Diana Moen
Associate Editor: Nathalie Gaillot
Assistant Editor: Kristina Merrick
Production Editor: Bob Dreas
Cover Designer: Leslie Anderson

Text Designers: Diane Beasley Design, Leslie Anderson
Illustrators: Marty Harris, Brent Schoonover
Production Specialists: Leslie Anderson, Ryan Hamner, Julie Johnston, Jack Ross
Copy Editors: Brigitte Faucard, Jamie Bryant, B-books Ltd.

Care has been taken to verify the accuracy of information presented in this book. However, the authors, editors, and publisher cannot accept responsibility for Web, email, newsgroup, or chat room subject matter or content, or for consequences from application of the information in this book, and make no warranty, expressed or implied, with respect to its content.

Trademarks: Some of the product names and company names included in this book have been used for identification purposes only and may be trademarks or registered trade names of their respective manufacturers and sellers. The authors, editors, and publisher disclaim any affiliation, association, or connection with, or sponsorship or endorsement by, such owners.

Credits: Photo Credits and Recording Credits follow the Index.

We have made every effort to trace the ownership of all copyrighted material and to secure permission from copyright holders. In the event of any question arising as to the use of any material, we will be pleased to make the necessary corrections in future printings. Thanks are due to the aforementioned authors, publishers, and agents for permission to use the materials indicated.

AP® is a trademark registered by the College Board, which was not involved in the production of, and does not endorse, this product.

ISBN 978-0-82196-660-0

© 2014 by EMC Publishing, LLC
875 Montreal Way
St. Paul, MN 55102
Email: educate@emcp.com
Website: www.emcp.com

22 21 20 19 18 17 16   4 5 6 7 8 9 10

To the Student

Abd Al Malik.

Maryse Condé.

Frédéric Beigbeder.

Congratulations on your proficiency in French! With this fourth-level textbook, you will be building your proficiency in French language and francophone culture even more. The textbook units are centered around these six themes: Families and Communities, Contemporary Life, Personal and Public Identities, Global Challenges, Science and Technology, and Beauty and Aesthetics. Each lesson is framed with an essential question (**Quel rôle la famille et la société jouent-elles dans nos choix amoureux? Comment les cultures marquent-elles les étapes de l'enfance à l'âge adulte? Comment est-on enrichi par les produits, les pratiques, les points de vue d'autres cultures?** etc.) to provide a deeper and richer learning experience. You will be exposed to a wide selection of materials from authentic original sources written for teen and adult Francophone speakers from their world, such as book reviews, interviews with writers and scientists, blog entries, Internet forum postings, poems, song lyrics, dialogues and excerpts from novels and memoirs. The authors of some of these selections are featured above. You will also be exposed to authentic audio recordings from francophone radio stations and other sources to better develop your listening skills.

You ask yourself, What will I be asked to do in class and for homework? You will analyze print and audio texts, make comparisons between your world and the francophone world and apply what you have learned by writing formal e-mail replies, essays and doing some creative writing. To improve your speaking skills, you will participate in conversations, discussions and debates. In both speaking and writing you will practice supporting your opinions on a range of topics. As for culture, you will be asked to identify the relationships among products, practices and perspectives of the francophone world.

Some of you may choose to attend college. This textbook course will allow you to use what you have learned about French in high school to meet specific goals. Contact the university of your choice to find out if they give credits for your high school learning, allow you to test out of the college language requirement or place you in an appropriate level of college French if you want to continue your studies. Some of you may want to take the AP Language and Culture exam given by the College Board. This course has everything you need for both sections of the exam: the Multiple Choice section and the Free Response section. The workbook contains abundant practice in answering multiple choice questions and the textbook and workbook provide abundant practice in writing email replies, persuasive essays and speaking in directed conversations and making cultural comparisons presentations. In a nutshell, the exam will assess your proficiency in the Interpersonal, Interpretive and Presentational modes of communication.

Whatever your reason for continuing your study of French, *T'es branché? Level 4* will take you where you want to go. **Bonne continuation!**

Table of Contents

Unité   5

La science et la technologie   407

Unité   6

L'esthétique   505

Le monde francophone

Les défis mondiaux : La Suisse, pays neutre.

La famille et la communauté : Les Peuls du Sénégal.

Sciences et technologie : L'Atrium de Bruxelles, Belgique.

La quête de soi : Identité linguistique au Canada.

Unité 1

La famille et la communauté

la **fête**
des
voisins

vendredi 31 mai 2013

www.immeublesenfete.com

Unité 1

La famille et la communauté

Contrat de l'élève

Question centrale

Comment l'enfant et l'adolescent se construisent-ils dans leur environnement familial et communautaire ?

Qui est cet homme ?

Question centrale

Quel rôle la famille et la société jouent-elles dans nos choix amoureux ?

Question centrale

Comment les rapports sociaux évoluent-ils dans la société moderne ?

Quel sociologue a écrit ce livre ?

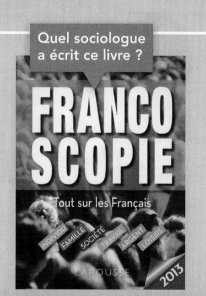

FRANCO SCOPIE

Tout sur les Français

INDIVIDU · FAMILLE · SOCIÉTÉ · TRAVAIL · ARGENT · LOISIRS

LAROUSSE 2013

Leçon A Je pourrai :

» exprimer ce que j'aimerais voir dans mes rapports avec les adultes, décrire l'aide qu'on m'offre, employer « grâce à ».

» comprendre la vie des ados français, évaluer l'expérience de la pension, comparer l'éducation des enfants peuls et français.

» utiliser les temps du passé.

Leçon B Je pourrai :

» dire ce qui est le plus dur, ce qui met quelqu'un à l'aise ; utiliser « au cas où ».

» parler des couples mixtes en France et en Tunisie, des points de vue des Français sur l'amitié et l'amour.

» exprimer la durée avec « depuis », « il y a », « ça fait ».

Leçon C Je pourrai :

» dire où j'ai grandi, ce qui m'attire, utiliser « tant ».

» parler de l'éducation et du logement intergénérationnel.

» mieux maîtriser l'orthographe et utiliser avec plus de précision les verbes d'intention.

L'enfance et l'adolescence

Question centrale
?
Comment l'enfant et l'adolescent se construisent-ils dans leur environnement familial et communautaire ?

Océane s'inscrit au LSI.

Je ne peux plus te faire confiance, tu ne t'occupes pas de tes responsabilités familiales !

C'est à cause de toi, tu n'es pas soumise à mon autorité !

Je regrette, Mademoiselle, vous n'allez pas réussir à entrer au lycée avec ces notes.

Tu ne vas pas encore sortir avec ce garçon ! Finis tes devoirs ou tu vas échouer en classe !

CONSEILLÈRE PÉDAGOGIQUE

Tu es une fille rebelle !

J'en ai marre des interdictions ; j'ai besoin d'indépendance !

Alors, elle m'a orienté à un CAP secrétariat. J'ai envie de tout décrocher !

Mais non. Moi, je ne suis pas conformiste, mais toi, tu dois obtenir un diplôme et vivre ta vie.

Mademoiselle, votre conflit a une solution. Le lycée de la Solidarité Internationale peut vous aider et vous motiver ; vous allez vous épanouir.

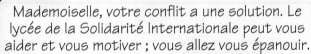

Un an plus tard...

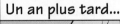

Oui, papa et maman, j'aime le lycée, je m'entends bien avec les profs et la formation en sciences économiques et sociales me convient très bien !

Après ma rupture avec Jean, j'ai quitté l'école pour m'émanciper. Grâce au LSI, j'ai pu raccrocher.

Les besoins des adolescents	**Les problèmes des adolescents**
l'autonomie (f.)	le conflit
l'autorité (f.)	le conformisme
la confiance	un décrocheur
un diplôme	la dépendance
l'émancipation (f.)	l'échec (m.)
l'entente (f.)	l'ennui (m.)
l'épanouissement (m.)	l'interdiction (f.)
la filiation	la méfiance
la formation	la rébellion
l'identité (f.)	la révolte
l'indépendance (f.)	la rupture
la liberté	la transgression
la métamorphose	
la motivation	
la négociation	
l'obéissance (f.)	
l'orientation (f.)	
un raccrocheur	
la responsabilité	
la réussite	
la soumission	

Les parents, les profs, et les entraîneurs peuvent être :

stricts – cool – laxistes – sévères – intransigeants – fermes – compréhensifs – indulgents

Pour la conversation

How do I express what I want from the adults in my life ?

> **J'aimerais que vous cessiez de** ne pas prendre en compte nos idées et nos choix.
> *I would like you to stop not taking our ideas and choices into account.*

How do I express that a person or thing has helped me ?

> **Sans** le Lycée de la Solidarité Internationale, **je ne sais pas où je serais.**
> *Without the Lycée de la Solidarité Internationale, I don't know where I'd be.*

How do I express that I owe thanks ?

> **Grâce à** cette expérience, **je me suis rendu compte que** je préférais encore rester en classe et réviser mes cours le soir chez moi.
> *Thanks to this experience, I realized I preferred to stay in class and study at home in the evening.*

1 Les mots qui décrivent le monde des jeunes

Faites les activités suivantes.

A. *A deux, établissez des liens entre ces mots en les regroupant (synonymes, contraires, relations logiques, associations d'idées).*

> **MODÈLES**
> **Synonymes :** *liberté – émancipation*
> **Contraires :** *échec – réussite*
> **Relations logiques :** *copains – entente*
> **Associations d'idées :** *la formation – le diplôme*

B. *En groupes, évoquez les aspects des étapes de maturation selon le modèle.*

> **MODÈLE**
> **Stade de nourrisson :** *les bébés dépendent de leurs parents, surtout de leur mère.*
> **Petite enfance :**
> **Enfance moyenne :**
> **Pré-adolescence :**
> **Adolescence :**
> **Âge adulte :**

C. *Regroupez les adjectifs qui vont ensemble avec votre partenaire.*

> **MODÈLE**   *indépendants – autonomes*

D. *A deux, ajoutez à la liste de vocabulaire des mots qui vous viennent à l'esprit.*

> **MODÈLE**   *La délinquence, des conseils....*

E. *Jeu de dico. Choisissez trois mots, définissez-les et faites les deviner aux autres.*

2 Adultes et enfants

Faites les activités suivantes.

A. *Classez les adjectifs qui peuvent décrire les parents, les profs et les entraîneurs du plus au moins sévère.*

> laxistes – fermes – sévères – intransigeants – stricts – cool – compréhensifs – indulgents

B. *Ecrivez un scénario pour chaque type d'ado.*

> indépendant – soumis – autonome – rebelle – obéissant – révolté – responsable

> **MODÈLE**   **Théo refuse de faire ses devoirs depuis une semaine. Il est rebelle.**

3 J'augmente mon vocabulaire.

Choisissez six mots de la liste. Faites un tableau comme celui de dessous en donnant les adjectifs et/ou verbes qui sont liés aux noms que vous avez choisis.

Nom	Adjectif	Verbe
la motivation	motivé(e)	se motiver

4 Grâce à....

Complétez l'activité en suivant le modèle.

MODÈLE   à mon manuel de français
Grâce à mon manuel de français, je me suis rendu compte que j'aimerais travailler dans les affaires avec une compagnie multinationale.

1. à mes copains
2. à mon portable
3. à mon boulot
4. à l'Internet
5. à mon fitness

5 Questions personnelles

Répondez aux questions.

1. As-tu jamais abandonné tes études (décroché) ? Pour combien de temps ?
2. En matière de discipline, tes parents sont-ils strictes ou laxistes ?
3. Qu'est-ce que tes parents interdisent ?
4. Après avoir eu ton diplôme, que feras-tu ?
5. Pour quelles activités es-tu motivé(e) ?
6. Quand il y a un conflit dans ton groupe d'amis, que fais-tu ?

Narratives

Mots d'ados

Interpretive Communication : Print Texts

Question centrale

?

Comment l'enfant et l'adolescent se construisent-ils dans leur environnement familial et communautaire ?

Introduction

Vous allez lire une lettre écrite par les élèves dans un lycée parisien.
Comment mieux vivre ensemble.

Chers adultes,

Je vous écris cette lettre pour vous faire part de mon ressenti. J'aimerais que l'on se dise les choses en face. Voilà quelques années que vous nous entourez, déjà, la famille, les professeurs, certains amis et beaucoup d'autres connaissances. Par moments, nous avons eu des conflits, j'aimerais que vous arrêtiez de nous prendre toujours pour des enfants, et de croire que l'on ne comprend rien, mais nous avons grandi et il serait temps de le reconnaître.

> **Rappel**
> **J'aimerais que** est suivi du subjonctif ; c'est le subjonctif après les verbes de volonté (*will*). Vous pouvez ajouter à cette liste les verbes de volonté : **désirer, exiger, préférer, souhaiter, vouloir**… Comment dit-on : « I require that you come with me » ?

J'aimerais que vous cessiez de ne pas prendre en compte nos idées et nos choix, j'aimerais que vous cessiez de croire que vous êtes supérieurs à nous et de nous faire passer après vous, sous prétexte que vous avez plus de vécu, plus d'expérience ou juste que vous savez tout mieux que nous.

J'aimerais que vous cessiez d'être défaitistes, croyez en nous : vous avez tout à y gagner. J'aimerais aussi que vous ne baissiez plus les bras face aux problèmes car il y a une solution à tout, et même si mon message paraît trop utopiste, il reste néanmoins réaliste.

Autorisez-vous à sortir de votre bulle d'adultes, confrontez vos idées aux nôtres pour accomplir quelque chose de meilleur. Ecoutez-nous, ce que nous disons n'est pas erroné ou faussé par notre orgueil ou notre manque d'objectivité. Mélangeons-nous, faisons disparaître nos différences d'âges, de taille, de culture et de maturité pour mieux vivre ensemble.

-Les élèves du Lycée Jean Lurçat (Paris 13ème)

Source : Fondation Pfizer, Forum Adolescence, « Les adolescents ont-ils encore besoin de modèles pour se construire ? », 2012.

---

6 **Un aperçu du document**

Lisez la lettre et repérez…

- l'expéditeur
- le ou les destinataire(s)
- l'objet de la lettre

7 **Comment apparaissent les adultes dans cette lettre ?**

Que demandent les auteurs de la lettre aux adultes ?

MODÈLE   **Les ados demandent plus de *confiance*...**

Interview d'un ado

Interpretive Communication : Print Texts

Introduction

Un ado parle du rapport avec ses parents.

« Je vis bien avec les règles que m'imposent mes parents. Elles sont régulières et compréhensibles. On est dans une relation de confiance où chacun apporte des choses à l'autre. J'attends de mes parents un soutien inconditionnel, une aide, ils sont là pour ça. Chaque jeune a besoin de faire sa propre expérience. Mais s'il va loin, qu'il fait des excès, les parents doivent intervenir ».

–Louis, 16 ans, 1ère ES (06 Nice)

Source : *Le Nouvel Observateur,* 5 avril 2012, n°2474, p. 106.

8 **Questions clé**

Répondez aux questions.

1. Quelle relation Louis entretient-il avec ses parents ?
2. Comment est-il comme fils ?

Retrouver le chemin de l'école

Interpretive Communication : Print Texts

> **Savez-vous... ?**
> *Le Lycée de la Solidarité Internationale* accueille des élèves volontaires qui ont été confrontés à des difficultés sévères dans les dernières années du collège ou en début de lycée. La scolarité se déroule sur deux années. L'évaluation est individualisée, diversifiée et liée au projet de formation de l'élève.

Introduction

Vous allez lire les expériences de quelques jeunes gens qui ont retrouvé le chemin de l'école.

« Sans le Lycée de la Solidarité Internationale, je ne sais pas où je serais, assure Jonas Raffet, 17 ans. L'école, ça n'a jamais été mon truc. A un moment c'est devenu l'enfer. En cours, je n'attendais qu'une chose : que ça se termine. » L'enfer, pour lui, c'était la 3ème. Avec un mauvais livret, on propose à Jonas une formation de carreleur céramiste ou dans l'hôtellerie, alors qu'il vise un CAP de graphiste ou de photographe.

Fin de la motivation

« Tu commences à sécher, sécher, sécher... et tu n'as plus le courage de revenir ». Son père le guide alors vers un lycée public pour « raccrocheurs » qu'il connaît. « Le LSI a reconstruit ce que l'école avait déconstruit, et, notamment, l'estime de soi. Ici, Jonas est devenu acteur de son projet et c'est ce qui lui a donné envie de se lever le matin », se réjouit Patrice Raffet, 2 ans après l'entrée de son fils au lycée.

Retrouver la confiance

Au LSI, Jonas s'est découvert une passion pour l'animation. « En 1ère année, je suis parti trois semaines pour travailler sur la photo avec les enfants d'une école sénégalaise. Nous sommes restés deux mois et demi. On faisait aussi de l'aide à la lecture et à l'écriture avec les enfants ». Nelly, professeur depuis la création de la structure en 2002, est ravie de son immersion dans le *très beau monde adolescent* : « Le projet avec l'Afrique est au cœur de notre travail, car on valorise les compétences acquises à l'école comme à l'extérieur. On travaille aussi beaucoup sur l'autonomie ».

Quitter l'ennui

Parfois, c'est en exerçant de petits boulots que certains d'entre eux se rendent compte qu'ils sont capables d'autre chose. C'est l'histoire d'Elodie Lesage, une jeune femme de 20 ans : « Quand j'en ai eu marre de ne rien faire, j'ai travaillé dans une boulangerie. Grâce à cette expérience, je me suis rendu compte que je préférais encore rester en classe et réviser mes cours le soir chez moi ». Elodie Lesage avait quitté l'école parce qu'elle avait mal choisi son orientation. « J'étais en BEP activités hippiques et j'ai réalisé que m'occuper des chevaux, ce n'était pas pour moi. Je voulais vivre un peu, plutôt que de me lever aux aurores chaque jour de 18 ans à la fin de ma vie », explique-t-elle.

D'après : Maradan, Isabelle. Letudiant.fr. Septembre 2009.

---

se réjouit (se réjouir) rejoice (to rejoice) ; **lié(e)** *linked, tied*

Langue vivante

Remplacez les mots ou expressions **en gras** par un des verbes proposés :

> quitter l'école ou l'université sans diplôme   manquer un cours   se disputer
> persévérer   se sentir à l'aise   obtenir

MODÈLE « L'école, **ça n'a jamais été mon truc** ».
A l'école, je ne me suis jamais senti à l'aise.

1. En général, les lycéens **décrochent** leur bac à 18 ans.
2. « Tu commences à **sécher, sécher, sécher...** et tu n'as plus le courage de revenir ».
3. Vingt pourcent des étudiants **décrochent** chaque année de la fac.
4. En 3ème, au 2ème trimestre, j'ai failli décrocher mais ma famille, mes copains que je ne voulais pas quitter, m'ont aidé à **m'accrocher**.
5. Adolescente, elle **s'est souvent accrochée** avec ses parents à propos des sorties du samedi soir.

Comment, d'après les exemples de Jonas et d'Elodie, l'école peut-elle « déconstruire » ?

9 Compréhension du document

Observez le titre et les intertitres. Quel est, à votre avis, le sujet de l'article ?

10 Les parcours de Jonas et d'Elodie

Après avoir lu l'article, faites le portrait de Jonas et d'Elodie ; retrouvez leurs parcours scolaires.

11 Je compare le parcours de Jonas et d'Elodie.

Recopiez le diagramme suivant et indiquez les points communs et les différences qui caractérisent leurs parcours. Ensuite, comparez-les dans un paragraphe.

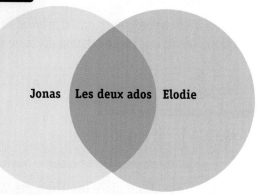

12 L'éducation dans ma ville

Presentational Speaking : Cultural Comparison

Faites une présentation dans laquelle vous comparez ce qu'on fait en France pour les ados qui ont décroché et ce qu'on fait dans votre ville pour ces élèves.

13 Raccrocheurs ou décrocheurs ?

En groupes, écrivez des définitions ou des scénarios pour les deux mots dans le titre de cette activité.

La pension : punition ou émancipation ?

Savez-vous... ?
Depuis 1986, le C.I.D.E (Centre d'information et de documentation sur l'enseignement privé) a pour vocation d'apporter une aide concrète aux familles et aux jeunes à la recherche d'études secondaires ou supérieures. Les conseillers du C.I.D.E aident les familles au choix d'un internat (année scolaire, stage, etc.).

Narrative
4 Interpretive Communication : Audio Texts

Introduction

Vous allez entendre trois extraits d'une émission d'Emmanuelle Bastide, « 7 milliards de voisins », diffusée sur RFI le 17 août 2012. Cette émission intitulée « La pension : punition ou émancipation ? » est consacrée à l'internat, à la pension *(boarding school)*. Dans son introduction, la présentatrice explique que la pension connaît depuis quelques années en France un vif succès mais suscite aussi beaucoup de débats.

Langue vivante

Repérez au moins une expression (d'origine religieuse) qui signifie « c'est très difficile à vivre, c'est une épreuve très dure à supporter ».

14 J'ai bien compris !

Répondez aux questions.

A. *Dans le premier extrait, Chloé résume quelques messages reçus sur Facebook. Ecoutez deux fois.*

- Quels sont, selon Chloé, les effets de la pension sur les enfants ? L'opinion de Gaëlle et de Moussa sur la pension est-elle positive ou négative ? Justifiez votre réponse par un ou plusieurs mots que vous avez saisis.

B. *Dans le deuxième extrait, la présentatrice s'adresse à une journaliste auteur d'un livre sur « les ados qui choisissent d'aller en pension ». Ecoutez deux fois. Pourquoi les adolescents font-ils le choix de la pension ?*

C. *Ecoutez le témoignage de Marie (troisième extrait).*

- De quel pays vient-elle ? Où vit-elle actuellement ? Pendant combien de temps est-elle restée en pension ?

Communiquez !

15 Viens à l'internat !

Presentational Writing : Persuasive Essay

Ecrivez un essai dans lequel vous expliquez pourquoi vous choisissez un internat ou pourquoi vous ne le choisissez pas du point de vue « formation ». Trouvez un internat qui vous intéresse. Imprimez les infos sur les options de l'internat et incluez vos opinions sur les cours dans votre essai. **Search words : c.i.d.e**

Question centrale

?

Comment l'enfant et l'adolescent se construisent-ils dans leur environnement familial et communautaire ?

Ados sous influence

Interpretive Communication : Print Texts

A chaque âge, les enfants doivent répondre aux injonctions de trois ordres : le « métier d'enfant » (de fils ou fille de...), le « métier d'élève », le « métier de jeune », dans lequel ils doivent maîtriser* certains codes pour être intégrés et reconnus.

C'est d'abord dans la famille que s'effectuent* les négociations pour gagner son autonomie. Même si une grande majorité d'ados jugent leurs parents « peu» ou « pas sévère », le contrôle parental subsiste, notamment au

La vie des ados tourne autour des copains et de la technologie.

niveau de la gestion* du temps, de l'exigence* des résultats scolaires, de la permission de sortie et d'un certain droit de regard sur les activités. La plupart des jeunes respectent et acceptent ces exigences tout en les négociant, ils les transgressent quand ils estiment ces interdits* illégitimes. Avec l'avancée en âge, les jeunes gagnent en indépendance : l'usage de l'argent de poche, les autorisations de sortie, la chambre devenue domaine privé, le choix des vêtements et du look leur confèrent une autonomie croissante. Les activités en famille sont petit à petit délaissées* au profit des* moments passés avec les copains.

Si bien faire son métier d'élève est un élément important dans les négociations avec les parents (une bonne note peut apporter une permission de sortie ou un surplus d'argent de poche), pour la grande majorité le lien* avec l'institution scolaire se relâche* et devient plus critique avec l'âge.

L'importance des copains est, en revanche, un trait majeur de l'adolescence. On punaise* leurs photos sur le mur de sa chambre, on se dépêche de les retrouver à l'entrée du collège ou du lycée et l'on maintient le lien jusque parfois tard dans la nuit par textos et autres MSN.

Une bande de copains, un *look* à la mode, un langage codé, l'ado relègue* sa famille au second plan pour adopter les signes culturels de sa génération. Pas de grande opposition mais une résistance feutrée à l'autorité.

Cependant, derrière ce jeu d'interinfluences (famille, école, copains) les trajectoires* des ados sont extrêmement diversifiées et se construisent peu à peu. Entre passions et abandons, influences et arrachements, les adolescents personnalisent progressivement leurs goûts et leurs manières d'être.

D'après : *Sciences Humaines,* mai 2011, n° 226S, pp. 50–52.

 Search words : vie des ados en france

---

maîtriser *to master* ; **s'effectuent (s'effectuer)** *are carried out (to carry out)* ; **la gestion** *management* ; **l'exigence (f.)** *requirement* ; **un interdit** *something prohibited*; **délaissé(e)** *abandonné(e)* ; **au profit de** *at the expense of* ; **le lien** *tie, link*; **se relâche (se relâcher)** *loosens up (to loosen up)* ; **punaise (punaiser)** *tacks up (to tack up)* ; **relègue (reléguer)** *relegates (to relegate)* ; **une trajectoire** *trajectory*

Sa perspective

L'ado français « relègue sa famille au second plan ». Pourriez-vous donner des exemples des scénarios quand il y a une rupture avec la vie familiale ?

Ma perspective

C'est aussi vrai dans votre culture que l'ado relègue sa famille au second plan ? Comment compareriez-vous votre expérience à celle des ados français ?

16 Les métiers pour les enfants

L'article identifie trois « métiers » pour les enfants. Cherchez des exemples de tâches ou d'obligations qui correspondent à chaque « métier ».

17 Discussions entre parents et adolescents

Relevez les différents sujets de discussion entre parents et adolescents.

MODÈLE   **Les résultats scolaires**

18 Interinfluences des ados

D'après l'article, les trois influences qui s'exercent sur l'adolescent ont-elles toutes le même poids ? Par écrit, justifiez votre réponse et incluez votre expérience personnelle.

COMPARAISONS

Pensez-vous que cette analyse s'applique aussi à votre propre culture ? Pourquoi oui ou pourquoi non ?

Synthèse

La conclusion de l'article confirme-t-elle le titre ? Si oui, comment ?

La Francophonie : L'éducation des enfants

❋ *Chez les Français*

Interpretive Communication : Print Texts

Sois-sage !

En France, l'éducation des enfants repose sur des valeurs civiles fondamentales. Discipline, obéissance et politesse font partie du « savoir vivre » de la culture française, qui, contrairement à ce que les étrangers pourraient penser, n'est pas un concept individualiste, mais collectif. On doit d'abord obéir aux règles sociales et devenir un citoyen responsable dans un monde qui ne tourne pas autour de soi, mais qui est relationnel.

Aussi, les parents français ne tolèrent pas que leurs enfants ne disent pas « bonjour », « s'il vous plait », et « merci », qu'ils touchent à tout dans les magasins, ou qu'ils ne remettent pas un objet dérangé* à sa place. Dès leur jeune âge, on apprend aux enfants à suivre les règles sociales : on mange à l'heure, on se couche à l'heure, on range sa chambre. Pour les familles françaises, il est particulièrement important que leurs enfants se tiennent* correctement en public. Si toutefois on reconnaît que l'adolescent se rebelle, nul manque de politesse ne peut être toléré devant ou* les inconnus ou les invités.

Le système scolaire français renforce ces valeurs éducatives civiles. Dans son livre *French Children Don't Throw Food*, l'Américaine Pamela Druckerman explique que les écoles et les familles françaises partent du principe que les enfants doivent d'abord s'adapter au monde dans lequel ils vivent, et ensuite développer leur individualité. Alors que, pour les Américains, dit-elle, on cherche à comprendre l'enfant et se pencher* interminablement sur tous ses besoins. Si cette perspective de l'éducation française est flatteuse*, il n'en reste que de nombreux Français trouvent que les valeurs civiles se perdent de plus en plus chez les jeunes Français, qui eux, sont de plus en plus sous l'influence d'un mode de vie « à l'américaine ».

 Search words : pamela druckerman

---

dérangé(e) *moved* ; **se tiennent (se tenir)** *behave (to behave)* ; **ou... ou** *either... or* ; **se pencher sur** *to turn (their) attention to* ; **flatteur, flatteuse** *flattering*

19 L'éducation en France

Faites un organigramme sur l'éducation des enfants comme celui de dessous et remplissez-le.

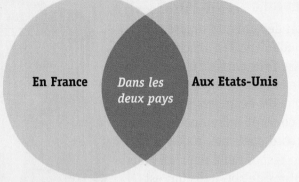

En France

Dans les deux pays

Aux Etats-Unis

20 Je compare.

Ecrivez un paragraphe dans lequel vous comparez l'éducation en France et aux Etats-Unis selon votre expérience personnelle et vos observations. Servez-vous de votre organigramme.

La Francophonie : L'éducation des enfants

❋ *Chez les Peuls*

Interpretive Communication : Print Texts

Produits

Dans ***L'enfant peul***, l'écrivain Amadou Hampâté Bâ explique l'éducation des enfants et les valeurs traditionnelles qui les influencent.

Pré-lecture

Faites une carte qui montre où habitent les Peuls. Recherchez en ligne pour définir cette société : activités, mode de vie, ressources, religion, littérature, etc.

Amadou Hampâté Bâ

Amkoullel, l'enfant peul

Durant les repas, les enfants étaient soumis* à une discipline rigoureuse. Ceux qui y manquaient* étaient punis*, selon la gravité de leur faute, d'un regard sévère, d'un coup d'éventail* sur la tête ou d'une gifle*, ou même d'un renvoi* pur et simple. Nous devions observer sept règles impératives :

- ne pas parler ;
- tenir le rebord* du plat de la main gauche ;
- tenir les yeux baissés durant le repas ;
- manger devant soi (ne pas grappiller* à droite et à gauche dans le grand plat commun) ;
- ne pas prendre une nouvelle poignée* de nourriture avant d'avoir terminé la précédente ;
- éviter toute précipitation, en puisant* la nourriture avec sa main droite ;
- enfin ne pas se servir soi-même parmi les morceaux de viande déposés au centre du grand plat. [...]

Toute cette discipline ne visait nullement à torturer inutilement l'enfant mais lui enseignait un art de vivre. Ne pas parler, c'était maîtriser sa langue et s'exercer* au silence : il faut savoir où et quand parler. Tenir le rebord du plat de la main gauche était un geste de politesse, il enseignait l'humilité. [...]

En fait, même pour les adultes, le repas correspondait jadis*—et encore aujourd'hui dans certaines familles traditionnelles—à tout un rituel. En Islam comme en tradition africaine, la nourriture était sacrée*.

Source : BÂ, Amadou Hampâté. *L'enfant peul*. Actes Sud, 1991.

 Search words : peul, amadou hampâté bâ

---

soumis, soumise *subjected* ; **manquaient (manquer)** *were missing (to be missing)* ; **puni(e)** *punished* ; **un éventail** *fan* ; **une gifle** *slap* ; **un renvoi** *dismissal* ; **le rebord** *rim* ; **grappiller** *to grab* ; **une poignée** *fistful* ; **en puisant** *by dipping into* ; **s'exercer** pratiquer ; **jadis** dans le temps passé ; **sacré(e)** *sacred*

---

21 Les autres règles de table

La justification des deux premières règles de table vous est donnée, imaginez celle des autres ci-dessous. Trouvez la conclusion de chaque phrase.

1. Tenir les yeux baissés en présence des adultes, surtout des pères—c'est-à-dire les oncles et les amis du père...
2. Manger devant soi, c'était se contenter de...
3. Ne pas prendre une poignée de nourriture avant d'avoir terminé la précédente, c'était faire preuve de...
4. Eviter de se précipiter sur la nourriture, c'était apprendre...
5. Enfin attendre de recevoir la viande à la fin du repas et ne pas se servir soi-même conduisaient à...

A. ce que l'on a.
B. la patience.
C. c'était apprendre à se dominer et résister à la curiosité.
D. modération.
E. maîtriser son appétit et sa gourmandise.

Sa perspective

L'écrivain et les autres adultes dans la culture peule ont-ils comme but de punir les enfants ? Sinon, quel est leur but ?

Ma perspective

Trouvez-vous les méthodes traditionnelles des Peuls trop sévères ? Justifiez votre réponse.

L'internat pourquoi ?

Interpretive Communication : Print Texts

Avant tout pour des raisons « matérielles ». A la campagne, dans les petites agglomérations, les parents n'ont, en effet, pas d'autre alternative que la pension pour éviter à leurs enfants des trajets épuisants* (surtout pendant l'hiver quand il faut affronter* la nuit et le mauvais temps). Il vaut donc mieux économiser du temps et de l'énergie pour les études que de les perdre en transport. Le choix de telle ou telle filière* technique ou professionnelle (en particulier agricole) enseignées dans un nombre restreint d'établissements contraint aussi de nombreux lycéens à s'éloigner de leur domicile.

Les aînés d'une famille nombreuse logée dans un appartement modeste le demande, car il est bien difficile de se concentrer au milieu de ses petits frères et soeurs, plus jeunes et plus turbulents.

> **Savez-vous... ?**
> Dans l'enseignement secondaire public en France, environ 170.000 élèves sont en pension.

C'est aussi une alternative pour des parents accaparés* par leur vie professionnelle. Difficile, en effet, de concilier* travail et famille quand on est hôtesse de l'air, infirmière, commerçante ou obligé de travailler en horaires décalés*. Si la solution de la « nounou » est valable dans les premières années, elle montre vite ses limites dès que l'enfant entre au collège. Si, passé un certain âge, les enfants eux-mêmes ne veulent pas être traités comme des « bébés », ce n'est pas une raison pour les laisser s'assumer* seuls !

Les enfants restent par définition des enfants. Ils peuvent exceptionnellement se débrouiller mais cela ne doit pas devenir une habitude. Alors, les parents préfèrent voir leurs enfants « encadrés » plutôt que livrés à eux-mêmes*, davantage tentés de jouer sur leur « playstation » que de faire un devoir de maths ! Ils travaillent moins, de moins en moins puis plus du tout. C'est le début d'un engrenage* : accumulation de mauvaises notes, indiscipline, renvoi*. Sans compter qu'à la moindre remarque, l'ambiance familiale devient exécrable* ! Au bout du compte : le trop célèbre échec* scolaire. Les parents ont pourtant tout essayé : cours particuliers, cours de rattrapage*, entretiens avec l'équipe enseignante. Sans succès. La pension peut être un moyen de les « rééquilibrer ». « Mes parents ne sont jamais rentrés à la maison avant 21 heures 30, affirme Sébastien treize ans. Alors je préfère être dans un pensionnat plutôt que de me retrouver tout seul après les cours ».

C'est aussi un fait que « l'éclatement » des familles à la suite d'un divorce, favorise le regain d'intérêt pour les pensionnats. Ces ruptures engendrent* souvent des enfants perturbés à un moment, celui de l'adolescence, où les relations avec les parents tournent très vite à l'épreuve de force !

Ou quand une mère doit reprendre une activité professionnelle plus prenante et n'arrive plus à calquer* ses horaires sur ceux de ses enfants. La pension peut être perçue* comme une « deuxième famille » , mais sans jamais prétendre remplacer la première. L'éloignement

---

épuisant(e) fatiguant(e) ; **affronter** to face ; **une filière** track of study ; **accaparé(e)** taking up all time and energy ; **concilier** to reconcile ; **les horaires décalés** schedules that go back and forth ; **s'assumer** to take responsibility for oneself ; **livrés à eux-mêmes** left to their own devices ; **un engrenage** downward spiral ; **le renvoi** expulsion ; **exécrable** atrocious ; **un échec** failure ; **un cours de rattrapage** remedial instruction ; **engendrent (engendrer)** créent (créer) ; **calquer** to synchronize ; **perçu(e)** perceived

temporaire permet à chacun de trouver sa place et de sortir de situations pesantes*. Ce que confirme l'AIS lorsqu'elle affirme que « l'internat continue de remplir une fonction essentielle pour pallier* les carences* du milieu familial ». Cela peut aboutir* à des situations extrêmes notamment pour des enfants en rupture avec leur famille.

L'internat peut être le moyen de les « recadrer* » en leur réapprenant à vivre normalement, au milieu d'adultes vigilants et surtout en compagnie de camarades, qui n'ont pas eu à connaître les mêmes difficultés qu'eux. « Ils peuvent reprendre pied dans un milieu structuré » soulignait, en 1994, Claude Caré, inspecteur général à l'Education nationale.

N'oublions pas non plus que la montée des « incivilités », pour ne pas dire de la violence, les problèmes de drogues dans les collèges et les lycées poussent de nombreux parents à chercher une autre voie que celle de l'externat*. Quand ce ne sont pas les enfants eux-mêmes qui, après avoir subi* maintes* intimidations, demandent à ce qu'on les sorte de ce « bahut d'enfer* » !

Source : CIDE. « L'internat pourquoi ? » [en ligne]. 19 décembre 2012. www.internats.info (10janvier 2013)

 Search words : internat, pension, cide

---

pesant(e) *weighty* ; **pallier** *to overcome* ; **une carence** *deficiency* ; **aboutir** *finir par* ; **recadrer** *reframe* ; **l'externat (m.)** *l'école normale* ; **subi (subir)** *suffer (to suffer)* ; **maintes** *un grand nombre de* ; **un bahut d'enfer** *mauvaise école*

Sa perspective

Que dit Sébastien de son expérience en pension ?

Ma perspective

Pourriez-vous profiter de l'internat ? Pourquoi, ou pourquoi pas ?

22 L'essentiel sur l'internat

Complétez les activités suivantes.

A. *Faites une liste de raisons principales pour lesquelles les parents considèrent l'option de l'internat.*
B. *Expliquez quels sont les atouts de l'internat, selon cet article.*

23 **Portrait d'un élève**

Ecrivez le portrait d'un(e) élève qui profiterait de l'internat. Incluez deux raisons principales de l'activité précédante.

La culture de tous les jours

Lisez la bande dessinée. Ensuite, répondez aux questions.

24 **Christine se révolte à table.**

Répondez aux questions.

1. Où a lieu cette scène ?
2. Pourquoi est-ce que le mère critique sa fille ?
3. Quelle est la réaction de Christine ?
4. Qui a raison, l'enfant ou le parent ? Justifiez votre avis.

Structure de la langue

emcl.com
WB 14–19

Révision : Les temps du passé

Pour parler du passé, on utilise trois temps en français : **le passé composé**, **l'imparfait**, et **le plus-que-parfait**. Vous les connaissez déjà.

Précisez leur emploi respectif : choisissez, pour compléter le texte suivant, celui des trois temps qui convient à chaque cas.

Dans un récit au passé, ... raconte les faits, les événements alors que... précise les circonstances. ... sert aussi à décrire une situation habituelle dans le passé, alors que... marque une rupture dans cette situation.

... exprime l'antériorité au passé : on l'utilise pour un événement qui a eu lieu avant le fait principal lui-même passé (ou une situation antérieure à une autre elle-même passée).

La conjugaison

Pour former l'imparfait, on ajoute les terminaisons *–ais, –ais, –ait, –ions, –iez, –aient* au radical du verbe à la 1ère personne du pluriel au présent de l'indicatif : « nous **fais**ons–on **fais**ait » (exception *être* : j'**étais**).

Le passé composé et le plus-que-parfait sont tous les deux des temps composés, c'est-à-dire des temps formés avec les auxiliaires « *être* » ou « *avoir* » (au présent pour le passé composé, à l'imparfait pour le plus-que-parfait) et le participe passé du verbe :

Le LSI **a reconstruit** ce que l'école **avait déconstruit**.

L'accord du participe passé

1. Le participe passé des verbes conjugués avec *être* s'accorde avec le sujet.

Cependant :

- Quand un verbe pronominal est suivi d'un complément d'objet direct, le participe ne s'accorde pas avec le sujet.

    Elle s'est découver**t** une passion pour la peinture.

- Il s'accorde avec l'objet si celui-ci est placé **avant**, comme dans le cas des participes conjugués avec **avoir**.

    La passion qu'elle s'est découver**te** pour la peinture l'a condui**te** à changer d'orientation.

- Dans le cas des verbes pronominaux réciproques (**se parler, s'écouter, s'écrire, se saluer**...) le participe ne s'accorde pas si le verbe est construit avec **à**.

    Ils se sont **rencontrés**, ils se sont **parlé** (« rencontrer quelqu'un » mais « parler **à** quelqu'un »).

2. Le participe passé des verbes conjugués avec **avoir** ne s'accorde pas avec le sujet mais s'accorde avec l'objet quand celui-ci est placé **avant**. Cependant, lorsque le participe passé est précédé du pronom **en**, il ne s'accorde pas.

Elle a invité ses amis, elle les a appelé**s** ou elle leur a envoyé un message, mais elle en a **oublié** deux.

25 Paris pour la première fois

Interpretive Communication : Print Texts

Dans le texte suivant, un écrivain algérien, Habib Tengour, évoque un voyage à Paris avec son grand-père pendant son enfance. Complétez avec le temps qui convient.

Je suis arrivé en été à Paris avec mon grand-père. C'était la guerre. Je ne (comprendre) pas pourquoi la gare de Paris (s'appeler) la gare de Lyon et j' (avoir du mal) à suivre les explications du contrôleur. Il ne (parler) pas français comme ma maîtresse. Mon grand-père me (presser) d'interroger tout le monde pour être sûrs que nous (être) bien à Paris. Je (ne pas comprendre) les gens. Ils (parler) trop vite. Mon père (ne pas nous attendre) à la sortie comme nous (l'espérer). [...]

Le taxi nous (déposer) devant la porte. « Il faut appuyer sur la sonnette, (dire) le chauffeur. Vous savez comment ça marche ? » Je (répondre) que oui. « Il nous prend pour des paysans ! Peut-être à cause de ton turban et de ta blouse ». Malgré les avis contraires [dans les discussions avant notre départ d'Algérie], mon grand-père (ne pas pouvoir) se résoudre à changer de costume, ni surtout à se décoiffer. « Je suis trop vieux pour me déguiser », (dire)-il* à Madame Delage.

Madame Delage et son mari (être) des employés de bureau qui (approcher) de la cinquantaine. Ils (s'installer) très jeunes à Mostaganem et (souhaiter) y terminer leurs jours. Une amitié simple et solide les (lier) à mon grand-père.

*Attention à l'inversion du verbe et du pronom sujet.

Source : TENGOUR, Habib, « *Enfance* » dans *Une enfance algérienne* Textes inédits recueillis par Leïla Sebbar. Collection Haute Enfance. Gallimard 1997, p. 209.

26 **Au plus-que-parfait !**

Mettez l'expression entre parenthèses au plus-que-parfait.

> **MODÈLE**   Nous avons trouvé une alternative au lycée normal. (échouer à l'école publique)
> **Nous avions échoué à l'école publique.**

1. J'ai dit « Sois sage » ! à mon neveu. (se tenir mal)
2. Océane a punaisé des affiches dans sa chambre. (être influencé par ses amis ados)
3. Julien a choisi le Lycée de la Solidarité Internationale. (décrocher)
4. Les élèves du Lycée Jean Lurçat ont écrit une lettre aux adultes. (trouver des problèmes avec le comportement des profs et des parents)
5. Louis ne s'est pas révolté. (dire qu'il vit bien avec les règles de ses parents)
6. J'ai enfin compris les valeurs traditionnelles des Peuls. (lire *L'enfant peul*)

Le participe passé pris comme adjectif

emcl.com
WB 20–22

Le participe passé d'un verbe qui se conjugue avec l'auxiliaire « être » peut être employé comme un adjectif, avec le sens qu'il aurait s'il était accompagné du verbe *être*. Observez la transformation de ces phrases :

> Une fois qu'il est arrivé chez lui, il a pu enfin se reposer. =
> **Une fois arrivé chez lui, il a pu enfin se reposer.**

> S'il est pris à temps, ce médicament est très efficace. =
> **Pris à temps, ce médicament est très efficace.**

27 **Des phrases avec le participe passé pris comme adjectif**

Reformulez les phrases ci-dessous comme dans les exemples qui précèdent.

1. Parce qu'il était découragé par ses mauvaises notes, il a abandonné ses études à la fin de la troisième.
2. Ses amis sont partis, et il s'est retrouvé seul.
3. Parce qu'elle se passionnait par les mangas, elle a décidé de faire des études de japonais.
4. Les poésies que j'ai apprises dans l'enfance ne s'oublient pas.
5. Les adolescents qu'on a interrogés trouvent que leurs parents ne leur font pas assez confiance.
6. Parce qu'il était surpris par cette remarque, il n'a pas su répondre.

Leçon A | vingt-trois   **0 2 3**

A vous la parole

Question centrale

?

Comment l'enfant et l'adolescent se construisent-ils dans leur environnement familial et communautaire ?

28 Henri et sa famille

Interpretive Communication : Audio Texts

Introduction

Vous allez entendre un extrait de l'émission de Claire Hédon « *Priorité santé* », diffusée sur RFI le mercredi 23 mai 2012. Le thème de l'émission est : « Un ado à la maison ». Vous écouterez successivement trois personnes d'une même famille : Carmen, 9 ans, la dernière ; son frère, Henri, 17 ans ; leur mère, Claire, 42 ans.

A. *Ecoutez le début de l'enregistrement.*
- Comment Carmen perçoit-elle les ados ?
- Pourquoi n'est-elle pas pressée d'être adolescente ?

B. *Poursuivez l'écoute : Henri décrit sa période ado.*
- Quelles étaient ses priorités ?
- Qu'est-ce qui était au cœur de ses conflits avec ses parents ?
- Pourquoi a-t-il perdu la confiance de ses parents ?
- Que leur reproche-t-il ?

C. *Reprenez l'écoute. Ecoutez le témoignage de la mère.*
- Quelle a été pour elle la période la plus difficile à vivre ? Pourquoi ?
- Qu'est-ce qui l'inquiétait ?

Langue vivante

Pour Henri, un problème en entraîne un autre ; il souligne leur enchaînement en répétant très souvent une expression. Laquelle ? Que diriez-vous en anglais ?

Communiquez!

29 Dialogue guidé

Interpersonal Speaking : Conversation

Un adolescent négocie avec sa mère l'autorisation d'aller avec ses copains à un concert dans une autre ville. Vous jouez le rôle de l'adolescent, vous devez suivre le canevas qui vous est donné en haut de la page 25. Vous allez entendre les répliques de la mère et vous réagirez comme le canevas l'indique.

–**Vous formulez votre souhait de sortie pour le samedi soir. Vous précisez que vous pensez dormir sur place.**

–Votre mère vous demande des précisions sur les copains avec qui vous partez et l'endroit où vous pensez dormir.

–**Vous répondez de manière assez vague.**

–Votre mère juge ces précisions insuffisantes et marque sa réserve.

–**Vous argumentez sur votre sérieux et celui de vos amis, votre sens des responsabilités.**

–Votre mère exprime quelques doutes.

–**Vous faites valoir de bons résultats scolaires obtenus récemment.**

–Votre mère dit qu'elle va réfléchir.

–**Vous exprimez votre espoir.**

Communiquez !

30 Débat : Pour ou contre l'internat

Interpersonal Speaking : Debate

En groupes séparés A et B, vous cherchez des arguments : le groupe A va défendre l'internat, le groupe B le critiquer. Vous pouvez reprendre des arguments donnés dans l'émission. Cherchez-en d'autres. Organisez le débat.

Langue vivante

Dans un débat, vous pouvez approuver un argument, le rejeter ou le nuancer. Voici quelques expressions pour vous aider :

Ce n'est quand même pas tout à fait ça.	*Tout à fait d'accord et en plus…*
Tu vas/vous allez un peu loin.	*C'est très exagéré.*
Tu crois vraiment ? / Vous croyez ?	*Je suis d'accord avec toi / vous mais jusqu'à un certain point quand même.*
Ça ne me paraît pas sérieux.	
Tu ne peux pas / Vous ne pouvez pas dire ça.	
C'est vrai. / D'accord, mais à une condition…	

Les valeurs

Interpretive Communication : Print Texts

Lisez le graphique ci-dessous.

	Aux adolescents	Aux adultes
Le respect des autres	69	75
L'honnêteté	52	53
La confiance en soi	45	31
La tolérance	29	30
Le goût de l'effort	28	47
L'écoute	18	9
La solidarité/générosité	17	18
La liberté	12	4
Le sens critique	7	10
La bienveillance	5	5
La méfiance dans les autres	5	3
L'engagement	5	7
La stabilité	4	3
L'empathie	3	4
Autres valeurs	1	1

Source : www.pfizer.org

31 Les valeurs des ados et des adultes

Complétez les phrases.

1. Les... considèrent le respect des autres comme la valeur la plus importante.
2. Les ados mettent... en deuxième position.
3. Les adultes classent... en troisième position, tandis que les ados le classent en... position.
4. Les ados valorisent... plus que les adultes.
5. Les ados valorisent la tolérance... que les adultes.

32 Le forum adolescences

Interpersonal Writing : Email

Vous contactez la Fondation Pfizer qui organise chaque année le Forum Adolescences. Vous leur proposent un thème pour l'édition de l'année prochaine en précisant les raisons de votre choix.

 Search words : fondation pfizer

Cinq ou six années

Interpretive Communication : Print Texts

Rencontre avec l'auteur

Jeanne Cherhal est née à Nantes en 1978. Petite, elle rêvait de devenir danseuse classique. Plus tard, elle découvre le théâtre et la mise en scène. Son histoire musicale débute à l'âge de 13 ans, lorsqu'elle apprend à jouer du piano. Des portraits bien brossés et fourmillant de détails, des arpèges virevoltants, voilà la marque de fabrique de Jeanne Cherhal. Avant de chanter seule sur scène, elle a partagé l'affiche avec Vincent Delerm et a fait les premières parties de Georges Moustaki, Thomas Fersen et Jacques Higelin. Comment comprenez-vous le titre de la chanson ?

Jeanne Cherhal en concert.

Pré-lecture

Comment décririez-vous les émotions des ados que vous connaissez ?

«Cinq ou six années par Jeanne Cherhal »

Le long* des longs cheveux de 17 ans,
Que je nouais* de temps en temps,
Glissaient* parfois quelques mains nues,

Que sont-elles devenues ?
Le long* des longues nuits dans la pénombre*,
Je me disais, ça y est, je sombre*,
Et j'attendais le petit jour,
Qui revenait toujours.
Cinq ou six années de presque rien,
Âge imbécile, âge désespéré*.
ou six années je me souviens,
J'étais l'argile* et le feu mélangé.

Pendant la lecture
1. De votre expérience, qu'évoquent les « cinq ou six années » du titre ?

Pendant la lecture
2. Les « mains nues » appartenaient à qui ?

Pendant la lecture
3. A quoi se comparait l'adolescente ?

---

le long *through* ; **nouais (nouer)** *knotted (to knot)* ; **glissaient (glisser)** *slid (to slide)* ; **le long** *pendant* ; **la pénombre** *half-light, darkness* ; **sombre (sombrer)** *sink, founder (to sink, to founder)* ; **désespéré(e)** *desperate* ; **l'argile (f.)** *clay*

Le long* des longs couloirs de ce lycée,
où je m'ennuyais à crever*,
Je traçais des mots sur les murs,
Sans qu'on me voie bien sûr.

Le long des longues journées noires et blanches,
Les deux mains cachées* dans mes manches*,
J'aurais donné pour être ailleurs,
Un morceau de mon cœur.

Cinq ou six années de presque rien,
Âge imbécile, âge désespéré.
Cinq ou six années je me souviens,
J'étais l'argile et le feu mélangé.

Le long des longs dimanches agonisants,
Dieu je détestais le présent,
Et me réfugiais* dans ma tour,
Où je mourrais* d'amour.
Le long des longues lettres clandestines,
Que j'écrivais en héroïne,
J'imaginais en grand secret,
Que pour moi, on mourrait*.

Pendant la lecture
4. Qu'est-ce qu'elle faisait à l'école ?

Pendant la lecture
5. Contre quoi échangerait-elle l'école ?

Pendant la lecture
6. Qu'est-ce qu'elle imaginait ?

Source : « Cinq ou six années » Cherhal, Jeanne : la chanson est extraite de l'album *Charade*, 2010 (Barclay Records).

---

le long *along* ; **je m'ennuyais à crever** *I died of boredom* ; **caché(e)** *hidden* ; **une manche** *sleeve* ; **me refugiais (se refugier)** *sought refuge (to seek refuge)* ; **je mourrais (mourir)** *I would die (to die)*

 Search words : cinq ou six années cherhal vidéo

Langue vivante

Un adjectif revient très souvent dans les paroles. Lequel ?

Post-lecture

Pour cette adolescente, l'adolescence était-elle quelque chose à subir ou à chérir ?

33 Compréhension de la chanson

Ecoutez une première fois la chanson en entier. Répondez aux questions.

 Search words : (écoutez) cinq ou six années jeanne cherhal vidéo

1. C'est une chanson triste ou gaie, en général ?
2. Avec un partenaire, relevez les mots auxquels l'adjectif répété est associé.
3. Qu'est-ce qu'ils disent de l'univers de l'adolescente ?

34 Les paroles

Lisez la chanson et répondez aux questions suivantes.

Le refrain

1. Dans le refrain, comment comprenez-vous « J'étais l'argile et le feu mélangé »?

MODÈLE   L'argile est... Cela montre... de son caractère.

Dans les trois couplets, la chanteuse nous dévoile des aspects différents de sa vie au quotidien.

2. De quels moments se souvient-elle ?
3. Quels sentiments dominent ?
4. Comment échappait-elle à la réalité ?

Sur l'ensemble de la chanson

5. Comment la chanteuse a-t-elle vécu cette période de sa vie ?
6. Quel souvenir en garde-t-elle ?

35 Activités d'expansion

Complétez les activités suivantes.

1. Ecrivez une rédaction dans laquelle vous répondez aux questions suivantes pour montrer votre compréhension des paroles de la chanson.
   - De quels moments l'adolescente se souvient-elle ?
   - Quels sentiments dominent ?
   - Comment échappait-elle à la réalité ?
   - Dans le refrain, comment comprenez-vous « J'étais l'argile et le feu mélangé » ?
   - Qu'est-ce que ces comparaisons disent de son caractère ?
2. Ecrivez un paragraphe dans lequel vous faites le portrait physique et psychologique de la fille.
3. Imaginez que l'adolescente dans la chanson est votre amie. Parlez à un(e) autre ami(e) d'une intervention et expliquez pourquoi vous vous inquiétez pour elle.
4. Quels conseils pourriez-vous donner à cette adolescente qui se sent mal dans sa peau ? Ecrivez-lui une lettre ou un mail.

T'es branché ?

Faisons le point !

A. *Pour retrouver les principales idées développées au cours de la leçon, notez, dans votre cahier, un ou deux exemple(s) en face de chacun des points de repère qui vous sont proposés. Reportez-vous à tous les documents de la leçon (écrits journalistiques, témoignages, analyses, chanson).*

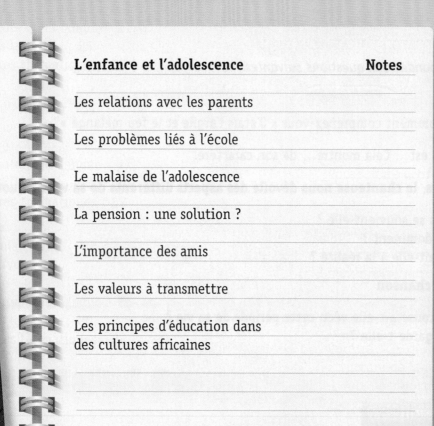

L'enfance et l'adolescence	Notes
Les relations avec les parents	
Les problèmes liés à l'école	
Le malaise de l'adolescence	
La pension : une solution ?	
L'importance des amis	
Les valeurs à transmettre	
Les principes d'éducation dans des cultures africaines	

? Question centrale

Comment l'enfant et l'adolescent se construisent-ils dans leur environnement familial et communautaire ?

B. *Discussion en groupes. Que répondriez-vous à la question posée au début de l'unité : Comment l'enfant et l'adolescent se construisent-ils dans leur environnement familial et communautaire ?*

L'amitié et l'amour

Question centrale

?

Quel rôle la famille et la sociéte jouent-elles dans nos choix amoureux ?

Dom et Zaz

Langue vivante

Le verbe **kiffer** est de plus en plus utilisé par les jeunes. Au départ, « kiffer » signifie « prendre du kif » (cannabis), et donc « planer », puis, par extension, « aimer ». Dans la langue des jeunes, « grave » est utilisé à la place de l'adverbe (= *gravement*) et exprime l'intensité de manière très générale. « Kiffer grave », c'est donc être très amoureux.

L'amour et l'amitié

aimer, adorer

aimer passionnément/à la folie

être amoureux de/être amoureux fou de

kiffer/kiffer grave *(fam./jeune)*

craquer pour *(fam.)*

tomber amoureux de

avoir un/le coup de foudre pour

avoir un penchant pour/être attiré par

séduire, taper dans l'œil de *(fam.)*

plaire à, (se) plaire, laisser indifférent

draguer, faire le premier pas

sortir avec quelqu'un, (s')embrasser, échanger des baisers

s'entendre avec, se disputer, se réconcilier

tromper, être fidèle

laisser tomber, plaquer *(fam.)*, quitter, abandonner

se séparer, rompre, oublier, souffrir, se consoler

un flirt, une passion, un coup de foudre, un grand amour, le premier amour, un chagrin d'amour

le (petit) copain/ami ; la (petite) copine/amie

un ami d'enfance/de toujours/lointain/proche/perdu/inséparable

Description d'un rapport

solide – fidèle – étroit – exigeant – superficiel – profond – désintéressé – trahi – sincère –
fraternel – confiant – heureux – malheureux – déçu – partagé – comblé – naissant – fragile –
passionné – interdit – jaloux – éphémère – platonique

Les sentiments : ressentir/éprouver un sentiment (pour)

l'amitié – l'attachement – l'admiration – l'amour – la confiance – la complicité
la fidélité – le respect – la tendresse – la jalousie – l'indifférence

Pour la conversation

How do I say what was the hardest ?

> **Le plus dur a été** l'accueil de ma mère.

The hardest thing was my mom's reception.

How do I say what put people at ease ?

> Rire ensemble de nos différences **a été le meilleur moyen de se mettre tous à l'aise.**

Laughing together about our differences was the best way to put everyone at ease.

How do I point out a situation that could be troublesome ?

> Amine et Sadio ne se tiennent jamais la main en public **au cas où** quelqu'un de leur entourage viendrait à les surprendre....

Amine and Sadio don't hold hands in public in case they unexpectedly run into someone they know.

---

1 Une histoire d'amitié

Choisissez des verbes parmi ceux qui vous sont proposés (mais vous pouvez en ajouter d'autres) et détaillez « une histoire d'amitié » en une suite chronologique à l'infinitif. Enfin, comparez votre liste avec celles de vos voisins.

> **MODÈLE**   On pourrait détailler chronologiquement « Partir en voyage » ainsi :

> **prendre son billet – faire ses bagages – dire au revoir – fermer – monter dans un taxi – aller à l'aéroport – monter dans l'avion....**

---

2 Une histoire d'amour

Presentational Writing : Love Story

En utilisant les verbes proposés et d'autres, imaginez les étapes d'une histoire d'amour qui finit bien ou mal, comme vous voulez ! Ensuite, publiez vos histoires en ligne. N'oubliez pas de mettre un titre.

3 Au cas où....

Dites que vous faites les choses suivantes et pourquoi, en utilisant « au cas où »...

MODÈLE   suivre des cours de sciences
Je vais continuer à suivre des cours de sciences au cas où j'aurais envie de m'inscrire à la fac.

1. mettre de l'argent à la banque
2. suivre des cours de français
3. envoyer des textos à mes copains
4. faire mes devoirs
5. aider mes parents

4 Questions personnelles

Répondez aux questions.

1. Est-ce que tu te disputes souvent avec ton meilleur ami/ta meilleure amie ? Si oui, à quels sujets ?
2. Quels sont les attributs importants d'un(e) ami(e) selon toi ?
3. Qu'est-ce que tu veux que ton ami(e) fasse pour toi ?
4. Comment est le petit ami/la petite amie idéal(e) ?
5. A quel âge voudrais-tu te marier ? Pourquoi ?

Narratives

Crise d'une jeune musulmane

Narrative

1

Interpretive Communication : Print Texts

Introduction

Question centrale

?

Quel rôle la famille et la sociéte jouent-elles dans nos choix amoureux ?

Que feriez-vous si vos parents vous interdisaient de voir la personne que vous aimez ? Lisez l'histoire de Nour.

Mes deux parents sont musulmans et religieux. Je ne peux rien leur dire. Si je ne fais pas ce qu'ils veulent, ils peuvent me faire rentrer au Maroc pour vivre là-bas. J'ai un petit copain français, qui n'est ni arabe ni musulman. Je l'ai rencontré sur Internet. Si mes parents ne l'acceptent pas, je pars, je choisis ma vie à moi. Je ne veux surtout pas ressembler à ma mère. Elle est trop stricte. Mais je l'aime, c'est elle qui m'a élevée.

—Nour, 17 ans, 1ère Technologique (13 Marseille)

Source : *Le Nouvel Observateur*, 2012, n° 2474, p. 106.

5 Questions de compréhension

Lisez le texte et répondez aux questions.

1. Pourriez-vous résumer la situation de Nour ?
2. A quels conflits se trouve-t-elle confrontée ?

D'ici et d'ailleurs

Interpretive Communication : Print Texts

2 Introduction

Quelles sont les difficultés des ados qui sont amoureux d'une personne d'une autre culture que la leur ?

Je suis togolaise et Louis est breton. Le plus dur a été l'accueil de ma mère. Elle s'imaginait que j'allais me marier dans ma rue. Au début, elle a été froide avec Louis, mais aujourd'hui c'est devenu son second fils, comme quoi les choses peuvent s'arranger.

—Lucie

Je viens de Strasbourg et Emilien est camerounais. Je suis blanche, petite, rousse, mince, juive. Lui est black, immense, calme, et catholique. J'ai rencontré sa famille le mois dernier. Ils ont été adorables avec moi. Sa mère m'a juste trouvée un peu blanche à son goût. Rire ensemble de nos différences a été le meilleur moyen de se mettre tous à l'aise.

—Marie

Source : CHOPPIN DE JANVRY, Maya. 11 août 2011. www.plurielles.fr. (28 octobre 2012).

---

6 Choix multiple

Lisez les deux témoignages ci-dessus. Ensuite choisissez la lettre qui correspond à la meilleure réponse.

1. Le petit ami de Lucie est....
   A. français
   B. africain
   C. belge
   D. musulman

2. Les copains de Lucie et Marie... les familles des filles.
   A. confrontent
   B. ne connaissent pas
   C. s'entendent bien avec
   D. habitent avec

Langue vivante

« *Elle s'imaginait que j'allais me marier dans ma rue* ». Que veut dire Lucie ?

- Elle pensait que j'allais inviter les voisins à mon mariage.
- Elle pensait que j'allais me marier avec quelqu'un de proche.

« ... *comme quoi* les choses peuvent s'arranger » est une façon familière de dire...

- comme ça les choses peuvent s'arranger.
- c'est pourquoi les choses peuvent s'arranger.
- ce qui montre bien que les choses peuvent s'arranger.

Que diriez-vous en anglais ?

L'amour mixte mais interdit

Interpretive Communication : Print Texts

Introduction

A votre avis, pourquoi est-il possible de vouloir cacher aux autres la personne qu'on aime ?

Pré-lecture

Lisez le titre. Que nous apprend-il sur Amine et Sadio ?

Amine et Sadio vivent dans le même quartier, aimeraient se fiancer mais ne se tiennent jamais la main en public et, pour se voir le soir, se retrouvent sur un parking, « au cas où ». Au cas où quelqu'un de leur entourage viendrait à les surprendre, les juger et vendre la mèche.

« Certains anciens de chez nous pensent que leur communauté vaut mieux que l'autre. Genre un Noir est mieux qu'un Arabe ou l'inverse », qu'un Algérien est mieux qu'un Marocain. Ils transmettent ça à leurs enfants. Ça va au-delà d'une religion ou d'une couleur de peau ».

Amine n'imagine pas une seule seconde se fiancer ou se marier sans l'aval de ses parents. Elle non plus d'ailleurs. Pas question de fuir, ou de les mettre devant le fait accompli comme certains leur ont conseillé, parce qu'ils n'envisagent pas le bonheur d'une union sans leurs familles respectives ».

Mais impossible de trouver le courage d'en parler. Parfois, Amine se donne des délais pour franchir le pas. Le moment venu, les mots lui manquent. La peur du « non » et du conflit qu'il engendrerait ensuite. « La prise de tête ».

Cet été, Sadio a évoqué avec sa mère l'hypothèse d'un métissage. Vaguement. Fin de non-recevoir. Sa mère se met en colère, sans vraiment avoir saisi le sens de ce que lui disait sa fille. Elles sont en décalage. Elle lui a dit : « Pas de Sénégalais, pas de Congolais et encore moins d'Antillais. Un Malien, c'est tout ». Chrétien, juif, musulman mais un Malien.

D'après : KEFI, Ramses Rue 89. 22 septembre 2011. www.rue89.com (28 septembre 2012).

Langue vivante

Amine résume sa situation par l'expression : « *La prise de tête* ». Que peut-on en déduire sur son état d'esprit ? Il est :

impatient – torturé – tiraillé – obstiné – révolté

« *Vendre la mèche* », c'est :

faire chanter – dévoiler un secret – se moquer

7 Portrait de deux amants

Complétez les portraits d'Amine et de Sadio. Qu'est-ce qui les rapproche (situation, caractère...) ?

MODÈLE **Ils vivent dans le même quartier...**

8 Imaginez !

Interpersonal Speaking

Imaginez que la mère de Sadio voit sa fille avec Amine dans la rue la main dans la main. Ecrivez le dialogue de cette scène. Présentez la conversation avec deux camarades de classe.

Conseils

Narrative

4 Interpretive Communication : Print Texts

Introduction

L'amour parfois nous tombe dessus sans qu'on l'ait vraiment choisi... mais comment gérer ensuite une relation avec quelqu'un qui a une culture totalement différente ?

Roméo et Juliette, West Side Story et aujourd'hui *Toi, moi, les autres,* le thème des amours mixtes est plus que jamais d'actualité.

L'amour, c'est toujours simple au départ. Mais il faut savoir que les sentiments changent un jour ou l'autre pour laisser place à la réalité, moins propice « aux sentiments fantasmés ». Les vraies responsabilités arrivent.

Si dès le départ, tu sais que vos deux univers ne seront pas compatibles, il vaut mieux arrêter dès maintenant une relation stérile.

Si tu as vraiment trouvé quelqu'un qui partage les mêmes valeurs, les mêmes passions, dont la famille te plaît, alors réfléchissez ensemble aux différents problèmes qui pourront se poser.

- **Ou vous êtes d'accord** sur la plupart des points et vous trouvez des compromis, vous pouvez imaginer une vie ensemble tout en sachant que votre couple reste un travail « expérimental », dont il faudra réinventer les règles tous les jours.

- **Ou trop de points restent en suspens, aucun de vous n'étant prêt à abandonner ses convictions**. Dans ce deuxième cas, il faut se rendre à l'évidence, aucun de vous ne pourra se réaliser ni projeter ses rêves sur ses enfants (familles, fêtes religieuses, synagogue, mosquée, vie en Afrique, au Canada, en Asie...) et ceux-ci seront tiraillés « éternellement entre deux vies ».

La clé est d'arriver à découvrir ses propres fondamentaux, ce à quoi on ne peut renoncer sans se trahir soi-même.

Source : EN SAVOIR PLUS. 2011. Love.ados.fr. (30 septembre 2012).

9 Compréhension du document

Lisez le document et faites les activités suivantes.

1. Avec un partenaire, faites la liste des problèmes qui peuvent exister dans une relation mixte.

2. Pour les différents points que vous avez trouvés, imaginez des compromis possibles, toujours avec votre partenaire.

10 Le courrier du cœur

Imaginez que « Conseils » est une réponse à une lettre envoyée au courrier du cœur dans un journal. Imaginez une histoire et écrivez cette lettre.

Culture

emcl.com
WB 7–11

Question centrale

?

Quel rôle la famille et la sociéte jouent-elles dans nos choix amoureux ?

La Francophonie : Les couples mixtes

✳ En France

Interpretive Communication : Print Texts

En France, un couple mixte se définit par une personne de nationalité française, et un partenaire d'origine étrangère. La France est le pays d'Europe où il y a le plus d'unions mixtes, le taux de mariages mixtes dépassant* même celui des Etats-Unis. Il est reconnu aujourd'hui que 15% des mariages en France et 57% des unions civiles sont mixtes, et ce chiffre ne cesse de croître*. Les étrangers qui se marient avec des Français sont en grande partie d'origine africaine (Algérie et Maroc), d'Asie et d'Europe. En France, plus de 27% des enfants nés en France ont un parent né à l'étranger.

La France étant de plus en plus diversifiée, il est normal que les jeunes, ouverts d'esprits, désireux de tolérance, et parfois rebelles envers les traditions de leurs parents, tombent amoureux d'une personne issue d'un milieu complètement différent que le leur. Toutefois, la société porte un regard sceptique sur la solidité de telles unions. Le gouvernement resserre* les lois d'immigration pour éviter les mariages blancs*, et les couples font face à l'intolérance sociale, au racisme, aux pressions familiales et à plus de difficultés de communication. Il est vrai que ces mariages ont un taux* de divorce trois fois plus élevé que les mariages de cultures homogènes. Les critères qui peuvent « séparer » ces couples tels que la culture, la religion, la couleur de peau, les traditions culinaires, peuvent au contraire solidifier et enrichir une union où « l'opposé attire* », et rendre l'amour plus intense et plus enrichissant*. Malgré le taux de divorces croissant*, le taux de mariages et d'unions mixtes continue d'augmenter. Comme quoi l'amour, quand il est profond et vrai, est une force difficile à briser.

Search words : couples mixtes france

---

dépassant *exceeding* ; **ne cesse de croître** *keeps growing* ; **resserre (resserrer)** *tightens (to tighten)* ; **les mariages blancs** *false marriages for immigration papers* ; **un taux** *rate* ; **attire (attirer)** *attracts (to attract)* ; **enrichissant** *enriching* ; **croissant** *growing*

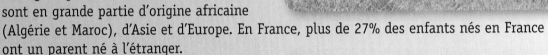

✳ *En Tunisie*

Un pourcent de la population tunisienne est européen. Parmi eux sont 25.000 Français durablement installés dans le pays. Quand les Français rencontrent les Tunisiens, il y a des histoires d'amour. Voici l'histoire d'un Français suivie de réponses à sa question.

« Je sors avec une Tunisienne, je suis Français, je vis en France. Notre relation est née par hasard*... Dès que je mets les pieds en Tunisie, notre relation se transforme en cauchemars* : contrôle d'identité récurrent, menace d'aller au poste car on est dans la même voiture, regard en biais dans la rue... Alors ma question est simple : pourquoi »?

> –poweredge

Quelques réponses :

« Si on se réfère à la loi d'état, tu es en infraction avec ton amie pour ‹ atteinte aux bonnes mœurs* et à l'ordre public › ; la loi* islamique interdit les relations hors* mariage ».

> –orca

« Un musulman peut épouser une non-musulmane, mais le contraire est interdit sauf que le mari non-musulman se convertisse en islam ».

> –chaer

Source : MA TUNISIE. « Couple mixte ». www.matunisie.com/forum (31 septembre 2012).

_____

par hasard *by chance* ; **un cauchemar** *nightmare* ; **les mœurs (f.)** *customs* ; **la loi** *law* ; **hors** *outside of*

---

11 | Faits ou opinions ?

Repérez trois faits et statistiques de l'article et mettez-les dans un tableau comme celui de dessous. Ensuite, donnez votre réaction aux faits/statistiques et expliquez si vous êtes d'accord avec les opinions.

Faits ou statistiques	Opinions

Sa perspective

Qu'est-ce que poweredge ne comprend pas de la culture tunisienne ? Comment est-ce différent dans sa culture ?

Ma perspective

Vous lui donneriez quels conseils ?

Quelle amitié entre filles et garçons ?

Interpretive Communication : Audio Texts

Introduction

A l'occasion d'un rassemblement de scouts catholiques en juillet 2012, le journal *La Vie* a interrogé de jeunes adolescents entre 11 et 14 ans. Trois questions leur ont été posées successivement. Après chaque série de réponses, un sociologue a fait un bref commentaire.

12 Compréhension du document

A. *La première question était : « Quelles sont les différences entre filles et garçons »?*
 1. Ecoutez une première fois les réponses et repérez combien d'ados répondent.
 2. Ecoutez une deuxième fois les cinq premières réponses. Repérez les adjectifs que vous entendez. A qui sont-ils respectivement appliqués : garçons ou filles ?
 3. Ecoutez le commentaire du sociologue. Faites un bref résumé de ce qu'il a dit.

B. *A la question suivante « Que penses-tu de l'amitié entre les filles et les garçons ? », sept ados ont répondu.*
 4. Recopiez le tableau ci-dessous. Notez pour chacun si elle/il a pour amis : plutôt des filles, plutôt des garçons, les deux, ou si on ne peut pas savoir. Cochez la case qui convient.

	Plutôt filles	Plutôt garçons	Les deux	On ne sait pas
Fille 1				
Garçon 1				
Fille 2				
Fille 3				
Fille 4				
Fille 5				
Garçon 2				

 5. Trois filles justifient leur préférence. Relevez ces justifications.
 6. Ecoutez le commentaire du sociologue. Choisissez la ou les phrase(s) qui résume(nt) ce qu'il a dit.

C. *A la dernière question « Ça fait quoi d'être amoureux ? » (= Ça produit quel effet ?), trois des cinq ados interrogés répondent vraiment.*
 7. Notez leurs réponses.
 8. Le troisième et la cinquième répondent plutôt à deux autres questions. Relevez les questions.

Je t'M

Interpretive Communication : Print Texts

C'est particulièrement au cours des* années collège que les relations entre filles et garçons restent le plus difficile. « *L'autre sexe attire, mais il effraie aussi* », selon Céline Metton. Cette ethnologue nous explique que les échanges sur le téléphone mobile et Internet constituent le cadre* des relations entre filles et garçons, permettant « *d'échapper à l'influence des pairs et au rôle prescrit* par le genre* ».

« *Avec les garçons, Internet c'est plus intime*, déclare Alizée (14 ans), *parce que ceux que je connais, quand ils sont avec leurs copains, ils font style et tout... Alors que sur Internet, ils sont super sympa. Au collège, c'est à peine* si je leur parle, et sur Internet, je leur parle super beaucoup (...)* ». « *Par exemple*, ajoute Cindy (13 ans), *c'est rare qu'on dise je t'aime en face. On l'écrit au moins quinze fois par texto, mais on le dit une fois par an...* » Sur le Net, les garçons deviennent plus prolixes, ils se livrent* à la discussion et même à la confidence ! « *C'est par les portables en fait qu'on arrive à tout savoir sur leur vie,* affirme Marion (12 ans).

« *La médiatisation de la communication constitue une forme de protection : la distance géographique, le passage de l'écrit à l'écran, l'aspect non conventionnel des formes d'écriture (texto) rendent la déclaration moins solennelle* et facilitent l'exposition des sentiments hors de la scène du collège* » constate C. Metton.

D'après : Sciences Humaines, 2011, no 226S, pp. 42–43.

 Search words : les textos français, abbréviations sms

---

au cours de *throughout* ; **le cadre** *framework* ; **prescrit(e)** *prescribed* ; **à peine** *scarcely* ; **se livrent (se livrer)** *(to) give oneself over to something* ; **solonnel(le)** *solemn*

Langue vivante

Echapper à quelque chose, c'est :

- subir quelque chose.
- éviter quelque chose.

L'influence des pairs, c'est :

- l'influence des copains.
- l'influence des parents.

[Jouer] le rôle prescrit par le genre, c'est :

- suivre les prescriptions de la mode.
- se comporter comme on l'attend d'une personne de ce sexe.

Faites les activités suivantes.

1. Dans le premier paragraphe, C. Metton, l'ethnologue, explique que le téléphone mobile et Internet permettent « *d'échapper à l'influence des pairs et au rôle prescrit par le genre* ». Reformulez la phrase.

2. Dans le deuxième paragraphe, Alizée dit que les garçons « *font style quand ils sont avec leurs copains, alors que sur Internet ils sont super sympas* ». D'après le contexte, expliquez l'expression familière « *faire style* ».

3. Un peu plus loin, dans ce paragraphe, il est dit que « *sur le Net, les garçons deviennent plus prolixes* ». Aidez-vous encore du contexte pour choisir un synonyme à l'adjectif « *prolixes* » :
   A. gentils
   B. discrets
   C. bavards
   D. sérieux

4. Trouvez pour quelles raisons Internet ou le mobile facilitent les relations filles-garçons (dernier paragraphe).

5. Justifiez le titre de ce document. Proposez un titre différent.

6. Expliquez le rôle joué par Internet et les nouvelles technologies dans la relation amoureuse.

Amours adolescentes

Interpretive Communication : Print Texts

« *L'apprentissage* amoureux continue d'obéir aux mêmes rythmes lents* que par le passé* », dit Michel Fize, sociologue* au CNRS et spécialiste de l'adolescence. L'âge du premier rapport sexuel complet n'a guère changé* depuis plus de vingt ans (17,5 ans environ). En clair, l'adolescence, bien plus « fleur bleue » qu'on ne l'imagine, n'est pas [« l'âge de promiscuité »] mais le temps des grandes amitiés et des premières constructions amoureuses, tâtonnantes*, balbutiantes*. Tout comme celui des « rêves raisonnables* » (fonder une famille, avoir des enfants, un travail intéressant, vivre en sécurité...).

C'est au lycée, parfois même au collège, que se forment des couples adolescents, des « bébés couples ». Sitôt* amoureux, ils ne forment plus qu'un. Passent leur temps sous le même toit* (celui des parents)... et révisent les maths en bâtissant* des projets d'avenir... Installés à deux dans le quotidien et dans la durée sans forcément être passés par la case « flirt ». Face à* leurs parents perplexes, rassurés de savoir « où ils sont, ce qu'ils font », mais un peu dépassés* par la rapidité du processus et le côté « officiel » des choses...

---

l'apprentissage (m.) *apprenticeship* ; **lent(e)** le contraire de rapide ; **un(e) sociologue** *sociologist* ; **n'a guère changé** *scarcely changed* ; **tâtonnant(e)** *experimental* ; **balbutiant(e)** *stammering* ; **raisonnable** *reasonable* ; **sitôt** *as soon as* ; **le toit** *roof* ; **bâtissant** *building* ; **face à** *facing* ; **dépassé(e)** *overtaken*

Ces « bébés couples » sont représentatifs de la plupart des ados contemporains, « pour qui l'amour et la fidélité restent un idéal fort et qui sont exposés et éveillés* plus tôt que les générations précédentes à la sexualité... via la pub*, le cinéma, la télé, Internet... » Certes*, mais comment expliquer leur constance, à un âge et dans une société où l'on est plutôt enclin à zapper* ? Pour Michel Fize, c'est « une demande de sécurité, une réponse à l'éphémère*, au passager, dans une société où tout est jetable* : les appareils, les salariés, les mariages... Ces ados sont attachés à la famille, au couple qui dure ». Et à son corollaire* : une fidélité intransigeante*. Grâce au téléphone mobile ou au chat en nocturne sur Internet, les petits amoureux peuvent rester reliés l'un à l'autre quasiment* non-stop.

D'après : TESTARD-VAILLANT, Philippe. « Papa, maman, mon mec et moi ». www.marieclaire.fr (31 septembre 2012).

éveillé(e) *awakened* ; **la pub** la publicité ; **certes** certainement ; **enclin à zapper** *inclined to change channels on the remote* ; **l'éphémère (m.)** les choses qui ne durent pas ; **jetable** *throwaway* ; **un corollaire** *corollary* ; **intransigeant(e)** *uncompromising* ; **quasiment** presque

Langue vivante

Comment comprenez-vous l'expression « fleur bleue » ? Que diriez-vous en anglais ?

14   Compréhension du document

Faites les activités suivantes.

1. Proposez deux adjectifs pour qualifier les adolescents d'après le premier paragraphe.
2. Expliquez ce qu'il y a de contradictoire dans l'expression *« bébé couple »* et la réaction des parents.
3. Expliquez ce à quoi les adolescents sont attachés, selon Michel Fize.
4. Relevez dans le dernier paragraphe :

   • tous les mots qui renvoient à l'idée de durée :

   MODÈLE   **constance...**

   • tous les mots qui expriment l'idée contraire :

   MODÈLE   **jetable...**

La culture de tous les jours

Lisez la bande dessinée. Ensuite, répondez aux questions.

15 Julie tchate sur MSN.

Répondez aux questions.

1. Où est Julie ?
2. Que fait-elle ?
3. Quel est le sujet du forum sur MSN ?
4. Quelles sont les deux choses qu'elle peut faire à la fois ?

Structure de la langue

Révision : L'expression de la durée (Depuis, Il y a...)

Depuis

Depuis indique qu'une action ou un état dure depuis un certain temps.

- **Par rapport au moment où l'on parle**

  Ils vivent ensemble depuis un an.

  L'action de « vivre ensemble » a commencé dans le passé et continue jusqu'au présent. Ils ne se sont pas quittés ! On utilise donc le présent.

  Ils ne se sont pas téléphoné depuis deux jours.

  Lorsqu'une action ne s'est pas produite jusqu'au moment où l'on parle, c'est le passé composé qu'on utilise à la forme négative.

- **Par rapport à un moment passé**

A. **Ils se connaissaient depuis un an quand ils ont décidé de vivre ensemble.**
   Ils ont attendu un an avant de prendre leur décision. On utilise l'imparfait pour montrer que la situation a duré jusqu'au moment (passé) où ils ont décidé de vivre ensemble.

B. **Ils ne s'étaient pas revus depuis dix ans lorsqu'ils se sont retrouvés à l'université.** Ils se sont retrouvés : c'est passé. On doit donc utiliser le plus-que-parfait pour exprimer la situation antérieure.

Depuis peut être suivi :

- **d'une durée chiffrée :**
  depuis 3 jours, depuis 2 ans...
  ou d'un adverbe de temps :
  depuis longtemps, depuis quelque temps, depuis toujours...

Dans tous ces cas, sauf avant *toujours*, il peut être remplacé par « *il y a... que* » ou « *cela fait/ça fait... que* », « *il y avait... que* » ou « *cela faisait/ça faisait... que* ».

  Il y a un an qu'ils vivent ensemble./Cela fait un an qu'ils vivent ensemble.
  (Il y avait un an qu'ils se connaissaient quand ils ont décidé de vivre ensemble./Cela faisait un an qu'ils se connaissaient quand ils ont décidé de vivre ensemble.)

- **d'une date fixe ou d'un nom exprimant un événement :**
  depuis 1995, depuis son mariage

Dans ces cas, « *depuis* » ne peut pas être remplacé par « *il y a... que* » ou « *cela fait/ça fait... que* ».

- **d'une phrase, on a alors** « *depuis que* » :

  Ils se fréquentent depuis l'enfance. = Ils se fréquentent depuis qu'ils sont enfants.

Il y a

Il y a est suivi d'une expression de durée. Il situe une action dans le passé par rapport au moment présent et il est toujours utilisé avec un temps du passé :

> **J'ai rencontré Paul en seconde, il y a trois ans.**
> **Il avait les cheveux longs, il y a trois ans.**

Il y a veut dire aussi « *there is* », « *there are* » dans d'autres contextes. A ne pas confondre avec *il y a... que*.

Il y a ou *depuis*

Certains verbes, au passé composé, peuvent exprimer à la fois une action et le résultat de l'action.

Il est parti signifie à la fois le départ d'une personne et son absence.

Avec ces verbes, on peut utiliser soit « depuis », soit « il y a ».

> **Il est parti il y a huit jours.**: Je mets l'accent sur le moment de son départ.
> **Il est parti depuis huit jours.**: Je mets l'accent sur la durée de son absence qui continue.

> **Il a coupé les ponts avec sa famille il y a trois ans.**: Je mets l'accent sur l'époque de la rupture.
> **Il a coupé les ponts avec sa famille depuis trois ans.**: Je mets l'accent sur le fait qu'il n'a plus de contact avec elle.

Quelques verbes qui fonctionnent de cette manière : *arriver, rentrer, sortir, naître, mourir, monter, descendre, revenir, oublier, perdre, quitter, rompre.*

---

16 **Il y a vs. Depuis**

Expliquez la différence entre les phrases.

1. Ils se sont mariés il y a 10 ans. / Ils sont mariés depuis 10 ans.
2. Ils se sont séparés il y a longtemps. / Ils sont séparés depuis longtemps.

---

17 **Il y a ou Ça fait**

*Transformez, lorsque c'est possible, les phrases suivantes avec : **il y a... que**, **ça fait... que**.*

1. Sylvia est en couple avec Paul depuis deux ans.
2. Elle est sans nouvelles de son petit ami depuis une semaine.
3. Elle pense tout le temps à lui depuis hier.
4. Ils sortent ensemble depuis peu de temps.
5. Ils sont amoureux depuis leur première rencontre.

18 Depuis que

*Transformez les phrases avec **depuis que**.*

MODÈLE   Elle est sans nouvelles de lui depuis son départ.
Elle est sans nouvelles de lui depuis qu'il est parti.

1. Il est fâché avec ses parents depuis l'annonce de son mariage.
2. Il est très malheureux depuis leur séparation.
3. Ils ne se parlent plus depuis leur dispute.
4. Elle ne l'a pas revu depuis son retour.
5. Il pense à elle depuis leur première rencontre.

19 *Il y a ou depuis*

*Complétez avec **il y a** ou **depuis**.*

1. Leur histoire a commencé... deux ans.
2. Ils se connaissent... toujours.
3. Ils sont dans la même classe... le collège.
4. Il lui a envoyé un premier texto... un peu plus de trois jours et..., il attend impatiemment sa réponse.
5. Ils se sont donné rendez-vous dans un café... une semaine ; ... elle compte les jours.
6. Elle n'a pas été aussi heureuse... longtemps.

20 Histoire d'amour

*Imaginez la suite de ces histoires avec **il y a**.*

1. Ils ne s'étaient pas revus depuis 20 ans et **il y a une semaine**....
2. Leur projet était au point depuis l'été dernier et....
3. Ils ne s'étaient pas disputés depuis longtemps mais....
4. Elle n'avait aucune nouvelle de lui depuis des années et....
5. La date du mariage était fixée depuis des mois et....

A vous la parole

Question centrale

Quel rôle la famille et la sociéte jouent-elles dans nos choix amoureux ?

21 Sortir avec une Asiatique ou une non-Asiatique ?

Interpretive Communication : Audio Texts

Introduction

Un étudiant asiatique interviewe un groupe de jeunes Asiatiques. Ecoutez, puis faites les exercises.

1. *Ecoutez une première fois l'ensemble du document.*
   - Résumez le sujet abordé.
   - Repérez les deux questions posées par l'étudiant.
2. *Ecoutez une deuxième fois les réactions à la première question.*
   - Notez-les, puis classez-les.
   - Dites si les jeunes gens préfèrent les Asiatiques ou non.
   - Décrivez l'état d'esprit des ados interrogés.
3. *Reprenez l'écoute. Notez maintenant les réponses à la deuxième question. Les ados…*
   A. répondent sérieusement
   B. provoquent
   C. plaisantent
4. *Ces jeunes Asiatiques pensent que leurs parents…*
   A. sont libéraux
   B. n'accepteraient pas une non-Asiatique
   C. accepteraient une non-Asiatique quand ils feront sa connaissance

Langue vivante

Ils me défonceraient est une expression familière synonyme d'une autre expression tout aussi familière : *Ils me casseraient la gueule.* On pourrait dire aussi : *Ils me feraient passer un sale quart d'heure.* Que diriez-vous en anglais ?

Communiquez !

22 Un micro-trottoir sur le thème de l'enregistrement

Interpersonal/Presentational Speaking

Organisez un micro-trottoir sur le même thème et recueillez l'opinion des jeunes de votre classes ou des classes dans d'autres lycées américains. Vous pouvez poser les mêmes questions en les adaptant bien sûr à votre contexte. Vous enregistrez les réponses ou les notez, puis vous les analysez pour une présentation.

Communiquez!

Interpersonal Speaking : Conversation

Vous avez une conversation avec un ami. Cette conversation doit suivre le canevas qui vous est donné ci-dessous. Vous allez entendre les répliques de votre ami et vous réagirez comme le canevas l'indique.

–Votre ami vous annonce qu'il part vivre avec son amie japonaise et qu'il quitte tout.

–Vous êtes choqué(e).

–Il est très sûr de lui.

–Vous soulignez tout ce qui les sépare.

–Il vous juge très conventionnel à l'heure de la mondialisation.

–Vous vous défendez et prenez un exemple d'échec dans votre entourage.

–Il reste sur sa position. Il n'a pas le choix, son amie doit rentrer dans son pays.

–Vous lui suggérez une solution temporaire.

–Il l'écarte.

–Vous arrêtez la discussion mais en restant sur votre position.

Lectures thématiques

Lecture 1

Les enfants qui s'aiment

Rencontre avec l'auteur

Jacques Prévert (1900–1977) est sans doute le poète français le plus populaire, dans les deux sens du mot : d'une part parce qu'il est connu d'un très large public, d'autre part parce qu'il dit les joies, les peines et les révoltes des gens, du peuple, parle leur langue. Il a écrit des poèmes, des chansons mais aussi les scénarios et dialogues de nombreux films. Où est-ce que le couple dans le poème se retrouve la nuit ?

Jacques Prévert.

Pré-lecture

Faites une liste d'adjectifs pour décrire le premier amour.

« Les enfants qui s'aiment » par Jacques Prévert

Les enfants qui s'aiment s'embrassent debout

Contre les portes de la nuit

Et les passants qui passent les désignent du doigt

Mais les enfants qui s'aiment

Ne sont là pour personne

Et c'est seulement leur ombre*

Qui tremble dans la nuit

Excitant la rage des passants

Leur rage, leur mépris*, leurs rires et leur envie

Les enfants qui s'aiment ne sont là pour personne

Ils sont ailleurs bien plus loin que la nuit

Bien plus haut que le jour

Dans l'éblouissante* clarté* de leur premier amour

Source : PRÉVERT, Jacques. *Spectacle*. Paris : Gallimard, 1951.

l'ombre (f.) *shadow* ; **le mépris** *scorn* ; **éblouissant(e)** *dazzling* ; **la clarté** *light*

> **Rappel**
> Les verbes réfléchis expriment souvent l'idée de faire quelque chose l'un à l'autre. Quels verbes réfléchis le poète emploie-t-il ?

> **Pendant la lecture**
> 1. Le poème commence avec quelle image ?

> **Pendant la lecture**
> 2. De quel ombre s'agit-il ?

> **Pendant la lecture**
> 3. Quelle est la réaction des passants ?

> **Pendant la lecture**
> 4. Les amants remarquent-ils les passants ?

24 Compréhension du poème

Relisez maintenant le poème et cherchez-en le sens profond.

1. Qu'est-ce que « les portes de la nuit » évoque dans ce contexte ?
2. A quoi s'oppose le monde de la nuit ? Relevez les mots qui évoquent cet autre monde.
3. Qui habite respectivement dans ces deux mondes ?
4. Comment expliquez-vous « la rage des passants » contre les enfants qui s'aiment ?
5. Quelle impression la répétition « les passants qui passent » souligne-t-elle ?

Post-lecture

De quoi est-ce que les amants sont conscients ?

25 Activités d'expansion

Faites les activités suivantes.

1. Apprenez le poème. Présentez-le comme un poème ou une chanson avec un groupe de camarades de classe.

 Search words : yves montand vidéo les enfants qui s'aiment

2. Ensemble, trouvez une photo ou un tableau qu'on peut mettre dans un recueil avec ce poème.

Trop tôt…

Lecture 2

Rencontre avec l'auteur

Christian Bobin est né en 1951. Il écrit des textes brefs et poétiques. Ses nombreux livres sont difficilement classables entre roman, essai, autobiographie, poésie et prose. Ils mêlent réflexions et rêveries, fiction et souvenirs dans une langue orale, musicale et fluide. Ses plus grands succès : *Une petite robe de fête, La folle allure, La plus que vive, Le Très-Bas.* L'extrait que vous allez lire vient de *La folle allure.* Quel âge a la fille qui veut se marier ? A votre avis, c'est trop jeune ?

Christian Bobin.

Pré-lecture

Selon vous, quel est l'âge idéal pour se marier ?

« *Trop tôt...* » par Christian Bobin

Trop tôt pour te marier, fillette*. Ton père et moi, nous voulons bien te donner notre accord, mais méfie-toi*, la prison, charmante, confortable, reste une prison. Pour un rien on y entre, et ensuite il te faudra beaucoup pour en sortir. Je ne dis pas que Roman sera ton geôlier*, il est charmant ton ami, je dis bien pire : vous serez tous deux prisonniers. Il n'y a pas de gardien dans la prison, il n'y a pas de portes, pas de barreaux*, pas de serrures* — mais c'est une prison quand même. J'ai convaincu* ton père de signer les papiers. Je t'envoie l'autorisation parentale par la poste. J'ai toujours su convaincre* ton père, ce n'est pas difficile, il est comme beaucoup d'hommes, il confond l'autorité et la colère*, il a d'abord hurlé* quand je lui ai annoncé votre mariage, une heure après il s'interrogeait sur les vêtements qu'il porterait ce jour-là. Avec les formulaires, j'ai glissé* un peu d'argent dans l'enveloppe : un mariage, ça coûte cher sur tous les plans, ma jolie, même si vous ne passez pas par l'église, je me demande bien pourquoi d'ailleurs, moi j'aurais fait l'inverse même si ce n'est pas possible, j'aurais aimé n'épouser ton père que devant les anges, ils font de bien meilleurs témoins que les fonctionnaires de mairie, enfin je divague*, il y a des choses obligées dans la vie, ou on estime* qu'elles sont obligées et cela revient au même, va donc pour un mariage civil, je t'aurai quand même prévenue*, dix-sept ans, c'est bien jeune, mais je suis heureuse que tu ne m'écoutes pas, ça me plaît comme ça, c'est bon signe, on t'a bien élevée, petite, on t'a appris à n'écouter que ton cœur et lui seul. J'espère me tromper, je sais que je ne me trompe pas, c'est égal, le bon chemin pour les enfants n'est jamais le chemin des parents, jamais, j'arrête là mes conseils, ils sont inutiles, il y aura une surprise le jour du mariage, tu verras, je raccroche* maintenant, ton père va me dire que je passe mes journées au téléphone...

La conversation a duré deux heures. Enfin, je ne sais pas si on peut appeler ça une conversation : je n'ai rien dit, ma mère parlait seule, comme toujours au bord de chanter ou de rire. Sa voix m'est bienfaisante*.

Source : BOBIN, Christian. *La folle allure*. Paris : Gallimard, 1995.

---

une fillette petite fille ; **méfie-toi** *be careful* ; **un geôlier** *jailer* ; **des barreaux (m.)** *bars* ; **une serrure** *lock* ; **J'ai convaincu (convaincre)** *I convinced (to convince)* ; **la colère** *anger* ; **a hurlé (hurler)** *yelled (to yell)* ; **j'ai glissé (glisser)** *I slipped (to slip)* ; **je divague (divaguer)** *I'm rambling (to ramble)* ; **on estime (estimer)** *one estimates (to estimate)* ; **je t'aurai... prévenue (prévenir)** *I will have warned you... (to warn)* ; **je raccroche** *I'm hanging up* ; **bienfaisant(e)** *beneficial*

Pendant la lecture
1. Qui parle ?

Pendant la lecture
2. A quoi est-ce qu'elle compare le mariage ?

Pendant la lecture
3. Quelle a été la réaction du père ?

Pendant la lecture
4. Qu'est-ce que la mère offre à sa fille ? Pourquoi ?

Rappel
J'espère me tromper veut dire « I hope to be wrong/mistaken. » **Se tromper** est un verbe pronominal. Quels sont les pronoms réfléchis pour **tu, elle, nous, vous, ils** ?

Pendant la lecture
5. Qui parle maintenant ? Comment est son rapport avec sa mère ?

Relisez maintenant le texte de Bobin et cherchez-en le sens profond en faisant les activités.

1. Cherchez ce que vous apprenez sur tous les personnages mentionnés. Faites le point ensemble.
2. Expliquez la nature des relations entre ces personnes. Justifiez votre réponse.
3. Analysez le discours de la mère et dites si elle est logique et cohérente.
4. « *J'espère me tromper, je sais que je ne me trompe pas* », dit-elle. Expliquez.
5. La mère accumule un certain nombre d'affirmations qu'elle présente comme des vérités générales irréfutables. Relevez-les.

MODÈLE   **J'ai toujours su convaincre ton père, ce n'est pas difficile, il est comme beaucoup d'hommes, il confond l'autorité et la colère...**

6. Relevez les exemples qui montrent qu'il s'agit d'un discours oral.
7. Relevez tous les mots qui comparent la situation de l'ado comme une prison. Evaluez cette métaphore.

Post-lecture

Est-ce que la mère a confiance en sa fille ? Justifiez votre réponse.

Complétez les activités suivantes.

1. Imaginez que la fille a maintenant 18 ans. Avec un partenaire, jouez les rôles de la mère et la fille en train de se parler au téléphone.
2. Utilisez la métaphore de la prison pour décrire la situation d'un(e) autre ado.

T'es branché ?

Faisons le point !

A. *Pour retrouver les principales idées développées au cours de la leçon, notez dans votre cahier un ou deux exemple(s) en face de chacun des points de repère qui vous sont proposés. Reportez-vous à tous les documents de la leçon (écrits journalistiques, témoignages, analyses, textes littéraires).*

Question centrale

?

Quel rôle la famille et la société jouent-elles dans nos choix amoureux ?

L'amitié et l'amour	Notes
Les parents et les choix amoureux de leurs enfants : acceptation ou conflit	
Les couples mixtes : comment surmonter les obstacles ?	
L'amitié filles-garçons	
Amour et nouvelles technologies	
La conception de l'amour chez les adolescents	

B. *Discussion en groupes. Que répondriez-vous à la question posée au début de l'unité : Quel rôle la famille et la société jouent-elles dans nos choix amoureux ?*

Vocabulaire actif

emcl.com
WB 1–8

Les rapports sociaux 🎧

Question centrale

Comment les rapports sociaux évoluent-ils dans la société moderne ?

L'amitié intergénerationnelle

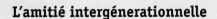

A Montpellier, la cohabitation intergénérationnelle... qu'est-ce que c'est que ça ?

LA COHABITATION INTERGENERATIONNELLE

Alors voilà, **j'entretenais** de mauvaises **relations** avec mon père, puis, **nous nous sommes brouillés** et je n'ai plus du tout de contact avec lui.

ASSOCIATION DE LOGEMENT SOLIDAIRE

Et, vous avez un logement quand même ?

Je vis chez plusieurs copains et copines, mais rien de stable.

Nos services sont basés sur des relations d'échange. Nous mettons en contact des jeunes comme vous et des personnes âgées isolées. Vous vous entraidez. Vous ne payez pas de loyer, vous leur **rendez des petits services**.

Ben, voilà, moi c'est Vincent !

Ben non, faut pas être **méfiant**, je suis très gentil.

Ah, il est sourd comme un pot, ça commence bien !

Vincent, tu peux me donner un coup de main avec...

J'arrive, Eugène !

Mais tu sais, ce type, c'était le plus **sans-gêne** de tout le voisinage !

Il me rappelle mon pote Chichon !

Les relations

la sociabilité, la convivialité, la solidarité

le lien, la relation, le contact

entretenir, avoir de bonnes/mauvaises relations avec...

établir des relations, le contact avec...

entrer en contact, en relation avec...

créer des liens, tisser des liens, nouer des liens, des relations avec...

perdre (le) contact, rompre les relations

Des relations peuvent aussi *se dégrader, se détériorer* ou au contraire *s'améliorer*

échanger, accueillir, partager, rencontrer, aider

échanger quelques mots, ignorer

bien s'entendre (avec), prendre des nouvelles (de)

s'entraider

demander/offrir un service ; rendre un service à... rendre service à/se rendre service

donner un coup de main à/se donner un coup de main

prêter

surveiller, se mêler de, se méfier de...

se brouiller/se fâcher avec...

une brouille, un conflit de voisinage

être serviable, disponible, gentil, conciliant, patient

méfiant, râleur, grincheux

agressif, sans-gêne, bruyant

curieux, discret/indiscret, réservé, bavard

Les groupes

se regrouper, adhérer à, appartenir à, être membre de, faire partie de...

un club	groupe de personnes qui s'unissent dans un même intérêt
une bande	groupe de personnes qui font des choses ensemble
un clan	petit groupe de personnes qui ont les mêmes goûts, les mêmes idées et qui s'opposent aux autres
une tribu	groupe de familles descendant du même ancêtre, vivant sous l'autorité d'un même chef et partageant les mêmes croyances, chez les peuples à organisation dite primitive
une communauté	ensemble de personnes qui ont des intérêts communs
une association	groupe de personnes qui se réunissent régulièrement pour exercer certaines activités
un réseau	ensemble de personnes ; organisation secrète

Pour la conversation

How do I say where I grew up ?

> **J'ai grandi à** Vitry-sur-Seine.

I grew up in Vitry-sur-Seine.

How do I express what attracted me ?

> Les grandes écoles **m'ont** toujours **attiré**.

The elite post-secondary schools always attracted me.

How do I express quantity ?

> Jeanne **a tant d'**anecdotes à raconter.

Jeanne has so many anecdotes to tell.

Communiquez!

1 Mon/Ma meilleur(e) ami(e)

Interpersonal Speaking

Parlez de votre rapport avec votre meilleur(e) ami(e) à votre partenaire, qui vous posera des questions sur le début et la poursuite de votre amitié.

2 Les mots qui parlent des relations sociales

Classez les expressions verbales sous la rubrique « Les relations » (p. 58) selon ce à quoi elles correspondent : début, poursuite, fin d'une relation.

Début		Poursuite	Fin
MODÈLE	**Nouer des relations**		

3 Mots de la même famille

Trouvez les noms qui correspondent aux verbes : échanger, accueillir, partager, rencontrer, aider.

MODÈLE **échanger : un échange**

4 Mes voisins

A deux, utilisez les mots de vocabulaire et ceux que vous connaissez déjà (par exemple : saluer, sourire, ne pas ouvrir la bouche, faire du bruit...) pour faire le portrait de quatre voisins différents parmi ceux-ci :

- le voisin aimable
- le voisin serviable
- le sans-gêne
- l'ours – le timide
- le curieux
- l'expansif
- le méfiant

MODÈLE **Le voisin expansif : Il vous salue bruyamment dès qu'il vous voit, il vous raconte tout ce qui lui est arrivé, il vous donne son opinion sur tout.**

5 Complétez les phrases !

Choisissez le mot qui convient dans les contextes suivants :

| tribus | clubs | réseau | association | bandes | communauté |

1. La police a démantelé un... de trafic d'armes.
2. C'est une... qui aide les ados en difficulté.
3. Le territoire sur lequel les... de nomades se déplacent diminue constamment.
4. Tous les... de tennis de la région participent à ce tournoi.
5. La nuit dernière, il y a eu une bagarre entre deux... rivales du même quartier.
6. La... juive a été très choquée par cet acte antisémite à leur synagogue.

6 Où ont-ils grandi ?

Dites où tout le monde a grandi.

Bordeaux   Brest   Dijon   Lille   Marseille   Paris   Strasbourg

MODÈLE   Mlle Forestier
Mlle Forestier a grandi à Paris.

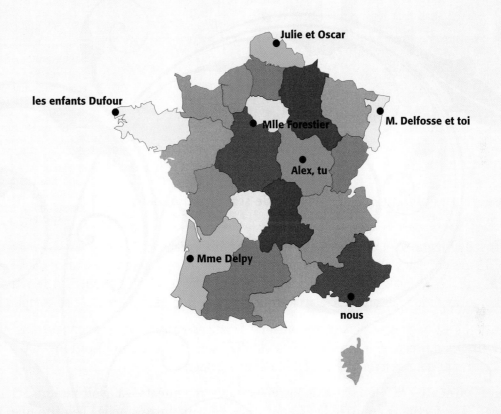

Julie et Oscar

les enfants Dufour

Mlle Forestier

M. Delfosse et toi

Alex, tu

Mme Delpy

nous

7 Questions personnelles

Répondez aux questions.

1. A qui est-ce que tu rends service régulièrement ?
2. Appartiens-tu à une association ou un club ? Laquelle ou lequel ?
3. Avec qui as-tu perdu le contact ? Pourquoi ?
4. Es-tu aimable et conciliant ou sans-gêne et méfiant ? Donne des exemples.
5. Quelles caractéristiques sont susceptibles de nouer des liens solides ?
6. Dans quelles circonstances deviens-tu râleur ?

Intégrer une grande école, un rêve

Comment les rapports sociaux évoluent-ils dans la société moderne ?

Narrative 1 **Interpretive Communication : Print Texts**

Le campus de Sciences Po.

Savez-vous... ?
Sciences-Po est une grande école parisienne qui unit deux institutions : la Fondation nationale des sciences politiques et l'Institut d'études politiques de Paris. **ZEP**, ou « zone d'éducation prioritaire », est une initiative qui donne une plus grande autonomie aux lycées et collèges qui y appartiennent pour faire face à des difficultés d'ordre scolaire et social.

Introduction

On vous présente un étudiant qui vit son rêve de scolarisation dans une grande école.

Je suis Réda Fouad. J'ai grandi et étudié à Vitry-sur-Seine dans le Val-de-Marne. J'ai 18 ans et je suis fils d'ouvriers boursier, élevé par un seul parent au quartier des Combattants à Vitry. Les grandes écoles m'ont toujours attiré. Dans les classes populaires de Vitry-sur-Seine, ce n'est pas l'ambition qui manque. Mais lorsque l'on vise trop haut, les choses se compliquent.

Et puis, l'occasion s'est présentée de pouvoir entrer à Sciences-Po Paris via les conventions éducation prioritaire, qui permettent à des élèves de ZEP–zone d'éducation prioritaire–d'y parvenir sur dossier et sous réserve de satisfaire à deux examens.

Je suis le seul fils d'ouvrier de mon lycée de Vitry—sur quatre lauréats—à avoir intégré Sciences-Po cette année. J'ai effectué ma rentrée le 24 août. Oui, c'est un autre monde. J'en tire une immense fierté. Pour en arriver là, j'ai sué !

A Sciences-Po, il n'y a que 12% de fils d'ouvriers, d'employés ou d'agriculteurs. Le calcul est vite fait : les autres places, 88%, sont occupées par des catégories plus aisées. Pas forcément plus fortunées car il ne s'agit pas seulement d'argent, mais dont le rapport à l'école et au savoir est différent du nôtre. On n'appréhende pas le savoir de la même manière selon que l'on vienne d'un quartier huppé ou d'une banlieue défavorisée. Une partie de la culture G s'acquiert à l'extérieur de l'école.

Je me souviens d'une épreuve cet été, où l'on m'a demandé de commenter l'œuvre d'un artiste anglais du XVIIIème siècle et de la mettre en perspective avec d'autres peintures. Si je n'avais pas eu un professeur de lettres qui insistait pour nous emmener au musée, je n'y serais jamais allé. J'ai pu m'en sortir comme ça. Non, je n'aurais jamais eu l'idée d'aller au musée de mon propre chef. Ce n'était pas quelque chose de naturel pour moi, pas vraiment mon monde.

L'entrée d'élèves des classes populaires peut créer un changement et une émulation, ancrer l'idée qu'une élite peut être issue d'un milieu socialement disparate, le banlieusard qui réussit ne doit plus être une exception…

D'après : RUE 89 Conventions ZEP : « Fils d'ouvriers, j'en ai sué pour entrer à Sciences-Po ». 12 septembre 2012. www.rue89.com (2 octobre 2012).

Langue vivante

L'expression *de mon propre chef* veut dire :

- Ça appartient à mon cuisinier.
- Je fais les choses seul(e).
- Je me sers de mon chapeau.
- Je suis le maître.

8 Qui est Réda Fouad ?

Lisez le document et écrivez une courte biographie qui parle de son milieu familial et sa scolarité.

9 Fils d'ouvriers et grandes écoles

Avec votre partenaire, faites une liste des obstacles que doit surmonter un fils d'ouvrier pour intégrer une grande école.

10 La culture accessible à tous ?

Complétez les phrases.
1. L'anecdote que Réda raconte dans l'avant-dernier paragraphe démontre…
2. Il illustre la phrase… du paragraphe précédent.
3. L'accès des grandes écoles aux classes populaires peut être positif en permettant…

11 A chacun son monde

Relevez dans le texte tous les mots qui renvoient respectivement à chacun des deux mondes : celui de Réda Fouad et l'autre.

| MODÈLE | **Réda : banlieue défavorisée** |
| | **Autre monde : quartier huppé** |

Quand les langues divisent : La mixité sociale à l'école

Narrative 2

Interpretive Communication : Print Texts

Introduction

Vincent est allé au collège public de son quartier, dans le 19ᵉᵐᵉ arrondissement de Paris. Ses parents lui ont fait prendre allemand en première langue étrangère (langue réputée difficile, réservée aux bons élèves) et non anglais, ce qui était aussi une façon détournée de constituer une « classe d'élite sociale ». Lorsqu'il est entré en 6ᵉᵐᵉ, les élèves qui faisaient allemand étaient ainsi séparés de ceux qui choisissaient anglais.

[...] j'ai un souvenir assez marquant du passage du CM2 à la 6ᵉᵐᵉ où j'avais deux très bons amis, un venait de la cité Crimée à côté et l'autre du même immeuble que moi et quand on est arrivés en 6ᵉᵐᵉ, le premier avait pris anglais première langue et nous, on avait pris allemand et on ne s'est pas retrouvés dans les mêmes classes et puis très vite au début de la rentrée, il est venu nous voir en nous disant qu'on ne pouvait plus être amis parce que lui, il se faisait un peu charrier par les gars de sa classe parce qu'il était copain avec des gens de la classe d'allemand. Donc, on avait perdu un ami pour des raisons évidemment qui nous dépassaient complètement à l'époque, pour des raisons sociales et l'année d'après, quand je suis entré en 5ᵉᵐᵉ, les classes ont été remélangée et on est redevenus amis avec des gens qui venaient de milieux un peu différents du nôtre même si évidemment, nous, dans le 19ᵉᵐᵉ, on ne venait pas de la haute bourgeoisie, c'était les classes moyennes, des enfants de profs, d'instits ou des choses comme ça. Du coup, moi je pense que ça a été très positif pour l'ambiance du collège et que les professeurs avaient eu raison de vouloir mélanger les élèves : ça ne s'est pas ressenti sur les élèves, il n'y a pas eu d'effets négatifs sur les enfants qui faisaient allemand première langue, ça n'a pas baissé leur niveau, ça n'a pas eu de conséquences dramatiques, seulement des conséquences positives pour la mixité sociale qui, pour le coup, était devenue une vraie mixité sociale du fait que les classes étaient mélangées, ce qui n'était pas le cas avant.

Source : RUE DES ÉCOLES : *Magazine de l'éducation de France culture.* « La mixité sociale à l'école ». [mp3]. 2012.

---

détourné(e) *roundabout, indirect* ; **des raisons... qui nous dépassaient (dépasser)** *for reasons we didn't understand (to go beyond, to go over someone's head)*

Langue vivante

- Comment comprenez-vous l'expression **mixité sociale** ? Que diriez-vous en anglais ? Voyez-vous la mixité sociale dans votre école ? communauté ?
- **Charrier** est un mot familier pour dire *taquiner quelqu'un, se moquer de quelqu'un.* Comment comprenez-vous **se faire charrier** ?

Répondez aux questions.

1. Pourquoi Vincent garde-t-il un souvenir particulier de son entrée en 6ᵉᵐᵉ ?
2. Que sait-on de son copain qui avait choisi anglais ? Que peut-on en déduire ?
3. Comment se manifestait la « lutte des classes » entre enfants ?
4. Qu'est-ce qui a changé dans l'organisation du collège lorsque Vincent est entré en 5ᵉᵐᵉ ? Quelles en ont été les conséquences ?

Logement intergénérationnel

Interpretive Communication : Print Texts

Introduction

Vous allez lire l'histoire de Victoire, 21 ans, et Jeanne, 88, qui habitent sous le même toit.

Lorsqu'elle rentre le soir vers 20 heures, Victoire, 21 ans, trouve la table dressée sur une nappe blanche en coton brodé. Délicate attention de Jeanne, 88 ans, qui, depuis novembre, partage son grand appartement du quartier Latin à Paris avec cette jeune fille qu'elle ne connaissait pas il y a six mois. C'est l'association le Pari solidaire qui a mis en relation la grand-mère et l'étudiante qui expérimentent, chacune à sa façon, la « cohabitation intergénérationnelle ». Solidaire et convivial, ce mode de vie se développe dans les grandes villes.

« Aujourd'hui, j'apprécie de ne plus être seule, notamment la nuit. En plus, Victoire est charmante ». Signée par les deux femmes, la convention d'hébergement du Pari solidaire fixe les règles de vie commune. Sans payer ni loyer ni charges, Victoire dispose d'une chambre meublée avec balcon et vue sur Notre-Dame et le Panthéon, et elle partage la cuisine et la salle de bains avec celle qu'elle considère comme sa « troisième grand-mère ». En échange, elle s'est engagée à rentrer tous les jours aux environs de 20 heures, « sauf deux fois par mois, avec deux week-ends libres par mois ». Le soir, après le dîner qu'elles prennent ensemble (l'une ou l'autre s'occupant, selon l'humeur, de mettre en route le lave-vaisselle), Victoire travaille ou écoute de la musique sur son ordinateur dans sa chambre avant d'aller, sur les coups de 23 heures, dire « bonne nuit » à la vieille dame. « Nous profitons souvent de ce moment pour discuter. Jeanne a tant d'anecdotes à raconter », confie l'étudiante, qui achète elle-même sa nourriture.

Source : LE PARISEN. « Logement intergénérationnel : se loger chez un senior contre services », l août 2011. http://étudiant.aujourd'hui.fr (4 octobre 2012).

13 La cohabitation intergénérationnelle

Identifiez la personne décrite.

1. Elle doit faire les courses pour elle-même.
2. Elle a 88 ans et vivait seule.
3. Etudiante à Paris, elle avait besoin de logement.
4. Elle a un grand appartement dans le quartier Latin.
5. Elle aime raconter des anecdotes.
6. Elle ne paie plus de loyer.
7. Elle partage la préparation des repas.

Ensemble des documents

- Quelle expérience scolaire semblent partager Réda Fouad et Vincent ?
- Comment Réda et Victoire profitent-ils de la nouvelle société ?

L'Accorderie, « le temps, une richesse »

Interpretive Communication : Audio Texts

Introduction

Vous allez entendre, successivement, Anik et Andrés nous parler d'un concept solidaire québécois, *l'Accorderie*.

14 Compréhension du document

A. *Ecoutez la première partie du témoignage d'Anick jusqu'à « ...d'avance ».*
   1. Quel type de services Anick rend-elle pour le réseau ?

B. *Poursuivez l'écoute jusqu'à « ...pour le fun aussi ».*
   2. En vous appuyant sur l'exemple d'Anick, quel est le principe de fonctionnement d'une *Accorderie* ?

C. *Ecoutez le témoignage d'Andrés.*
   3. Quelle est la situation exceptionnelle d'Andrés ?
   4. Qu'est-ce qui, selon Andrés, fait la force de *l'Accorderie* ?

Question centrale

? Comment les rapports sociaux évoluent-ils dans la société moderne ?

L'éducation secondaire et post-secondaire en France

Interpretive Communication : Print Texts

Après l'école élémentaire, les élèves français suivent un parcours secondaire : le collège et le lycée. On entre au collège en général à l'âge de 11 ans, pour quatre années d'études (6ème, 5ème, 4ème et 3ème), suite auxquelles l'obtention du Brevet des collèges permet d'accéder au lycée. Les trois années de lycée général (seconde, première et terminale) préparent les étudiants à passer le Bac (Baccalauréat), qui leur permet, à 18 ans, de poursuivre* des études universitaires, de s'inscrire aux grandes écoles, ou à d'autres écoles de formation* professionnelle. Dans le cas échéant*, poursuivre des formations professionnelles sans le Bac est une possibilité.

Le ministère de l'éducation nationale a déclaré que « Chaque élève doit être capable de communiquer dans au moins deux langues vivantes à la fin de l'enseignement secondaire ». C'est sur ce principe que fonctionne l'apprentissage des langues étrangères en France. A l'école maternelle*, l'enseignant sensibilise les enfants aux langues vivantes, par des chansons ou des petites interactions verbales. Puis, au collège, on apprend une première langue étrangère en 6ème (le plus souvent l'anglais), puis une deuxième en 4ème (langues européennes—espagnol, italien, allemand, suédois, etc. —, langues orientales—chinois, japonais, arabe, etc. —, ou langue régionale—Basque, Breton, Créole, etc.) Cet apprentissage* obligatoire continue tout au long du lycée, puis, selon la filière choisie, les langues étrangères à l'université peuvent être obligatoires ou optionnelles.

Une grande école est un établissement scolaire qui accepte ses étudiants par concours* et les prépare à une formation d'études supérieures de qualité exceptionnelle. Contrairement aux autres écoles universitaires, même élitistes, les grandes écoles ne dépendent pas du ministère de l'Education, mais d'autres ministères (Agriculture, Justice, Culture, etc.). Ces écoles sont principalement destinées à recruter de grands fonctionnaires d'état, par exemple, l'ENA pour l'administration, l'Ecole Polytechnique pour former des responsables scientifiques de haut niveau, l'Ecole navale pour l'armée de l'air. Les Grandes Ecoles de management et de commerce, comme HEC, sont sous la tutelle de Chambres de commerce, pour créér de grands entrepreneurs.

 Search words : www.education.gouv.fr

---

poursuivre *to pursue* ; **la formation** *training* ; **Dans le cas échéant** *If the need arises* ; **l'école maternelle (f.)** *pre-school* ; **un apprentissage** *apprenticeship* ; **un concours** *competition*

Dites si chaque phrase est vraie ou fausse. Corrigez les phrases qui sont fausses.

1. Le collège suit l'école primaire.
2. Un ado en 4ème année est au lycée.
3. On va au lycée pour trois ans.
4. Tous les élèves doivent passer le bac.
5. En 6ème on commence à apprendre l'histoire de la France.
6. Les grandes écoles acceptent les élèves par concours.
7. HEC prépare les élèves pour les professions médicales.

Les formes classiques de sociabilité sont moins présentes mais d'autres tendent à les remplacer.

Interpretive Communication : Print Texts

De nombreux Français constatent* et déplorent une dégradation du « lien social ». Il est vrai que les points de repère* collectifs qui en constituaient traditionnellement le fondement ont été fortement ébranlés*. C'est le cas par exemple de la pratique religieuse, de l'engagement idéologique, syndical*, politique. [...]

Le manque de temps (ressenti plutôt que réel) engendre* aussi l'impression d'un délitement* de la sociabilité. [...] Les lieux traditionnels de convivialité (petits commerces, cafés...) sont moins nombreux. La vie urbaine engendre plus de solitude que l'habitat rural et les modes de vie qui l'accompagnaient. [...]

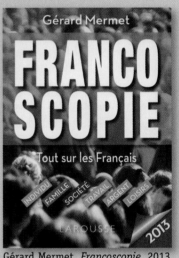

Gérard Mermet. *Francoscopie*. 2013.

Mais certaines initiatives d'une autre nature ont pris le relais*: les *repas de quartier* ou les opérations comme *Immeubles en fête* ou *Voisins solidaires* (lancée en mai 2009) répondent non seulement à une attente* de convivialité, mais à un besoin de solidarité face à la crise. De même la

---

constatent (constater) remarquent (remarquer) ; **un point de repère** *landmark* ; **ébranlé(e)** devenu(e) plus faible ; **syndical(e)** *union* ; **engendre (engendrer)** crée (créer) ; **un délitement** *disintegration* ; **ont pris le relais (prendre le relais)** *have taken over (to take over)* ; **une attente** *expectation*

Les repas de quartier permettent à des voisins de se connaître au cours d'un repas, parfois dans les rues. Tout le monde apporte un plat ou une bouteille. **Immeubles en fête**, ou **Fête des voisins**, est une fête qui essaie d'arrêter l'isolement des gens dans les lieux urbains. **Voisins solidaires** est une association dont l'objectif est de renforcer les solidarités de proximité et de développer les petits services et l'entraide entre voisins pour faciliter le « passage à l'acte » de chacun d'entre nous.

rue n'est pas seulement un espace de violence et d'insécurité ; elle peut être celui de la rencontre, de l'échange, de la gentillesse*. Le temps consacré à la communication interpersonnelle est aussi en augmentation sensible, comme le montre l'usage du téléphone mobile ou d'Internet, avec l'explosion des textos, courriels, forums, blogs, ou « murs personnels » des réseaux sociaux. Les médias offrent des espaces croissants* d'expression et d'échanges à leurs lecteurs, auditeurs ou téléspectateurs*.

Les solidarités se sont aussi accrues* à l'intérieur des familles ou des « tribus ». La « mise en réseau » de la société entraîne* une évolution sensible du lien social, dans le sens de relations plus sélectives, plus virtuelles et aussi plus éphémères. *L'e-solidarité* est apparue avec le développement d'Internet et prend des formes multiples : forums d'entraide informatique ; informations « consuméristes » ; échanges de « bons plans » ; mise à disposition entre pairs de fichiers* ; diffusion de scoops, *buzz*, rumeurs et canulars* ; signatures de pétitions ; relais de messages humanitaires ; dons virtuels aux associations ; jeux caritatifs* ; clics humanitaires. Les nouvelles formes de sociabilité virtuelle connaissent une véritable explosion.

Source : *Francoscopie 2013* de Gérard Mermet © Larousse 2012.

 Search words : immeubles en fête, voisins solidaires

la gentillesse *kindness* ; **un téléspectateur, une téléspectatrice** *TV viewer* ; **se sont accrues (s'accroître)** *increased (to increase)* ; **entraîne (entraîner)** *is leading to (to lead to)* ; **pairs de fichiers** *pairs of Internet resource users who team up* ; **un canular** *hoax* ; **des jeux caritatifs** *TV game shows where money is given to charities*

Langue vivante

Repérez dans les deux premiers paragraphes :

- deux noms synonymes de *détérioration, affaiblissement*.
- un verbe qui traduit la même idée.

COMPARAISONS

Les cafés, les petits commerces étaient en France « des lieux de convivialité ». Quels lieux d'hier et d'aujourd'hui citeriez-vous dans votre communauté ?

16 Compréhension du document

Faites les activités suivantes.

A. *Parcourez rapidement le texte. Repérez quels paragraphes correspondent à la première partie du titre et lesquels à la seconde.*

> **MODÈLE** **Les formes classiques de sociabilité sont moins présentes : première partie**
> **D'autres ont tendance à les remplacer :**

B. *Identifiez les « points de repère collectifs » sur lesquels le lien social était traditionnellement fondé. (Premier paragraphe)*

> **MODÈLE** **La religion...**

C. *Retrouvez les différents facteurs qui expliquent l'affaiblissement du lien social.*

> **MODÈLE** **Le manque de temps...**

D. *Remplissez le tableau.*

Formes traditionnelles de sociabilité	Formes contemporaines de sociabilité
1. l'église	forums sur Internet
2.	

Sa perspective

L'auteur pense-t-il que la sociabilité est en crise actuellement, ou qu'on a trouvé un chemin différent ? Justifiez votre réponse.

Ma perspective

Les gens que vous connaissez acceptent-ils tous la nouvelle sociabilité ? Pensez-vous que les changements dans la société sont pour le meilleur ?

17 E-solidarité

Presentational Speaking

L'évolution des relations sociales relevée par G. Mermet vous semble-t-elle positive ? A quelles formes d'e-solidarité avez-vous participé ou participez-vous le plus volontiers ? Comparez votre vie à la vie d'un grand-parent.

La société sans contact

Interpretive Communication : Print Texts

La « société de communication est parfois celle de l'incommunication. Hors de* la sphère familiale, amicale ou « tribale », les relations entre les individus (dans le monde réel notamment) apparaissent* plus limitées, en tout cas insuffisantes* à leurs yeux si l'on se réfère aux enquêtes.[...] Consciemment* ou non, beaucoup de Français imaginent que les « autres » sont potentiellement porteurs de maux* (microbes, virus, bactéries), qu'ils représentent en tout cas un danger ou un risque. En référence au système social indien des castes, chacun est pour ses voisins (occasionnels ou durables) un « intouchable » ; il n'est d'ailleurs pas anodin* que le film portant ce titre ait connu en 2011 un véritable triomphe avec 20 millions d'entrées. [...]

Paradoxalement, cette évolution est favorisée par l'évolution technologique, alors que celle-ci prétend au contraire favoriser les relations au moyen des multiples instruments de communication qu'elle propose. Mais il s'agit le plus souvent d'outils permettant une relation virtuelle, aseptisée*. L'étude des usages du téléphone portable montre que beaucoup de Français, sans en être conscients, préfèrent se parler à distance que se rencontrer dans le « monde réel ». Certains s'envoient des textos ou des courriels* pour éviter de se parler. La plupart des équipements de communication sont en fait des outils de « distanciation ». La télévision, la radio ou Internet sont des moyens de se tenir* informé tout en restant hors du monde. Même les objets dits « nomades » (téléphone portable, baladeur radio ou lecteur MP3 …) constituent des prétextes pour s'isoler de son environnement immédiat, être là sans être là.

Source : *Francoscopie 2013* de Gérard Mermet © Larousse 2012.

---

hors de *outside of* ; **apparaissent (apparaître)** *appear (to appear)* ; **insuffisant(e)** *insufficient* ; **consciemment** *consciously* ; **les maux (m.)** *maladies* ; **anodin(e)** *insignificant* ; **aseptisé(e)** *sterilized* ; **un courriel** *un mail* ; **se tenir** *to keep oneself*

Intouchables est un film populaire qui se concentre sur la relation entre deux hommes issus de milieux différents : l'un, un chômeur d'origine sénégalaise, qui vient d'être mis à la porte de son HLM ; l'autre, un homme riche paralysé qui habite une maison luxueuse et qui cherche un aide à domicile.

Sa perspective

Pour l'auteur, comment s'explique ce souci d'éviter le contact ?

Ma perspective

Préférez-vous le contact réel ou à distance ? Pour quelle(s) raison(s) ?

COMPARAISONS

De quelle façon cette analyse pourrait-elle s'appliquer à votre propre société ?

Relevez tous les aspects de ce paradoxe en complétant les phrases suivantes avec un mot ou une expression de la liste.

distanciation   isolé   à distance   s'éloigne   hors du monde   envoyer des textos ou courriels

1. De nos jours, on préfère se parler... plutôt qu'en vrai.
2. On préfère... plutôt que se parler.
3. On s'informe sur l'état du monde mais on reste...
4. On... de ceux avec qui l'on est avec notre téléphone portable.
5. Les outils de communication sont en réalité des outils de...
6. Bien qu'on soit informé et éduqué, on vit...

La Francophonie : Vers plus de solidarité

✳ *Au Québec*

Interpretive Communication : Print Texts

Une Accorderie vise à* **lutter contre la pauvreté et l'exclusion sociale en renforçant les solidarités** entre des personnes d'âge, de classe sociale, de nationalité et de sexe différents.

> **Savez-vous... ?**
> En 1998 Martin Simon a ouvert la première banque de temps dans le Royaume-Uni.

Une Accorderie développe, par l'échange de services et la coopération, les conditions d'une amélioration* réelle, et au quotidien, de la qualité de vie de tous ses membres, **les AccordeurEs**. Ces derniers ont accès aux **services individuels** des autres membres de L'Accorderie, ainsi qu'aux **activités collectives d'échange**, soit* à des services d'intérêt général qui s'adressent à* l'ensemble des AccordeurEs.

Une Accorderie œuvre* dans le monde de l'économie sociale et solidaire, en proposant un système économique alternatif reposant sur* la **création d'une nouvelle forme de richesse**. Une richesse collective et solidaire qui s'appuie* essentiellement sur le potentiel des membres de toute la communauté. Une communauté où, trop souvent, les citoyens les plus pauvres sont jugés non productifs, car* étant sans emploi, aux études, à la retraite, etc. ou occupant un emploi mal rémunéré, ils sont exclus de la spirale de la surconsommation.

Une Accorderie fait plutôt le pari* qu'il est possible de créer cette richesse collective et solidaire en se basant sur la contribution de tous les membres de la communauté. Une Accorderie, c'est une **façon démocratique et organisée de construire une alternative au**

---

vise à (viser à) *aims to (to aim to)* ; **une amélioration** *improvement* ; **soit** *that is to say* ; **s'adressent à (s'adresser à)** *speak to (to speak to)* ; **œuvre (œuvrer)** fonctionne (fonctionner) ; **reposant sur** *built on* ; **s'appuie sur (s'appuyer sur)** *relies on (to rely on)* ; **car** *for* ; **le pari** *bet*

système économique dominant, avec ce qu'il comporte* d'inégalités, et d'entrer dans la spirale sympathique d'un réseau qui concrétise sa croyance que le monde peut fonctionner autrement, en ne laissant personne de côté*, et qu'il est possible de produire et de consommer autrement.

Comment ça fonctionne ?

Chaque AccordeurE met à la disposition des autres ses compétences et savoir-faire sous la forme d'**offres de services.** Des conseils pour cuisiner, de l'aide pour déménager, de la couture, du dépannage informatique, du gardiennage, de la restauration de meubles, des cours et initiations de toutes sortes, etc. Les possibilités sont aussi nombreuses que vous avez de talents, d'habiletés* et de connaissances !

Chaque offre apparaît* dans le **bottin des services** des AccordeurEs, accessible dans l'Espace membre du site web ou imprimé pour les membres qui n'ont pas accès à internet. Les AccordeurEs ont accès aux coordonnées des personnes qui offrent les services. Ils/elles peuvent donc entrer en contact directement avec les autres membres pour s'entendre sur le service désiré et le moment de l'échange.

Chaque échange de service est comptabilisé* dans une **banque de temps**, selon le principe « **une heure de service rendu vaut* une heure de service reçu** », quels que soient le service rendu et les compétences exigées.

Tous les services sont mis sur un même pied d'égalité.

Dans la banque de temps, chaque AccordeurE dispose d'un* **compte temps** où sont inscrites les heures données et reçues. La comptabilité se fait à partir de **chèques temps**. Lorsqu'une personne devient AccordeurE, 15 heures sont déposées* dans son compte, ce qui lui permet d'échanger des services immédiatement.

Source : RESEAU ACCORDERIE. « Qu'est-ce qu'une Accorderie ? » 2012. http://accorderie.ca (6 octobre 2012).

 Search words : sel france

---

comporte (comporter) *consists (to consist)* ; **en ne laissant personne de côté** *leaving no one by the wayside* ; **une habileté** *skill* ; **apparaît (apparaître)** *appears (to appear)* ; **comptabilisé(e)** *posted* ; **vaut (valoir)** *is worth (to be worth)* ; **dispose de (disposer de)** *has (to have), owns (to own)* ; **déposé(e)** *deposited*

---

19 Des mots-clé de l'Accorderie

Donnez une définition ou exemple pour...

1. une Accorderie
2. un(e) Accordeur(e)
3. non productif
4. la surconsommation
5. le système économique dominant
6. une offre de service
7. le bottin des services
8. un compte temps

COMPARAISONS

Il y a les Accorderies au Québec, les systèmes d'échange locaux en France (SEL)... et dans votre région ?

Logement intergénérationnel : un choix économique et solidaire

Interpretive Communication : Print Texts

Le principe du logement intergénérationnel est simple : une personne âgée vous héberge* à son domicile* en échange de* quoi vous vous engagez à lui rendre quelques petits services : faire les courses, préparer le repas... et surtout lui tenir compagnie*. Importé d'Espagne, ce type de cohabitation se développe en France depuis 2004. Avec le soutien* de l'Etat et des collectivités locales qui misent* sur cette cohabitation pour répondre à la fois au manque de logement étudiant et à la solitude des personnes âgées.

Un passage obligé par une association

Economique et solidaire, ce mode de logement est clairement encadré* par une charte de bonnes pratiques, baptisée « Un toit, deux générations ». Celle-ci oblige d'abord à passer par une association qui veille à former le binôme* étudiant-sénior adéquat. « Mettre en relation une personne âgée et un étudiant, c'est délicat comme un travail d'agence matrimoniale car il s'agit de relation humaine », note Typhaine de Penfentenyo, responsable de l'association *ensemble2générations*.

Une démarche de solidarité

Pour constituer ce binôme étudiant-senior, chaque association impose donc dans un premier temps un entretien. « C'est l'occasion de s'assurer de la motivation de l'étudiant à participer à cette démarche* de solidarité qui exige de la générosité, du respect, de la confiance », précise Typhaine de Penfentenyo. La participation aux charges de loyer* varie souvent selon l'implication de l'étudiant. C'est gratuit si vous vous engagez à être présent plusieurs soirs par semaine et à aider la personne âgée dans certaines tâches ménagères*. En revanche, une contribution peut vous être demandée si vous assurez juste une présence tout en étant libre de votre temps.

Source : VAILLANT, Emmanuel. « Logement intergénérationnel ». 2012. letudiant.fr. (8 octobre 2012).

 Search words : un toit, deux générations ; ensemble2générations

---

héberge (héberger) *lodges (to lodge)* ; **un domicile** maison ou appartement ; **en échange de** *in exchange for* ; **lui tenir compagnie** *to keep him/her company* ; **le soutien** *support* ; **misent sur (miser sur)** *have a stake in (to have a stake in)* ; **encadré(e)** *framed* ; **un binôme** *partnership* ; **une démarche** *step* ; **le loyer** *rent* ; **une tâche ménagère** une corvée

COMPARAISONS

Quels services pour les seniors sont disponibles dans votre ville ou région ?

20 Logement intergénérationnel résumé

Répondez aux questions.

1. Quel est le sujet du document ?
2. Quel est l'objectif de la formule ?

3. Quels sont les dispositifs mis en place pour optimiser les chances de réussite de la cohabitation ?

La culture de tous les jours

Lisez la bande dessinée. Ensuite, répondez aux questions.

Qu'est-ce que je fais pour prendre l'initiative ?

Glissez un petit tract sous les portes de vos voisins et initiez des conversations dans l'ascenseur, par exemple.

21 Marie-France prend l'initiative dans son immeuble.

Répondez aux questions.

1. Où est Marie-France ?
2. Ou vit-elle ? (Dans une maison ?)

3. Qu'est-ce qu'elle voudrait organiser ?
4. Pour commencer, qu'est-ce qu'elle fera ?

Communiquez!

22 L'expérience du logement intergénérationnel

Interpersonal Speaking

Jouez les rôles d'un(e) étudiant(e) qui cherche un logement et d'un(e) senior qui a besoin d'aide mais qui peut offrir un logement.

Révision : Changements orthographiques des verbes au présent

Verbes en –CER/–GER

Pour garder la qualité de la prononciation à travers la conjugaison, les verbes qui se terminent en –cer ou –ger ajoutent soit des accents soit des lettres.

- **Les verbes en –CER prennent une cédille devant « a » et « o ».**
- **Les verbes en –GER prennent un « e » après le « g » devant « a » et « o ».**
  Exemples : *Nous commençons ; nous échangeons, nous mangeons, nous partageons*

Quelques verbes : *commencer, balancer, fiancer, distancer, échanger, manger, partager, ranger, ronger, soulager*

Verbes en –E.ER

Les verbes qui se terminent en *e.er* ont aussi des changements d'accent et de consonne.

- **Les verbes en –E.ER changent le « e » en « è » devant une syllabe contenant un « e » muet.**
  Exemple : *se lever → je me lève/ils se lèvent/nous nous levons*

Quelques verbes : *emmener, se promener, achever, peser*

- **Les verbes en –ELER redoublent le « l » devant une syllabe contenant un « e » muet.**
SAUF certains verbes comme *déceler, épeler, geler, modeler, harceler,* par exemple, qui changent le « e » en « è ».
  Exemples : *appeler → j'appelle/ils appellent/nous appelons*
  déceler → je décèle/ils décèlent nous décelons
- **Les verbes en –ETER redoublent le « t » devant une syllabe contenant un « e » muet.**
SAUF certains verbes comme *acheter, fureter, racheter,* par exemple, qui changent le « e » en « è ».
  Exemples : *jeter → je jette/ils jettent/nous jetons*
  acheter → j'achète/ils achètent/nous achetons

Verbes en –É.ER

Les verbes qui se terminent en *é.er* subissent des changements d'orthographe et de prononciation.

- **Les verbes en –E.ER changent le « é » en « è » devant une syllabe contenant un « e » muet.**
  Exemple : *répéter → je répète/ils répètent/nous répétons*
  Quelques verbes : *s'inquiéter, posséder, accéder, espérer, compléter, refléter, succéder.*

Verbes en –YER / –AYER

Avec les verbes qui se termine en –yer et –ayer, on constate un changement complète de voyelle.

- **Les verbes en –YER changent « l'y » en « i » devant un « e » muet.**
- **Les verbes en –AYER peuvent conserver « l'y » devant un « e » muet.**

Exemples : *envoyer* → *j'envoie/ils envoient/nous envoyons*
    payer → *je paie* ou *je paye/ils paient* ou *ils payent*

Quelques verbes : *nettoyer, renvoyer, employer, tutoyer, vouvoyer, essuyer, appuyer, s'ennuyer, essayer, balayer, effrayer.*

23   L'histoire de Florence

Complétez les phrases avec la bonne forme du verbe entre parenthèses.

1. La vieille dame... Florence. (s'appeler)
2. Elle... un journal et trouve un article sur la cohabitation intergénérationnelle. (acheter)
3. Elle a besoin d'aide, mais ses enfants ne... pas pour ces services parce qu'ils n'ont pas les moyens. (payer)
4. Selon l'article, les seniors comme elle... le loyer pour les petits services d'un(e) étudiant(e). (échanger)
5. Le 4 octobre, elle... de son fauteuil et laisse entrer Océane, qui a 22 ans et une valise. (se lever)
6. Florence dit, « ... dans la salle à manger ! » (manger, *nous*)
7. Florence demande, « Je ne... plus la maison parce que je n'ai pas les forces ». (nettoyer)
8. En peu de temps, Florence et Océane... (se tutoyer)
9. Florence et Océane ne... plus : Océane a un lit et Florence a un peu d'aide. (s'inquiéter)

24   Plaisir de conjuguer !

Lisez le texte, puis choisissez un couple de verbes dans l'encadré. Écrivez un petit poème sur un thème de la leçon.

Echanger et partager

Toi, tu échanges une heure d'informatique.
Lui, il échange une heure de musique.
Elle échange un sourire avec son voisin.
Ils échangent quelques mots.
Qu'est-ce que vous partagez encore ?
Nous partageons les mêmes passions.
Nous échangeons nos recettes.
Ils sont solidaires.

J'échange gratuitement des services.
Tu échanges des conseils.
Ils s'échangent un texto.
Nous partageons un BBQ.
Vous partagez vos talents de jardinier.
Héloïse et la vieille dame partagent le même logement.

Les sujets
s'inquiéter ou espérer
acheter ou jeter
appeler et épeler
tutoyer et vouvoyer
employer ou renvoyer
essayer et payer

Révision : Les verbes *vouloir, pouvoir, devoir, savoir*

Rappel sur leur conjugaison

Le verbe *savoir* fonctionne avec 2 bases :

> *Je **sais**, tu **sais**, il **sait**/nous **sav**ons, vous **sav**ez, ils **sav**ent*

Les verbes *vouloir, pouvoir* et *devoir* utilisent 3 bases :

> *Je **veux**, tu **veux**, il **veut**/nous **voul**ons, vous **voul**ez/ils **veul**ent*
> *Je **peux**, tu **peux**, il **peut**/nous **pouv**ons, vous **pouv**ez/ils **peuv**ent*
> *Je **dois**, tu **dois**, il **doit**/nous **dev**ons, vous **dev**ez/ils **doiv**ent*

Le participe passé de ces quatre verbes est en -*u* : *j'ai **voulu**, j'ai **pu**, j'ai **dû**, j'ai **su**.*

Les emplois

Vouloir et *savoir* peuvent être suivis d'un nom et/ou d'une proposition :

> *Il veut un rendez-vous ; je veux que tu m'écoutes ; tu sais ta leçon, nous savons que vous avez raison.*

Devoir peut être suivi d'un nom : *je te dois de l'argent.*

- **Les 4 verbes peuvent être suivis d'un infinitif.**
  Ils veulent se rencontrer.
  Je ne peux pas supporter son comportement.
  Vous devez demander une autorisation.
  Tu sais faire ça, toi !

- **Le verbe *pouvoir* + infinitif signifie soit la capacité-aptitude, soit la possibilité-autorisation, soit la possibilité-éventualité :**
  Tu ne peux pas porter ce sac, c'est trop lourd pour toi !
  Vous ne pouvez pas entrer dans cette salle, elle est réservée au personnel.
  Il peut avoir cherché à nous appeler.

- **Le verbe *devoir* + infinitif signifie : soit la nécessité, l'obligation :** *On doit respecter toutes les opinions.*

- **A la forme négative, il exprime l'interdiction .**

  Vous ne devez pas fumer dans les lieux publics.

  soit la probabilité, la prévision :
  Il doit prononcer son discours d'un moment à l'autre.

Quand la probabilité est faible, quand le doute domine, le verbe *devoir* est au conditionnel :
L'avion devrait atterrir dans une heure (mais il y a des risques qu'il ne puisse pas).

On utilise très souvent les verbes *pouvoir, vouloir, devoir* pour demander quelque chose, dire à quelqu'un de faire quelque chose, conseiller... Par politesse, on utilise alors le conditionnel.

> *Tu pourrais me donner un coup de main ?*
> *Vous devriez essayer de parler à votre voisin.*

25 Reconnaître une intention

Reconnaissez l'intention de chacune des phrases en cochant la bonne case.

1. Vous pourriez me prêter votre mobile ? Je n'ai plus de batterie.
2. Tu devrais être plus sympa avec lui.
3. Voulez-vous vous taire !
4. Vous voulez venir prendre l'apéritif demain soir ?
5. Vous ne devez pas stationner ici.
6. Tu ne veux pas m'accompagner ? Je suis sûr que ça va te plaire.
7. Vous pouvez me présenter les papiers du véhicule ?
8. Je voudrais trouver un partenaire de tennis.
9. Je veux bien.
10. Vous pouvez vous installer ici, la place est libre.

Intention	1	2	3	4	5	6	7	8	9	10
Demande	**MODÈLE** X									
Ordre										
Autorisation										
Interdiction										
Souhait										
Invitation, proposition										
Acceptation										
Conseil										

Communiquez!

26 Echange!

Presentational Communication

Organisez un échange de savoirs/services dans la classe. Chacun dit ce qu'il sait faire, ce qu'il propose et ce qu'il souhaiterait en échange. Mettez les informations en ligne et partagez-les avec une autre classe de français.

MODÈLE **Je sais** faire la cuisine. **Je peux** préparer un gâteau pour huit personnes.
Je voudrais bien un coup de main pour laver ma voiture.

A vous la parole

emcl.com
WB 19–22

Comment les rapports sociaux évoluent-ils dans la société moderne ?

27 Les relations avec les voisins

Interpretive Communication : Audio Texts

L'animatrice de l'émission « 7 milliards de voisins » a choisi précisément pour thème du jour : « Quelles relations avec nos voisins ? » Elle interviewe Vincent Cayol, cofondateur avec Athanase Périfan de la Fête des Voisins.

A. *Anticipez ! On va parler de la fête des voisins. Quelles informations va-t-on donner, à votre avis ?*

B. *Ecoutez deux fois les deux premières questions et les réponses de V. Cayol. Arrêtez à la troisième question (« Alors de quoi il s'agit exactement ? »). Les deux interlocuteurs parlent vite. Mais vous n'avez pas besoin de tout comprendre ! Repérez les informations essentielles.*

La Fête des Voisins

- Quand a-t-elle lieu ?
- Dans combien de pays ?
- Depuis combien de temps existe-t-elle ?
- Où est-elle née ?
- Qu'est-ce qui a motivé sa création ?
- Quelles sont les caractéristiques de son mode d'organisation : notez 1 ou 2 adjectif(s).

C. *Ecoutez la suite. Dites si les informations suivantes sont vraies ou fausses. Corrigez les phrases qui sont fausses.*
- La Fête des Voisins est célébrée partout le même jour. C'est très important.
- Quelques personnes prennent l'initiative d'inviter les autres.
- Quelques personnes se chargent de tout préparer.
- On peut apporter ce qu'on veut.

Communiquez!

28 La Fête des Voisins

Presentational Writing : Persuasive Essay

A partir des informations que vous avez notées, vous savez les bénéfices de la Fête des Voisins. A deux, faites une liste des inconvénients. Ensuite, écrivez un essai qui explique pourquoi vous aimeriez y participer ou pas.

🔍 **Search words : la fête des voisins**

Communiquez!

29 Parler d'un film

Faites les activités suivantes.

A. *Observez et commentez la photo.*
   Décrivez les deux personnages le plus précisément possible. Relevez ce qui les oppose en apparence : race, milieu social, etc.
B. *Lisez le début de l'article que cette photo accompagnait.*

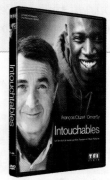

Intouchables est un film avec François Cluzet et Omar Sy.

Interpretive Communication : Print Texts

L'un est blanc, l'autre est noir. L'un plein aux as, l'autre dans la dèche. L'un habite un hôtel particulier à Paris, l'autre n'a plus droit de cité dans son HLM de banlieue. Ils se rencontrent et deviennent de formidables copains. Racontée un peu vite, cette histoire de contraires qui s'unissent ferait craindre le pire. Mais en fait, c'est une histoire de semblables qui commence. Et *Intouchables* la raconte drôlement bien.

Tout est affaire de handicap. Celui de Philippe est très lourd (paraplégique après un accident de parapente), celui de Driss est costaud aussi (un zéro de la société). Sur le premier, on a collé l'étiquette « désespoir » et sur le second l'étiquette « sans espoir ». Mais du haut de son fauteuil roulant, Philippe rejette les mines de commisération contrite, et les mines de condamnation affligée glissent sur Driss. Ces deux-là vont se rejoindre au-delà des jugements, au-dessus du lot commun.

Source : STRAUSS, Frédéric. « Intouchables ». Télérama 2011. n°3225, p. 56. http://television.telerama.fr (20 décembre 2012).

Langue vivante

Les expressions **être plein aux as** et **être dans la dèche** sont familières. Vous pouvez en deviner le sens en lisant la phrase suivante : « les mines de commisération contrite et les mines de condamnation affligée »: la société porte sur Philippe et sur Driss un regard attristé ; elle considère Philippe avec pitié à cause de son handicap et Driss avec sévérité.

30 Viens au cinéma avec moi !

Interpersonal Writing : Email

Vous envoyez un mail à un(e) camarade de classe pour l'inviter à aller voir Intouchables *avec vous au cinéma. Relevez les thèmes de cette leçon que vous avez étudiée ensemble pour le/la persuader. Dites pourquoi le film plaira à votre copain.*

31 Dialogue guidé 🎧 👥

Interpersonal Speaking : Conversation

Vous vous rendez au service « vie associative-bénévolat » de votre mairie. Vous vous renseignez. Vous avez une conversation avec un employé. Cette conversation doit suivre le canevas qui vous est donné ci-dessous. Vous allez entendre les répliques de l'employé et vous réagirez comme le canevas l'indique.

–**Vous vous présentez et indiquez le motif de votre démarche.**

–Votre interlocuteur vous demande ce qui vous pousse à vouloir aider les autres.

–**Vous répondez.** *(Vous pouvez évoquer un événement personnel, une rencontre, une lecture, un film…)*

–Il vous invite à préciser les domaines dans lesquels vous avez envie de vous engager.

–**Vous en donnez deux et vous expliquez vos raisons.**

–Il attire votre attention sur certaines contraintes.

–**Vous êtes un peu déconcerté.**

–Il vous propose de rencontrer un jeune bénévole pour vous aider à y voir plus clair.

–**Vous acceptez bien volontiers et vous prenez congé.**

Communiquez!

Interpersonal Writing : Letter

Vous avez reçu cette lettre. Vous répondez à votre ami français et le renseignez.

Toulouse, le 22 mai 2012

Hello Charlie,

Comment vas-tu ?
Tu ne devineras jamais pourquoi je t'écris. Figure-toi que la boîte où travaille mon père vient de lui proposer de partir un an à Austin (Texas). Il a dit oui ! Et bien sûr, toute la famille va suivre… dès septembre.

Nous sommes presque prêts mais j'ai deux ou trois questions à te poser. En effet, tu sais combien nous sommes ACTIFS dans la famille et pas question de changer… Moi, par exemple je fais deux heures de piano par semaine au Conservatoire, ma sœur s'est découvert une passion pour la capoeira l'année dernière et mon père s'occupe du club de bridge où il joue aussi souvent que possible. Quant à ma mère, elle n'est jamais là : quand elle n'est pas à la piscine, elle est au Resto du Cœur ou…

Bref, est-ce qu'il existe des associations qui pourront nous accueillir, tu crois ? Où faut-il se renseigner ? Comment ça marche aux US ? Et combien ça coûte ?

Ah ! J'allais oublier… il nous faudra aussi améliorer notre anglais.

Désolé, ça fait beaucoup de questions…
D'avance, merci !
Bon été et… C U soon !!

Dan

Lectures thématiques

emcl.com
WB 23

Lecture

1 Bel Ami

Interpretive Communication : Print Texts

Rencontre avec l'auteur

Guy de Maupassant (1850–1893) est considéré comme l'un des écrivains les plus importants du XIXème siècle. Encouragé par Flaubert, ami de sa mère, il s'est dirigé vers la littérature. Il est connu pour ses contes, romans, et nouvelles réalistes ou naturalistes. *Bel Ami* est l'histoire de Georges Duroy, un petit employé de bureau qui gagne à peine de quoi se nourrir et qui achète un habit avec l'argent que lui a prêté Forestier, un ancien camarade depuis longtemps perdu de vue qui l'invite à venir diner chez lui, car il reçoit, entre autres personnes du monde, le directeur de son journal, qui pourrait embaucher Georges. C'est sa chance. Comment la vie de Georges pourrait-elle changer ?

Guy de Maupassant.

Pré-lecture

Comment vous sentez-vous dans un milieu différent du vôtre ?

> **Rappel**
> Cette sélection utilise le passé simple, le temps littéraire du passé ; cherchez les définitions de chaque infinitif avant de lire le texte : **fit (faire)** ; **parut (paraître)** ; **aperçut (apercevoir)** ; **ralentit (ralentir)** ; **emplit (emplir)** ; **sonna (sonner)** ; **se troubla (se troubler)** ; **jeta (jeter)** ; **se souvint (se souvenir)** ; **tendit (tendre)**.

Bel Ami par Guy de Maupassant

Il montait lentement les marches*, le cœur battant, l'esprit* anxieux, harcelé* surtout par la crainte* d'être ridicule ; et soudain il aperçut* en face de lui un monsieur en grande toilette* qui le regardait. Ils se trouvaient si près l'un de l'autre que Duroy fit un mouvement en arrière, puis il demeura stupéfait : c'était lui-même, reflété par une haute glace en pied qui formait sur le palier* du premier une longue perspective de galerie*. Un élan de joie le fit tressaillir*, tant il se jugea mieux qu'il n'aurait cru.

Pendant la lecture
1. De quoi Georges a-t-il peur ?

Pendant la lecture
2. Qui est-ce qu'il voit dans le miroir ? Pourquoi cette réflexion le choque-t-il ?

---

une marche *step* ; **l'esprit (m.)** *mind* ; **harcelé(e)** *plagued* ; **la crainte** la peur ; **aperçut (apercevoir)** a remarqué ; **en grande toilette** habillé avec élégance ; **le palier** *landing* ; **une perspective de galerie** on dirait qu'il était dans une galerie ; **tressaillir** *to quiver*

N'ayant chez lui qu'un petit miroir à barbe, il n'avait pu se contempler entièrement, et comme il n'y voyait que fort mal les diverses parties de sa toilette improvisée, il s'exagérait les imperfections, s'affolait* à l'idée d'être grotesque.

Mais voilà qu'en s'apercevant brusquement* dans la glace il ne s'était même pas reconnu ; il s'était pris pour un autre, pour un homme du monde, qu'il avait trouvé fort bien, fort chic, au premier coup d'œil*. (...)

En arrivant au second étage, il aperçut une autre glace et ralentit sa marche pour se regarder passer. Sa tournure lui parut vraiment élégante. Il marchait bien. Et une confiance immodérée en lui-même emplit son âme. (...) Puis, tendant la main vers le timbre*, il sonna.

La porte s'ouvrit presque aussitôt*, et il se trouva en présence d'un valet en habit noir, grave, rasé, si parfait de tenue* que Duroy se troubla de nouveau sans comprendre d'où lui venait cette vague émotion : d'une inconsciente comparaison, sans doute, entre la coupe* de leurs vêtements. Ce laquais*, qui avait des souliers* vernis*, demanda, en prenant le pardessus* que Duroy tenait sur son bras par peur de montrer les taches* :

« Qui dois-je annoncer ? »

Et il jeta le nom derrière une portière soulevée*, dans un salon où il fallait entrer.

Mais Duroy, tout à coup, perdant son aplomb*, se sentit perclus* de crainte, haletant*. Il allait faire son premier pas dans l'existence attendue, rêvée. Il s'avança, pourtant. Une jeune femme blonde était debout qui l'attendait, toute seule, dans une grande pièce bien éclairée* et pleine d'arbustes*, comme une serre*.

Il s'arrêta net, tout à fait déconcerté. Quelle était cette femme qui souriait ? Puis il se souvint que Forestier était marié ; et la pensée que cette jolie blonde élégante devait être la femme de son ami acheva de l'effarer*.

Pendant la lecture
3. Pourquoi n'a-t-il pas bien vu chez lui ?

Pendant la lecture
4. Il s'est pris pour qui ?

Pendant la lecture
5. Qu'est-ce qu'il est en train de faire ? Où va-t-il ?

Pendant la lecture
6. Qui a ouvert la porte ? Comment était-il ?

Pendant la lecture
7. Qui est dans le salon ?

Pendant la lecture
8. C'est la femme de qui ?

s'affolait (s'affoler) *panicked (to panic)* ; **brusquement** *abruptly* ; **un coup d'œil** *glance* ; **l'âme (f.)** *soul* ; **le timbre** *bell* ; **aussitôt** *as soon as (he rang)* ; **si parfait de tenue** *bien habillé* ; **la coupe de leurs vêtements** *l'élégance des vêtements* ; **un laquais** *lackey* ; **les souliers** *chaussures* ; **verni(e)** *polished* ; **un pardessus** *manteau* ; **une tache** *stain* ; **une portière soulevée** *raised curtain* ; **aplomb** *assurance* ; **perclus** *presque paralysé* ; **haletant** *panting* ; **éclairé(e)** *well lit* ; **un arbuste** *shrub* ; **une serre** *greenhouse* ; **effarer** *to alarm*

Il balbutia* : « Madame, je suis ... » Elle lui tendit la main : « Je le sais, monsieur. Charles m'a raconté votre rencontre d'hier soir, et je suis très heureuse qu'il ait eu la bonne inspiration de vous prier de dîner avec nous aujourd'hui ».

Il rougit jusqu'aux oreilles, ne sachant plus que dire ; et il se sentait examiné, inspecté des pieds à la tête, pesé, jugé.

Pendant la lecture
9. Comment se sent-il maintenant ?

---

balbutia (balbutier) *stammered (to stammer)*

Langue vivante

Que laisse entendre l'expression : **un salon où il fallait entrer** ? Qui, ou qu'est-ce qui, force Duroy à entrer ?

Post-lecture

Duroy vous semble-t-il capable de profiter de cette occasion pour avancer sa vie ? Pourquoi, ou pourquoi pas ?

33 Les étapes de la lecture

Répondez aux questions.

Georges Duroy change deux fois totalement et brusquement d'état d'esprit. Repérez les événements qui provoquent ces changements, vous déterminerez ainsi les grandes étapes de ce récit :

Première étape
1. Quels mots expriment ses sentiments au début du récit ?

Deuxième étape
2. Quelle phrase exprime un changement total d'état d'esprit ?
3. Quel événement provoque ce changement ?

Troisième étape
4. Quelle expression signale qu'il change à nouveau de sentiment ?
5. Quel événement en est la cause ?
6. Les lieux ne sont pas vraiment décrits, mais l'auteur montre par quelques détails qu'ils sont plus prestigieux que ceux où Duroy vit habituellement. Quels sont ces détails ?
7. Dans la dernière phrase du texte comment est soulignée la gêne de Duroy ?

Faites les activités suivantes.

1. Faites de l'extrait de *Bel Ami* une séquence de film. Ecrivez le script : décrivez le décor, le héros (vous pouvez dire quel acteur vous verriez dans le rôle), les actions.

2. Vous êtes metteur en scène et vous dirigez l'acteur. Dites quelles indications vous lui donnez : *Tu entres dans l'immeuble, tu es anxieux, préoccupé, pas sûr de toi. Tu commences à monter lentement. Tu arrives sur le palier du premier. Tout à coup...*

3. Lisez un sommaire de *Bel Ami* pour trouver ce qui se passe dans la vie de Duroy après cette rencontre. Discutez avec la classe de ce que Duroy a dû surmonter pour réaliser ses rêves et réussir.

La place
Interpretive Communication : Print Texts

Rencontre avec l'auteur

Annie Ernaux (1940–) est une écrivaine fascinée par la sociologie. Elle est surtout connue pour ses œuvres autobiographiques comme *La place* (1983) qui raconte l'ascension sociale de sa famille. Ce qu'il y a d'universel dans ses livres c'est qu'ils montrent les aspects collectifs de la société à partir d'histoires individuelles. La sélection que vous allez lire est sur le père de l'auteur, qui était d'abord ouvrier, puis petit commerçant. Etait-il conscient de son milieu dans la société ?

Annie Ernaux.

Pré-lecture

Dans quels milieux sociaux n'êtes-vous pas à l'aise ?

La place par Annie Ernaux

La peur d'être *déplacé**, d'avoir honte*. Un jour il est monté par erreur en première* avec un billet de seconde. Le contrôleur lui a fait payer le supplément. Autre souvenir de honte : chez le notaire* il a dû écrire le premier « lu et approuvé »*, il ne savait pas comment orthographier*, il a choisi « à prouver ». Gêne, obsession de cette faute*, sur la route du retour. L'ombre* de l'indignité.

Dans les films comiques de cette époque on voyait beaucoup de héros naïfs et paysans* se comporter de travers* à la ville ou dans les milieux mondains*. On riait aux larmes des bêtises* qu'ils disaient, des impairs* qu'ils osaient* commettre, et qui figuraient ceux qu'on craignait de commettre soi-même.

Devant les personnes qu'il jugeait importantes, il avait une raideur* timide, ne posant jamais aucune question. Bref, se comportant avec intelligence. Celle-ci consistait à percevoir* notre infériorité et à la refuser en la cachant le mieux possible. Toute une soirée à se demander ce que la directrice avait bien pu vouloir dire par : Pour ce rôle, votre petite fille sera *en costume de ville** » Honte d'ignorer ce qu'on aurait forcément su si nous n'avions pas été ce que nous étions, c'est-à-dire inférieurs.

Obsession : « *Qu'est-ce qu'on va penser de nous ?* » (les voisins, les clients, tout le monde).

Règle : déjouer constamment le regard critique des autres, par la politesse, l'absence d'opinion. [...] Aucune question où se dévoilerait* une curiosité, une envie qui donnent barre* à l'interlocuteur sur nous. Phrase interdite : « Combien vous avez payé ça ? »

Je dis souvent « nous » maintenant, parce que j'ai longtemps pensé de cette façon, et je ne sais pas quand j'ai cessé de le faire.

Pendant la lecture
1. Qui a peur d'avoir honte ?

Pendant la lecture
2. Relevez deux événements où le père de l'écrivaine a ressenti la honte.

Pendant la lecture
3. De quelles comédies pouvait-on rire ?

Pendant la lecture
4. Qu'est-ce que son père essayait de cacher ?

Pendant la lecture
5. Les enfants suivaient quelles règles de leur père ?

Pendant la lecture
6. Qu'est-ce qui a changé dans l'attitude de l'écrivaine ?

Source : ERNAUX, Annie. *La Place*. Gallimard. Paris : 1983.

 Search words : vidéos de annie ernaux, podcasts de annie ernaux

---

déplacé(e) *displaced* ; **avoir honte** *to be ashamed* ; **en première** *first class* ; **le notaire** avocat ; **lu et approuvé** *a contract formality* ; **orthographier** *to spell* ; **une faute** un erreur ; **l'ombre (f.)** *shadow* ; **un paysan, une paysanne** un fermier, une fermière ; **se comporter de travers** *to behave inappropriately* ; **mondain(e)** *worldly, upper class* ; **une bêtise** *folly* ; **un impair** une maladresse choquante ; **osaient (oser)** *dared (to dare)* ; **une raideur** *stiffness* ; **percevoir** *perceiving* ; **en costume de ville** *Sunday best* ; **se dévoileraient (se dévoiler)** *would unveil (to unveil)* ; **qui donnent barre** *give an advantage*

Post-lecture

Comment interprétez-vous le titre de ce livre ? De quelle *Place* s'agit-il ? (Rapprochez ce titre de la première phrase du texte.)

Répondez aux questions.

Premier paragraphe

1. Pourquoi le père de l'auteur a-t-il eu honte dans le train ? Et chez le notaire ? Réfléchissez sur/à la cause de la honte dans les deux cas : est-ce exactement la même ? Sont-elles complètement différentes ? Ont-elles un point commun ?

2. Le mot « *déplacé* » est mis en évidence par les italiques. Quel sens peut-on lui donner et quel rapport a-t-il avec la honte ?

Paragraphe suivant

3. Qui est-ce que l'écrivaine reconnaît en se souvenant des héros « naïfs et paysans » ?

4. Quel rapport y a-t-il entre ce paragraphe et le premier ?

Troisième paragraphe

5. Il apporte un nouvel exemple de honte : est-il différent des deux précédents ? Quel sentiment permanent est en fait à l'origine de toutes ces hontes ?

6. A quel comportement conduit-il ?

7. Quelle définition Annie Ernaux donne de l'intelligence ? Qu'en pensez-vous ? Le comportement décrit vous semble-t-il intelligent ? Pourquoi ?

La fin

8. Pourquoi la phrase : « Combien avez-vous payé ça » ? Est-elle interdite ?

9. Que laisse entendre la dernière phrase du texte ?

Deuxième lecture

10. Relevez dans le texte tous les mots qui expriment un malaise. Qu'en concluez-vous ?

11. Beaucoup de phrases, comme la première, ne sont pas construites avec un verbe et son sujet : ce sont des « phrases nominales ». A quel genre de texte cela fait-il penser ? Quel est l'effet produit ?

Synthèse

1. Gérard Mermet et Annie Ernaux écrivent des textes sociologiques. Vous préférez le style de quel écrivain ? Justifiez votre opinion.

2. *Bel Ami* et *La place* vous rappellent quelle(s) narrative(s) ? Pourquoi ?

3. *La Place* a été écrit en 1983, c'est-à-dire un siècle après *Bel Ami* (1884). Comparez les extraits de ces deux livres :

   • En quoi la situation du héros de Maupassant et celle des parents d'Annie Ernaux sont-elles comparables ? (Points communs ? Différences ?)

   • Les personnages de ces deux récits ont-ils le même comportement dans cette situation ?

   • Annie Ernaux, telle que la dernière phrase de son texte la fait apparaître, est-elle plus proche de ses parents ou de G. Duroy ?

T'es branché?

{ Faisons le point !

A. *Pour retrouver les principales idées développées au cours de la leçon, notez dans votre cahier un ou deux exemple(s) en face de chacun des points de repère qui vous sont proposés. Reportez-vous à tous les documents de la leçon (écrits journalistiques, témoignages, analyses, textes littéraires).*

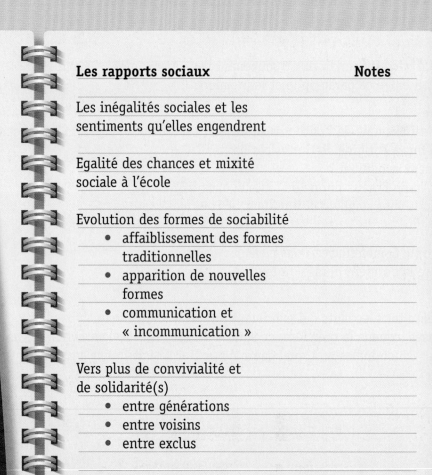

Les rapports sociaux	Notes
Les inégalités sociales et les sentiments qu'elles engendrent	
Egalité des chances et mixité sociale à l'école	
Evolution des formes de sociabilité	
• affaiblissement des formes traditionnelles	
• apparition de nouvelles formes	
• communication et « incommunication »	
Vers plus de convivialité et de solidarité(s)	
• entre générations	
• entre voisins	
• entre exclus	

Question centrale

Comment les rapports sociaux évoluent-ils dans la société moderne ?

B. *Discutez en groupes de la question centrale. Que répondriez-vous à la question posée au début de l'unité : Comment les rapports sociaux évoluent-ils dans la société moderne ?*

Vocabulaire de l'Unité 1

adhérer (à) to join *C*
l' admiration (f.) admiration *B*
l' adolescent (m.) adolescent *A*
âgé(e) old *C*
agressif, agressive aggressive *C*
aimer : aimer à la folie to love like crazy *B*
s' améliorer to improve *C*
l' amitié (m.) friendship *B*
amoureux, amoureuse : amoureux fou de madly in love *B*
appartenir (à) to belong (to) *C*
une association association *C*
l' attachement (m.) attachment *B*
attirer to attract *C*
au : au cas où in case *B*
l' autonomie (f.) autonomy, independence *A*
une autorité authority *A*
avoir : avoir de bonnes/mauvaises relations avec to have a good/bad relationship with *C* ; avoir le/un coup de foudre pour to fall head over heels for *B* ; avoir un penchant pour to have a fondness for *B*
basé(e) based *C*
une brouille disagreement *C*
se brouiller to fall out, to quarrel *C*
bruyant(e) noisy *C*
un CAP vocational school certificate *A*
cesser de to stop *A*
un chagrin heartbreak *B*
un clan group *C*
la cohabitation cohabitation *C*
comblé(e) fulfilled *B*
communautaire community *A*
une communauté community *A*
compréhensif, compréhensive understanding *A*
conciliant(e) accommodating *C*
la confiance trust *A*
confiant(e) confident *B*
un conflit conflict *A*
le conformisme conformity *A*
conformiste conformist *A*
un conseiller, une conseillère school counselor *A*
se consoler to take comfort *B*
se construire to find one's identity *A*
le contact contact *C*
se convenir (à) to work for *A*
la convivialité friendliness *C*
un coup : coup de foudre love at first sight *B*
craquer : craquer pour [inform.] to fall in love with *B*
curieux, curieuse curious *C*

de : de toujours lifelong *B*
décrocher [inform.] to give up *A*
un décrocheur, une décrocheuse dropout *B*
déçu(e) disappointed *B*
se dégrader to turn sour *C*
la dépendance dependence *A*
désintéressé(e) disinterested *B*
se détériorer to deteriorate *C*
une différence difference *B*
un diplôme diploma *A*
discret, discrète reserved *C*
draguer to hit on *B*
un échange exchange *C*
échanger to exchange *C* ; échanger des baisers to kiss *B*
l' échec (m.) failure *A*
échouer to fail *A*
l' émancipation (f.) liberation *A*
s' émanciper to liberate oneself *A*
s' embrasser to kiss (one another) *B*
l' ennui (m.) boredom *A*
l' entente (f.) understanding *A*
un entourage entourage *B*
s' entraider to help one another *C*
les entraîneurs, entraîneuses instructors *A*
entretenir to have *C*
s' épanouir to flourish *A*
l' épanouissement (m.) blossoming *A*
éphémère fleeting, short-lived *B*
établir to establish *C*
être : être attiré(e) par to be attracted by *B* ; être fidèle to be faithful *B* ; être membre (de) to be a member (of) *C*
évoluer to change *A*
exigeant(e) demanding *B*
se fâcher (avec) to get angry *C*
faire : faire confiance à to trust *A* ; faire le premier pas to make the first move *B*
familial(e) family *A*
ferme firm *A*
fidèle faithful *B*
la fidélité fidelity *B*
la filiation affiliation *A*
un flirt fling *B*
fragile fragile *B*
fraternel, fraternelle fraternal *B*
grâce à thanks to *A*
grincheux, grincheuse grumpy *C*
ignorer to not know *C*
l' indépendance (f.) independence *A*
l' indifférence (f.) indifferent *B*
indiscret, indiscrète tactless *C*

indulgent(e) indulgent *A*

inséparable inseparable *B*

l' **interdiction (f.)** ban *A*

interdit(e) forbidden *B*

intergénérationnel, intergénérationnelle intergenerational *C*

intransigeant(e) inflexible *A*

isolé(e) isolated *C*

la **jalousie** jealousy *B*

jaloux, jalouse jealous *B*

kiffer : kiffer grave [inform.] to be crazy about *B*

laisser : laisser indifférent(e) to not have an effect *B* ; **laisser tomber** to let go of *B*

laxiste indulgent *A*

la **liberté** freedom *A*

le **lien** connection, relationship *C*

lointain distant *B*

le **loyer** rent *C*

malheureux, malheureuse unhappy *B*

la **méfiance** distrust *A*

méfiant(e) suspicious *C*

se **mêler (de)** to meddle (in)

la **métamorphose** metamorphosis *A*

se **mettre : se mettre à l'aise** to put (someone) at ease *B*

motiver to motivate *A*

naissant(e) budding *B*

la **négociation** negotiation *A*

nouer to build up *C*

l' **obéissance (f.)** obedience *A*

offrir : offrir un service (à) to do a favor (for) *C*

l' **orientation (f.)** counseling *A*

orienter (à) to guide (to) *A*

partagé(e) mutual *B*

patient(e) patient *C*

petit(e): la petite amie/copine girlfriend *B* ; **le petit ami/copain** boyfriend *B*

se **plaire** to like each other *B*

plaquer [inform.] to dump *B*

platonique platonic *B*

plus : plus tard later *A*

un **pot** pot *C*

une **pote** mate *C*

prendre : prendre des nouvelles de to ask after *C* ; **prendre en compte** to take into account *A*

proche close *B*

profond(e) deep *B*

public, publique public *B*

raccrocher [inform.] to finish *A*

un **raccrocheur, une raccrocheuse** former dropout resuming studies *A*

râleur, râleuse [inform.] always complaining *C*

rebelle rebellious *A*

la **rébellion** rebellion *A*

se **réconcilier** to make up *B*

se **regrouper** to group together *C*

la **relation** relationship *C*

rendre : rendre service à (qqn) to help (someone) *C*

se **rendre : se rendre service** to help one another *C*

un **réseau** network *C*

réservé(e) reserved *C*

le **respect** respect *B*

la **réussite** success *A*

réviser to revise *A*

la **révolte** rebellion *A*

rompre [inform.] to break up *B*

une **rupture** break-up *A*

sans-gêne shameless *C*

les **sentiments (m.)** feelings *B*

se **séparer** to get separated, to split up *B*

serviable helpful *C*

sévère strict *A*

sincère sincere *B*

la **sociabilité** sociability *C*

solide solid *B*

soumis(e) submissive *A*

la **soumission** submission *A*

sourd(e) deaf *C*

stable stable *C*

superficiel, superficielle superficial *B*

surprendre to surprise *B*

tant de so many *C*

taper : taper dans l'œil de [inform.] to be taken with *B*

se **tenir : se tenir la main** to hold hands *B*

tisser to build *C*

trahi(e) betrayed *B*

la **transgression** transgression *A*

une **tribu** tribe *C*

tromper to cheat *B*

un **type [inform.]** guy *C*

le **voisinage** neighborhood *C*

Unité 2

La vie contemporaine

Question centrale

Comment les cultures marquent-elles le passage de l'enfance à l'adolescence puis à l'âge adulte?

Quel est le slogan de cette marque de fromage?

Question centrale

Comment le marketing façonne-t-il et/ou reflète-t-il les tendances culturelles des communautés?

Quelles associations organisent des sorties en France?

Question centrale

Comment le sport et les loisirs contribuent-ils à la qualité de la vie?

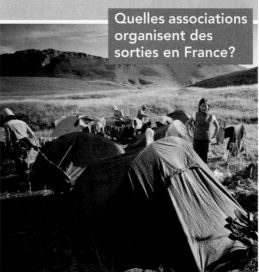

Contrat de l'élève

Leçon A Je pourrai...

» exprimer où je serai, ce dont je me suis aperçu, et ce que je me dis; dire ce qui manque et ce que je ne maîtrise pas.

» discuter de plusieurs rites de passage.

» savoir employer les comparatifs d'adjectifs et d'adverbes, le superlatif et exprimer l'intensité.

Leçon B Je pourrai...

» exprimer ce que j'imagine, de quoi quelque chose dépend; expliquer comment quelque chose s'est passé.

» discuter de l'avenir de la publicité et des différents aspects du marketing.

» utiliser les verbes pronominaux.

Leçon C Je pourrai...

» parler du temps consacré à une activité, ce qu'elle me permet de faire et ce qu'elle m'apporte.

» discuter des sports et des loisirs qui sont populaires en France, des activités extrascolaires des ados, de la mission des MJC.

» me servir des verbes auxiliaires.

Vocabulaire actif

emcl.com
WB 3–8

Les rites de passage

Question centrale

?

Comment les cultures marquent-elles le passage de l'enfance à l'adolescence puis à l'âge adulte ?

Les rites (de passage) et les rituels

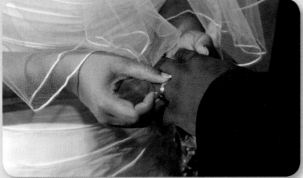

Le **rite** de la **cérémonie** de **mariage** est **ancien**. Souvent **religieux**, il marque une nouvelle **étape de la vie**.

Les rites (m.)
le baptême
la première communion
le mariage
les rites funéraires
les anniversaires

L'**épreuve** du permis de conduire est un **rite de passage** pour tous les jeunes. Il faut **subir** et **surmonter** les difficultés.

Les rites de passage
le bac
le permis de conduire
les tatouages (m.)
les piercings (m.)
le bizutage

Le maire coupe le ruban lors de **la cérémonie d'inauguration**.

Les rituels (m.)
le gui à Noël
une cérémonie d'inauguration
une réception-cadeaux pour bébé
une galette des Rois pour l'Epiphanie
un sapin de Noël
un baiser à minuit pour le Nouvel An

Un **rite** est d'abord l'ensemble des cérémonies prescrites dans une religion mais aussi simplement, hors du domaine religieux, une pratique habituelle qui suit toujours les mêmes règles. Un **rituel** est un ensemble de pratiques réglées et codifiées.

Les deux noms sont donc très proches et on les confond très souvent. Mais **rite** évoque plus nettement la religion et par ailleurs un **rituel** désigne plutôt un ensemble de pratiques alors qu'un **rite** peut s'appliquer à une seule. Par exemple :

> *Les rites de baptême diffèrent suivant les confessions.*
> *Dans mon enfance, il fallait respecter strictement le rituel du déjeuner dominical en famille.*
> *Pas question d'en changer une seule règle.*

Rituel est aussi un adjectif : on prononce *des* **paroles rituelles**, on fait des **gestes rituels**....

D'autres noms sont fréquemment associés à **« rite »**: **cérémonie**, **cérémonial**, **liturgie**, **règle**, **code**, **symbole**, **tradition**....

Il existe des **rites religieux** et des **rites profanes** ou **laïcs**, des **rites collectifs** et des **rites individuels**, des **rites anciens** et de **nouveaux rites**. Il existe aussi différents types de rites : les **rites de passage** qui marquent les grandes étapes de la vie, en particulier bien sûr la naissance, le mariage et la mort (on appelle ces derniers des **rites funéraires** ou **funèbres**) ; des **rites d'initiation**, des **rites d'intégration**, **d'accueil**....

Le passage de l'adolescence à l'âge adulte est un moment très important. Dans les sociétés traditionnelles, il est marqué par des **rites d'initiation**. Les adolescents d'une même classe d'âge sont isolés de leur communauté, ils **subissent** des **épreuves** difficiles, physiques et psychologiques. Pour les **surmonter**, ils doivent **dominer leur peur**, **faire la preuve de leur courage** et de leur **endurance**. Ils pourront alors **être initiés aux** secrets et aux mythes de leur communauté qu'ils réintégreront à la fin de l'initiation, **transformés** et avec un statut différent : ils en seront devenus membres à part entière, adultes.

On **crée**, on **établit** des rites. Ensuite, les rites *se* **transmettent**. Ils peuvent **se modifier**, **évoluer** ou non. Ils peuvent **rester vivants**, **perdurer** ou au contraire **s'affaiblir** et même **disparaître**.

On **célèbre**, **observe**, **suit**, **respecte**, **se conforme à** un rite. On peut au contraire le **négliger**, le **transgresser**.

COMPARAISONS

Le mot **« épreuve »** a, en français, des sens différents. Comment le traduiriez-vous en anglais dans les contextes suivants ?

- Les **épreuves** écrites du bac commencent lundi prochain.
- Elle traverse de dures **épreuves**, ça explique son comportement.
- Koffi n'avait pas pu subir les **épreuves** d'initiation parce qu'il était malade et ne se sentait pas pleinement intégré à son groupe.
- Demain, pour les coureurs du Tour, c'est une **épreuve** contre la montre.

Pour la conversation

How do I express where I will be for a duration of time ?

> **Je serai durant** toute cette semaine en salle C3.

This whole week I'll be in room C3.

How do I say there's only one thing missing ?

> **Il ne manque plus qu'**un seul élément.

There's only one thing missing.

How do I express what I haven't yet mastered ?

> **Je ne maîtrise pas totalement l**a méthodologie.

I haven't totally mastered the methodology.

How do I say I wasn't the only one to experience something ?

> **Je me suis aperçue que** je n'étais pas la seule à avoir un ado qui somatisait son stress.

I noticed I wasn't the only one to have a teen who suffered psychosomatically from stress.

How do I express that I told myself something ?

> **Je me suis dite** que j'étais déjà une bonne bouffonne.

I told myself I was already a clown.

---

1 Des rites

A quel rite associez-vous les pratiques suivantes ? Devinez avec vos camarades de classe.

- Echanger des anneaux
- Verser de l'eau sur le front d'un enfant
- Jeter une poignée de terre
- Souffler sur les bougies
- Porter une robe blanche (une fillette)

MODÈLE Echanger des anneaux : **le mariage**

---

2 Des rituels

Avec votre partenaire, discutez des rituels dans votre famille ou communauté ou culture. Ensuite, faites une liste de rites pour une autre culture.

1. un anniversaire spécial, par exemple, 15, 16, 18, ou 21 ans
2. une fête nationale
3. des fiançailles
4. quand vous êtes interrogé par un avocat dans un procès
5. un championnat
6. un anniversaire de mariage, par exemple, le premier, ou 25ème ou 50ème
7. un baptême naval
8. une récompense pour le meilleur acteur

3 Un sommaire

Complétez avec un mot ou une expression de la liste.

> rituels (d'initiation)   laïcs   établi   rites   observent   subissent   profanes

1. Les... sont souvent religieux, par exemple, le mariage.
2. Chaque pays a des... pour célébrer leurs fêtes comme Noël.
3. Les rites qui ne sont pas religieux sont... ou ...
4. Les tribus africaines sont connus pour leurs rites...
5. Les ados... des épreuves qui marquent leur intégration dans l'âge adulte.
6. On a... le rituel du sapin de Noël de l'Allemagne.
7. Maintenant beaucoup de pays... ce rituel.

4 Décrire un rite

Interpretive Communication : Print Texts

Voici un extrait de la description du rite funéraire traditionnel aux Antilles. Lisez-le. Quelles sont les étapes du cérémonial ? Quel est le rôle des différents participants ? Quelle est la chronologie des actions ?

Le jour de l'enterrement

La maison du défunt était aux environs de midi garnie de draps blancs sur lesquels on avait accroché des feuilles de buis. Des fleurs étaient cueillies dans les jardins des alentours puis réunies en bouquets ou en couronnes et portées par des volontaires. Juste avant la mise en bière vers 15 heures, qui dans les campagnes était annoncée par un coup de corne de lambi, toute la famille et les amis donnaient au mort un dernier baiser (sur le front) et il fallait veiller à ce qu'aucune larme ne lui tombe dessus, puis on lui déboutonnait les vêtements. La famille proche ne devait pas assister à l'enterrement mais la levée du corps était strictement réservée aux hommes de la famille ; puis le cercueil était porté par des jeunes qui se relayaient. Le cercueil ne devait surtout pas être tourné dans la maison et la tradition voulait aussi qu'au retour d'un enterrement l'on ne rende pas visite aux malades avant d'être revenu à la maison du défunt « déposer le mort » et d'avoir bu un coup. Au lendemain de l'enterrement, la lessive et un grand nettoyage réunissaient encore les proches et les voisins. Le même jour commençait la prière qui devait durer 9 jours.

Source : FRANCE OBSÉQUES LIBERTÉ. « Les rites funéraires antillais ». www.obseques-liberte.com (10 mars 2013).

Faites les activités suivantes.

A. Ecrivez des questions sur le texte pour votre partenaire. Echangez.

B. Pour décrire un rite, on doit ainsi préciser le rôle des participants, détailler les différentes étapes, leur chronologie, leur durée, noter éventuellement les paroles rituelles, la musique ou les bruits, les vêtements, s'ils sont particuliers, ou d'autres accessoires. Et, si on la connaît, expliquer la valeur symbolique de tel geste ou de tel élément. A deux ! Décrivez un rite que vous connaissez bien en prenant le paragraphe sur le rite antillais comme modèle.

6 **Je me suis apercu(e) que...**

Faites une phrase pour décrire chaque illustration en vous servant des expressions de la liste ci-dessous.

avoir son permis de conduire   mourir   se faire faire un tatouage
passer un rite d'initiation   couper le ruban   subir des épreuves difficiles

MODÈLE

Julien

Je me suis apercu(e) que Julien s'était fait faire un tatouage.

1. Chloé

2. le président

3. le maire de Toulouse

4. les soldats

5. Flying Eagle

7 Questions personnelles

Répondez aux questions.

1. Dans ta famille, respecte-t-on le rituel du dîner dominical en famille ?
2. Quels rituels ta famille et toi suivez-vous pour les fêtes ?
3. Ton école observe quels rituels laïcs ?
4. As-tu jamais observé des rites funéraires ?
5. Tes amis ont-ils des tatouages ? Des piercings ?
6. As-tu eu ton permis de conduire ? Est-ce que cela représente un rite de passage pour toi ?

Narratives

Question centrale

?

Comment les cultures marquent-elles le passage de l'enfance à l'adolescence puis à l'âge adulte ?

Introduction

Le baccalauréat, ou bac, est en France un moment très important. Pour la génération qui le passe, c'est une étape décisive. Elle marque la fin du lycée, le passage à autre chose, souvent l'enseignement supérieur, en tout cas une autre vie, plus indépendante, moins encadrée par les adultes. Pour beaucoup, elle coïncide de plus avec la majorité qui signifie l'âge adulte.

Du coup, le bac est l'objet de l'attention générale ; tout le monde en parle : avant (conseils aux candidats), pendant et après (reportages sur les épreuves, l'attente et l'annonce des résultats). La philo est l'épreuve emblématique qui, chaque année, en juin, donne le coup d'envoi du bac. Elle est particulièrement médiatisée : dès qu'elle est finie, les sujets sont discutés et commentés à la radio comme à la télé.

Ce lundi, j'ai passé mon bac de philo

Narrative 1

Interpretive Communication : Print Texts

Pré-lecture

Lisez le titre et le chapeau de ce témoignage. Que nous apprennent-ils ? Comment comprenez-vous le mot « plongée » dans ce contexte ?

7h20. Arrivée devant le lycée Lavoisier. Quelques personnes attendent déjà, un jour d'examen mieux vaut être prévoyant !

Les gens commencent à arriver, chacun raconte ce qu'il a revu, fait un bilan des citations qu'il a choisi de retenir, mais surtout... chacun fait un bilan de toutes les notions de philosophie qu'il ne maîtrise pas forcément très bien. Après ce bilan, tout le monde plaisante, change de sujet. Le bac, aussi étrange que cela puisse paraître, ne semble plus parmi nous. Ce moment de répit est de courte durée. A 7h40, nous regagnons l'intérieur du lycée, un coup d'œil sur le panneau d'affichage pour vérifier que nous sommes bien dans la salle indiquée sur notre convocation. En ce qui me concerne, pas de changement : je serai durant toute cette semaine en salle C3.

> **Rappel**
>
> Certains verbes sont suivis de « à », d'autres de « de » avant l'infinitif.
>
> **à**   **de**
> commencer à   arrêter de
> continuer à   choisir de
> inviter à   décider de
>
> Pouvez-vous penser à d'autres exemples ?

Le stress survient au moment de rentrer dans la salle. L'appel vient d'être fait. A nous maintenant de remplir l'entête de notre copie avec notre nom, numéro de candidat, options...

Il ne manque plus qu'un seul élément, et de taille : les sujets ! 7h55, le paquet tant attendu ou redouté, c'est selon, arrive enfin. Distribution des sujets à l'envers par les surveillants de chaque salle.

A 8h00, la cloche retentit. C'est à moi de jouer. Me voilà fixée pour la série scientifique. Trois sujets sont possibles : « Avons-nous le devoir de chercher la vérité » ?, « Serions-nous plus libres sans l'Etat » ? et le dernier n'est autre qu'une explication de texte sur un extrait d'*Emile ou De l'éducation* de Rousseau.

Lecture attentive des trois propositions. Le texte ne me semble pas très compliqué mais je ne maîtrise pas totalement la méthodologie d'un commentaire de texte : j'en ai très peu fait. Je pense que le jour du bac n'est pas le plus approprié pour tenter des expériences !

Il ne me reste maintenant plus que les deux dissertations, mais laquelle choisir ? Je relis attentivement les deux sujets. Je fais un bilan des notions que je maîtrise par rapport aux deux questions, la vérité et le devoir ou bien la politique et la liberté ? J'opte finalement pour le deuxième sujet, le nombre de citations que je possède sur ce sujet a mis fin à mes hésitations. Mon choix étant fait, il est maintenant temps que je me penche sur mon plan. D'après la question, je choisis un plan pour et contre avec une troisième partie mettant en avant les pensées d'un philosophe, Spinoza, pour argumenter le reste de ma dissertation.

Quatre heures sont passées. Beaucoup de temps pour seulement un coefficient 3. On se retrouve tous à la sortie, la tête déjà dans l'épreuve d'histoire qui nous attend ce mardi matin.

Source : « Ce lundi, j'ai passé mon bac de philo ». Ouest-France - Lise, jeune correspondante solidaire - 19 juin 2012.

Langue vivante

D'après le contexte, comment comprenez-vous : *Le bac, aussi étrange que cela puisse paraître, ne semble plus parmi nous.*
- Bizarrement, nous semblons oublier l'épreuve qui nous attend.
- Bizarrement, nous savons que nous allons rater l'épreuve qui nous attend.

---

8 Le décompte du temps

Parcourez rapidement le texte. Repérez les indications de temps et de durée qui rythment le récit de Lise.

1. A quoi correspondent les indications de temps ?
2. Que nous disent-elles du déroulement de cette matinée et des sentiments des lycéens ?

9 | Choisir un sujet

Choisir le bon sujet est essentiel. Lise en mesure méthodiquement les conséquences. Retrouvez le raisonnement de l'élève et relevez les deux phrases dans lesquelles elle justifie ses choix. Que nous disent-elles de son état d'esprit ? De l'enjeu ? Evaluez-la dans un paragraphe. Est-elle bonne élève ?

10 | Le bac et l'épreuve de philosophie

Qu'est-ce qu'on apprend dans le texte d'une part sur l'organisation du bac, d'autre part sur l'épreuve de philosophie : comment est-elle conçue et, d'après les raisonnements de Lise, que faut-il maîtriser pour la réussir ?

11 | Un rite ou un rituel ?

Passer le bac, est-ce un rite ou un rituel ? A quoi sert-il ? Pourquoi est-ce important pour la culture ? Ecrivez un paragraphe, un rap, ou un poème pour expliquer.

12 | Le bac ailleurs

Recherchez les anciennes colonies françaises pour voir dans combien de pays les élèves doivent passer le bac. Montrez ces infos sur une carte. Vous pouvez travailler avec un(e) camarade de classe.

Témoignages : Mamans de futurs bacheliers, quelle galère !

Narrative 2   **Interpretive Communication : Print Texts**

Langue vivante
Que signifie à votre avis « quelle galère ! »?

- Quelle chance !
- Quel travail !
- Quelle épreuve !

Introduction

Le 5 juillet prochain, ils seront près de 650.000 lycéens à découvrir fébrilement les résultats du bac. En attendant, des mamans de futurs bacheliers ont accepté de nous raconter l'envers du décor. Comment ont-elles vécu les épreuves ? Ont-elles réussi à aider leur ado à gérer le stress ? Vous allez lire deux témoignages.

Pré-lecture

Lisez le titre et le chapeau de l'article : A quel moment se situe-t-il ? Qui témoigne cette fois ?

Françoise, 44 ans, maman de Chloé, 17 ans

Il était inutile d'être sur le dos de ma fille pour les révisions du bac. C'est un vrai bourreau de travail ! Il fallait plutôt l'aider à décrocher. Elle était tellement épuisée par les révisions qu'elle a fait un malaise dans le métro. Elle a perdu connaissance, s'est réveillée au milieu des pompiers. Elle a voulu se lever et rentrer chez elle parce « qu'elle avait du travail ». J'ai dû prendre les choses en main : un tour obligé à la mer et quelques massages et pas question de dire non ! En discutant avec mes collègues de bureau, je me suis aperçue que je n'étais pas la seule à avoir une ado qui somatisait son stress.

Le jour de la première épreuve du bac général—la philo—, j'avais les yeux rivés sur mon portable à attendre son coup de fil. Et les cinq jours qui ont suivi, ont ressemblé à une sorte d'épreuve équestre avec un mur de trois mètres de haut à franchir, et une fois franchi, il fallait se repréparer pour recommencer le lendemain. Elle était de plus en plus crevée... et moi aussi !

Florence, 51 ans, maman de Julian, 18 ans

Ah, le bac, quelle épreuve pour les candidats et pour leurs parents ! Pour ma part, j'ai tenté de prendre de la distance, de la jouer « maman sensibilisée à la cause du futur bachelier », avec pour mot d'ordre de ne pas être sur son dos. Je l'ai aidé à s'organiser dans ses révisions, en lui suggérant d'écrire son planning. Je l'ai prévenu qu'en cas de problème, il pouvait me solliciter. A l'approche des examens, mon grand gaillard si calme, d'habitude, devenait tout pâlot. Quant à la mère, c'est-à-dire moi, elle n'en menait pas large non plus. Pour l'aider à relativiser la situation, j'ai essayé de dédramatiser, de pointer tous les éléments positifs, ses notes de l'année. Une chose est sûre, nous n'étions pas stressés de cette façon, il y a plus de vingt ans.

Source : PARIS-LEGRET, Lucie. « Mamans de futurs bacheliers, quelle galère ! » *Elle*. 29 juin 2011.

> **Rappel**
>
> L'expression **il y a** veut dire « *There is/are*, » mais aussi « *ago* » quand elle est suivie d'une expression de temps, par exemple, **Jean-Luc s'est fait faire un piercing il y a un an.** Donnez l'équivalent en anglais de ces phrases : 1.) M. Dumont a quitté l'auto-école il y a une heure. 2.) J'ai passé mon bac il y a trois semaines.

> **Langue vivante**
>
> Il y a dans ces deux témoignages un certain nombre d'expressions familières. Retrouvez maintenant dans les textes les expressions qui signifient :
>
> - Ne pas laisser tranquille, harceler
> - Faire une pause, s'arrêter
> - Jouer le rôle de, se comporter comme
> - Un garçon costaud
> - Etre très inquiet

Répondez aux questions.

1. Lisez le premier paragraphe. Avant le bac, comment se comporte Chloé ? Comment réagit sa mère ?
2. Lisez le second paragraphe. Comment la fille et la mère vivent-elles les épreuves ?
3. Comment les mères aident-elles leurs enfants pendant qu'ils se préparent à passer le bac ?
4. Quels points communs relevez-vous dans les deux témoignages de Françoise et Florence ?

Ensemble des documents

Comment est vécu le bac, d'après tous ces témoignages ? Quels sont les deux point de vue ? Qu'est-ce qui en fait, d'après vous, un rite de passage ?

Narrative

3 Bref, j'ai enfin eu mon permis de conduire !

Introduction

Vous allez lire le récit d'une jeune fille qui n'a pas eu son permis de conduire tout de suite. Pourquoi est-ce que cela représente une épreuve difficile pour elle ?

Pré-lecture

Pourquoi pensez-vous que ce récit est divisé en deux parties ?

1

J'étais totalement stressée, et plus encore que d'ordinaire…. Je suis montée dans la voiture auto-école…. L'instructeur a vu que j'étais stressée. Il a dit : « Vous êtes stressée, vous ? » Sur le ton de la blague, j'ai dit : « Non, pas du tout ». Il a rigolé de tous les instructeurs différents que j'avais eu…. « Allez, ça y est, on démarre, » il me dit. « C'est vous qui choisissez gauche ou droite ». J'ai choisi droite ! Je me suis dite que j'étais déjà une bonne bouffone puisque j'ai pris la direction d'un démarrage en côte. J'ai calé ! Lui, il a dit que ce n'était pas grave ! J'ai réussi mon point de patinage et 30 mètres plus loin, encore un stop ! Là, ma jambe s'est mise à trembler. Il m'a dit, « Là, ça va pas être possible du tout, on éteint le moteur. Vous ne pouvez pas conduire comme ça et on RES-PIRE ».

> **Rappel**
> Les pronoms accentués, ou *stress pronouns*, sont : **moi, toi, lui, elle, nous, vous, eux, elles**. Changez la phrase soulignée dans le texte pour ces sujets : **je, ils, tu, nous**, par exemple, « **Moi,** j'ai dit que ce n'était pas grave ! »

Il y avait une voiture derrière moi, une belle BMW blanche. J'ai mis le moteur en route et j'ai bien conduit jusqu'à la première manœuvre imposée. J'avais le parking pour moi toute seule. J'ai choisi de me garer devant un arbre…. Il a rigolé de voir que j'avais choisi l'unique arbre et m'a dit que je m'étais garée comme un pied !

2

Il pleuvait. Ma monitrice a dit, « Le beau temps revient ». J'ai donc mis mes essuie-glaces en route. J'ai mis ma 5ème un peu trop tôt, et je me suis excusée. Je me détends un peu car tout de même, je me dis que je conduis bien malgré mon « gourconnage » (mélange de « gourdasse » et « conne ») !

Deuxième manœuvre obligatoire, il faut que je choisisse l'endroit. Je choisis l'endroit grâce auquel j'ai raté mon permis la dernière fois. Je fais mon beau créneau, je suis fière, jusqu'à ce que je vois ma monitrice faire des gros yeux (merci pour l'indice), je prends une pause, re-regarde partout et me reprends et ma monitrice me fait un superbe sourire. (Je me dis qu'elle est vraiment gentille). De nouveau je choisis la route que je veux pour rentrer au point initial !

Les questions intérieures et extérieures : j'ai bien répondu à 3 sur quatre ! La monitrice dit, « Merci, au revoir, Mademoiselle, nous vous enverrons votre papier ! » Elle me remet ma facture avec un immense sourire et me dit, « Au revoir, ma cocotte ! » A 19h00 je décide, à tout hasard, de téléphoner ma monitrice, qui dit, « Félicitations, ma petite cocotte ! Evidemment que tu l'as eu ! » .... Quelle épreuve ! Bref, j'ai eu mon permis !

Source : « Bref, j'ai enfin obtenu mon permis de conduire ». 8 mars 2012. www.over-blog.fr. (11 mars 2013).

14 Examen du permis de conduire

Remplissez les espaces blancs pour résumer l'histoire de la jeune conductrice.

La jeune conductrice a eu beaucoup d'... Elle se sent... pour son premier test. Elle... la voiture et choisit d'aller à..., pas à gauche. Malheureusement, elle a choisi la direction d'un... en côte. C'était suivi d'un autre... Soudain, sa jambe a commencé à... Quand elle a repris la route et s'est arrêté de nouveau ; le moniteur a dit qu'elle s'était... comme un pied !

Pour son deuxième épreuve, elle a dû mettre ses... parce qu'il pleuvait. Pour son deuxième..., elle choisit l'endroit de la dernière fois. Elle a bien répondu aux questions intérieures et... Son permis de conduire, elle l'a... la deuxième fois.

Communiquez !

15 L'épreuve de conduite

Presentational Communication : Oral Presentation

Décrivez votre test de conduite : les manœuvres, le moniteur/la monitrice, le résultat la première fois et votre réaction.

Culture

emcl.com
WB 9–13

? Question centrale

Comment les cultures marquent-elles le passage de l'enfance à l'adolescence puis à l'âge adulte ?

Baccalauréat : Passe ton bac d'abord !

Les origines du bac

Le bac est né en 1808. Il a d'abord été un examen uniquement* oral. Pendant près d'un siècle (1874–1964), il se passait en deux parties, l'une en fin de première et l'autre en terminale. C'est en 1924 qu'on a instauré* un bac pour les filles. Le bac technologique est beaucoup plus récent : il date de 1968. C'est en 1985 qu'est né le petit dernier, le bac professionnel.

S'informer

Il y a trois grandes catégories des bacs : les bacs généraux, technologiques et professionnels. Les trois bacs généraux, littéraire (L), économique et social (ES), scientifique (S) sont destinés à la poursuite* d'études supérieures générales (classes préparatoires, licence).

Techno ou pro

Les bacs technologiques sont au nombre de huit. Ils permettent d'entamer* des études technologiques (DUT, BTS) ou de continuer vers des études supérieures, universités ou grandes écoles. Les bacs professionnels préparent directement à l'entrée dans la vie active.

Ouah ! Une mention !

Tous les candidats au bac passent une série d'épreuves obligatoires, le « 1er groupe d'épreuves ». Ceux qui obtiennent une moyenne égale ou supérieure à 10/20 sont admis. On peut avoir une mention : « assez bien » entre 12 et 14, « bien » entre 14 et 16, « très bien » au-dessus. Puisque* cela existe, ce serait dommage de vous contenter de la moyenne ! Une mention, c'est très utile pour entrer dans une école sur dossier*... et sur le blason de votre fierté* personnelle !

J'ai eu chaud !

Ceux qui ont une moyenne inférieure* à 8/20 sont recalés*. Ceux qui obtiennent entre 8 et 10 doivent passer une seconde série d'épreuves, le « rattrapage ». Ils choisissent deux matières (en principe, les élèves prennent celles où ils ont eu de mauvaises notes et où pensent pouvoir faire mieux). Le coefficient reste le même ; c'est la meilleure note qui est retenue pour la moyenne générale. Si celle-ci est de 10/20 ou plus, le candidat est admis. Pour le bac professionnel, il faut la moyenne* à l'ensemble des épreuves et la moyenne aux épreuves professionnelles.

Premier saut d'obstacle

Pour les bacs généraux et technologiques, le premier round se déroule* à la fin de la première où le candidat passe des épreuves dans certaines matières, écrites ou orales ou les deux. Pour les bacs généraux, tout le monde passe le français à l'écrit et à l'oral et des TPE (travaux personnels encadrés). Les L ajoutent les maths et les sciences à l'écrit, et les ES des sciences seulement à l'écrit également*. Les élèves des bacs technologiques passent aussi le français

---

uniquement seulement ; **instauré (instaurer)** créé (créer) ; **poursuite** continuation ; **entamer** commencer ; **Puisque** Parce que ; **le dossier** *academic record* ; **la fierté** *pride* ; **inférieur(e)** moins que ; **recalé(e)** ne réussit pas ; **moyenne** *average* ; **se déroule (se dérouler)** a lieu (avoir lieu) ; **également** aussi

écrit et oral en fin de première, plus la géographie et l'histoire, sauf les STG (sciences et technologies de la gestion) qui se contentent* du français écrit et oral. C'est bien plus qu'un galop d'essai : c'est quasiment un premier bac et il est important de bien le réussir, sous peine de se retrouver avec un retard de points pour la seconde partie en fin de terminale.

Source : ROUYER, Dominique Alice. *Le dico des filles 2010*. Fleurus. Paris, 2009.

 Search words : france-examen, résultats du bac, rattrapage

se contentent (se contenter) *content themselves with*

Savez-vous...?
En 2010, 26,8% des reçus du bac en France ont décroché une mention assez bien ; 14,8% une mention bien ; et 7% une mention très bien, ce qui représente près d'un candidat sur deux (48,6% exactement) diplômé avec mention.

Produits Beaucoup d'ados qui comptent passer le bac se servent des *Annales du bac* pour se préparer.

COMPARAISONS

Quels examens faut-il passer pour être admis à une université américaine ?

16 **L'histoire du bac**

Faites un axe chronologique avec les dates importantes dans l'histoire du bac.

17 **Questions sur le bac**

Répondez aux questions.

1. Quelle est la différence entre les bacs généraux et les bacs professionnels ?
2. Quels sont les trois bacs généraux ?
3. Il y a combien de bacs technologiques ?
4. Il faut avoir quel score pour obtenir un « bien » ?
5. Qu'est-ce que le « rattrapage » ?
6. Qu'est-ce qu'il faut passer en première pour les bacs généraux et technologiques ?

Le permis de conduire

Interpretive Communication : Prints texts

Il y a le permis de conduire, comme il y a eu la première traversée de piscine sans bouée*, ou les premiers tours de piste en vélo sans roulettes. Etape de vie, saluée comme telle par les familles. Et dans les sociétés occidentales*, sésame indispensable à l'intégration sociale et professionnelle. Techniquement, c'est une véritable « épreuve », plus difficile à réussir que le bac, lequel se passe sensiblement au même âge (52% de succès en moyenne au premier passage, et 83,3% en 2007 pour le bac). Mais le permis de conduire, c'est bien plus encore....

« Alors qu'aujourd'hui les étapes de passage vers l'âge adulte (travail, mariage, service militaire...) ont disparu, son obtention représente un rite important, souligne le sociologue Olivier Masclet ; il confère* un statut, une puissance sociale, en particulier dans les milieux populaires ». « Sans le permis, t'es rien, les filles préfèrent les garçons qui ont une voiture », constate*, désabusé*, un jeune Sébastien qui vient de le rater pour la seconde fois.

Pour Daniel Marcelli, pédopsychiatre*, cela va aussi au-delà du maniement* du volant :

« C'est de façon symbolique un « permis de se conduire » dans la société. Avec l'élargissement de leur horizon, surtout s'ils n'ont pas eu de deux-roues* avant, et la capacité de prendre en charge des passagers, les jeunes acquièrent, de façon sous-jacente*, une autorisation à se conduire comme des adultes responsables, car toute autonomie est potentiellement dangereuse ».

Ce fameux permis pèse lourd aussi parce qu'il coûte cher : 1.500 euros en moyenne, si l'on prend en compte plusieurs passages, à la charge exclusive des familles, sauf exceptions. « Son financement est considéré par les parents comme un investissement éducatif, auquel la famille élargie participe souvent. Il a également valeur d'éducation morale : les enfants doivent participer aux frais du permis, souvent avec leurs premiers gains*, et apprendre ainsi la valeur des choses », note encore Olivier Masclet.

Source : Guillemette de la Borie. DOSSIERS ENFANTS ET ADOLESCENTS. « Le permis de conduire : un rite de passage ». 16 août. la-croix.com. (29 mars 2013).

 Search words : **permis de conduire en france, auto-école**

la bouée *buoy* ; **occidental(e)** de l'Ouest ; **confère (conférer)** donne (donner) ; **constate (constater)** *notes (to note)* ; **désabusé(e)** désillusionné(e) ; **le pédopsychiatre** spécialiste de la psychiatrie des enfants ; **maniement** savoir utiliser ; **un deux-roues** *two-wheeler* ; **sous-jacente(e)** générale(e) ; **le gain** *earnings*

Savez-vous...?
En France, on ne peut pas suivre de leçons de conduite au lycée. Il faut s'inscrire à une auto-école.

COMPARAISONS

A quel âge peut-on avoir son permis de conduire en France ? Dans votre pays ?

Langue vivante

A. Donnez deux synonymes familiers de « fameux » qui pourraient le remplacer dans l'expression : « Ce fameux permis ».

B. « Le permis pèse lourd » signifie :
- Le permis est très important.
- Les jeunes ont peur de le passer.

18 **Le permis de conduire : rite de passage**

Répondez aux questions.

A. **Premier paragraphe.**
1. Quel(s) lien(s) établissez-vous entre « la première traversée de piscine <u>sans bouée</u>, ou les premiers tours de piste en vélo <u>sans roulettes</u> » et le permis de conduire ?

B. **Même paragraphe.**
2. Quelle définition du permis de conduire y est-elle donnée ?

C. **Deuxième et troisième paragraphes.**
3. En quoi son obtention représente-t-elle un rite important ?

D. **Dernier paragraphe.**
4. Un rite rassemble une communauté. En quoi peut-on dire que c'est aussi le cas du permis de conduire ?

Communiquez!

19 **Mon permis de conduire**

Interpersonal Speaking : Discussion

Comment est-ce que votre vie a changé quand vous avez eu votre permis ? Vous sentiez-vous plus adulte ? Discutez en groupe.

La Francophonie : Rite de passage

✳ *Dans les pays musulmans*

La circoncision (*tahara, khitana, khifadh* ou *sunnet* en turc) est un rituel pratiqué par l'immense majorité des musulmans. Cette pratique n'est pas imposée par le Coran. Elle relève* avant tout de la tradition (sunna) et demeure* fortement conseillée par les différentes écoles théologiques. Sur le plan symbolique, elle est la marque des descendants d'Ibrahim (Abraham), et un signe d'appartenance à la communauté des croyants*. L'âge de la circoncision n'est pas fixe et varie selon les régions. Ainsi, au Maghreb elle est pratiquée environ entre cinq et huit ans, mais elle peut être effectuée plus tardivement*, vers 10 ou même 15 ans (Sénégal), ou à l'inverse, quelques semaines après la naissance (Arabie Saoudite).

Rite complexe, la circoncision est impliquée dans la construction de l'identité masculine à différents niveaux. Elle est généralement associée à la virilité, et joue un rôle non négligeable dans les canons* de beauté masculine et les codes de l'amour, qui font préférer aux femmes un partenaire circoncis. Effectuée sur le garçon prépubère*, elle est aussi interprétée comme un rite d'initiation à l'âge adulte.

Source : « Circoncision musulmane », 2013, www.femininmasculin.culture.fr (29 mars 2013).

 Search words : **rituel de la circoncision, circoncision au maghreb, circoncision musulmane**

---

relève (relever) vient (venir) de ; **demeure (demeurer)** reste (rester) ; **un croyant** *believer* ; **tardivement** tard ; **un canon** principe établi ; **prépubère** *prepubescent*

COMPARAISONS

A quel âge fait-on les circoncisions en Amérique ?

Choisissez la lettre qui correspond à la meilleure réponse.

1. Ce mot ne veut pas dire « circoncision » :
   A. khifadh
   B. tahara
   C. sunna
   D. khitana
2. La circoncision est un rite de passage :
   A. aux Antilles
   B. au Québec
   C. aux pays musulmans
   D. en Europe
3. C'est surtout un rite :
   A. laïc
   B. religieux
   C. contemporain
   D. gastronomique
4. On prescrit cette opération au Sénégal à l'âge de :
   A. 5 à 8 ans
   B. 17 à 18 ans
   C. 20 à 21 ans
   D. 10 à 15 ans
5. Pour les garçons prépubères, la circoncision représente surtout :
   A. un rituel
   B. une fête
   C. un rite d'initiation
   D. un devoir

En quête de rites

Interpretive Communication : Print Texts

Les adolescents ont un besoin impératif de ritualisation pour garantir leur séparation d'avec les parents. D'avec leur ancienne enveloppe. Pour partir en quête* de leur identité et trouver enfin la juste estime* d'eux-mêmes.

Mais les rites que propose aujourd'hui la société adulte aux jeunes sont largement expurgés* de leur contenu. Raison pour laquelle les jeunes osent* toutes les ivresses*, ici et maintenant. La remontée* de l'autoroute en sens inverse* pour faire monter l'adrénaline, la prise de drogue pour se mettre dans des états seconds, et encore la pratique du satanisme ou des raves, que certains experts qualifient d'expériences initiatiques. En même temps, il existe chez les jeunes une série d'attitudes symptomatiques d'un besoin de se confronter à quelque chose de l'ordre du réel, de l'épreuve, du rituel, du tribal. Il s'agit ici de l'apparition récente des scarifications* corporelles, notamment chez les très jeunes filles en France, et aussi du piercing et du tatouage qui sont de plus en plus répandus*. Tout se passe en fait comme si les adolescents sentaient l'enjeu* du rite, mais ne réussissaient qu'à se mettre en danger. En substance, derrière ces passages à l'acte, les jeunes veulent signifier aux parents et à la société : « Aidez-nous à prendre notre place dans le monde en nous offrant des épreuves fortes à traverser. » [...]

Source : Fabrice Hervieu-Wane. *Une boussole pour la vie*. Albin Michel. 2005. www.educ-revues.fr. (12 mars 2013).

 Search words : **reportage tatouage, top tatouages france**

---

en quête de à la recherche de ; **estime (estimer)** *esteem (to esteem)* ; **expurgés** *expunged* ; **osent (oser)** *dare (to dare)* ; **des ivresses (f.)** *wild actions* ; **la remontée** *retour* ; **en sens inverse** *dans la mauvaise direction* ; **la scarification** *incisions made to decorate the body* ; **répandu(e)** *widespread* ; **l'enjeu (m.)** *le but*

21 Rites et adolescents

Répondez aux questions.

1. A quoi correspond le besoin de rites des adolescents ?
2. Pourquoi ne sont-ils pas satisfaits ?
3. Certains adolescents cherchent à compenser l'absence de vrais rites de passage. Comment le font-ils ? Qu'est-ce que ces comportements ont en commun ?

22 Piercing et tatouage

Presentational Speaking : Oral Presentation

Est-ce que les pratiques du piercing et du tatouage existent aussi dans votre entourage ? Si oui, est-ce que vous êtes d'accord avec l'explication qu'en donne l'auteur du texte ? Faites un exposé devant la classe.

Communiquez !

23 Mon ami(e) s'est fait faire un tatouage.

Interpersonal Speaking : Conversation

Jouez les rôles de deux ados qui discutent d'un tatouage. Essayez d'expliquer leurs choix sociologiquement.

Sa perspective

Pourquoi l'auteur pense-t-il que les jeunes « osent toutes les ivresses » dans la société contemporaine ?

Ma perspective

Pensez-vous qu'il reste dans votre communauté des rites de passage vivants et significatifs ? Lesquels ?

Les rites

Interpretive Communication : Print Texts

-Il faut des rites, affirma le renard.

-Qu'est-ce qu'un rite ? dit le petit prince.

-C'est quelque chose de trop oublié. (...) C'est ce qui fait qu'un jour est différent des autres jours, une heure des autres heures.

Le Petit Prince d'Antoine de Saint-Exupéry

Sa perspective

Qu'est-ce qu'un rite, selon Antoine de Saint-Exupéry ?

Ma perspective

Quels rites observez-vous ? Quelle est leur signification ?

Ensemble des documents

Pourquoi a-t-on besoin de rites « de passage »? Lesquels sont-ils en France ? Dans votre pays ?

La culture de tous les jours

Lisez la bande dessinée. Ensuite, répondez aux questions.

24 Les rituels de Fatima et Martin

Répondez aux questions.

1. Pensez-vous que Fatima soit croyante ? Martin ? Justifiez votre réponse.
2. Le bac que Martin prépare peut mener à quelles professions ?
3. Quels rites pratiquent ces jeunes gens ?

L'expression de la comparaison

Les comparatifs d'adjectifs et d'adverbes

Lorsqu'on établit des différences ou des ressemblances entre deux personnes, deux objets, deux événements, deux situations, on compare. La comparaison peut souligner :

1. L'égalité, la supériorité, l'infériorité :

L'égalité	La supériorité	L'infériorité
aussi + adjectif + **que**	**plus** + adjectif + **que**	**moins** + adjectif + **que**
aussi + adverbe + **que**	**plus** + adverbe + **que**	**moins** + adverbe + **que**

Attention ! Pour les adjectifs « bon » et « mauvais », les comparatifs de supériorité sont : *meilleur(e)* et *plus mauvais(e)* ou *pire*. Pour l'adverbe « bien », le comparatif de supériorité est *mieux*.

Après le **que** ou **qu'** de la comparaison, on peut avoir :
- **un nom commun ou un nom propre :** *Il est aussi bavard que son voisin./Il parle aussi vite que Jean.*
- **un pronom :** *Il est plus anxieux qu'elle./Il dort moins bien qu'elle./Il est moins branché qu'elle en musique./Elle skie mieux que lui.*
- **des indicateurs de lieu,** de **temps** ou des constructions avec **prépositions** : *On roule moins bien à Paris qu'en province./La première communion était plus importante dans les années 70 qu'aujourd'hui.*
- **un adjectif** lorsqu'on compare deux qualités d'une même personne, d'un même objet, d'un même événement : *La cérémonie a été aussi émouvante que conviviale.*
- **une phrase complète :** *La veille du bac, elle était plus détendue qu'elle ne l'avait imaginé.*

En situation de communication, on peut avoir une comparaison tronquée : *Xavier est plus jeune ou moins jeune ?*

La comparaison peut se combiner :
- avec la négation : *Xavier n'est pas plus jeune ? Xavier n'est pas plus jeune que Marie ?*
- ou avec des adverbes comme **un peu, beaucoup, bien :** *Marie est un peu plus âgée que Xavier.*

2. La différence, la ressemblance
- **plutôt** + adjectif + **que** : *Ce rite est plutôt profane que religieux.*
- **adjectif** + **comme** : *Il est heureux comme un poisson dans l'eau.*

3. La progression dans la comparaison
- **de plus en plus** + adjectif ou adverbe : *Le piercing et le tatouage sont de plus en plus répandus./On en voit de plus en plus souvent.*
- **de moins en moins** + adjectif ou adverbe : *Les rites de passage sont de moins en moins marqués dans les sociétés modernes.*

Les superlatifs

Au superlatif, l'adjectif ou l'adverbe est précédé d'un article qui spécifie le caractère unique de ce dont on parle : *C'est la fête la plus importante de l'année./C'est le meilleur souvenir de mes années de collège./C'est le prof dont je me souviens le moins./C'est ce à quoi je réussis le mieux.*

Lorsque la personne, l'objet, l'événement... dont on parle n'est pas unique, on peut nuancer son propos en utilisant un superlatif dit relatif : *C'est l'une des fêtes les plus importantes de l'année./C'est l'un des pires souvenirs de mes années de collège./C'est l'une des recettes à laquelle je réussis le mieux.*

L'expression de l'intensité

emcl.com
WB 17

Les degrés d'intensité sont toujours étroitement liés au point de vue ou à la vision subjective du locuteur ; ils sont placés devant l'adjectif qu'ils déterminent.

1. Très et **peu** marquent des degrés d'intensité extrêmes : l'intensité forte (*très*) et l'intensité faible (*peu*). *Ce rituel est très important/peu important.*

Très peut se doubler et même se tripler pour augmenter l'intensité : *Elle est très très sympathique !/C'était très très intéressant !*

Peu peut être encore diminué par un adverbe qui atténue et qui peut même minimiser jusqu'à l'excès : *Elle est bien peu engagée et très peu féministe.*

2. Assez, trop, tellement, si

Assez marque une intensité moyenne ou adéquate à une situation, selon les critères du locuteur : *Mon appartement est assez grand.*

Assez peut être accompagné de **bien** : *Mon appartement est bien assez grand pour moi.*

Trop marque une intensité excessive, la limite que le locuteur a fixée est dépassée : *Il est trop sévère./C'est trop compliqué pour moi.*

Trop peut être encore augmenté par un adverbe **beaucoup**, **bien**, **un peu** qui renforce l'appréciation : *Il est bien/beaucoup trop attaché à sa famille pour ne pas respecter les traditions familiales.*

Tellement et **si** marquent une intensité telle, pour le locuteur, qu'elle implique une conséquence : *Il a toujours été si gentil, si attentionné à ton égard ! Tu ne peux pas le laisser tomber comme ça....*

3. Certains mots à valeur adverbiale peuvent aussi modifier le degré d'intensité : **un petit peu**, **un tout petit peu**, **tout à fait** : *Il est tout à fait convaincu d'avoir échoué./Elle est un tout petit peu rassurée depuis les dernières nouvelles.*

La négation inverse le sens de l'appréciation : *Il n'est pas tout à fait convaincu./On n'est jamais assez prudents./Il n'est pas très/trop sévère.*

Les adverbes en **-ment** : **excessivement**, **terriblement**, **totalement**, **horriblement**, **affreusement**, **absolument**, **profondément** permettent de nuancer l'appréciation : *Ce sont des pratiques terriblement dangereuses./Il a eu un comportement totalement inattendu.*

Super et **extra**, qui sont très souvent utilisés aujourd'hui, indiquent un degré fort d'intensité : *Elle était super contente d'avoir son bac avec mention très bien.*

25 Le rituel du mariage traditionnel

Lisez le texte suivant ; puis faites les activités qui suivent.

Le rituel du mariage traditionnel exprimait ce qu'était l'institution du mariage : d'abord une alliance entre des groupes familiaux, un moment tout à fait stratégique par ses enjeux. Le personnage de la mariée l'illustrait particulièrement bien. Elle était l'héroïne de la cérémonie. Elle était tellement belle dans sa robe blanche ! C'était le plus beau jour de sa vie, plus précisément le jour où elle interprétait le plus beau rôle de sa vie. Mais ce rôle lui imposait des obligations très strictes qui lui laissaient peu d'autonomie.

En général, le mariage était plutôt célébré dans la commune des parents de la mariée car celle-ci était l'objet de l'échange, transmise d'un groupe à un autre ; le mariage était souvent précédé par des fiançailles mais jamais par une cohabitation. Il y avait une cérémonie religieuse, suivie par une fête, financée et organisée par les deux familles, si possible, avec un très grand nombre d'invités, principalement choisis par les parents.

Source : D'après *Alternatives économiques*, N° 257.

A. *Repérez les mots qui marquent une comparaison ou indiquent l'intensité.*

> **MODÈLE** C'était <u>le plus beau jour de la vie de la mariée.</u>

B. *Ecrivez un petit texte sur le mariage moderne en utilisant des expressions de même type ou d'autres comme :* **plus... que**, **moins... que**, **aussi... que**, *etc.*

26 Le permis de conduire chez vous et en France

Comparez le permis de conduire chez vous et en France.

Vous pouvez, par exemple, vous appuyer sur les points suivants pour construire votre texte :
- l'âge
- le coût
- les formalités
- la durée de la formation
- le déroulement de l'examen
- son importance pour les jeunes

> **MODÈLE** Ce n'est pas tout à fait pareil. En France il faut avoir 18 ans pour avoir son permis, mais en Amérique on est moins âgé...

27 L'intensité

Complétez les phrases avec : **trop**, **très**, **beaucoup**, **beaucoup trop**.

1. Il était... jeune quand son grand-père est mort, ... jeune pour assister aux funérailles.
2. Elle a été... touchée par tous les cadeaux qu'elle a reçus à la naissance de son fils. Hélas, certains vêtements étaient... grands, d'autres déjà... petits !
3. Le baptême religieux est... connu mais le baptême laïc ou républicain qui date pourtant de 1789 l'est... moins.
4. Paul est... content de passer enfin en 6ᵉ, ça faisait... longtemps qu'il était dans la même école, ... longtemps à son goût.
5. Marie, elle, appréhende le collège. Elle voit tout en noir : c'est... grand, c'est... loin.
6. Elle était... stressée : elle a raté son permis.

28 Malin comme un singe

Il existe en français de nombreuses expressions idiomatiques qui ont cette structure. La comparaison porte sur un adjectif suivi de « comme » et d'un élément donnant une sorte d'image. Reliez les deux éléments de chaque expression.

1. être rapide comme...
2. être léger comme...
3. être serrés comme...
4. être sourd comme...
5. être myope comme...
6. être sage comme...
7. être muet comme...
8. être droit comme...
9. être ennuyeux comme...
10. être connue comme...
11. être gai comme...
12. être aimable comme...
13. être long comme...

A. des sardines
B. une taupe
C. une carpe (un poisson)
D. la pluie
E. une plume
F. un « i »
G. une porte de prison
H. un jour sans pain
I. un pinson (un oiseau)
J. l'éclair
K. une image
L. un pot
M. le loup blanc

COMPARAISONS

Utilisez-vous les mêmes images dans votre langue ? Si non, lesquelles utilisez-vous pour rendre la même idée ?

Ecrivez des situations dans lesquelles vous placez cinq des expressions en contexte.

> **MODÈLE** **L'ascenseur était en panne. Nous étions onze dans l'ascenseur. On était serrés comme des sardines.**

Les comparaisons suivantes donnent une idée de forte intensité :

> jolie comme un cœur/fauché comme les blés/pâle comme un linge/fort comme un Turc/maigre comme un clou/riche comme Crésus/heureux comme un poisson dans l'eau

Entraînez-vous à reformuler ces expressions en utilisant un adverbe qui souligne l'intensité : **extrêmement, affreusement, terriblement, parfaitement, totalement.**

> **MODÈLE** *belle comme le jour* : **elle est extrêmement belle, d'une grande beauté, aussi lumineuse que le jour**

Le pronom explétif *il*

emcl.com
WB 18–20

Dans les expressions impersonnelles, le pronom **il** est dit **explétif**. C'est-à dire qu'il n'a pas de référent particulier, mais joue un simple rôle grammatical. Il est donc utilisé de façon neutre dans diverses expressions, qui sont invariables :

1. Le sujet **il** peut remplacer un sujet inconnu, comme dans les expressions suivantes que vous connaissez bien : **il pleut, il fait chaud, il neige** parce qu'on ne sait pas exactement quel sujet produit cette action, ou ce sujet n'est pas reconnu empiriquement (*Est-ce l'atmosphère, est-ce Dieu, sont-ce les nuages ?*)

2. Le sujet **il** exprime un concept abstrait quand il n'y a pas de sujet réel, comme dans les expressions suivantes : **il est essentiel que..., il semble que..., il est tard, il vaut mieux, il s'agit de, il y a**

3. Le sujet **il** permet de donner un sujet à verbe passif, c'est-à-dire qu'il n'y a pas de sujet responsable de l'action. **Il** est utilisé pour montrer un état plutôt qu'une action,

-L'expression **il reste** :
Notez la différence entre les phrases suivantes :
C'est bizarre, j'ai allumé mon ordinateur, mais il reste éteint.
Ah, il reste de la mousse au chocolat !

Dans la première phrase, le sujet **il** se réfère à un objet (l'ordinateur) qui agit sur le verbe. Dans la deuxième phrase, **il** n'est pas un vrai sujet. La phrase représente l'état de la mousse au chocolat, pas une action sur la mousse au chocolat.

-L'expression **il manque** :
Notez la différence entre les phrases suivantes :
Marc rentre toujours tard le mardi. Il manque toujours son émission préférée.
Tiens, il manque un bouton à ton manteau !

Dans la première phrase, le sujet **il** se réfère à une personne (Marc) qui agit sur le verbe. Dans la deuxième phrase, **il** n'est pas un vrai sujet. La phrase représente l'état du manteau, pas une action sur le manteau.

31 Qu'est-ce qu'il y a ?

Complétez les phrases suivantes en utilisant une expression impersonnelle.

il s'agit	il est	il faut	il reste	il fait	il semble	il manque	il y a

1. Nous allons nous marier en juillet. ... envoyer les invitations.
2. Oui, ... des sapins à Castorama, allons-y vite !
3. J'aime ton nouveau tatouage. ... d'un oiseau ?
4. .... possible que mon père m'offre des leçons de conduite.
5. ... des rites funèbres en Afrique de l'Ouest où on danse pendant la cérémonie.
6. Tu ne vois pas qu' .... des invités ? Nous ne pouvons pas commencer l'inauguration sans eux.
7. Nous reprendrons tes leçons de conduite demain, ...trop chaud.
8. ... que l'épreuve du bac est plus dure cette année.

32 Flash info

Imaginez que vous êtes reporter, et que vous assistez à un rituel que vous devez décrire pour votre journal télévisé. Utilisez un minimum de six expressions impersonnelles dans votre paragraphe.

- cérémonie de mariage de personnes célèbres
- bizutage
- baptême
- permis de conduire où une personne cause un gros accident
- un enterrement
- etc.

A vous la parole

emcl.com
WB 21–24

Question centrale

? Comment les cultures marquent-elles le passage de l'enfance à l'adolescence puis à l'âge adulte ?

33 L'anniversaire

Interpretive Communication : Audio Texts

Introduction

France Lebreton s'entretient avec Christian Heslon, directeur de l'Institut de psychologie et de sociologie appliquées à l'Université catholique de l'Ouest et auteur d'une *Petite psychologie de l'anniversaire*.

A. *Ecoutez l'ensemble l'entretien une première fois.*
- Repérez et notez les cinq questions de la journaliste.
- Comparez vos réponses avec ceux d'un(e) camarade de classe.
- Ces questions apportent au moins deux éléments d'information sur le sujet abordé. Lesquels ?

B. *Ecoutez une deuxième fois. De quand date le phénomène des anniversaires ?*
- Dites ce qui explique cette mode.
- Relevez les anniversaires les plus importants de l'enfance à l'âge adulte. Quelles étapes marquent-ils ?

C. *Ecoutez l'entretien une troisième fois et, plus particulièrement, les réponses de Christian Heslon aux questions 2, 4 et 5. Retrouvez :*
- la définition que Christian Heslon donne de l'anniversaire
- les fonctions de ce rite

Langue vivante

En quoi l'anniversaire a-t-il « un effet conjuratoire »? (**Conjurer** signifie « écarter les mauvais esprits par des prières, des pratiques magiques ».)

COMPARAISONS

Diriez-vous que l'anniversaire a le même aspect rituel en France qu'en Amérique ?

 # Communiquez!

34 Un souvenir d'anniversaire

Presentational Speaking : Oral Presentation

Racontez un bon ou un moins bon souvenir d'anniversaire.

35 Pour ou contre le bizutage ?

Interpretive Communication : Print texts

Lisez l'introduction, et les témoignages. Résumez la position des deux hommes. Puis, faites les activités qui suivent.

Introduction

On entend par *bizutage*, l'ensemble d'épreuves ritualisées et imposées, destiné à intégrer une personne au sein d'un groupe particulier : étudiants, militaires, professionnels.
En France, le bizutage a été interdit par la loi Royal du 17 juin 1998. C'est un délit, puni de 6 mois d'emprisonnement et d'une amende. Toutefois, il n'a pas disparu et est encore pratiqué dans certains établissements de l'enseignement supérieur.

1. Je suis ingénieur et ai fait les Arts & Métiers à Aix-en-Provence en 1981. L'usinage (c'est le nom du bizutage) durait un peu plus de 2 mois, matin, midi et soir....
   J'ai fait le choix de ne pas suivre cet usinage au bout de 3 semaines. Marcher au pas 3 fois par jour, apprendre par cœur un carnet de 100 pages d'argot, poèmes, chansons à recopier en lettres gothiques, porter une blouse grise avec un grand numéro blanc dans le dos qui donnait des airs de camp de prisonniers à l'école, ou subir des « punitions » du style recopier sur 150 allumettes « les traditions ne mourront que quand mourront les *Gadz'Arts* » n'étaient pas trop ma tasse de thé à l'époque.... Je suis donc devenu hors usinage : HU. Et je suis mentionné en tant que tel dans l'annuaire de l'école. Inutile de dire que je m'en contrefous ! ***Antoine***

2. Je trouve ça bien triste de lire des gens qui disent « nous on a bien aimé notre bizutage » ou « je garde un excellent souvenir ». Ils ont une vision peu flatteuse du respect de la personne humaine. Un bizutage c'est une débilité. Jouer à l'esclave, c'est faire plaisir au maître. Et plus tard c'est l'esclave qui perpétue la tradition en devenant lui même le maître. Heureusement que des politiques ont voté une loi pour dire stop on arrête, sinon avec des débilités de la sorte on serait encore aux temps des galères et des jeux du cirque ! ***Thomas***

Source : CLÉMENT, Thomas. « Avez-vous été bizutés ? » 25 septembre 2007. http://clement.blogs.com (12 mars 2013).

Langue vivante

« ... je m'en contrefous » comme « je m'en contrefiche » sont des façons familières de dire *je m'en moque*, ou *ça m'est complètement égal*.

Relevez dans chacun des témoignages :

- le point de vue exprimé sur le bizutage
- les arguments avancés
- les différentes pratiques associées au rite

Communiquez!

36 Débat

Interpersonal Speaking : Debate

Participez à un débat sur le bizutage. Donnez votre point de vue. Servez-vous des expériences d'Antoine et Thomas pour soutenir votre point de vue. Donnez aussi des exemples du bizutage dans votre pays. Peut-être que vous devrez faire un peu de recherches.

Communiquez!

37 Dialogue guidé

Interpersonal Speaking : Conversation

Vous avez une conversation avec une amie. Cette conversation doit suivre le canevas qui vous est donné ci-dessous. Vous allez entendre les répliques de votre amie et vous réagirez comme le canevas l'indique.

> – **Vous annoncez à votre amie votre intention de vous faire tatouer.**
>
> – Elle a du mal à cacher sa surprise et vous interroge sur vos motivations.
>
> – **Vous lui répondez de manière assez vague.**
>
> – Elle exprime ses réticences.
>
> – **Vous la rassurez.**
>
> – Elle n'est pas convaincue et tente de vous dissuader.
>
> – **Vous donnez vos raisons personnelles.**
>
> – Elle pense que vous allez regretter plus tard et crée un futur scénario.
>
> – **Vous reconnaissez l'intérêt de sa remarque, vous la remerciez de son conseil et partez.**

Communiquez!

38 Une histoire d'initiation

Presentational Writing : Résumé

Dans les contes (ou les films) d'initiation, un jeune héros est séparé de sa communauté d'origine, ou il la quitte volontairement. Il subit un certain nombre d'épreuves difficiles, dont il sort avec succès. Il revient alors dans sa communauté mais avec un statut différent. Les romans dits d'apprentissage racontent aussi le chemin parcouru par un héros qui, à travers les épreuves découvre la vie et devient adulte. Cherchez dans vos souvenirs de conte, de roman ou de film et résumez une histoire d'initiation.

 Search words : *le livre de la jungle* de rudyard kipling, *les aventures de tom sawyer* de mark twain, *david copperfield* de charles dickens, *bel-ami* de maupassant, *le père goriot d'honoré de balzac* ; films : *la guerre des étoiles, avatar*

MODÈLE « Poucette de Toulaba » est une histoire de Daniel Picouly adaptée d'un conte d'Andersen. Poucette est une petite fille minuscule née dans une fleur. Elle est enlevée par une Dame Iguane qui cherche une femme pour son fils. Au fil de son voyage, elle rencontre de nombreux dangers, voit du pays, a le sentiment d'avoir tout à apprendre.... C'est au bout d'une longue marche dans une galerie sombre et pesante que Poucette va tirer les leçons de son aventure. Elle a appris à dire non, à suivre son chemin, à reconnaître ses amis, à voir la vie en couleurs, à ressentir les troubles de l'amour et à vivre de façon libre...

Communiquez!

39 Proposez un rite

Presentational Writing : Letter

L'association « Des rites pour la vie » a pour objectif de faire revivre ou d'inventer des rites de passage significatifs qui marqueraient vraiment la sortie de l'adolescence. Elle lance un appel à propositions. A deux, imaginez un rite. Décrivez-le précisément et justifiez votre proposition. Montrez en quoi votre rite est porteur de sens et remplira sa fonction. Vous lirez ensuite vos lettres et voterez pour les meilleures propositions que vous enverrez à l'association.

MODÈLE Nous proposons un rite dans lequel on brûle des objets qui représentent l'enfance, par exemple, ...

Lecture 1

Le gone du Chaâba
Interpretive Communication : Print Texts

Rencontre avec l'auteur

D'origine algérienne, **Azouz Begag** (1957–) est né en France dans la banlieue lyonnaise. Il est sociologue et romancier. Dans ses ouvrages, il évoque souvent les différents problèmes auxquels sont confrontés les jeunes d'origine maghrébine, pris entre deux cultures aussi bien qu'entre tradition et modernisme. *Le gone du Chaâba* est un roman autobiographique dans lequel il raconte sa propre histoire, son enfance, son parcours scolaire et l'histoire de vingt-et-une autres familles algériennes vivant dans le bidonville de Villeurbanne. Dans cet extrait avait alors environ neuf ans ; il aimait la lecture et était doué pour les études. Dans l'extrait ci-dessous, Azouz évoque le rite qui va lui permettre ainsi qu'à son grand frère Moustaf de « passer son diplôme d'Arabe, de devenir un bon musulman ». A cet âge-la, l'enfant/auteur peut-il trouver quelque chose de beau dans le rite ? Pourquoi, ou pourquoi pas ?

Azouz Begag.

Pré-lecture

Que pensez-vous des rites auxquels on pleure, pas pour la joie, mais de la souffrance ? Doit-on mettre fin à ces rites ?

« *Le jour le plus long* » par Azouz Begag

Samedi, 7 heures du matin.
Ma mère nous a fait prendre un bain dans la bassine familiale, nous a passé une culotte* blanche à chacun et une gandoura* resplendissante de pureté, tombant jusqu'aux chevilles. Autour du cou, un foulard vert noué* de plusieurs nœuds.

9 heures du matin.
Nous étions prêts, marchant, errant* dans le quartier, hagards, angoissés*, en attendant l'heure du tahar*. Des convives* arrivaient, nous embrassaient, nous encourageaient par des tapes amicales sur la tête. Enrobées dans de longs binouars* aux mille reflets, arborant

> **Pendant la lecture**
> 1. De quoi l'enfant est-il vêtu après son bain ?

> **Pendant la lecture**
> 2. Comment les femmes s'habillent-elles ?

---

la culotte pantalon ; *gandoura* longue tunique d'origine berbère ; **noué(e)** *tied with a knot* ; **errant** qui marche sans destination précise ; **angoissés(e)** ayant peur ; **tahar** celui qui pratique la circoncision ; **des convives(m)** invités ; **un binouar** robe traditionnelle en Algérie

des bijoux en or au cou, aux poignets, autour du ventre, aux doigts, les femmes paradaient dans la cour. A l'annonce du tahar, mon sang* a cessé de circuler. Un homme, grand, de type européen, moustache, vêtu d'un costume marron « made in les puces de Villeurbanne » et d'une cravate découpée dans un vieux rideau vert. Il portait un cartable*. Mon père l'a accueilli et introduit dans la pièce centrale où un matelas avait été posé par terre, coiffé par deux énormes oreillers aux taies brodées*.

Le tahar nous a appelés. Après quelques paroles apaisantes*, il a relevé nos gandouras jusqu'au nombril*, baissé nos culottes et palpé* notre bout de chair.

-Ça va bien ! a-t-il conclu, sourire aux lèvres. Comment tu t'appelles, toi ?
-Azouz.
-Tu es un grand garçon, Azouz.

A midi, les invités ont fait honneur aux quintaux* de couscous, à la sauce garnie de légumes les plus variés, aux morceaux de mouton, aux pastèques, aux dattes, aux gâteaux de semoule* et au miel*.

2 heures.
Le tahar s'est levé de table pour pénétrer dans la salle d'exécution. Quelques hommes l'avaient suivi, nous entraînant avec eux. Les femmes étaient déjà là. Blotties* dans un coin, elles chantaient, tapaient sur les bendirs*, s'égosillaient*. Deux chaises ont été placées près de la fenêtre. Le tahar prépara ses instruments et ses produits et, lorsqu'il a fait un signe aux hommes debout près de moi, ma mère a commencé à pleurer.

Quatre hommes se sont alors emparés* de moi. En une fraction de seconde, j'étais hissé* sur la potence, les membres immobilisés. Des torrents de larmes de principe jaillissaient* de mes yeux, et l'eau d'colonne* que me lançait ma mère sur les cheveux et le front attisait* ma douleur*. Des invités se sont approchés de moi, ont glissé furtivement des billets dans le nœud de mon foulard vert, en criant des encouragements pour être entendus.

Le tahar m'a pris le sexe entre les doigts... En voyant cette opération, la douleur a commencé à m'envahir* et j'ai pleuré très fort... J'ai hurlé*, mais le cri de ma souffrance* était couvert par les chants et les youyous* des femmes.

-Mon fils est un homme, il ne pleure pas, me répétait mon père.

Pendant la lecture
3. Qu'est-ce qu'il éprouve quand le tahar arrive ?

Pendant la lecture
4. Pourquoi le tahar fait-il un examen physique ? (prédiction)

Pendant la lecture
5. Qu'est-ce que les femmes ont servi ?

Pendant la lecture
6. Où va tout le monde ? Est-ce une vrai salle d'exécution ?

Pendant la lecture
7. Que donnent les invités au garçon ?

---

le sang *blood* ; le cartable *briefcase* ; brodé(e) *embroidered* ; apaisante(e) qui calme ; le nombril *navel* ; palpé touché ; un quintal mesure de 100 livres ; gâteaux de semoule *semolina cake* ; le miel *honey* ; blotti(e) serré(e)s ; bendir tambour oriental ; s'égosillaient (s'égosiller) criaient très fort ; se sont emparés de moi m'ont pris violemment ; hissé (hisser) *lifted* ; jaillissaient (jaillir) sortaient (sortir) avec force ; attisait (attiser) calmait (calmer) ; la douleur *pain* ; m'envahir prendre possession de moi ; tiré (tirer) *pulled* ; hurlé (hurler) crié (crier) très fort ; la souffrance douleur ; un youyou cri de joie ; élancé(e) long(ue)

Puis l'homme au costume, un genou à terre, a sorti son arme :
des ciseaux chromés, brillants, fins, élancés*. A cette vision
cauchemardesque*, mon corps tout entier s'est raidi*, les muscles de
mes jambes ont gonflé*, mes yeux allaient fuir* de leur caverne.

-Abboué*, dis-lui d'arrêter ! Abboué, non, je ne veux pas ! Arrêtez !
 Arrêtez ! Non....
-C'est très bien, mon fils, tu ne pleures pas ! clamait toujours mon
 père.

J'ai tenté de donner de l'élan* à mon corps pour tenter d'échapper à
l'étreinte* de mes bourreaux*. J'ai plié mes jambes et je les ai tendues
violemment pour leur faire lâcher prise*. En vain.

Dans la cohue* des femmes collées* les unes contre les autres,
dégoulinantes de sueur*, j'ai reconnu ma mère. Elle se passait un
mouchoir sur le front et sur les yeux pour éponger* la chaleur et la
douleur.
-Emma ! Emma ! Dis-lui que je ne veux plus qu'il me coupe ! Dis-lui
 que je ne veux plus ! Emma ! Je t'en prie !
Elle a détourné la tête pour mieux pleurer.

J'ai craché* sur Bouchaoui qui me serrait une jambe. Il a souri. J'ai
insulté et maudit* tout le monde. En vain.

Le tahar a porté sur moi un regard méchant puis a lancé :
-Arrête de bouger maintenant, ou je coupe tout.
Je me suis calmé.

.... Je me suis abandonné à la souffrance.... Le tahar.... m'a pris
dans ses bras pour me poser sur le matelas. Du reste, je n'ai plus de
souvenirs. Ma mère et plusieurs vieilles femmes, en chantant des rites
anciens, sont allées dans le remblai* enterrer* mon bout de chair avec
des grains de couscous. Il y est toujours.

Source : BEGAG, Azouz. *Le gone du Chaâba*. Editions du Seuil. Paris, 1986.

---

cauchemardesque *like a nightmare* ; **s'est raidi** (se raidir) est devenu droit ; **gonflé(e)**
swole up ; **fuir** partir rapidement ; **Abboué** Papa ; **l'élan(m.)** *momentum* ; **l'étreinte(f.)**
emprise ; **le bourreaux** *executioners* ; **faire lâcher prise** *to get away* ; **claohue**
agitation ; **collé(e)** *stuck together* ; **dégoulinant(e) de sueur** *dripping sweat* ; **éponger**
essuyer ; **craché** (cracher) *spat (to spit)* ; **maudit** (maudire) *cursed (to curse)* ; **le**
remblai trou dans la terre ; **enterrer** *to bury*

Langue vivante

Quand l'auteur dit, « made in les puces, » il utilise l'humour. On appelle *marché aux puces,* ou simplement *les puces,* un marché où l'on peut acheter toutes sortes de choses d'occasion (vêtements, vaisselle, outils, etc.). L'auteur souligne ainsi que le costume n'était visiblement pas neuf.

Post-lecture

Relevez dans cette cérémonie ce qui la rapproche d'autres rites de passage que vous connaissez.

40 Compréhension de la sélection littéraire

Faites les activités suivantes.

1. Relevez dans le texte les faits relatifs à :
   - une fête
   - un rite qui torture
2. Faites une étude du choix de vocabulaire de l'auteur. Que veut-il signifier avec ces expressions :
   - salle d'exécution
   - arme
   - opération
   - cauchemardesque
3. Expliquez le rôle du tahar et les assistants. La description précise de chacun de ses actes donne quelle impression ? Comment le comportement des hommes et des femmes est-il différent ?

41 Activités d'expansion

Faites les activités suivantes.

1. Décrivez une fête à laquelle vous avez assisté qui ne s'est pas bien passé. Parlez du milieu, de la nourriture qu'on a préparé, de la signifiance de la fête pour votre famille ou amis et pourquoi vous avez été deçu(e).
2. Faites un dico des expressions arabes dans ce texte, aussi bien que ceux que vous avez appris dans les niveaux 1–3.

Je suis morte et je n'ai rien appris.

Interpretive Communication : Print Texts

Rencontre avec l'auteur

Solenn Colleter (1974–) s'est inscrite à l'Ecole nationale de l'aviation civile. Elle est devenue ingénieur en aéronautique. Actuellement, elle se partage entre l'aviation et la littérature. Dans son premier roman *Je suis morte et je n'ai rien appris*, sorti en 2007, elle aborde la délicate question du bizutage dans les Grandes Ecoles françaises. Est-elle pour ou contre ce rite ?

es bizuts doivent mourir
mprendre à renaître.
oi, qui resterai seule et
rise : j'ai succombé
barbarie qui n'a jamais
e. Je suis morte et je
en appris. **"**

Solenn Colleter.

Introduction

Quelques informations sont nécessaires pour comprendre le texte. Certains lycées de grandes villes préparent des élèves, après le bac, aux concours d'entrée aux « Grandes Ecoles » (écoles d'ingénieurs, d'officiers, PDG, etc.) dans des « classes préparatoires » appelées familièrement « *prépas* **». Cette préparation se fait en deux ans ; la première année est appelée «** *Mathématiques Supérieures* **» ou «** *Math Sup* **», la seconde «** *Mathématiques Spéciales* **» ou «** *Math Spé* **». Comme l'enseignement y est organisé en quatre semestres (4ème demi-années), les élèves qui entre en 2ème année, donc dans le 3ème semestre de la prépa (3ème demi-année), sont appelés des «** *trois demis* **» (3/2). Les élèves qui ont échoué aux concours ont la possibilité de redoubler cette 2ème année (Math Spé) pour se présenter à nouveau aux concours. Ils sont alors des «** *cinq demis* **» (5/2). Ce sont les 5/2 qui mènent le bizutage, avec l'aide des 3/2. Comme il peut y en avoir plusieurs dans un grand lycée, chaque classe préparatoire est baptisée du nom d'un mathématicien ou physicien célèbre :** *Prépa Thalès, Pythagore, Euclide, Newton.*

Pré-lecture

Faites une liste d'exemples de bizutage que vous connaissez de votre culture. Vous pouvez travailler avec un(e) camarade de classe.

Argot des ados

Ça craint.	*It stinks.*
un(e) potache	*schoolboy/schoolgirl (fam.)*
à la queue leu leu	*in line*
remontés	*shaken up*

Je suis morte et je n'ai rien appris par Solenn Colleter

Tout à l'heure, il faisait jour.

   Des bus venaient de déverser* à l'entrée de Sainte-Thérèse quatre cents élèves de première année et les 3/2 appelés « Trois Demis » accompagnateurs, des camarades de deuxième année ou « Mathématiques Spéciales ».

   Puis une rumeur s'est répandue* dans la foule.

   « Bizutage ». Sans qu'on sache d'où il était parti, le mot a parcouru* l'assemblée. Il a volé de lèvres en lèvres, bourdonné*, enflé*, grondé*, se déclinant* à l'infini : bizutage ; bizuts ; bizuteurs.

   -Martin ! De quoi parlent-ils ?

   -Le bizutage. J'ai l'impression que ça va commencer.

   -Le week-end d'intégration[1] n'est pas fini ?

   -Rien à voir !

   -Pourtant....

   -Le bizutage, c'est autre chose. Une tradition très importante à Sainte-Thérèse.

   -Qu'est-ce qu'ils comptent nous faire ? Ça craint, ce truc ! C'est illégal, de toute façon ! Pourquoi ne m'en as-tu pas parlé ?

   -Pas le temps : tu viens juste d'apprendre que tu es admise[2], non ? Ce n'était pas ce qu'il y avait de plus important. D'autant que ça n'a rien* de méchant.

   -Laure s'est détendue.

   -C'est ton père qui te l'a dit ?

   -Oui. Il paraît que c'est un peu éprouvant*, mais vraiment super.

   -Ça consiste en quoi ?

   -Je ne sais pas : le secret est bien gardé dans la famille. Mais il n'y a pas de quoi s'inquiéter.

   Des coups de sifflet* ont retenti*. Le ton a changé. La température a fraîchi. Les 3/2 se sont regroupés, frileusement*, comme pour se protéger du rituel qu'ils annonçaient et qu'eux-mêmes avaient subi* l'année précédente. Ils ont sorti des calots* d'apparence militaire dont ils se sont coiffés pour mieux se

---

Pendant la lecture
1. Quels groupes descendent du bus ?

Pendant la lecture
2. Que va-t-il se passer ?

Rappel
L'expression *sans que* prend le subjonctif. Reformulez l'expression avec les verbes suivants : 1.) pouvoir ; 2.) mettre ; 3.) aller ; 4.) vouloir ; 5.) faire, Exemple : *Sans qu'on puisse...*

Pendant la lecture
3. Qu'est-ce que la personne dit du bizutage ?

Pendant la lecture
4. Que veut dire « les 3/2 sortent » ?

Pendant la lecture
5. Comment est-ce que les élèves s'organisent ?

---

1. La rentrée scolaire proprement dite (le début des cours) est précédée d'un *week-end d'intégration* organisé par l'administration de la « prépa » pour accueillir des élèves venant de toute la France et même d'ailleurs.

2. La sélection est très sévère à l'entrée des prépas, dont le nombre d'élèves est limité. Les élèves plus brillants sont parfois admis dans plusieurs prépas ; ils en choisissent une et libèrent ainsi une place pour un candidat inscrit sur « la liste supplémentaire », qui apprend parfois quelques jours avant la rentrée qu'il est admis.

---

déverser amener ; **s'est répandue** (se répandre) a circulé (circuler) ; **parcouru** (parcourir) fait le chemin (fam.) ; **bourdonné(e)** *buzzed* ; **enflé(e)** *swole up* ; **grondé(e)** fait un gros bruit ; **se déclinant (se décliner)** tombant (tomber) ; **ça n'a rien de** ce n'est pas ; **éprouvant** fatiguant ; **un coup de sifflet** *whistle blowing* ; **retenti (retentir)** *echoed (to echo)* ; **subi** enduré ; **un calot** casquette militaire

démarquer de la foule des bizuts. Ce symbole a semblé les rassurer. Leur démarche est devenue austère.

-Mettez-vous par classe, en ligne. La Prépa Thalès, ici ; Pythagore ; Euclide ; là, Newton. Allez, à la queue leu leu.

Bousculade au sein de la Prépa Euclide—la crème des crèmes, jumelage* entre les premières année de Sup 1 et les deuxième année de Spé 1. Une colonne incertaine s'est formée, reléguant* Martin derrière Laure. Le silence s'est fait. La tension était palpable. Sur les visages, stupeur, angoisse ou forfanterie*³.

Les 3/2 se sont présentés comme leurs amis, simples témoins* dans la cérémonie qui allait suivre. Ils seraient des observateurs, garants* du bon déroulement* du bizutage, administré par les « Cinq Demis » redoublant* leur Spé. Ils ont dispensé les explications préalables* au déclenchement* des hostilités : les chambres fouillées*, les téléphones portables confisqués, les issues du lycée placées sous surveillance ; les communications devenues impossibles avec l'extérieur pour une durée indéterminée ; les familles prévenues*; les lits supplémentaires installés pour les rares externes*. Ils ont évoqué les éventuels problèmes de santé, à signaler d'urgence. Les vêtements qui ne survivraient pas au bizutage. Les objets de valeur, à leur remettre immédiatement.

-Ne conservez rien sur vous, sinon* c'est perdu.

-Se retournant, Laure a chuchoté* :

-Ça ne me dit rien qui vaille*, à moi....

Le jeune homme lui a pressé l'épaule pour la rassurer.

-Le bizutage est dur, a poursuivi une deuxième année. Mais il a fait ses preuves. Depuis presque cent cinquante ans, c'est grâce à lui que les anciens inculquent* aux nouveaux les valeurs de Sainte-Thérèse. Solidarité, dévouement*, sens de l'effort et de la persévérance.... Le bizutage est là pour vous armer devant les épreuves de la Prépa et de l'existence. Faites-nous confiance*. Faites-lui confiance. Une fois la difficulté surmontée*, il restera l'un de vos meilleurs souvenirs. De lui naîtront* des amitiés indéfectibles*, des vocations....

Laure n'en croyait pas ses oreilles.

Voilà qu'ils veulent m'apprendre la vie, a-t-elle marmonné*.

Autour d'elle, l'atmosphère était mi-anxieuse, mi-amusée. Elle-même se sentait plutôt agacée*. Très agacée. Qu'attendre de ce simulacre* d'initiation ?

Pendant la lecture
6. Quel est le rôle des 3/2 ?

Pendant la lecture
7. Que font les Cinq Demis aux nouveaux admis ?

Pendant la lecture
8. Quelles sont les valeurs de l'école ? Comment rationalise-t-on le bizutage ?

3. *Forfanterie* : attitude de celui qui fait semblant d'être à l'aise, mais qui, en fait, a peur.

le jumelage *school exchange* ; **reléguant (reléguer)** qui ordonne ; **forfanterie** *bragging* ; **un témoin** *witness* ; **des garants** qui guarantissent ; **le déroulement** développement ; **redoublant (redoubler)** répétant ; **le préalable déclenchement** commencement ; **fouillé(e)** *searched* ; **prévenu(e)** informées ; **externe** étudiant qui rentre à la maison pour le déjeuner ; **sinon** *or else* ; **chuchoté** *whispered* ; **rien qui vaille** *nothing good* ; **inculquent (inculquer)** enseignent (enseigner) ; **le dévouement** *devotion* ; **la confiance** *trust* ; **surmontée** *overcome* ; **naîtront** futur du verbe naître ; **indéfectible** indestructible ; **marmonné (marmonner)** *mumbled (to mumble)* ; **agacé(e)** énervée ; **le simulacre** *enactment*

Allez, Laure, fais un effort : quelques blagues de potache* envers lesquelles tu t'efforceras d'être bon public* ⁴, une demi-douzaine d'œufs et de la farine*.... et ils retourneront à leurs cahiers-à-spirales-grand-format-petits-carreaux.

Cavalcade. Un 3/2 essoufflé* est apparu.

-Ils arrivent ! Ils seront là dans cinq minutes.... Les bizuts sont prêts ? Vous ne leur avez pas encore bandé les yeux ? Dépêchez-vous, quoi ! Ils ont l'air drôlement remontés....

Tout à l'heure, il faisait jour. Puis Laure a basculé* dans l'obscurité, une étoffe* opaque ajustée devant les paupières*. [....]

Source : COLLETER, Solenn. *Je suis morte et je n'ai rien appris.* Albin Michel. Paris, 2007.

4. *Etre bon public* : pour les comédiens un bon public est celui qui ne critique pas le spectacle, qui y prend facilement plaisir. *Etre bon public*, c'est se comporter ainsi, même si le spectacle ne plait pas vraiment.

un(e) **potache** lycéen(ne) (fam) ; **être bon public** se comporter avec courage devant les autres ; **la farine** *flour* ; **essoufflé(e)** *out of breath* ; **basculé(e)** est tombée un peu ; **l'étoffe (f.)** *fabric* ; **une paupière** partie des yeux que l'on ferme

Pendant la lecture
9. Qu'est-ce que les nouveaux admis doivent subir ?

COMPARAISONS

Comment comprenez-vous l'expression « la crème de la crème »? Y a-t-il une expression semblable en anglais ? Si oui, laquelle ?

Post-lecture

Relisez le texte et relevez dans les paroles de Martin et dans celles des 3/2 ce qui est censé justifier la pratique du bizutage. Etes-vous convaincu(e) de son utilité ? Et l'auteur ?

42 Un premier regard sur le texte

Lisez d'abord le texte en entier. Puis, répondez aux questions.

1. Que raconte-t-il ?
2. Comment s'appellent les nouveaux admis ?
3. Qu'est-ce qui progresse au cours du récit ?

Etudiez le texte maintenant étape par étape. Répondez aux questions.

Situation initiale

1. Quels paragraphes comprennent la situation initiale ?
2. Quels deux mots caractérisent les nouveaux élèves et ceux de la classe supérieure ?

Première étape

3. Dans la première étape (de « *Puis une rumeur* » à « *Mais il n'y a pas de quoi s'inquiéter* »), quelle impression produisent ces accumulations : « *Il a volé [....], bourdonné, enflé, grondé* », « *bizutage ; bizuts ; bizuteurs* » ?
4. Quel est l'état d'esprit de Laure ? Comment cela se manifeste-t-il dans le texte ?
5. Dans les paroles de Martin, qu'est-ce qui est destiné à rassurer Laure ?

Deuxième étape

6. Dans la deuxième étape (de « *Des coups de sifflet* » à « *cahiers-à-spirales-grands-formats-petits-carreaux.* »), quelles expressions signalent une nouvelle étape ?
7. Tout ce que disent les 3/2 est-il bien rassurant ? (Justifiez votre réponse par des exemples précis).
8. En quoi leur comportement même est-il inquiétant ?
9. Quels mots et expressions révèlent une montée de l'inquiétude chez les bizuts ?
10. Laure cède-t-elle à la panique ? Quels sont ses sentiments à cette étape du récit ? Dans le paragraphe « *Allez, Laure, fais un effort* » qui parle ? A qui ? Dans quel but ? Quel état d'esprit cela révèle-t-il ?

Troisième étape

11. Dans la troisième étape (de « *Cavalcade* » à la fin), quelle est l'atmosphère ? Quel état d'esprit est évoqué par les mots : *Cavalcade, essoufflé, dans cinq minutes, Dépêchez-vous* ?
12. Quel effet produit la reprise de la phrase initiale : « *Tout à l'heure, il faisait jour* » ?

Faites les activités suivantes.

1. La narratrice essaie d'être neutre, ne jugeant pas le bizutage dans son école. Expliquez dans un paragraphe comment elle arrive à ne pas donner son point de vue dans le texte. Quels mots et expressions emploie-t-elle ? Quels mots et expressions évite-t-elle ? Cette manière d'écrire est importante pour quelle profession ?
2. Faites une prédiction. Le bizutage que la narratrice vit, l'aide-t-il avec ses études ou pas ? Dans un paragraphe, expliquez pourquoi vous avez cette opinion.

Synthèse

- Dites ce que ces deux sélections racontent.
- Relevez tout ce qui différencie les deux rites.
- Pourtant, dans les deux cas, dites comment le rite est vécu par ceux qui le subissent.

Faisons le point !

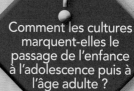

A. *Pour retrouver les principales idées développées au cours de la leçon, notez dans votre cahier un ou deux exemple(s) en face de chacun des points de repère qui vous sont proposés. Reportez-vous à tous les documents de la leçon (écrits journalistiques, témoignages, analyses, textes littéraires).*

Question centrale

?

Comment les cultures marquent-elles le passage de l'enfance à l'adolescence puis à l'âge adulte ?

Les rites (de passage)	Notes
Des étapes importantes : • le bac • le permis de conduire	
L'affaiblissement des anciens rites de passage	
Un rite contesté : le bizutage	
Un rite toujours vivant : la circoncision	
Le besoin de rites demeure : • pourquoi ? • comment s'exprime-t-il ?	

B. *Discutez en groupes. Que répondriez-vous à la question posée au début de l'unité : Comment les cultures marquent-elles le passage de l'enfance à l'adolescence puis à l'âge adulte ?*

Vocabulaire actif

emcl.com
WB 1–8

La publicité et le marketing 🎧

Question centrale

? Comment le marketing façonne-t-il et/ou reflète-t-il les tendances culturelles des communautés ?

Les mots de la pub

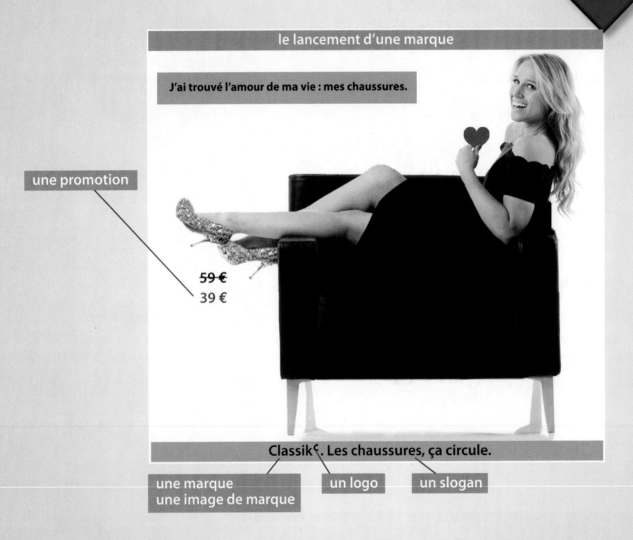

le lancement d'une marque

J'ai trouvé l'amour de ma vie : mes chaussures.

une promotion

~~59 €~~
39 €

Classik<. Les chaussures, ça circule.

une marque
une image de marque

un logo

un slogan

La nouvelle **campagne** publicitaire de CLASSIK se trouve sur toutes les **affiches** et les **spots** à la télévision. L'**agence publicitaire annonce** des **messages** modernes avec des **slogans** forts sur les valeurs morales. Sa **stratégie** ? Soulever la polémique.

une affiche, une campagne, un spot, un message, un slogan

une agence, une annonce, un annonceur (une annonceuse), un concept, une stratégie

Les effets de la pub

La pub est informative, persuasive, incitative, suggestive, trompeuse. Elle cible, vise, touche, influence, séduit, incite à, a un impact sur…

Le marketing

la conception de la marque d'un produit – concevoir

une étude du marché – étudier le marché
(pour déterminer les besoins du public)

lancer un produit sur le marché français ou international

la distribution – distribuer – le distributeur, la distributrice

la consommation – consommer – le consommateur, la consommatrice

faire une enquête (pour juger la réaction du public)

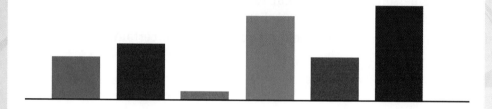

Pour la conversation

How do I suggest someone imagine something ?

> **Imagine-toi qu'**il existe des Arabes non musulmans....
Imagine there exist non-religious Arabs....

How do I express what something depends on ?

> Tout **dépend de** l'environnement.....
Everything depends on the environment.

How do I say I explained how something happened ?

> **Je lui ai expliqué comment cela s'était passé** chez moi.
I explained to her how that happened at my house.

1 Les définitions

Associez un mot ou une expression de vocabulaire avec chaque définition.

1. Ensemble d'actions marketing cohérentes visant à promouvoir un même produit.
2. Toute forme de message publicitaire.
3. Format de message publicitaire à la télévision.
4. Formule très concise et souvent originale qui accompagne une publicité.
5. Idée centrale qui caractérise un produit.
6. Signe et nom servant à distinguer un produit, un objet ou un service.
7. Représentation graphique d'une marque commerciale (ou d'une organisation).
8. Elle conçoit et produit des campagnes faisant appel aux grands médias.
9. Personne, entreprise ou organisme qui investit dans la publicité pour atteindre ses objectifs.
10. On appelle ainsi le groupe de personnes que l'on veut toucher.
11. Support d'un message publicitaire destiné à être lu à distance.
12. Ensemble de moyens d'action utilisés conjointement en vue d'atteindre certains objectifs contre certains adversaires.

2 Mots croisés

Créez des mots croisés basés sur le nouveau vocabulaire. Pour chaque mot ou expression, écrivez une phrase avec un espace blanc que votre partenaire va remplir dans la grille. Echangez votre papier avec celui de votre partenaire.

MODÈLE **On fait une... du marché pour déterminer les besoins du public.**
étude

3 Des marques françaises

Ci-dessous vous trouverez des marques d'entreprises françaises très connues. Retrouvez leur slogan.

Motion and Emotion.
Buvez, éliminez !
Parce que je le vaux bien.
Donne tout !
Faire du ciel le plus bel endroit de la Terre.
Pour une nouvelle, c'est une bonne nouvelle.
Agitateur de curiosité.
360° de bonheur

4 L'ours Canal+ et le cinéma

Regardez cette publicité pour Canal+ sur Internet. Puis, analysez-la en écrivant un paragraphe qui répond aux questions ci-dessous.

1. Il s'agit d'une campagne publicitaire pour quelle compagnie ?
2. Quel est le message de cette pub ?
3. Quels événements ou interactions est-ce que la pub montre ?
4. Comment est cette pub ? Amusante, cynique, etc.?
5. Comment réagissez-vous à cette pub, personnellement ?

   Search words : l'ours canal+ et le cinéma (the bear)

5 L'histoire d'un produit de luxe

Complétez les phrases avec un mot ou une expression de la liste suivante.

> stratégie   enquête   séduit   lancer   pub

1. Dior, une compagnie de luxe, voulait ... leur parfum J'adore ! sur le marché français et international.
2. Ils ont embauché Charlize Theron pour jouer un rôle dans une ... télévisée.
3. Dans la pub, l'actrice rencontre Marilyn Monroe et Grace Kelly. La pub fait penser que le parfum apporte la beauté et une vie de luxe ; c'est-à-dire qu'elle ... le public.
4. C'est une bonne ... pour cette marque de luxe.
5. Selon une ..., les consommateurs sont effectivement influencés par la pub.

Communiquez!

6 Une explication

Interpersonal Speaking

Votre ami(e) voudrait savoir ce que vous avez dit à un ami. Répondez en suivant le modèle.

MODÈLE

Julien

A : **De quoi as-tu parlé avec Julien ?**
B : **Je lui ai expliqué comment la teuf s'était passée.**

1. Monique

2. ton père

3. Théo et Lucas

4. la prof

5. Simone et Océane

7 Questions personnelles

Répondez aux questions posées par votre partenaire.

1. Quelles marques de vêtements achètes-tu ?
2. Anticipes-tu les promotions de ton magasin préféré ?
3. Quelles pubs de voitures ou de smartphones trouves-tu persuasives ?
4. Quelles pubs n'ont pas d'impact sur tes achats ?
5. Quel produit américain voudrais-tu lancer sur le marché français ?
6. Consommes-tu des produits bio ?

Narratives

La Vie Suisse a frappé à ma porte ce matin

Narrative 1

Interpretive Communication : Print Texts

Introduction

Vous allez lire l'histoire d'un consommateur d'origine maghrébine qui réagit au marketing ethnique en France. Essayez de trouver l'attitude du consommateur vis-à-vis de ce genre de télémarketing.

Pré-lecture

De quel type de document s'agit-il ? Comment comprenez-vous le titre ?

Question centrale ? Comment le marketing façonne-t-il et/ou reflète-t-il les tendances culturelles des communautés ?

Matinée ensoleillée sur Nantes en ce début de week-end, mais il est encore trop tôt pour sortir avec les enfants. Le téléphone fixe sonne comme quasiment jamais : on utilise peu le téléphone fixe chez les Asseh, en tout cas rarement le samedi à 9h30.

A l'autre bout du fil, « Monsieur Asseh » ? et la voix féminine du télémarketing de prononcer mon nom avec un accent arabe.

Je lui confirme que je suis bien monsieur Asseh en insistant bien sur la prononciation française de mon nom : « Assé » ou « Assè » c'est selon, coquetterie... J'embraye sur un « bonjour » très urbain auquel elle rétorque par un déstabilisant « Assalamou Aleykoum[1]« . Je reprends mon « bonjour » initial un peu moins urbain ce coup-ci, mais « bonjour » quand même avec, un accent franco-français instinctivement encore plus appuyé.

La dame se présente : «Jihène de Swiss Life[2]« et là, c'est elle qui appuie sur son accent maghrébin, probablement marocain.

Elle m'indique ensuite qu'elle a un placement « halal[3]« à me présenter ! Nous y voilà donc, tout ce gloubi-boulga[4] linguistique pour en arriver là : je porte un nom à consonance arabe (même carrément arabe en fait, mais bon, passons) alors j'apparais dans le listing des prospects de Swiss Life pour un produit financier respectant les règles de la finance islamique[5]. Les génies du marketing de la société suisse ont simplifié le script de leurs télémarketeurs en expliquant que c'est de la finance « halal » alors que la terminologie technique parle plutôt de « finance islamique » mais halal a dû être jugé plus attractif. Mais bon ! J'ai donc répondu à la dame que ça ne m'intéressait pas et que je lui souhaitais une bonne journée puis j'ai raccroché avant d'écouter ce qu'elle avait à me raconter (la pauvre dame, si elle me lit, je suis désolé d'avoir raccroché aussi vite).

> **Rappel**
> L'expression « avant de » est suivie d'un infinitif, mais « avant que » est suivi du subjontif. L'expression « après que » est suivie de l'indicatif.

1. Que la paix soit sur vous !
2. Société d'assurance suisse en arabe
3. Halal veut dire « qui respecte les préceptes du Coran », donc éthiquement acceptable.
4. Le gloubi-boulga est le gâteau (réputé immangeable) préféré de *Casimir*, le dinosaure de *L'Île aux enfants*, un divertissement télévisé pour enfants dans les années 1970.
5. Le terme *finance islamique* recouvre l'ensemble des transactions et produits financiers conformes aux principes de la Charia, qui supposent l'interdiction de l'intérêt, de l'incertitude, de la spéculation, l'interdiction d'investir dans des secteurs considérés comme illicites (alcool, tabac, paris, etc.), ainsi que le respect du principe de partage des pertes et des profits. http://www.economie.gouv.fr/cedef/finance-islamique

Tout cela pour dire que le marketing ethnique m'a touché dans tous les sens du terme.... Il m'a d'abord touché dans le sens où, du fait de mon nom, on m'a contacté pour me vendre une salade qui est censée[6] m'intéresser. La segmentation du marché atteint ici un de ses sommets. Les marketeurs suisses ont bossé dur : ils ont segmenté, ils ont acheté des listes, ils ont trouvé mon nom, ils m'ont appelé, ils ont exécuté un script de démarchage téléphonique, ils ont échoué.

Le marketing ethnique m'a touché aussi parce que j'hésitais entre rire, pleurer ou balancer mon téléphone contre le mur. Raison de cette colère : être, pour la première fois, traité distinctement du fait de mon nom. Ce nom que j'ai choisi, consciemment, de garder un jour de 1993 lorsqu'en remplissant les formulaires de demande de nationalité, j'aurais pu le transformer en un très aristo Assay ou encore un plutôt sobre Assé au lieu de maintenir le « h » final pour que mes enfants et les leurs après eux gardent trace de cette source orientale qui s'est fondue, volontairement, dans la République et toutes les valeurs, qu'elles soient métaphysiques ou comportementales, que la France porte notamment depuis 1789.

Mais le plus drôle dans cette histoire c'est que le marketing ethnique suisse (mais ça aurait été pareil avec un autre d'une autre nationalité) s'est gouré grave. Ce n'est pas parce que je porte un nom arabe (mon prénom veut dire « sourire » et mon nom de famille veut dire « garde de nuit ») que je suis musulman et même si je l'étais, ça ne signifie pas que je sois intéressé par leur placement respectant l'éthique musulmane !

Mais imagine-toi, Swiss Life, imagine-toi qu'il existe des Arabes non musulmans comme moi. Imagine-toi qu'il existe aussi des Arabes nés dans des familles musulmanes, mais qui ne le sont pas eux-mêmes. Imagine toi aussi qu'il existe des musulmans qui ne s'intéressent pas à tes placements fussent-ils sauce blanche[7].

Cela s'appelle du « racialisme », du comptage racial, de la discrimination.... Et la discrimination, fut-elle pour me faire gagner de l'argent, eh bien cela ne me plaît pas, cela me donne même envie de.... vomir !

D'après : ASSEH. « LaVie Suisse à frappé à ma porte ce matin ». http://rue89.com (13 mars 2013).

6. supposée
7. Allusion peut-être à la sauce blanche (à base de fromage blanc ou de lait fermenté… nombreuses variantes) qui accompagne les kebab. S'oppose à « sauce rouge » à base de vin.

Langue vivante

Le texte contient un certain nombre de mots ou expressions familières. D'après le contexte, comment comprenez-vous :
« .... le marketing ethnique suisse s'est gouré grave ».
- le marketing suisse s'est lourdement trompé.
- le marketing suisse a des méthodes abusives.

« .... les marketeurs suisses ont bossé dur... »
- les marketeurs suisses sont des professionnels très exigeants.
- les marketeurs suisses ont beaucoup travaillé.

Répondez aux questions.

Première partie

A. *Lisez jusqu'à : « .... je suis désolé d'avoir raccroché aussi vite ».*

   1. Après avoir lu les trois premières lignes, qu'apprenez-vous sur l'auteur et la situation de départ ?

B. *Poursuivez la lecture.*

   2. Qui a appelé Monsieur Asseh à 09h30? Pour quelles raisons ?

   3. Comment son interlocutrice a-t-elle engagé l'échange ?

   4. Comment Monsieur Asseh a-t-il réagi ?

   5. A votre avis, quelle était la stratégie de la télémarketrice ?

   6. En quoi peut-on dire qu'elle a échoué ?

   7. Pourquoi Monsieur Asseh faisait-il partie de la cible de Swiss Life ?

Deuxième partie

C. *Lisez jusqu'à : « ... ils ont échoué ».*

   8. Quelle phrase nous renseigne sur la stratégie marketing et les différentes étapes de cette stratégie ?

La fin

D. *Lisez le septième paragraphe.*

   9. Comment Monsieur Asseh explique-t-il lui-même : « .... le marketing ethnique m'a touché dans tous les sens du terme » ?

  10. Quels verbes peuvent remplacer « toucher » dans les deux phrases où ce verbe apparaît ?

  11. Qu'apprend-on de plus sur Monsieur Asseh, sur son parcours et ses valeurs ?

  12. Qu'est-ce qui a motivé sa colère ?

E. *Lisez jusqu'à la fin. Contre quoi le blogueur se rebelle-t-il ?*

- la religion
- les stéréotypes
- le monde de la finance
- *le communautarisme*

F. *Comment le blogueur s'adresse-t-il à Swiss Life à la fin ? Que traduit ce changement de ton ?*

À combien de publicités un Français est-il soumis quotidiennement ?

 Narrative 2

Interpretive Communication : Print Texts

Introduction

Vous allez lire des opinions dans un blogue sur les pubs en France. Faites une liste des plateformes (pubs télévisées, affiches, etc.) dont on parle.

Pré-lecture

Combien d'opinions sur les pubs allez-vous lire ? Pensez-vous que les gens seront pour ou contre la pub en général ?

1

Beigbeder en parle vite fait dans *99F*, avec le nombre de spots vu dans une vie. Me souviens pas très bien, mais en divisant on n'est pas loin du millier. En fait tout dépend de l'environnement et de la définition du « Français moyen ». Un parisien qui prend le métro chaque jour en verra infiniment plus qu'un habitant de Corrèze qui va au boulot en voiture.

2

Ben moi : Je ne les regarde même pas. Je zap, je clique, je regarde par la fenêtre, je discute avec mon voisin, je tripote ma voisine, mais surtout je m'en contrefous de la pub....

3

J'ai déjà compté une fois sur TF1 (oui, en même temps, c'est TF1) 17 pubs entre les deux parties d'un jeu télévisé. Dans le métro, les Parisiens sont servis (si au moins la pub pouvait permettre la gratuité du métro). Sur Internet... Ben j'ai un logiciel qui bloque les pubs et ça fait tellement de bien !

4

Ce n'est pas la question que je poserais mais bien qui regarde encore la pub ? L'image je ne la regarde pas même s'il elle est omniprésente dans notre vie par contre les pub radio sont insupportables et nuisent à la qualité des émissions avec un sentiment que les dossiers traités en radio ne servent que d'alibi pour entendre tout un panel de pubs agressives ! ....

> **Rappel**
> L'expression négative « ne.... que » veut dire « *only*. » Comment diriez-vous « *I only have five euros* » ?

Source : Rue 89. « A combien de publicités un Français moyen est-il soumis quotidiennement ? » www.rue89.com (3 juillet 2013).

Ecrivez le numéro qui correspond au message du blog décrit.

1. Cette personne se préoccupe des mauvaises pubs à la radio.
2. Cette personne essaie d'éviter les pubs.
3. Cette personne parle des pubs sur Internet, dans le métro et à la télé.
4. Cette personne fait allusion à un livre littéraire.

10 **Mon billet de blog**

Ecrivez votre propre réponse à la question posée sur le blogue.

Comment passer au bio, ou comment débuter en alimentation bio ?

Interpretive Communication : Print Texts
Introduction

Une blogueuse partage son expérience en introduisant les produits bios dans sa famille. Etes-vous convaincu que c'est une bonne approche ?

Pré-lecture

Selon vous, qui pourrait profiter de cet article ?

Récemment, une collègue du travail m'a demandé comment faire pour commencer à intégrer des produits bios dans l'alimentation quotidienne de sa petite famille. Un peu surprise par cette question, je lui ai expliqué comment cela c'était passé chez moi. Je m'y mise progressivement en commençant par acheter les produits de base et de consommation très courante. Avec le recul, et bien que cela n'ait pas été calculé de ma part, je pense que c'est une bonne méthode. Cela permet d'augmenter rapidement et facilement la quantité de produits bio consommés.

> **Rappel**
> L'expression « bien que » est suivie du subjonctif.

En effet, les œufs, le lait, la farine, le sucre et le beurre ainsi que le riz et pourquoi pas les pâtes bios se trouvent maintenant dans toutes les grandes surfaces à des prix comparables à ceux des produits non labellisés. Pour ne pas se « faire avoir » sur les prix, il faut bien regarder les prix au kilo. Les marques bios des distributeurs sont souvent intéressantes au niveau prix. Par exemple : la farine de blé semi complète de type 110 agriculture bio Carrefour Agir est à 1,65 € le kg ; c'est plus cher qu'une farine classique de la même marque mais moins cher qu'une farine de marque comme la Farine de blé complète Francine à 1,80 € le kg...

Il existe même des produits bios, comme la farine, chez des hard discounteurs ! Enfin, chez les magasins spécialisés en bio, les prix sont souvent plus élevés que dans les réseaux de distribution classiques ; par contre, ils proposent presque systématiquement des produits en vracs...., ce qui permet d'avoir un prix correct.

Ainsi, avec ces quelques produits achetés bios, à moi les gâteaux, crêpes, beignets et autres flan bios. Le riz et les pâtes accompagnent, sans changer les habitudes alimentaires, les autres aliments. On se retrouve rapidement avec une grande partie de la ration alimentaire quotidienne en bio.

Source : « Comment passer au bio ou comment débuter en alimentation bio ». 17 mars 2013. http://bullebio.over-blog.com (14 mars 2013).

> **Savez-vous... ?**
> Carrefour est une grande surface ou hypermarché, beaucoup plus grand qu'un supermarché. Agir est la marque de leurs produits bio.

11 Organisation du texte

Faites un plan du document en organisant les éléments suivants.

- Garder ses habitudes alimentaires
- Expliquer la distribution des produits bios chez les hard discounteurs et les magasins spécialisés en bio
- Expliquer pourquoi elle écrit cet article
- Prouver que les prix des produits bios sont économes
- Expliquer comment elle est devenue consommatrice des produits bios
- Expliquer qu'on peut commencer avec des produits de base

12 La distribution des produits bios

Ecrivez un paragraphe dans lequel vous expliquez la stratégie de distribution des compagnies qui fabriquent les produits bio. C'est-à-dire, on peut trouver des produits bios dans quels magasins ?

Ensemble des documents

Basé sur les textes que vous avez lus, comment comparez-vous le marketing et les pubs en France à leurs équivalents dans votre pays ?

Culture

emcl.com
WB 9–13

Comment le marketing façonne-t-il et/ou reflète-t-il les tendances culturelles des communautés ?

Jacques Séguéla : Le futur de la publicité

Interpretive Communication : Audio Text

Jacques Séguéla est un publicitaire très connu en France. Vice-Président du groupe Havas, il a à son actif de très nombreuses campagnes publicitaires mais aussi des campagnes politiques (en particulier les campagnes présidentielles victorieuses de François Mitterrand en 1981 et 1988). Dans cette interview, il analyse l'évolution de la publicité.

Search words : **séguéla, campagne evian « les bébés rollers »**

---

13 Les âges de la publicité

Ecoutez le début trois fois, jusqu'à la question sur le consommateur (« Donc ce consommateur il a changé entre temps... »), puis complétez la frise chronologique.

L' âge	L'époque	La valeur	L'élément central qui le caractérise
premier			
deuxième			
troisième			

---

14 Reformulez

Reformulez les deux autres étapes de l'évolution de la pub. Vous trouverez une reformulation de la première ci-dessous.

MODÈLE   **Dans la première étape, ce qui compte, c'est le produit.**
La pub vise d'abord à vendre un produit.

---

15 Le consom-acteur : une définition

Ecoutez la suite (jusqu'à « sociale et socialiste à la fois »). J. Séguéla appelle le consommateur un « consom-acteur ». Expliquez ce « mot-valise » (un mot valise est un mot qui n'existe pas mais qui est formé par l'union de deux mots existants), c'est-à-dire, expliquez comment le consommateur d'aujourd'hui s'oppose au consommateur d'autrefois.

Répondez aux questions.

1. Quelles sont les trois exigences du consommateur vis-à-vis de l'entreprise ?
2. Quel est, selon le publicitaire, le rôle d'Internet dans la pub aujourd'hui ?

Marketing ethnique : quel développement en France ?

Interpretive Communication : Prints texts

Le marketing ethnique s'éloigne des critères classiques liés à la segmentation du marché – catégorie socio-professionnelle, âge, goût–pour s'attacher à d'autres paramètres : la couleur de peau, l'origine de la cible, ses valeurs, sa culture. Plus largement, le marketing ethnique est aujourd'hui un marketing communautaire, au même titre que le marketing des séniors, le marketing gay ou religieux.

Marketing ethnique : la tendance

« *On observe une montée en puissance du marketing ethnique* », confirme Isabelle Barth, directrice de recherche à Strasbourg, dans des domaines aussi variés que la cosmétique, l'alimentaire*, la finance ou les télécommunications : l'Oréal et sa gamme* de produits pour la peau et les cheveux des femmes de couleur ; les opérateurs téléphoniques et leurs offres promotionnelles vers les trois pays du Maghreb, par exemple.

Les communautés d'origine étrangère sont estimées à environ 20% de la population française, soit près de 14 millions de personnes. Le marché de la nourriture halal*, à lui seul, pèserait plus de 3 milliards d'euros en France, et 15 milliards d'euros en Europe, avec une progression du marché sensible ces dernières années, de l'ordre de 15% par an.

Des freins au développement

Mais le marketing ethnique a-t-il vraiment sa place en France ? Dans une société où les gens veulent « *à la fois être reconnus* pour leurs différences sans pour autant* être différenciés* », selon Isabelle Barth, « *les recherches dans le domaine du marketing ethnique sont confrontées à l'existence du principe républicain* ». L'article premier de la Constitution affirme en effet que la France est une « *République indivisible, laïque, démocratique et sociale. Elle assure l'égalité devant la loi de tous les citoyens sans distinction d'origine, de race ou de religion. Elle respecte toutes les croyances** ». La loi interdit de recenser* les individus selon des critères ethniques ou religieux sans leur consentement. Mais « *cibler l'autre, c'est le différencier, le singulariser et finalement récuser le principe d'uniformisation de la communauté nationale* », ajoute Isabelle Barth. « *Parler de marchés communautaires, c'est toucher à notre inconscient collectif, à notre idéal républicain.*

> **Savez-vous...?**
> La Constitution française du 4 octobre 1958 est l'actuelle Constitution de la France. Elle est le quinzième texte fondamental de la France depuis la Révolution française. C'est aussi l'une des Constitutions les plus stables qu'ait connues la France ; elle est marquée par le retour d'un exécutif très fort.

---

la cible *target* ; **l'alimentaire(m.)** la nourriture ; **la gamme** tous les produits ; **halal** sans viande de porc selon la tradition musulmane ; **reconnu(e)** *given recognition* ; **sans pour autant** *without* ; **la croyance** religion ; **recenser** *to poll*

Mais cette diversité existe bel et bien au sein de la société française », selon Dominique Desjeux pour Afrikmarketing, anthropologue et consultant en marketing. Résultat, *« les marques ont peur de tomber dans le politiquement incorrect du communautarisme, alors que cette crainte archaïque n'a plus lieu d'être »*, estime* Yohann Gicquel, enseignant chercheur à Institut d'Administration des Entreprises Gustave Eiffel à Paris.

Le marketing ethnique doit « dépasser les clichés »

Le marketing ethnique doit dépasser les clichés —ceux du *« banlieusard à l'accent maghrébin »* —pour aider à l'intégration des minorités, en les plaçant au cœur de campagnes de publicités ciblant le grand public. Peugeot s'y est essayé en mettant par exemple en scène de jeunes Indiens draguant* à bord d'une 206. Les chaînes de télévision se sont mises au diapason* en faisant appel à des personnes de couleur pour présenter leur JT.

 Search words : **marketing ethnique france, marketing.fr, fondements marketing ethnique**

D'après : BARTH, Isabelle. « Prospecteur d'avenir ». Décembre 2010. www.prospecteurd'avenir.com (14 mars 2013).

---

estime (estimer) *esteem (to esteem)* ; **draguant (draguer)** qui flirtent ; **au diapason** en harmonie

17 Compréhension du document

Répondez aux questions.

1. Qu'est-ce que le marketing ethnique ? (Introduction)
2. Quels sont les secteurs concernés par le marketing ethnique en France ? (Premier paragraphe)
3. Comment explique-t-on sa « montée en puissance » ?
4. Quel paradoxe français Isabelle Barth souligne-t-elle au début du deuxième paragraphe ?
5. Qu'est-ce qui caractérise le marketing ethnique ?
6. Qu'est-ce qui caractérise le principe républicain français ?
7. En quoi pourrait-on dire que le marketing ethnique est peu compatible avec l'idéal républicain français ?
8. Quelle position Dominique Desjeux et Yohann Gicquel semblent-ils partager ?
9. Selon Isabelle Barth, dans quel piège les annonceurs publicitaires ne doivent-ils pas tomber ?
10. Selon elle, quelle doit être la véritable fonction du marketing ethnique ?

Synthèse

L'analyse d'Isabelle Barth illustre quel témoignage dans les narratives ? Comment ?

Quand la pub colle au genre

Interpretive Communication : Print Texts

De plus en plus, les campagnes digèrent la multiplicité des genres et des modèles familiaux. Décryptage.

Aujourd'hui les campagnes de pub collent* comme jamais à la diversité des genres et des situations : père séparé, ado homosexuel, mère célibataire .... L'idée : montrer qu'on est dans le coup, séduire de nouvelles cibles, s'affirmer *gay friendly*.

Tous s'y essaient avec plus ou moins de bonheur. L'écueil*: à l'heure des hyperconnexions, le moindre faux-pas[1] est épinglé*, la chasse aux clichés est ouverte notamment sur les réseaux sociaux. Quand la marque pour enfants Du Pareil au Même (DPAM) décide de lancer son « Papa code », un système d'étiquettes symbolique censé aiguiller* les pères qui habillent leurs gamins le matin, les intéressés s'insurgent* et le font savoir sur Facebook. Les papas blogueurs goûtent assez peu d'être dépeints comme des débiles* du goût : « *Aussi aveugles qu'idiots, les pères sont incapables d'assortir chaussures et blouses,* commente un papa furieux, *ils ont besoin de petits symboles pour leur éviter de penser puisque, rappelons-le, papa = demeuré*.* » DPAM a dû faire machine arrière au bout d'une semaine. Exit le papa code !

En juin dernier l'autre grand nom de la fringue pour enfants, Petit Bateau, s'était fait traiter de sexiste. En cause : une collection de bodys sexués pour bébés, roses pour les filles, bleus pour les garçons, avec en guise de logo des adjectifs qualifiant les deux sexes. Dans la famille Petit Bateau, la fille était forcément « *jolie, têtue, rigolote, gourmande, coquette et amoureuse* », le garçon « *courageux, fort, fier, robuste, vaillant*, rusé, espiègle* et cool* ». La loi du genre ne supporte plus les poncifs*. Plus question de plaisanter avec ces histoires d'image.

On glisse*d'un marketing du genre à un marketing sociétal. On surfe sur toutes les nouvelles composantes de la famille. Récemment la marque Eram a invité « *la troisième femme de papa* » et « *le petit ami de la maman qui a l'âge d'être le grand frère de sa cadette** » sur la photo de famille. Cette fois, ce sont les associations catholiques qui l'ont eue mauvaise devant cette campagne pourtant bien conçue.

La marque The Kooples a fait de ce vecteur son principal ressort* marketing avec sa communication autour des couples, pas seulement hétérosexuels. « *C'est parti d'une simple observation,* explique Alexandre Elicha, l'un des trois frères fondateurs de la marque, *on voyait les gens autour de nous faire les courses en couple, et ces couples, c'était aussi deux garçons, deux filles.* » C'est cette même ouverture d'esprit que veut faire passer McDo dans sa campagne « Venez comme vous êtes » dans laquelle un ado ne cache plus à son père qu'il préfère les garçons....

La segmentation est de plus en plus fine et démultiplie* les catégories. « *Les Etats-Unis ont un vrai temps d'avance sur nous, ils développent des campagnes ciblées en direction*

---

collent *stick* (to stick) ; **l'écueil (m.)** *pitfall* ; **épinglé(e)** critiqué ; **aiguiller** guider ; **s'insurgent (s'insurger)** se rebellent (se rebeller) ; **débile** fou ; **un demeuré** idiot ; **vaillant** brave ; **espiègle** *cunning* ; **un poncif** cliché ; **glisse (glisser)** *slip (to slip)* ; **la cadette** la plus petite sœur ; **le ressort** force ; **démultiplie (démultiplier)** crée(r) encore plus de catégories *notamment des communautés raciales, sexuelles etc. »* souligne le fondateur de Womenology, un blog destiné aux femmes, spécialisé dans le décryptage du marketing.

Eram est une marque de chaussures. Ses campagnes publicitaires ont souvent fait beaucoup de bruit et suscité* des polémiques*. The Kooples est une marque française de prêt-à-porter* Ses créateurs, les trois frères Elicha, précisent à propos du nom de la marque : « Nous l'avons trouvé en 15 minutes. Il sonne comme un groupe de rock et induit la notion de couple ».

Source : « Quand la pub colle au genre ». *Le Nouvel Observateur*, 2011, n° 2451.

 Search words : pub fringues, kooples, eram, campagnes publicitaires, womenology

suscité (susciter) *raised* ; **une polémique** *une controverse* ; **le prêt-à-porter** *high fashion*

Langue vivante

Trouvez dans ce passage deux noms synonymes de « stéréotypes » et une expression qui signifie « reculer ».

Citation

« On glisse d'un marketing du genre à un marketing sociétal ». Comment comprenez-vous cette citation ? C'est aussi vrai dans votre société ?

Sa perspective

Quels exemples de la diversité des genres voit-on dans les pubs en France ?

Ma perspective

Qu'est-ce que vous avez remarqué comme genres dans les pubs américaines ?

COMPARAISONS

Comment le marketing ethnique est-il perçu chez vous ?

Répondez aux questions.

A. *Observez les affiches publicitaires qui illustrent cet article. Lisez les premières lignes du texte.*
1. Comment comprenez-vous, d'après les exemples donnés, « les campagnes de pub <u>collent</u> comme jamais <u>à la diversité des genres et des situations</u> » ?
2. Dans quel(s) objectif(s) le font-elles ?
B. *Lisez les deux paragraphes suivants.*
3. L'auteur présente les campagnes publicitaires de deux marques. Lesquelles ?
4. Quels produits vendent-elles ?
5. Dites sur quoi on a construit sa campagne ?
6. Ces campagnes ont-elles réussi ? Pourquoi ? Pourquoi pas ?
C. *Décrivez les affiches.*
7. Sur quoi les marques Eram et The Kooples ont-elles choisi de bâtir leur campagne ?

Le marketing agressif du lobby des industriels bio
Interpretive Communication : Print Text

Entre 2006 et 2010, le marché des produits bio a connu de belles années de croissance*, avec des taux* compris entre 10 et 20%. En 2011, les ventes de ce marché ont affiché* 3,65 milliards d'euros contre un peu plus de 2 milliards en 2008. Certes, comme l'explique la société d'expertise Kantar Worldpanel, le « bio-vert » reste encore un achat minoritaire dans les chariots, représentant seulement 2,2% du budget produits de grande consommation et frais libre-service* en 2010, c'est-à-dire* en moyenne 64,10 euros par ménage* et par an en 2010. Évidemment, les industriels bio, avec leur syndicat Synabio (Syndicat National des transformateurs de produits naturels et de culture biologique), ne veulent pas en rester là et affichent toujours de grandes ambitions de croissance. Mais une des difficultés que rencontrent les industriels bio, c'est le prix très élevé de leurs produits. D'ailleurs, selon le Baromètre 2011 de consommation et de perception des produits biologiques en France (Agence Bio), le prix élevé du bio est la principale raison de non-achat de produits bio pour 8 Français sur 10.

Alors comment convaincre* les consommateurs de payer plus cher ? Eh bien, le lobby des industriels bio, au lieu de simplement vanter* les mérites de leurs produits, a décidé, depuis quelques années, de miser* aussi sur un marketing agressif qui consiste à faire peur sur les pesticides en affirmant que les aliments non bio sont empoisonnés*... tout en omettant* évidemment de dire que les agriculteurs bio utilisent, eux aussi, des pesticides. Pour faire court, le message à faire passer est : « *achetez bio sinon vous aurez un cancer* ». Ou dans sa version culpabilisatrice* : « *achetez bio sinon vous allez empoisonner vos enfants* ». Pour mener à bien

---

la croissance qui grandit ; **le taux** *rate* ; **affiché (afficher)** exposé ; **le libre-service** *self-service* ; **c'est-à-dire** *that is to say* ; **le ménage** *household* ; **convaincre** faire croire ; **vanter** *to promote* ; **miser** *to bet on* ; **empoisonné(e)** qui contiennent du poison ; **omettant (omettre)** *omitting* (*to omit*) ; **culpabilisateur (-trice)** *makes you feel quilty*

cette campagne marketing, le lobby du bio n'a pas fait appel à Publicis ou Euro-RSCG mais.... aux associations écologistes. En particulier, à l'association antipesticides MDRGF, rebaptisée récemment « Générations Futures » et dont le Synabio est membre. Cette association passe en effet son temps à dénigrer* les produits issus de l'agriculture conventionnelle, avec des messages très alarmistes du type « menus toxiques » et au travers de campagnes comme la Semaine sans pesticides. Ce n'est donc pas un hasard si le Synabio ainsi que certains de ses principaux membres sont des sponsors et/ou des partenaires réguliers de Générations Futures (voir Infographie). Ce n'est donc pas non plus un hasard si Maria Pelletier, administratrice de Synabio, est également présidente de Générations Futures ! Là, on l'aura compris, on ne peut plus parler de mécénat* mais d'un véritable partenariat marketing. Générations Futures le reconnaît même explicitement dans sa plaquette* destinée aux entreprises bio : « *Soutenir notre travail d'information des citoyens sur les dangers de pesticides et sur l'importance de manger bio, c'est permettre de développer le secteur de la bio en général et donc de créer un climat propice* au développement de votre propre société.* » Et quand on pense que Générations Futures vient ensuite donner des leçons de morale sur les conflits d'intérêts....

 Search words : marketing bio, générations futures, menus toxiques

Source : « Le marketing agressif du lobby des industriels bio ». 30 avril 2012. alerte-environnement.fr (15 mars 2013).

---

dénigrer *to discredit* ; **le mécénat** *sponsorship* ; **la plaquette** *informations* ; **propice** *favorable*

Produits

Il y a beaucoup de marques de produits bio vendues en France ; parmi elles on peut noter **Isla Délice**, **Bjorg**, **Monde Bio** et **Bonneterre**.

COMPARAISONS

Quels produits bios vos parents achètent-ils ?

19 Un sommaire

Résumez cet article en écrivant un paragraphe qui réponde aux questions suivantes.

1. Combien la vente de produits bio a-t-elle augmenté ?
2. Les produits bio représentent quel pourcentage du marché ?
3. Quelle est la plus grande difficulté des compagnies de produits bio ?
4. Quelle est la stratégie de leur marketing agressif ?
5. On a fait appel à quelles associations pour lancer ce message ?

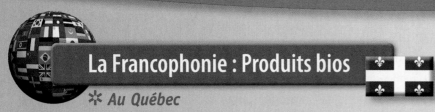

La Francophonie : Produits bios

✻ *Au Québec*

Les produits bios veulent se faire voir

Interpretive Communication : Print Texts

Introduction

La Filière biologique lance une campagne de promotion pour les producteurs et les consommateurs.

Les représentants des produits biologiques québécois veulent saisir la balle au bond* face à la demande de produits bios « made in » Québec. La Filière biologique du Québec, qui réunit divers membres du secteur, lance une campagne de promotion qui s'étalera* sur trois ans. L'organisme à but non lucratif* a comme objectif de stimuler l'offre et la demande des produits bios d'ici en développant à la fois l'intérêt des consommateurs et des entreprises.

Plusieurs projets sont prévus* dans le cadre de cette campagne, qui se fait en collaboration avec le MAPAQ. La Filière veut entre autres faire du logo actuel BIO Québec une référence pour les produits bios québécois. A cela s'ajoute un nouveau slogan, « Y' a du bio dans le frigo »! Les détaillants* seront aussi invités à installer des affichettes frappées du logo dans les rayons pour bien les identifier, à l'image de ce que fait déjà Aliments du Québec.

D'autres activités sont prévues, dont l'insertion dans plusieurs quotidiens* d'un cahier spécial sur le sujet le 30 mars, ainsi que le lancement d'un nouveau site : www.lequebecbio.com.

La présidente de la Filière, France Gravel, estime que seulement 30% de la demande des consommateurs québécois est comblée* actuellement par des produits d'ici. Mme Gravel ajoute « qu'il y a un effort collectif à faire pour rendre les produits bios du Québec à la fois plus visibles et plus accessibles, tout en augmentant le nombre de producteurs et de transformateurs qui mettent en marché des produits certifiés biologiques ».

Le Québec compterait 1300 entreprises de production et de transformation de produits bios, pour un total de 4000 produits différents. Seulement 300 entreprises utilisent cependant le logo BIO Québec, qui existe depuis 2008, même si l'appellation pour les produits biologiques québécois est en place depuis 2000....

Source : NORMANDIN, Céline. « Les produits bios veulent se faire voir ». La Terre de Chez Nous, 2011. eee.lsyrttr.vs (4 avril 2012).

 Search words : produits bio québec, mapaq

---

saisir la balle au bond *seize the opportunity* ; **s'étalera (s'étaler)** continuera ; **lucratif (–ive)** qui rapporte de l'argent ; **prévu(e)** planifié(e) ; **un détaillant** *retailer* ; **un quotidien** journal qui paraissent tous les jours ; **comblé(e) (combler)** *met, satisfied*

Répondez aux questions.

1. La campagne de marketing durera combien de temps ?
2. Le logo « Bio » sera une référence pour quels produits ?
3. Quel est leur slogan ?
4. Quelles activités sont prévues ?

5. Quel pourcentage de la demande des consommateurs québécois est comblé actuellement par des produits du Québec ?
6. Combien de produits bio y a-t-il au Québec ?

Ensemble des documents

Quels liens établissez-vous entre les différents documents que vous avez étudiés dans les *Narratives* et la section *Culture* ?

La culture de tous les jours

Lisez la bande dessinée. Ensuite, repondez aux questions.

Répondez aux questions.

1. C'est une pub pour quel produit ?
2. Quelle technique de marketing la compagnie choisit-elle ?

3. Qu'est-ce que le père veut apprendre à son fils ?
4. Quelle décision Damien prend-il ?

Révision : La forme pronominale

Les verbes pronominaux fonctionnent avec un pronom dit *réfléchi* placé avant le verbe. Le pronom réfléchi varie avec le sujet du verbe, donc avec la personne :

je **me** prépare, tu **te** prépares, il **se** prépare, nous **nous** préparons, vous **vous** préparez, ils **se** préparent

A Rappelez qu'à l'impératif, le pronom se place après le verbe :

prépare-**toi**, préparons-**nous**, préparez-**vous**

A. Les catégories

On distingue :

1. Les verbes **uniquement pronominaux**, c'est-à-dire des verbes qui ne s'emploient qu'à la forme pronominale : *s'entendre, se méfier de, se souvenir....*

2. Les verbes qui **changent de sens** à la forme pronominale :
   apercevoir c'est « voir rapidement »/*s'apercevoir de* c'est « se rendre compte de »

   Tu as vu Benoît ces temps-ci ?   Je l'ai juste aperçu mardi dernier : il filait à un rendez-vous.
   Je viens de m'apercevoir que j'avais oublié mon sac dans le magasin ; j'y retourne.

Dans quelques constructions pronominales très courantes, le pronom réfléchi apparaît toujours associé au pronom *en* ou *y* auquel on ne peut pas donner de sens précis : *s'en aller, s'en sortir, s'y connaître en, ...*

Ça suffit ! Je m'en vais.
Ne t'inquiète pas, on va s'en sortir !
Tu t'y connais, toi, en marketing ?

3. Les verbes qui **s'emploient à la forme simple** et à la forme pronominale :

   Elle promène le bébé./Elle se promène.
   Ils invitent des amis./Entre voisins, ils s'invitent souvent.

Le verbe pronominal peut avoir :

- un sens **réfléchi** : il exprime une action que le sujet fait sur (lui-même.) *Je me regarde dans la vitrine./Ils se sont levés de bonne heure.*

  Je me regarde dans la vitrine.
  Ils se sont levés de bonne heure.

- un sens **réciproque** (le sujet est alors toujours au pluriel):

  Ils se saluent.

Le pronom peut avoir :

- **la valeur d'un complément d'objet direct**, comme dans les exemples précédents,
- ou celle d'un complément d'objet **indirect** :

  Nous nous téléphonons régulièrement.

Dans ce dernier cas le verbe peut avoir aussi un complément d'objet direct :

Elle se reproche son attitude.
Je me suis acheté des chaussures.
Ils se sont envoyé plusieurs messages.

Pour exprimer une action que le sujet fait sur une partie de son corps, on emploie, en français, la forme pronominale :

Elle s'est lavé les mains.
Elle s'est cassé la jambe.

4. Le verbe pronominal peut aussi avoir un sens **passif** :
C'est un objet fragile qui se casse facilement.
Un bon slogan se retient tout de suite.

La plupart du temps le sujet désigne alors une chose et non un être humain (mais pas toujours : **Cet écrivain se classe parmi les meilleurs de sa génération.**)

Il peut s'agir :
- d'un fait constaté : *Le CD ne se vend plus.*
- ou d'un conseil, d'une norme : *Ce plat s'accompagne d'un vin blanc.*

Enfin, le verbe pronominal peut être suivi d'un adjectif : cette tournure équivaut à une proposition complétive dont le sujet est le même que celui de la principale :

Il se dit compétent.	=	Il dit qu'il est compétent.
Je me crois plus fort que lui.	=	Je crois que je suis plus fort que lui.

22   La publicité et le marketing

Classez les verbes de la liste dans les catégories qui suivent.

La publicité s'impose.
Le marketing ethnique s'est gouré (fam.)
Les agences s'échangent leurs listings.
Le marketing ethnique s'éloigne des critères classiques.
Les internautes s'insurgent contre certaines publicités.
Les consommateurs se mettent à fabriquer eux-mêmes des pubs.
On cherche à savoir ce qui se passe dans nos cerveaux.
Ces produits se vendent beaucoup mieux depuis la dernière campagne.
Les concurrents se surveillent.
L'impact d'une publicité s'évalue difficilement.

- Verbes uniquement pronominaux
- Verbes qui changent de sens à la forme pronominale
- Verbes à valeur pronominale réfléchie
- Verbes à valeur pronominale réciproque
- Verbes à valeur pronominale passive

Communiquez!

23 La rentrée

Presentational Communication : Oral Presentation

Parlez de la rentrée d'une ado et toutes ses préparations en vous servant des expressions de la liste. Racontez votre histoire en groupe.

- se lever
- s'acheter un ensemble
- s'habiller
- se regarder
- se mettre à table
- se brosser les dents

- se maquiller
- se rappeler
- se dépêcher
- se retrouver
- s'entendre bien
- se reposer

24 Je crée des slogans.

En utilisant uniquement des verbes pronominaux, fabriquez des slogans (ou des contre-slogans) dans les domaines de la mode ou des cosmétiques, de l'information ou de la culture, des relations sociales. Vous pouvez par exemple utiliser :

- se chausser, se coiffer, se maquiller...
- se former, s'informer, se cultiver...
- se parler, se retrouver, se connecter...

MODÈLE **Le diable s'habille en Prada...**
Et moi, je m'habille à Monoprix !

25 Deux types de consommateurs

Avec les verbes qui vous sont proposés ci-dessous, faites le portrait de deux types de consommateurs/consommatrices : un prudent/une prudente et un compulsif/une compulsive.

Ne pas s'emballer, se renseigner/se documenter sur/se méfier de/se soucier de/s'intéresser à/se moquer de

Se précipiter/se jeter sur/s'acheter (s'offrir)/ne pas pouvoir s'empêcher de/se passer de, aimer se montrer avec/ne pas s'occuper de

Complétez le texte suivant avec les verbes qui vous sont donnés à l'infinitif. Le texte est au passé.

Il y a quelques années les féministes... (se révolter) contre l'usage du corps de la femme dans la publicité. D'abord, les publicitaires... (ne guère s'en soucier). Comme la beauté féminine... (se montrer toujours) un excellent moyen d'attirer les regards, au moins masculins, ils... (s'accorder le droit) de continuer. Cependant les réactions... (se multiplier). En 2001 la marque Eram... (se tailler un beau succès) avec une campagne dont l'humour a plu : une chaise ou une autruche ... (s'afficher) chaussées, avec le slogan : « Aucun corps de femme n'a été exploité dans cette publicité »!

La publicité... (se mettre) aussi à vouloir attirer l'attention du public en le choquant, et des images sanglantes... (se répandre) sur les murs de nos villes. Mais cette opération... (se révéler) contre-productive, car beaucoup de gens... (s'en indigner) et... (s'entendre) pour boycotter les marques qui... (se livrer) à cette campagne.

Révision : Le faire causatif

emcl.com
WB 17–19

On appelle le verbe **faire** *causatif* quand le sujet ne fait pas l'action lui-même, mais cause, ou provoque l'action. On utilise la construction *faire* + **infinitif**. Il y a trois cas à distinguer.

- Le sujet du verbe *faire* n'accomplit pas lui-même l'action exprimée par l'infinitif, mais il est **actif**, c'est à-dire qu'il cause, ou provoque directement cette action.

  L'entraîneur fait courir ses athlètes. =
  Le sujet (l'entraîneur) fait quelque chose aux athlètes (il leur donne un ordre, il les encourage) pour qu'ils courent.

- Le sujet du verbe « faire » n'accomplit pas lui-même l'action exprimée par l'infinitif, et ne prend pas part à l'action. Le sujet est donc **passif** par rapport à l'action. Toutefois, il cause cette situation volontairement. L'agent (celui qui fait l'action du verbe à l'infinitif) n'est pas toujours nommé.

  Mon père fait réparer sa voiture (par le mécanicien). =
  Le sujet (mon père) ne fait rien directement à la voiture, mais il cause la situation (en allant voir le mécanicien).

- Le sujet du verbe « faire » accomplit lui-même l'action exprimée par l'infinitif, mais il le fait de façon *involontaire*.

  J'ai fait tomber mon ordinateur. =
  Le sujet (je) cause l'action, est responsable de l'action, mais sans le vouloir.

Aux temps composés, la structure est exactement la même. On conjugue uniquement le verbe faire et le verbe qui suit est à l'infinitif.

*Est-ce que nous **allons faire** repeindre cette chambre ?*

*Comment est-ce que tu **as fait** mourir cette plante ?*

*La réception a commencé tard parce que les mariés **avaient fait** venir un chanteur québecois.*

On utilise l'expression ***se faire** + **infinitif*** lorsque le sujet cause une action mais qu'il est passif dans la réalisation de cette action. Toutefois, cette action est sur lui-même.

*Nous **nous faisons** bien servir dans ce restaurant.* =
Le sujet ne fait pas l'action (servir), mais le sujet provoque l'action (Nous commandons quelque chose au restaurant), et le sujet subit l'action (c'est nous qui sommes servis).

*Madeleine, où est-ce que tu t'es **fait** couper les cheveux ?* =
Le sujet ne fait pas l'action (couper les cheveux), mais le sujet provoque l'action (Elle va chez le coiffeur), et le sujet subit l'action (ce sont ses cheveux qui sont coupés).

Vous notez qu'au passé composé, il n'y a pas d'accord du participe passé avec l'expression ***se faire** + **infinitif**.*

---

27 Expliquez

Lisez les phrases suivantes et expliquez si le sujet agit sur l'action, est passif par rapport à l'action, ou est actif mais de façon involontaire.

> **MODÈLE**   Les Teefy ont fait reconstruire leur maison.
> **Le sujet (les Teefy) est passif.**

1. Mon meilleur ami ne fait jamais réparer sa voiture, alors elle est en très mauvais état.
2. Attention, tu vas faire rougir cette pauvre fille !
3. Les enfants, est-ce que vous avez fait courir le chien ?
4. Ah là là, je fais toujours brûler cette dinde !
5. Attention, tu vas me faire tomber.
6. Ce weekend, mon père me fait nettoyer tous ses outils.
7. Le maire va faire décorer le hall pour l'inauguration, samedi.

---

28 Expliquez

Vous travaillez comme directeur d'une société qui se prépare au lancement de son nouveau produit de beauté. Ecrivez un paragraphe pour dire qui fait faire quoi.

> **MODÈLE**   **Notre nouveau produit fait pousser les cheveux. Je fais prévenir nos partenaires internationaux qu'il sera lancé le mois prochain.**

29 Qu'est-ce qu'on se fait faire ?

Crééz des phrases correctes avec les éléments suivants, en utilisant la construction se faire + infinitif, *et en utilisant un temps verbal plausible.*

MODÈLES   L'entreprise Eram/se faire critiquer/pour ses affiches provocatrices/tout le temps.
L'entreprise Eram se fait critiquer pour ses affiches provocatrices tout le temps.

Tu/se faire interviewer/par cette agence/la semaine prochaine/?
Tu vas te faire interviewer par cette agence la semaine prochaine ?

1. Sur cette affiche publicitaire, la mariée/se faire faire une robe/par The Kooples.
2. Combien d'acteurs/se faire prendre en photo/pour cette campagne de publicité/?
3. La plupart des gens/se faire séduire/par les spots de publicité à la télévision.
4. Combien de consommateurs/se faire interviewer/pour cette étude de marché l'an dernier/?
5. L'année prochaine/notre agence de marketing/se faire influencer/directement par le marché international.
6. Vous allez mieux. Vous/se faire soigner/par le nouveau produit distribué par l'entreprise Biogaran/?
7. Tu ne devrais jamais/se faire couper les cheveux/chez ce coiffeur.

A vous la parole

emcl.com
WB 20–23

Question centrale ?

Comment le marketing façonne-t-il et/ou reflète-t-il les tendances culturelles des communautés ?

Neuromarketing : consommateurs sous influence ?

Interpretive Communication : Audio Texts 🎧

Vous allez entendre une émission de France-Info sur le neuromarketing.
A quoi vous fait penser ce mot ? Comment est-il formé ? Connaissez-vous d'autres mots qui commencent par « neuro- » ? A quel domaine appartiennent-ils ? Qu'évoquent-ils ?

30 A l'écoute

Répondez aux questions après avoir écouté les segments indiqués.

A. *Ecoutez le début de l'enregistrement jusqu'à l'intervention de Michel Badoc.*
   1. Quelle est la fonction du marketing ?
   2. A quelles méthodes a-t-il recours aujourd'hui pour atteindre ses objectifs ?

B. *Ecoutez maintenant Michel Badoc.*
   3. Que pense-t-il du neuromarketing et des entreprises qui l'utilisent ?

C. *Poursuivez l'écoute (réponse d'Isabelle Chaillou et Eric Singler à la 2ème question).*
   4. Quelle est la législation française en matière d'imagerie médicale ?
   5. Sur quelle technique s'appuient les études de neuromarketing qui sont réalisées en France ?
   6. Que cherche-t-on à évaluer ?

D. *Reprenez l'écoute jusqu'à la fin.*
   7. La dernière question soulève un problème d'ordre éthique. Lequel ?
   8. Les deux spécialistes qui s'expriment ont des points de vue opposés : qu'est-ce qui inquiète le premier et en quoi le second se montre-t-il rassurant ?

Communiquez !

31 Dialogue guidé 🎧 👥

Interpersonal Speaking : Conversation

Vous avez une conversation avec un ami. Cette conversation doit suivre le canevas qui vous est donné à droite. Vous allez entendre les répliques de votre ami(e) et vous réagirez comme le canevas l'indique.

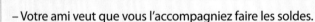

– Votre ami veut que vous l'accompagniez faire les soldes.
– **Vous refusez énergiquement en lui donnant au moins une raison.**
– Il trouve votre argument un peu faible et insiste que vous veniez.
– **Vous relativisez l'intérêt des soldes**.
– Il vous donne un exemple concret, un produit que vous aimez.
– **Vous faites une autre objection.**
– Il vous trouve de mauvaise foi, mais suggère une activité culturelle.
– **Vous lui demandez de préciser l'heure et l'endroit.**
– Il vous informe.
– **Vous acceptez ou refusez l'invitation.**

32 Ma réaction à une pub

Presentational Writing : Email Reply

Vous avez vu une publicité française imprimée ou télévisée. Vous avez aimé, vous n'avez pas aimé... Vous réagissez ! Vous envoyez un courrier ou un courriel au magazine, à la chaîne de télé, à la marque du produit concerné ou vous déposez un commentaire sur son compte Facebook.

 Search words : pubs françaises

33 Le Palmarès IPSOS de la Pub

Interpersonal Speaking

Lisez le document ci-dessous. En groupes, parlez de pubs dont vous vous souvenez (affiches ou spots). Décrivez-les. Dites pourquoi vous vous en souvenez.

Le Palmarès IPSOS de la Pub 2012 a rendu hommage aux campagnes de publicité les plus appréciées et qui ont le plus marqué les Français durant l'année 2011. Ce palmarès, miroir de l'évolution de la société française, a mis en évidence l'émergence d'une demande de consommation à visage « humain ».

Ce qui s'est traduit dans de nombreuses campagnes par la mise en avant de « héros » ordinaires, de gens vrais avec leurs défauts et leurs qualités, mais aussi leurs expériences extraordinaires : Le Crédit Agricole, Ikea, Nivea.

Mais observer et montrer les gens dans leur vérité peut aussi amener à les interpeller sur leurs attitudes, leurs manies et même leurs travers, leurs défauts. C'est ce qu'a réalisé la RATP avec sa campagne d'affichage mettant en avant l'incivilité de nos concitoyens à travers un « bestiaire humain » retraçant des comportements, hélas bien trop courants, dans les transports en commun. Un appel à une prise de conscience, à la citoyenneté et aux bonnes manières qui passe d'autant mieux qu'il utilise le registre de l'humour et du décalage.

Enfin, toutes les campagnes du top 10 TV ont utilisé le registre, pourtant délicat à manier, de l'humour. Et ça, de mémoire de Palmarès, c'est une première !

Source: «Palmarès Ipsos de la Pub 2012». Marie-Odile Duflo, Directrice Générale Ipsos ASI. www.ipsos.fr (18 mars 2013)

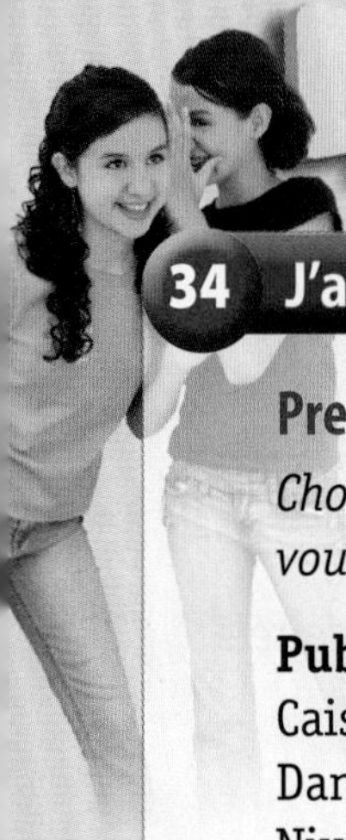

Communiquez!

34 J'analyse une publicité.

Presentational Writing : Publicity Analysis

Choisissez une publicité pour chaque compagnie ci-dessous et analysez-la à l'aide des outils qui vous sont proposés. Rédigez votre analyse.

Publicités

Caisse d'Épargne
Danone
Nivea

Des outils pour analyser une publicité

Quel est le produit vendu ?

Quel est le public visé ?

La composition et le contenu de l'image

L'image est-elle chargée ou épurée ?

Y a-t-il plusieurs plans ? Si oui, qu'y a-t-il au premier plan ? A l'arrière-plan ?

Où l'œil est-il attiré ?

Y a-t-il des personnages dans l'image ; si oui lesquels ? Quelle est leur attitude ? Leur expression ? Leur tenue vestimentaire est-elle significative ?

Y a-t-il un décor ? Des objets ? Qu'évoquent-ils ?

Le texte et l'image

Où est placé le texte ? Quel espace occupe-t-il par rapport à l'image ?

Est-il réduit à un slogan ou plus développé ?

Quel est le registre du texte ? (humour, poésie, argumentation logique, rêve, quotidien, familier, confidence ....)

A quelles valeurs fait-il appel ?

L'analyse des éléments visuels significatifs

Le produit est-il présent dans l'image ?

Y a-t-il dans l'image des éléments :

-Qu'évoquent le produit ?

-Qu'évoquent les valeurs auxquelles le publicitaire cherche à lier le produit ?

-Quel est le message implicite que la publicité cherche à faire passer ?

35 Ma pub

Suivez les étapes ci-dessous pour créer une pub destinée à lancer un produit américain sur le marché français.

1. Choisissez un produit américain que vous voudriez vendre en France.
2. Recherchez quelles sont les techniques de commercialisation telles que : *celebrity endorsement, avant-garde, facts and figures, weasel words, magic ingredients, diversion, transfer, plain folks, snob appeal, testimonial, bandwagon* et *glittering generalities*.
3. Regardez quelques pubs françaises en ligne et demandez-vous : Quelles techniques de commercialisation fonctionneraient pour les Français ? En quoi les pubs françaises diffèrent-elles des pubs américaines ? Qu'est-ce qui est important pour les Français ?
4. Faites une affiche, un spot télévisé ou diffusé à la radio ou sur Internet.

 Search words : publicités (+ année), culture pub, pubs tv, best of publicités françaises

Frédéric Beigbeder

Lecture 1

14,99 €

Interpretive Communication : Print Texts

Rencontre avec l'auteur

Frédéric Beigbeder (1965–) est un écrivain, un critique littéraire, un réalisateur et animateur de télévision français. Son roman *99 francs*, depuis intitulé *14,99 €*, est l'histoire d'Octave Parrango, un rédacteur publicitaire. Désenchanté par le marketing et conquis par la déception de la promesse d'une vie meilleure pour tous, il décide de se révolter contre son agence de pub en sabotant sa plus grande campagne. Quelles indications remarquez-vous qui indiquent qu'il ne valorise plus sa profession de rédacteur publicitaire ?

Frédéric Beigbeder

Pré-lecture

Dans la vie moderne, on est affronté par des publicités partout. Quelle est votre réaction à ce phénomène ? Vous laissez-vous séduire ?

14,99 € par Frédéric Beigbeder

En ce temps-là, on mettait des photographies géantes* de produits sur les murs, les arrêts d'autobus, les maisons, le sol*, les taxis, les camions, la façade des immeubles en cours de ravalement*, les meubles, les ascenseurs, les distributeurs de billets, dans toutes les rues et même à la campagne. La vie était envahie* par des soutiens-gorges*, des surgelés*, des shampoings antipelliculaires* et des rasoirs triple lame*. L'œil humain n'avait jamais été autant sollicité de toute son histoire : on avait calculé qu'entre sa naissance et l'âge de 18 ans, toute personne était exposée en moyenne à 350.000 publicités. Même à l'orée* des forêts, au bout des petits villages, en bas des vallées isolées et au sommet des montagnes blanches, sur les cabines de téléphérique on devait affronter* les logos de « Castorama* », « Bridécor »*, « Champion* », « Midas* » et « la Halle aux Vêtements* ». Jamais de repos pour le regard de l'homo consommatus.

Le silence aussi était en voie de disparition. On ne pouvait pas

> **Rappel**
> Cette phrase est écrite au plus-que-parfait. On le forme avec l'imparfait d'**avoir** ou **être** et le participe passé. Dites ce que vous aviez fait avant : 1) Je suis allé au lycée.; 2) J'ai pu sortir.

> **Pendant la lecture**
> 1. L'auteur parle-t-il du présent ?

> **Pendant la lecture**
> 2. Où voyait-on des publicités ?

> **Pendant la lecture**
> 3. On était exposé à combien de pubs environ ?

> **Pendant la lecture**
> 4. Qu'est-ce qui était en voie de disparition ?

géant(e) très grand(e) ; **le sol** *floor* ; **en cours de ravalement** en reconstruction ; **envahie(e)** *invaded* ; **un soutien-gorge** *bra* ; **surgelé(e)** *frozen foods* ; **antipelliculaire** *anti-dandruff* ; **la lame** *blade* ; **à l'orée** au bord ; **affronter** aller devant ; **Castorama, Bridécor, Champion, Midas, la Halle aux Vêtements** marques de produits de consommation

fuir* les radios, les télés allumées, les spots criards* qui bientôt
s'infiltreraient jusque dans vos conversations téléphoniques privées.
C'était un nouveau forfait* proposé par Bouygues Télécom* : le
téléphone gratuit en échange de coupures publicitaires* toutes
les 100 secondes. Imaginez : le téléphone sonne, un policier vous
apprend la mort de votre enfant dans un accident de voiture, vous
fondez en larmes*, et au bout du fil* une voix chante : « Avec
Carrefour je positive* ». La musique d'ascenseur était partout,
pas seulement dans les ascenseurs. La sonnerie* des portables
stridulait* dans le TGV, dans les restaurants, dans les églises et
même les monastères bénédictins résistaient mal à la cacophonie
ambiante. (Je le sais : j'ai vérifié.) Selon l'étude mentionnée
plus haut, l'Occidental moyen était soumis* à 4.000 messages
commerciaux par jour.

> **Pendant la lecture**
> 5. Qu'est-ce que vous appelez « la musique d'ascenseur » ?

    L'homme était entré dans la caverne de Platon*. Le philosophe
grec avait imaginé les hommes enchaînés dans une caverne,
contemplant les ombres de la réalité sur les murs de leur cachot*.
La caverne de Platon existait désormais* : simplement elle se
nommait télévision. Sur notre écran cathodique, nous pouvions
contempler une réalité « Canada Dry » : ça ressemblait à la réalité,
ça avait la couleur de la réalité, mais ce n'était pas la réalité. On
avait remplacé le Logos* par des logos projetés sur les parois*
humides de notre grotte*.

    Il avait fallu deux mille ans pour en arriver là.

> **Pendant la lecture**
> 6. A quoi l'auteur compare-t-il la caverne de Platon ?

> **Pendant la lecture**
> 7. L'auteur pense-t-il que les humains ont progressé ?

> **Pendant la lecture**
> 8. Quel est le ton de l'auteur à la fin ?

Source : BEIGBEDER, Frédéric. *14,99 €*. Paris, Grasset 2010.

---

fuir quitter rapidement ; **criard(e)** choquant(e) ; **un forfait** contrat d'échange de services ;
Bouygues Télécom compagnie qui donne l'accès au service de téléphones portables ; **une
coupure publicitaire** interruptions de publicité ; **fondez (fonder) en larmes** pleurez ;
au bout du fil au téléphone ; **« Avec Carrefour je positive. »** slogan du supermarché
Carrefour ; **la sonnerie** *ring tone* ; **stridulait (striduler)** chantait ; **soumis(e)** sous
le contrôle de ; **la caverne de Platon** *Plato's cavern* ; **cachot** *prison cell* ; **désormais**
maintenant ; **Logos** en philosophie, mot grec qui désigne la raison suprême ; **le paroi** mur ;
la grotte *cave*

Langue vivante

L'expression *homo consommatus* est une création de l'auteur sur le modèle d'autres
expressions latines comme *homo sapiens*. Qui est l'*homo consommatus* ? Quel effet
Frédéric Beigbeder a-t-il recherché avec cette expression ?

Post-lecture

Avez-vous la même impression que Frédéric Beigbeder sur cette époque ? Justifiez votre réponse.

36 Est-ce que j'ai bien compris ?

Répondez aux questions.

Le premier paragraphe

1. « La vie était envahie » lit-on. Par quels procédés, l'auteur donne-t-il le sentiment d'une invasion tout au long de ce paragraphe ?

Le deuxième paragraphe

2. En quoi complète-t-il le premier ?
3. Quels mots et expressions donnent à nouveau le sentiment d'une invasion irrésistible ?
4. La dernière phrase fait écho à une phrase du premier paragraphe. Laquelle ?

La fin du texte

5. Quelle image de l'homme est donnée par ces trois phrases : « enchainés dans une caverne », « les murs de leur cachot », « les parois de notre grotte » ?
6. Quel autre caractère de cette humanité est suggéré par les allusions au mythe de la caverne et à Canada Dry ?
7. Quel est le ton de la dernière phrase ? Relevez dans le texte d'autres références à la notion d'évolution.

37 Activités d'expansion

Faites les activités suivantes.

1. Recherchez les logos des compagnies mentionnées dans le premier et le deuxième paragraphe. Faites un graphique qui montre le logo, ce que la compagnie vend et le slogan de chacune.
2. Beigbeder fait allusion à la caverne de Platon. Résumez la philosophie de Platon illustrée par la caverne. Expliquez si c'est une bonne allusion pour montrer les idées de l'auteur dans cette sélection.
3. Créez un storyboard pour montrer le nombre de publicités dans une journée typique d'un ado américain. Vous pouvez exagérer. N'oubliez pas d'ajouter des légendes pour décrire ce qui se passe quand l'ado surfe sur Internet, va au centre commercial et au cinéma, regarde la télé, etc.

^{Lecture} 2 César Birotteau

Interpretive Communication : Print Texts

Rencontre avec l'auteur

Honoré de Balzac (1799–1850) était l'écrivain qui a donné naissance au roman-feuilleton qui a paru dans les journaux. Un auteur doué d'une puissance de travail incomparable, il a écrit 91 romans. Ses ouvrages regroupent de nombreux genres tels que le théâtre, le fantastique, le romantique et le réaliste. *César Birotteau* est à la fois le titre d'un roman et le nom de son héros, un parfumeur parisien qui cherche à faire fortune en fabriquant des produits cosmétiques nouveaux. Le roman a paru en 1837, à l'époque où la publicité commence à apparaître en France, mais Balzac a situé l'histoire au tout début du siècle, avant 1810, alors qu'elle n'existait pas encore. Il fait ainsi de son héros un précurseur. Cet extrait du roman est constitué de deux parties bien distinctes : le récit de Balzac, puis un prospectus dont l'auteur est censé être Birotteau. Comment César Birotteau fait-il de la publicité pour sa gamme de produits ?

Honoré de Balzac.

Pré-lecture

Faites-vous confiance aux produits pour la peau ? Si oui, lesquels ?

« La Pâte des Sultanes » par Balzac

Désolé par quelques expériences infructueuses, il flânait un jour le long des boulevards en revenant dîner [....]. Parmi quelques livres à six sous étalés* dans une manne* à terre, ses yeux furent saisis par ce titre jaune de poussière :

Abkder
ou l'Art de conserver la Beauté

Il prit ce prétendu* livre arabe, espèce de* roman fait par un médecin du siècle précédent, et tomba sur une page où il s'agissait de parfums. Appuyé sur un arbre du boulevard pour feuilleter* le livre, il lut une note où l'auteur expliquait la nature du derme* et de l'épiderme*, et démontrait* que telle pâte* ou tel savon produisait un effet souvent contraire à celui qu'on en attendait, si la pâte ou le savon donnait du ton* à la peau qui voulait être relâchée*, ou relâchait la peau qui exigeait des toniques*. Birotteau acheta ce livre où il vit une fortune.

Néanmoins*, peu confiant* dans ses lumières, il alla chez un

> **Pendant la lecture**
> 1. Qu'est-ce que Birotteau a trouvé en se promenant ?

> **Pendant la lecture**
> 2. Le livre arabe est un livre sur quoi ?

étalés(e) *tossed* ; **la manne** *basket* ; **prétendu(e)** *so-called* ; **une espèce de** sorte de ; **feuilleter** lire, regarder ; **le derme** profondeur de la peau ; **l'épiderme (m.)** superficie de la peau ; **démontrait (démontrer)** faisait la démonstration ; **la pâte** *paste* ; **le ton** énergie ; **relâchée(e)** *soft* ; **tonique** produit qui donnent de l'énergie ; **Néanmoins** Mais ; **confiant (confier)** *trusting (to trust)*

chimiste célèbre, Vauquelin, auquel il demanda tout naïvement les moyens de composer un double cosmétique qui produisît des effets appropriés aux diverses natures de l'épiderme humain. [....] Vauquelin protégea le parfumeur*, lui permit de se dire l'inventeur d'une pâte pour blanchir les mains dont il indiqua la composition.

Pendant la lecture
3. Pourquoi Birotteau est-il passé voir un chimiste ?

Birotteau appela ce cosmétique la *Double Pâte des Sultanes*. Afin de compléter l'œuvre, il appliqua le procédé de la pâte pour les mains à une eau pour le teint* qu'il nomma *Eau Carminative*. [....] Il déploya*, le premier d'entre les parfumeurs, ce luxe d'affiches, d'annonce et de moyens de publication que l'on nomme peut-être un peu injustement charlatanisme*.

Pendant la lecture
4. Comment s'appelle sa crème pour la peau ?

Pendant la lecture
5. Quel autre produit développe-t-il ?

La *Pâte des Sultanes* et l'*Eau Carminative* se produisirent* dans l'univers galant et commercial par des affiches coloriées, en tête desquelles étaient ces mots :

Approuvées par l'Institut !

Cette formule, employée pour la première fois, eut un effet magique. Non seulement la France, mais le continent fut pavoisé* d'affiches jaunes, rouges, bleues. [....] A une époque où l'on ne parlait que de l'Orient, nommer un cosmétique quelconque *Pâte des Sultanes*, en devinant la magie* exercée* par ces mots dans un pays où tout homme tient* autant* à être sultan que la femme à devenir sultane, était une inspiration qui pouvait venir à un homme ordinaire comme à un homme d'esprit ; mais le public jugeant toujours les résultats, Birotteau passa d'autant plus pour un homme supérieur qu'il rédigea lui-même un prospectus* dont la ridicule phraséologie* fut un élément de succès :

Pendant la lecture
6. Qu'a-t-il écrit ?

DOUBLE PÂTE DES SULTANES ET EAU CARMINATIVE
DE CÉSAR BIROTTEAU
DÉCOUVERTE MERVEILLEUSE APPROUVÉE PAR L'INSTITUT DE FRANCE

[....] *Après avoir consacré de longues veilles* à l'étude du derme et de l'épiderme chez les deux sexes, qui, l'un comme l'autre, attachent le plus grand prix à la douceur*, à la souplesse*, au brillant, au velouté* de la peau, le sieur* Birotteau, parfumeur avantageusement connu dans la capitale et à l'étranger, a découvert une pâte et une eau à juste titre nommées, dès leur apparition, merveilleuses par les élégants et les élégantes de Paris. En effet, cette Pâte et cette Eau possèdent d'étonnantes propriétés pour agir sur la peau sans la rider* prématurément, effet immanquable* des drogues employées inconsidérément jusqu'à ce jour. [....] Cette découverte repose sur la division des tempéraments* qui se rangent en deux grandes*

Pendant la lecture
7. Qu'est-ce qu'il exagère ?

Pendant la lecture
8. Que fait la pâte, selon le prospectus ?

---

le parfumeur créateur des parfums ; **le teint** couleur, apparence de la peau ; *Carminative* qui a des propriétés médicales ; **déploya (déployer)** a introduit ; **le charlatanisme** *charlatanism* ; **se produisirent (se produire)** sont arrivées (arriver); **pavoisé(e)** montrait partout avec fierté ; **la magie** *magic* ; **exercé(e)** fait(e) ; **tient à (tenir à)** veut ; **autant** *as much (as)* ; **le prospectus** publicité ; **la phraséologie** slogan qui a l'air savant ; **la veille** nuit sans dormir ; **la douceur** qui est doux ; **la souplesse** qui est élastique ; **velouté(e)** qui est comme du velours ; **le sieur** monsieur ; **rider** *to wrinkle* ; **immanquable** sans exception ; **le tempérament** le caractère d'un individu

classes indiquées par la couleur de la Pâte et de l'Eau, lesquelles sont roses pour le derme et l'épiderme des personnes de constitution lymphatiques*, et blanches pour celles qui jouissent d'un tempérament sanguin*.

*Cette Pâte est nommée **Pâte des Sultanes** parce que cette découverte avait déjà été faite pour le sérail* par un médecin arabe. Elle a été approuvée par l'Institut sur le rapport de notre illustre chimiste Vauquelin, ainsi que l'**Eau Carminative** établie sur les principes qui ont dicté la composition de la pâte.*

Cette précieuse Pâte, qui exhale les plus doux parfums, fait donc disparaître les taches de rousseur* les plus rebelles, blanchit les épidermes les plus récalcitrants*, et dissipe les sueurs* de la main dont se plaignent les femmes non moins que les hommes.

*L'**Eau Carminative** enlève ces légers boutons* qui, a certains moments surviennent inopinément* aux femmes et contrarient leurs projets pour le bal ; elle rafraîchit et ravive* les couleurs en ouvrant ou fermant les pores selon les exigences du tempérament.*

*L'Eau de Cologne est purement et simplement un parfum banal sans efficacité spéciale, tandis que la **Double Pâte des Sultanes** et l'**Eau Carminative** sont deux compositions opérantes, d'une puissance motrice* agissant sans danger sur les qualités internes et les secondant ; leurs odeurs essentiellement balsamiques* et d'un esprit divertissant réjouissent le cœur et le cerveau admirablement, charment les idées et les réveillent ; elles sont aussi étonnantes par leur mérite que par leur simplicité ; enfin, c'est un attrait* de plus offert aux femmes, et un moyen de séduction que les hommes peuvent acquérir.*

Pendant la lecture
9. Birotteau évoque quel sens ?

Pendant la lecture
10. Ses clients sont-ils des hommes ou des femmes ?

Source : *César Birotteau.* Honoré de Balzac. Charles-Béchet, Paris : 1839.

---

le sérail *inner sanctum* ; **des taches (f.) de rousseur** *freckles* ; **récalcitrant** *tenacious* ; **la sueur** *sweat* ; **un bouton** *pimple* ; **inopinément** *d'une manière inattendue* ; **ravive (raviver)** *redonne la vie* ; **la puissance motrice** *force essentielle* ; **balsamique** *qui adoucit, apaise*

Post-lecture

Birotteau est-il un charlatan ou un sage homme d'affaires ?

38 Le récit de Balzac

Répondez aux questions.

Paragraphes 1–3: La création de la pâte par César Birotteau

A.
1. D'où lui vient l'idée de cette pâte ?
2. Qui en invente la composition ?
3. Qu'en déduisez-vous quant au mérite de Birotteau ? (Montrez que Balzac renforce cette impression par des détails sur le livre lui-même et les circonstances de sa découverte.)

Paragraphes 4–6: l'entreprise commerciale

B. *Une publicité se donne 3 objectifs :*
   * faire connaître un produit (faire en sorte que le public ne puisse pas ignorer son existence)
   * en vanter les qualités
   * susciter le désir de l'acquérir (en reliant le produit à un besoin, ou à un désir profond, un fantasme)
   4. Comment Birotteau accomplit-il ces trois étapes ?

C. *L'ensemble du prospectus*
   5. Quels sont les mensonges du prospectus ? (Comparez-le au début du récit de Balzac.)
   6. Quelle est la fonction des superlatifs dans le troisième paragraphe ?

39 Une publicité pour les cosmétiques

Repérez dans le prospectus la façon dont est vantée la qualité du produit :

   * son sérieux scientifique
   * sa supériorité sur des produits concurrents
   * son efficacité (dans quel(s) domaine(s) ?)

40 Sa « ridicule phraséologie »

Notez dans le prospectus un argument qui peut tout particulièrement susciter l'envie d'acquérir le produit. Puis, relevez des exemples de sa « ridicule phraséologie » dont Balzac se moque.

41 Activités d'expansion

Faites les activités suivantes.

1. Créez pour « La Pâte des Sultanes » une publicité adaptée à notre époque. Vous pouvez choisir votre support : réaliser une affiche, composer un prospectus, imaginer un spot télé. Travaillez en groupes.
2. Recherchez les « charlatans » américains du dix-neuvième siècle. Comment vendaient-ils leurs produits ? Leurs produits guérissaient quelles maladies, selon ces charlatans ?

Synthèse

Quelle est l'évolution de la publicité selon ces deux sélections ?

Faisons le point!

A. *Pour retrouver les principales idées développées au cours de la leçon, notez dans votre cahier, un ou deux exemple(s) en face de chacun des points de repère qui vous sont proposés. Reportez-vous à tous les documents de la leçon (écrits journalistiques, témoignages, analyses, textes littéraires).*

Question centrale

?

Comment le marketing façonne-t-il et/ou reflète-t-il les tendances culturelles des communautés ?

L'évolution de la publicité et du marketing	**Notes**
• Le passé	
• Aujourd'hui : des cibles affinées, des supports variés	
• Vers le futur	
Regard sur la pub	
• Les supports	
• La critique	
• Le consommateur actif	
Le marketing des produits bio	

B. *Discutez en groupes. Que répondriez-vous à la question posée au début de l'unité : Comment le marketing façonne-t-il et/ou reflète-t-il les tendances culturelles des communautés ?*

Question centrale

En quoi les loisirs et le sport participent-ils à la qualité de la vie ?

Sports

la marche nordique – l'aviron (m.) – le kart – la moto tout terrain – la montgolfière –
le canoë – la randonnée – la randonnée équestre – la randonnée en quad –
le parachute – l'aile delta – le rafting – l'accrobranche – le VTT – la voile –
le parapente – le ski nautique – le ski sur herbe – l'ULM – le kayak – le canyoning – l'aquagym
le karting – l'athlétisme

Les lieux de sport

un court
une salle
une piste
un circuit
un terrain
un manège
une piscine
une patinoire

Les objets de sport

une raquette
un tatami
des skis
un casque
un ballon
une selle
un maillot
un palet

Les loisirs

bricoler
jouer d'un instrument
jardiner
cuisiner
voir des expositions au musée
voir un spectacle/une pièce au théâtre
faire du camping
faire du scrapbooking
faire de la photographie
aller dans les brocantes

Rappel

Jouer est suivi de « **de**/**d'** » quand on parle d'un instrument. **Jouer** est suivi de « **à** » quand on parle de sports. Répondez : 1.) *Jouez-vous d'un instrument ? Si oui, duquel ?* 2.) *A quels sports jouez-vous ?*

Pour la conversation

How do I say I've been practicing a sport since I was little ?

> **Depuis que je suis petit(e), je pratique** ce sport.

Since I was little, I've been practicing this sport.

How do I express how long I've been doing an activity ?

> **Ça fait sept ans que je fais de** l'alto.

I've been playing the viola for seven years.

How do I express what a sport or activity allows me to do ?

> La boxe **permet** d'affronter tous les problèmes du quotidien.

Boxing allows me to confront all the problems of daily life.

How do I express what I gain from a sport or activity ?

> **Il m'apporte** l'équilibre physique et mental.

It brings me physical and mental equilibrium.

1 Catégorisation

Dans la liste (« Sports »,) les sports correspondent à une catégorie. Classez-les dans l'une des catégories ci-dessous.

Sports verts	Sports aquatiques	Sports aériens	Sports mécaniques
	MODÈLE l'aviron		

2 Une discussion

Discutez des sports en petits groupes. Lesquels vous paraissent…?

- les plus simples à pratiquer
- les plus amusants
- les plus dangereux
- les plus/les moins écologiques
- les plus coûteux

3 Un lieu et un objet pour chaque sport

Associez un sport, un lieu, un seul objet.

Sport	Lieu	Objet(s)
le judo	un court	des skis
le tennis	une salle	un palet
le hockey	une piste	une selle
le rugby	un circuit	un ballon
l'aquagym	un terrain	un casque
le karting	un manège	un tatami
l'équitation	une piscine	un maillot
le ski	une patinoire	une raquette

MODÈLE **On joue au tennis dans un court avec une raquette.**

4 Taboo

Vous connaissez la règle du jeu Taboo ? Vous devez faire deviner des mots sans prononcer les mots interdits. Formez deux groupes A et B. Chaque groupe fabrique 6 ou 8 cartes sur le sport ou les loisirs. Chaque groupe se divise en 2 équipes : le groupe A donne 3 ou 4 cartes à l'équipe B1 et autant à l'équipe B2. Chaque équipe fait deviner ses mots à l'autre. Le groupe A joue l'arbitre et veille au respect de la règle du jeu. Ensuite, on inverse les rôles. Le groupe B donne ses cartes au groupe A.

rugby	**Mots tabous :** sport stade ballon ovale match Nouvelle-Zélande

MODÈLE **On y joue en Europe.**
Ce sport ressemble au football américain.

marathon	**Mots tabous :** kilomètre courir long Grèce Jeux Olympiques	tente	**Mots tabous :** camping scout dormir dehors Indiens
équitation	**Mots tabous :** cheval équestre jockey hippodrome galop	karting	**Mots tabous :** voiture circuit kart casque piste

5 Expressions sportives !

De nombreuses expressions françaises viennent du sport. Reliez chacune des expressions ci-dessous à sa définition et retrouvez de quel sport elle vient. Travaillez en groupe.

Etre dans la dernière ligne droite		C'est évident !
Etre mis sur la touche		Abandonner la lutte
Faire la course en tête		Les choses risquent de mal tourner
Faire un carton	Athlétisme	Continuer la tâche de quelqu'un
Il va y avoir du sport !	Boxe	Etre toujours le premier
Jeter l'éponge	Cyclisme	Etre troublé, confus
Perdre les pédales	Hippisme	Etre mis à l'écart, exclu du jeu
Prendre le relais	Foot	Sanctionner
Sortir le carton rouge	Tir	Etre sur le point d'atteindre son but
Y'a pas photo !		Remporter un grand succès

> **MODÈLE**   **Etre mis sur la touche : être mis à l'écart, exclu du jeu/foot**

6 Les expressions sportives en contexte

Choisissez une expression sportive et imaginez une situation qui l'illustre. Faites-la deviner à un autre groupe.

> **MODÈLE**   **J'étais en train de faire un exposé. Tout à coup, il y a eu un brouhaha dans la salle et j'ai été incapable de reprendre mon exposé, je ne savais plus où j'en étais. Solution : Perdre les pédales**

7 Les loisirs

Complétez les phrases avec un mot ou une expression de la liste.

> à la brocante   jardiner   bricoler   photographie   faire du scrapbooking
> voir une exposition   jouer d'un instrument   faire du camping

1. Quand on peut peindre les murs et cirer les parquets, on aime...
2. Les couples et familles qui aiment... ont 1.000 terrains de camping à découvrir en France.
3. Si on aime..., on découpe et on colle des images et des textes dans un album.
4. Les amateurs de... aiment souvent prendre la nature en photo.
5. Pour acheter les choses d'occasion, on va...
6. Si vous aimez les légumes ou les fleurs, vous aimerez...
7. Les gens qui aiment... font souvent partie d'un orchestre.
8. Voudriez-vous... au musée d'Orsay ?

8 Ça fait...

Dites depuis combien de temps vous faites chacune des activités suivantes. Utilisez **Ça fait... que...**

MODÈLE   parler français
Ça fait quatre ans que je parle français.

1. conduire
2. faire du sport en équipe
3. jouer d'un instrument
4. vous passionner pour la musique
5. aider vos parents à faire les corvées
6. faire votre lit le matin
7. ranger votre chambre
8. danser
9. cuisiner

9 Questions personnelles

Répondez aux questions.

1. Quels sports pratiques-tu ?
2. Choisis un sport que tu pratiques. Où fais-tu ce sport ?
3. As-tu besoin d'un objet pour faire ce sport ? Lequel ?
4. Fais-tu ce sport en équipe ?
5. Fais-tu des activités artistiques ? Lesquelles ?
6. Choisis un loisir que tu aimes. Qu'est-ce que cette activité t'apporte ?

Narratives

Quel est votre sport favori ?

Interpretive Communication : Print Texts

Introduction

Des jeunes Québécois ont répondu à la question : « Quel est votre sport favori ? Dites-nous pourquoi ».

Pré-lecture

Combien de témoignages allez-vous lire ? Ce sont des témoignages de filles ou de garçons ?

Question centrale ? Comment le sport et les loisirs contribuent-ils à la qualité de la vie ?

Johanie, 11 ans, de Granby : « Je préfère la gymnastique parce que je trouve ça beau. J'aime essayer de nouvelles choses alors là, il y en a plein ! Mais j'aime aussi la danse parce que j'aime avoir le contrôle de mon corps ».

D'un lecteur anonyme de Laval : « Moi j'aime le karaté parce qu'on peut se défendre et ça peut être utile. »

De Jonathan Rahil, 10 ans, de Laval : « Bonjour ! Moi, mon sport préféré, c'est le foot parce qu'il n'y a pas de violence. Depuis que je suis petit, je pratique ce sport. »

Christopher Dematos, de Laval, répond : « Mon sport préféré est le rugby parce que cest un sport d'équipe et que j'aime la tactique ! »

Le jeune Hugo B. Gracian, de Laval, choisit le sport suivant : « Moi, j'aime le soccer parce que ça me défoule et je m'amuse beaucoup. »

Alexis Fantetti Leblanc, 10 ans, de Laval : « J'aime le hockey parce que c'est amusant. C'est un sport d'action, de ténacité et de force. »

Donavan Nguon, 11 ans, de Chomedey Laval : « J'aime bien le hockey même si c'est un sport violent. J'aime bien être gardien de but car ça exerce mes réflexes. »

Une résidente de Drummondville, Karine Beauregard, 18 ans : « Moi, j'aime m'entraîner dans une salle de conditionnement physique pour faire du cardio-vasculaire et de la musculation, car ça me permet de me dépasser, de me sentir mieux dans ma peau et finalement, de me détendre. »

D'après : BANDESPORTIVE. Le coin des opinions. www.bandesportive.com (5 avril 2013).

Lisez les témoignages à la page 180. Relevez leurs sports cités et repérez leurs qualités attribuées par chaque sportif/sportive.

MODÈLE **Johanie, 11 ans, aime la gymnastique pour sa beauté et sa variété. Elle aime danser parce qu'elle aime contrôler son corps.**

Le handicap n'est pas une fatalité.

Interpretive Communication : Print Texts

Introduction

A l'âge ado, Marie-Amélie a eu un accident de scooter qui n'a pas arrêté sa participation dans l'athlétisme.

Pré-lecture

Comment s'appelle cette jeune femme ? Quel âge a-t-elle ?

A 24 ans, Marie-Amélie Le Fur a accumulé un nombre impressionnant de titres et de médailles. Pourtant, à 15 ans, un grave accident de scooter aurait pu stopper net la carrière déjà prometteuse de cette ravissante gazelle, passionnée d'athlétisme depuis l'âge de six ans. Amputée d'une partie de sa jambe gauche, elle revient sur les stades alors que le corps médical lui prédisait un an minimum de rééducation. En dehors de ses entraînements et de son emploi du temps de chargée de communication chez EDF, Marie-Amélie intervient fréquemment dans les écoles pour dialoguer avec les élèves. Son message ? « *Le handicap n'est pas une fatalité. Je veux montrer qu'il y a quand même des choses belles et intéressantes à réaliser et qu'il ne faut pas s'enfermer dans quelque chose de négatif et de triste. Le rôle du sport a été fondamental dans ma reconstruction. Il a toujours été mon moteur. Il me permet d'avoir de nouveaux objectifs, de nouveaux buts. Il m'apporte l'équilibre physique et mental indispensable au bien-vivre et au bien-être.* » Quand on la voit galoper sur les stades, la classique distinction « valide-handi » prend bien du plomb dans l'aile et les frontières se brouillent.

Source : LE FUR, Marie-Amélie. « Le handicap n'est pas une fatalité ». *CFDT Magazine*, 2012, n°382.

> **Rappel**
> Au passé composé, on place les adverbes courts (tels que **déjà, vite, aussi, bien, souvent, beaucoup, peu, trop**) entre l'auxiliaire *avoir* ou *être* et le participe passé. Répondez aux questions en vous servant d'un adverbe : *Vous avez fait vos devoirs cette semaine ? Vous avez appris à jouer au basket ?*

Langue vivante

D'après le contexte, comment comprenez-vous « la classique distinction « valide-handi » prend bien du plomb dans l'aile » ?

- La distinction « valide-handicapé » perd de sa force.
- La distinction « valide-handicapé » prend plus d'importance.
- La distinction « valide-handicapé » est sans intérêt.

11 Marie-Amélie

Faites les activités suivantes.

A. Ecrivez un profil de Marie-Amélie avec vos propres mots :
   - accident et condition médicale
   - sport favori
   - médailles
   - présentations dans les écoles
   - ce que le sport lui apporte

B. Reformulez son message « *Le handicap n'est pas une fatalité* ».

Aya Cissoko

Narrative 3

Interpretive Communication : Print Texts

Introduction

Aya Cissoko est une boxeuse talentueuse, championne du monde de boxe française et anglaise. Actuellement en formation à Sciences Po Paris, elle vient également de publier un livre autobiographique *Danbé* avec Marie Desplechin. Cette championne, au caractère bien trempé et à la réflexion bien posée, revient sur son parcours et défend ardemment son combat pour l'égalité de traitement entre les hommes et les femmes. Vous allez lire son interview.

Pré-lecture

Quelles questions la journaliste pose-t-elle ?

Vous avez commencé la boxe à huit ans. Qu'est-ce qui vous a orientée vers cette discipline ?

AC : C'est avant tout un hasard. J'ai emménagé très jeune dans le 20ᵉ arrondissement de Paris et ma mère, qui travaillait le soir, avait besoin que l'on s'occupe, mes frères et sœurs et moi. Elle ne voulait pas que l'on traîne. Le sport devient alors un bon moyen de savoir où l'on est. Elle nous inscrit alors à toutes les disciplines proposées par l'école en temps périscolaire : judo, tir à l'arc, volley-ball, athlétisme et boxe. Le tri va ensuite se faire par rapport à l'emploi du temps scolaire.

Qu'est-ce qui vous a conduit à vous investir pleinement dans la boxe ?

AC : La boxe, c'est une question de tempérament. J'avais besoin de la boxe pour extérioriser tout ce qui ne se dit pas. C'est un réel exutoire. La boxe, c'est l'école de la vie, elle permet d'affronter tous les problèmes du quotidien et de se forger un caractère. Mais la vie de tous les jours est plus difficile. En boxant, on apprend à recevoir et à éviter les coups. Les coups de la vie, on ne les voit pas venir. Je suis quelqu'un de plutôt peureux et si j'arrive à aller au combat même la boule au ventre, la vie je pourrais l'affronter de la même manière.

N'a-t-il pas été difficile de vous intégrer dans un milieu masculin, tout en gardant votre identité féminine ?

AC : Il faut distinguer la boxe française et la boxe anglaise. La boxe française, avec laquelle j'ai commencé, est vraiment ouverte à la mixité. Par contre, la boxe anglaise est un milieu très misogyne. C'était vraiment flagrant. Quand je suis arrivée pour la première fois dans la salle de boxe, mon entraîneur ne faisait pas attention à moi. Il me l'avoua plus tard, mais en fait il me regardait tout de même du coin de l'œil. Il se disait que la boxe était suffisamment dure pour un homme, alors il n'y avait pas de raison de faire subir une telle discrimination. Pour moi, l'essentiel était de ne pas perdre de vue mes objectifs, de ne montrer des signes de faiblesses à aucun moment et de faire en sorte qu'il ne puisse y avoir de distinctions possibles entre un homme et une femme.

D'après : SPORT ET CITOYENNETÉ. « Je veux juste faire du sport sans devoir me battre pour que mes droits soient les mêmes que ceux des hommes ». Mars 2012. http://sportetcitoyennete.com (16 mars 2013).

Citation

Selon Aya, « la boxe anglaise est un milieu très misogyne ». Connaissez-vous des sports misogynes dans votre pays ? Comment pourrait-on les changer pour que plus de femmes puissent y participer ?

Langue vivante

« *C'est un réel exutoire* » signifie, d'après le contexte :

- C'est un grand plaisir.
- C'est un bon moyen de se défouler.
- C'est un vrai loisir.

---

12 **Aya**

Répondez aux questions.

1. Dans quel contexte Aya s'est-elle mise au sport ?
2. Elle a essayé quels sports ?
3. Finalement, quel sport a-t-elle choisi ?
4. Selon Aya, la boxe féminine est-elle plus misogyne en France ou en Angleterre ?
5. Qu'est-ce que son sport lui a apporté ?
6. Quel a été, dans son cas, le défi particulier ?

Communiquez !

Interpersonal Speaking : Debate

Pensez-vous que la boxe doive être réservée aux hommes ? Y a-t-il, selon vous, des sports essentiellement masculins ou féminins ? Donnez votre point de vue sur ces deux questions en groupes. A debattre.

Ensemble des documents

Quels points communs voyez-vous entre Marie-Amélie et Aya ? Cherchez des adjectifs pour qualifier leur comportement et caractère.

MODÈLE   **Elles sont toutes les deux courageuses.....**

Des ados trouvent des hobbies.

Interpretive Communication : Print Texts

Introduction

Vous allez lire l'extrait d'une interview dans laquelle des ados disent qu'avoir un hobby fait du bien.

Pré-lecture

Il y a combien de témoignages ?

Louise

Je me suis inscrite dans un cours de danse. Ça me fait du bien, et même si j'ai du mal, j'ai des courbatures, je progresse, et c'est le principal.

Gwendal

Je me rends trois fois par semaine à une école de comédie musicale parisienne. J'y vais en dehors du lycée, donc je peux m'inscrire toute l'année en fait. Le fait de prendre des cours de chant, de théâtre, de danse, m'a beaucoup aidé l'année dernière pour le bac de français, à l'oral, j'ai bien vu que j'avais une meilleure diction, une meilleure tenue que d'autres candidats.

> **Rappel**
> Le pronom **y** veut dire « there ». Il se place avant le verbe. Qu'est-ce qu'on fait quand il y a deux verbes ? Je voudrais **y** aller. Expliquez la règle.

Louise

Je me suis inscrite à l'orchestre de mon lycée. Ça fait sept ans que je fais de l'alto (qui est une sorte de violon) et cela m'a appris à apprendre régulièrement car c'est exactement comme ça que je progresse en musique. J'ai aussi l'habitude des examens stressants depuis mon enfance, donc quand je passe un oral, ce n'est pas tout à fait nouveau pour moi.

Joseph

J'ai commencé le scoutisme à huit ans, qui m'a appris une foule de choses : être débrouillard, partager la vie avec d'autres, gérer un budget, parler en public, gérer les imprévus ainsi que les relations avec les adultes.

D'après : FRANCE INFO. « Modes de vie/Les activités extra-scolaires : un choix pas si anodin ». 3 octobre 2012. www.franceinfo. fr (16 mars 2013).

14 Je me compare aux ados français.

Interpersonal Communication : Discussion

Lequel de ces témoignages se rapproche le plus de votre expérience ? Discutez avec un(e) camarade de classe.

emcl.com
WB 7–10

Question centrale

?

Comment le sport et les loisirs contribuent-ils à la qualité de la vie ?

La Francophonie : Les sports d'hiver

✱ *Au Québec*

Premiers Jeux d'hiver du Canada

Interpretive Communication : Print Texts

Introduction

Les premiers Jeux d'hiver du Canada ont lieu en 1967 dans la ville de Québec, à l'occasion du centenaire du pays.

Ces jeux ouvrent la voie* à ce qui représente maintenant l'événement sportif le plus important au pays pour les jeunes athlètes. Il est évident que les jeunes qui participent à cette rencontre sont les champions de demain, que ce soit au plan national ou international. Les Jeux du Canada sont donc un tremplin* d'exception pour le développement du sport et des loisirs au pays.

En février 1967, pour la première fois, quelques 1.800 athlètes venant de dix provinces et de deux territoires canadiens se rencontrent dans la ville de Québec pour participer à des compétitions.

Le programme comprend 13 disciplines. On y retrouve les sports d'hiver habituels (ski, patinage, hockey, curling) et d'autres disciplines qui se déroulent à l'intérieur, dans des gymnases (basket-ball, volley-ball, badminton, lutte, etc.) ou à la piscine (nage synchronisée).

Parmi les Québécois qui se distingueront au cours des Jeux, soulignons* les noms des skieurs Denise Critchon et Dave Bruneau, ainsi que celui du sauteur* Jacques Charland.

Lorsque les épreuves prendront fin, le 19 février, c'est l'Ontario qui remporte* la victoire au classement* des provinces, avec 53 médailles, dont 21 d'or. Pour sa part, le Québec se classe 4e au niveau des points et 2e au niveau des médailles (38 médailles, dont 16 d'or), un résultat satisfaisant qui apparaît bien secondaire par rapport au succès obtenu par les organisateurs dont le travail est salué avec enthousiasme.

Aujourd'hui, organisés tous les deux ans, et alternant entre l'été et l'hiver, les Jeux du Canada sont un événement capital pour le développement des jeunes athlètes et sont le fruit d'une collaboration permanente entre le gouvernement du Canada, les gouvernements provinciaux et territoriaux, les municipalités qui les organisent, le secteur privé, ainsi que le Conseil des Jeux du Canada.

Source : GRAND QUÉBEC. « Premiers jeux d'hiver du Canada ». grandquebec.com (5 avril 2013).

 Search words : jeux d'hiver canada, jeux du canada (+ année)

---

la voie la possibilité ; **le tremplin** *springboard* ; **soulignons (souligner)** mentionnons particulièrement ; **le sauteur** *jumper* ; **remporte (remporter)** gagne (gagner) ; **le classement** *rank*

15 Jeux d'hiver

Choisissez la lettre qui correspond à la bonne réponse.

1. Les premiers Jeux d'hiver datent...
   A. du bicentenaire du Canada
   B. du centenaire du Canada
   C. de 1982

2. C'est l'événement sportif le plus important pour...
   A. les amateurs des sports d'hiver
   B. les jeunes athlètes
   C. les athlètes professionnels

3. En 1967, on n'a pas fait...
   A. de basketball
   B. de judo
   C. 400 mètres nage libre

4. La province qui a réussi le mieux était...
   A. le Québec
   B. le Nouveau-Brunswick
   C. l'Ontario

5. Actuellement les Jeux ont lieu...
   A. tous les trois ans
   B. tous les deux ans
   C. chaque année

COMPARAISONS

Y a-t-il « un événement capital pour le développement des jeunes athlètes » dans votre région ?

Le handisport en France

Interpretive Communication : Print Texts

La première organisation française qui se soit chargée de rassembler les invalides sportifs, l'Association des mutilés* de France, a été fondée en 1954 par Philippe Berthe. En 1963, elle a donné naissance à la F.S.H.P.F. (Fédération sportive des handicapés physiques de France), qui, en 1976, a fusionné* avec la F.F.O.H.P. (Fédération française omnisports des handicapés physiques), créée trois ans plus tôt. La nouvelle organisation a pris le nom, en 1977, de Fédération française handisport* (F.F.H.), qui a été reconnue association d'utilité publique en 1983; elle gère une trentaine de disciplines, dont l'athlétisme, le basket-ball, le cyclisme, la natation, le ski et le tennis.

Parmi les champions français de handisport se sont notamment illustrés les athlètes Mustapha Badid (course de fond* et marathon en fauteuil*) et Claude Issorat (sprint court et long en fauteuil), la nageuse* Béatrice Hess, le basketteur d'origine malienne Abou Konaté ou encore Solène Jambaqué en ski alpin et Anne Floriet en biathlon.

Source : ENCYCLOPÉDIE LAROUSSE. « Handisport ». Larousse.fr © Larousse 2009.

 Search words : histoire handisport, jeux paralympiques, handisport france

---

mutilés(e) *maimed* ; **handicapés(e)** *disabled* ; **a fusionné (fusionner)** est devenue (devenir) partenaire ; **le handisport** sport pour les handicapés ; **course de fond** *distance race* ; **en fauteuil** *in wheelchair* ; **la nageuse** fille ou femme qui nage

Ma perspective

Quelle est votre attitude envers le handisport ? Joueriez-vous avec une personne handicapée ?

16 L'histoire du handisport

Faites un axe chronologique qui compare le développement du handisport en Grande Bretagne et en France.

17 Un(e) champion(ne) du handisport

Presentational Communication : Oral Presentation

Recherchez un champion ou une championne du handisport et présentez son histoire.

La boxe féminine

Interpretive Communication : Prints Texts

La boxe a été longtemps considérée comme un sport masculin, dans le monde sportif, comme dans la société et les média. C'est ainsi que la boxe féminine fut tardivement reconnue comme un sport à part entière. C'est dans les années 1990 que ce sport fait parler de lui : compétitions amateurs/amatrices, soutien des organisations professionnelles telles que la WIBF, l'IFBA, l'IWBF et la WIBA. C'est aux États-Unis, en 2001, que l'on assiste aux premiers championnats du monde amateur. Cent vingt-cinq boxeuses provenant de trente pays s'affrontent à Scranton dans 12 catégories de poids sous les yeux d'un public enthousiaste.

Depuis, la boxe féminine a suscité un intérêt grandissant, et de véritables stars en sont nées : Laïla Ali, fille du légendaire Mohamed Ali ; Myriam Lamare et Anne-Sophie Mathis (France) championnes du monde.

Par ailleurs, le succès du film Million Dollar Baby, qui a reçu quatre Oscars (2005), dont celui de la meilleure actrice attribué à Hilary Swank, a propulsé la popularité de ce sport.

Puis, la boxe féminine atteint une véritable reconnaissance lorsque ce sport est inscrit au programme des jeux Olympiques d'été en 2012, à Londres. Trois boxeuses remporteront une médaille d'or : Nicola Adams (poids mouches), Katie Taylor (poids légers), et Claressa Shields (poids moyens)

 Search words : fédération française de boxe, boxe féminine, j.o. boxe femmes

Sa perspective

Quel film a contribué au développement de la boxe féminine ?

Ma perspective

Quelle est l'influence des films dans votre culture ? Donnez un exemple.

18 La boxe féminine

Expliquez par écrit comment la boxe féminine est devenue une épreuve sportive populaire.

19 La boxe féminine

Interpersonal Communication : Discussion

Discutez des faits et évènements qui ont contribué à la participation des femmes dans la boxe. N'oubliez pas d'inclure vos opinions.

Les loisirs des Français

Interpretive Communication : Prints Texts

Quel type de loisirs est le moins pratiqué par les Français ?

Le loisir ludique le plus populaire est-il plus ou moins pratiqué que bricoler ?

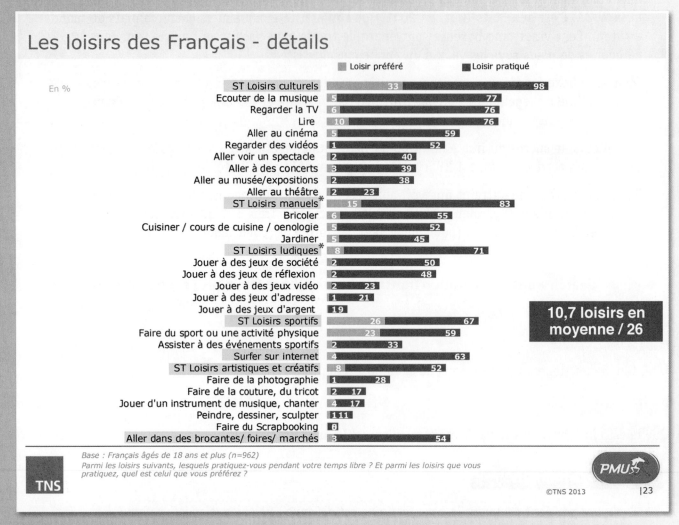

Source : OBSERVATOIRE DES LOISIRS. « Les loisirs des Français ». « Observatoire des loisirs des Français Étude TNS Sofres réalisée par téléphone les 26 et 27 février 2013 pour le PMU auprès d'un échantillon national représentatif de 962 individus âgés de 18 ans et plus. » www.pmu.fr (5 août 2014).

 Search words : observatoire loisirs pmu, loisirs sofres

---

manuels avec les mains ; **ludiques** pour s'amuser ; **réflexion** qui font réfléchir ; **couture** *sewing* ; **tricot** *knitting*

20 Les Français et les loisirs

Lisez le graphique ci-dessus et répondez aux questions.

1. Quelles sont les différentes catégories de loisirs ?
2. Quelles questions sont posées ?
3. Quels sont les loisirs les plus pratiqués ?

Ma perspective

Etes-vous surpris(e) par certains résultats ? Lesquels ? Pourquoi ?

Modes de vie/Les activités extra-scolaires : un choix pas si anodin 🎧
Interpretive Communication : Audio Texts

Introduction

On va présenter des ados et leurs activités extra-scolaires.

Langue vivante

Dans son introduction, l'animatrice utilise « *hobby, dada* » pour évoquer le sujet de l'émission. Connaissez-vous d'autres synonymes ?

21 J'ai bien compris !

Faites les activités suivantes.

A. *Ecoutez la première question de l'animatrice. Puis, répondez aux questions.*
   - Quel est le thème de l'émission ?
   - Quel est précisément le sujet ?
   - Quels sont les mots-clés ?

B. *Reprenez l'écoute jusqu'à la deuxième question. L'animatrice reformule sa question. Quels sont les deux conseils que donne Sophie de Tarlé aux élèves ?*

C. *Poursuivez l'écoute jusqu'à la fin. Faites la liste de toutes les activités citées au cours de l'interview. On peut les regrouper en trois catégories. Lesquelles ?*

MODÈLE   **Musique...**
                Catégories : artistique...

D. *Ecoutez une deuxième fois l'ensemble de l'émission. Notez ce qu'apporte la pratique de ces activités.*

Activité	Bénéfice(s)
MODÈLE • le théâtre • la danse	**plus d'aisance à l'oral...**

Les maisons des jeunes et de la culture

Les MJC organisent des sorties en France.

Interpretive Communication : Print texts

Les Maisons des jeunes et de la culture, appellation généralement abrégée en MJC, sont des structures associatives en France où l'on peut apprendre à jouer de la guitare, à faire de la poterie, à peindre, à suivre des cours de danse, etc. Pour beaucoup de Français c'est un moyen de trouver un loisir qui les passionne. Lisez le texte de 1944, puis le document écrit pour fêter les 60 ans d'une MJC à Lezignan-Corbières.

> **Savez-vous...?**
> Il y a environ 900 MJC en France. En 1948 on a fondé la Fédération Française des Maisons des Jeunes et de la Culture (FFMJC), le début de la MJC.

Direction des mouvements de jeunesse et d'éducation populaire, circulaire du 13 novembre 1944

« Nous voudrions qu'après quelques années une maison d'école au moins dans chaque ville ou village soit devenue une maison de la culture, une maison de la jeune France, un foyer* de la nation, de quelque nom qu'on désire la nommer, où les hommes ne cesseront* plus d'aller, sûrs d'y trouver un cinéma, des spectacles, une bibliothèque, des journaux, des revues, des livres, de la joie et de la lumière. »

Les MJC ont 60 ans : Un site internet sur l'Histoire des MJC

Les MJC font parties de ces institutions quelquefois méconnues* alors qu'elles sont souvent évoquées et qu'elles sont très présentes sur notre territoire national.

Les MJC ont un objectif : lier* jeunesse et culture dans une perspective d'éducation populaire. Elles ont la capacité à réunir et à mettre en mouvement des citoyens et à développer des initiatives nouvelles et innovantes.

Fêter les 60 ans des MJC, c'est pour nous l'occasion d'affirmer la nécessité d'inscrire les relations des MJC avec les pouvoirs publics locaux et territoriaux dans un cadre* de co-construction développant l'importance du projet associatif et de la vie associative. Les MJC veulent s'engager dans le dialogue civil en donnant du sens* aux actions, en les mettant en cohérence pour développer leurs projets. Nous espérons que vous trouverez sur ce site des éléments d'histoire, permettant à tous de mieux affirmer l'existence des MJC.

Source : MJC Lezignan-Corbières. « Les MJC on 60 ans ».www.mjc-lezignan-corbieres.com (8 avril 2013).

 Search words : mjc (+ nom de ville)

---

le foyer *hearth* ; **cesseront (cesser)** arrêteront (arrêter) ; **méconnues(e)** pas bien connues(e) ; **lier** réunir ; **le cadre** *frame* ; **du sens** *meaning*

22 Les MJC hier et aujourd'hui

Comparez la mission des MJC exprimée dans le circulaire du 13 novembre 1944 avec le texte « Les MJC ont 60 ans. » D'après vous, la mission a-t-elle changé ou évolué ? Présentez votre évaluation.

COMPARAISONS

Où vont les ados de votre ville pour chercher de l'aide scolaire, prendre des leçons de danse ou de peinture, faire des stages et des excursions, etc.?

23 Activités artistiques et culturelles

A deux, en 30 secondes, faites une liste d'activités artistiques et culturelles qu'on pourrait offrir dans une MJC. Echangez avec vos voisins pour faire une liste finale.

Communiquez!

24 Activités et stages à une MJC

Interpersonal Communication : Discussion

Regardez les activités et stages offerts à la MJC de Puylaurens. Expliquez à quoi vous participeriez et pourquoi. Discutez des options.

🔍 **Search words : mjc puylaurens l'ostal**

Ensemble des documents

Qu'avez-vous appris sur les pratiques de sports et loisirs des Français, leurs activités préférées, leurs motivations, les évolutions ? Est-ce que certaines informations ont modifié l'image que vous aviez des Français ? Si oui, précisez comment.

COMPARAISONS

Observez-vous dans votre entourage le même goût pour les activités artistiques et culturelles ? Qu'est-ce que ces activités vous apportent, à vous et à vos amis ?

La culture de tous les jours

Lisez la bande dessinée. Ensuite, répondez aux questions.

---

25   **Un weekend de bricolage**

Répondez aux questions.

1. Qu'est-ce que le couple est en train de faire ?
2. Que vont-ils faire ce weekend ?
3. Où sont les enfants ?
4. Comment les enfants vont-ils aider leurs parents ?

Les constructions *faire/laisser*

Les verbes **faire** et **laisser** peuvent tous les deux être suivis d'un autre verbe à l'infinitif.

1. La construction **faire + infinitif** signifie que le sujet du verbe « faire » n'accomplit pas lui-même l'action exprimée par l'infinitif, il fait quelque chose qui provoque cette action.

> **Le professeur fait entrer les élèves dans la salle.** = Les élèves entrent parce que le professeur leur dit, leur ordonne d'entrer.
>
> **Il fait manger le bébé.** = Le bébé mange parce qu'il lui donne à manger.

2. La construction **laisser + infinitif** signifie que le sujet du verbe « laisser » ne s'oppose pas à une action, volontairement ou non, il l'accepte ou il ne l'empêche pas.

> **Mes parents me laissent sortir ce soir.** = Ils m'autorisent à sortir, ils acceptent que je sorte.
>
> **J'ai laissé brûler le gâteau.** = Je n'ai pas fait ce qu'il fallait pour empêcher qu'il brûle.

L'agent (celui qui fait l'action) du verbe à l'infinitif n'est pas toujours nommé.

> **J'ai fait réparer mon vélo.** = *Quelqu'un* a réparé mon vélo, mais je ne précise pas qui (ça n'a pas d'importance).

Quand l'agent est nommé et que le verbe à l'infinitif a aussi un complément d'objet, l'agent est précédé par *à* ou *par.*.

> **J'ai fait réparer mon vélo par mon frère.**
>
> **Il a laissé croire à ses collaborateurs qu'il était d'accord.**

Attention donc au choix du pronom !

> **Les participants sont déjà là ? Oui, on *les* a fait entrer et on *leur* a fait remplir les fiches d'inscription.** = On a fait entrer les participants, on a fait remplir des fiches aux participants.

Vous notez que même lorsque le pronom direct est avant le verbe au passé composé, le participe passé ne s'accorde pas (c'est normal puisque ce n'est pas le complément d'objet du verbe *faire*).

26 Qu'est-ce qui....?

Transformez les questions comme dans l'exemple.

MODÈLE   Pourquoi ris-tu ?
Qu'est-ce qui te fait rire ?

1. Pourquoi courent-ils ?
2. Pourquoi réagissez-vous comme ça ?
3. Pourquoi sont-ils partis ?
4. Pourquoi a-t-elle pris cette décision ?
5. Pourquoi avez-vous changé d'avis ?
6. Pourquoi a-t-il fait cette bêtise ?

27 Laisser....

*Employez les verbes proposés avec **laisser** + infinitif. Attention, les verbes ne sont pas dans l'ordre et n'oubliez pas les pronoms !*

| changer | choisir | prendre des initiatives | s'organiser |
| parler | poser | prendre | assister |

1. On... aux enfants l'activité qu'ils veulent pratiquer, mais on ne.... en cours de trimestre, ils doivent persévérer un peu. Ils préparent un spectacle pour la fin de l'année, on... comme ils veulent. C'est important de...
2. Les enfants étaient ravis : on... à une séance d'entraînement des nageurs. A la fin de la séance, on... aux champions un petit moment, on... quelques questions. Les joueurs leur ont répondu très gentiment et ils... des photos. Ce sera évidemment un grand souvenir pour les enfants qui maintenant veulent tous faire de la natation !

28 Faire ou *laisser* ?

*Transformez les phrases en utilisant les verbes **faire** ou **laisser**.*

MODÈLE   Je voulais entrer mais je n'ai pas pu.
On ne m'a pas laissé entrer.

A cause de cette erreur, il a perdu le match.
Cette erreur lui a fait perdre le match.

1. On a demandé au public de sortir.
2. A la suite de cet échec, il a réfléchi.
3. Il voulait entrer à l'école du cirque mais ses parents n'ont pas accepté.
4. Le surveillant n'autorise pas les enfants à monter sur le plongeoir.
5. C'est grâce à sa ténacité qu'il a gagné.
6. On lui a permis de partir avant la fin de la saison.

Se faire/se laisser + infinitif

emcl.com
WB 14–15

Les verbes **faire** ou **laisser** suivis d'un infinitif peuvent aussi se trouver à la forme pronominale (**se faire/se laisser** + infinitif). Dans ce cas le pronom complément est toujours réfléchi (jamais réciproque):

> **Paul et Jean se sont insultés.** = Paul a insulté Jean et Jean a insulté Paul.
> **Paul et Jean se sont fait insulter.** = Ils ont été insultés tous les deux par quelqu'un d'autre.

Parfois « se faire » marque la volonté, par opposition à « se laisser » qui exprime la passivité.

> **Il s'est laissé nommer secrétaire de séance.** = Il a été nommé (mais il ne le souhaitait pas).
> **Il s'est fait nommer secrétaire de séance.** = C'est lui qui a demandé à l'être.

Ce n'est pas toujours le cas :
> *Il s'est fait voler son portefeuille.*

Mais même dans ce cas *se laisser* marque une passivité plus grande que *se faire* :
> Les phrases *Il s'est fait battre* ou *Il s'est fait insulter* sont de simples constats.
> L'expression *Il s'est laissé battre* sous-entend qu'il aurait pu l'éviter.
> *Il s'est laissé insulter* sous-entend il aurait dû réagir.

---

29 · *Faire ou se faire ?*

*Complétez les phrases avec faire ou **se faire** + infinitif. Utilisez les infinitifs dans la liste.*

expulser	battre	passer	répéter	couper	attendre	réparer

MODÈLE   Tes cheveux sont vraiment trop longs, tu devrais...
> **... les faire couper.**

1. Mon vélo ne freine presque plus. Je dois absolument...
2. Je n'arrive pas à apprendre ce rôle. Est-ce que tu peux...
3. Il n'était pas en forme pour le match d'hier ; il....
4. Il a commis une faute grave, il... par l'arbitre.
5. Je n'ai pas le temps de la voir tout de suite, s'il te plaît... un moment.
6. La réunion est retardée d'une heure ; ... le message à tous les participants.

30 Se faire ou se laisser...?

Reformulez les phrases, ou les parties de phrases en italiques, en utilisant les structures **se faire** *ou* **se laisser** + *infinitif.*

1. Il a demandé qu'on lui explique les règles du jeu.
2. C'est un médecin spécialiste du sport qui le soigne.
3. Elle ne voulait pas nous accompagner mais *on a réussi à la convaincre.*
4. Tu verras, c'est facile, *tu n'as qu'à glisser sans résister.*
5. *Tu as voulu être élu,* alors maintenant assume tes responsabilités !
6. Ce n'est pas parce qu'il parle fort *qu'il va m'impressionner* !

Communiquez!

31 Est-ce qu'il t'est déjà arrivé de...?

Interpersonal Communication

Préparez des questions avec les verbes suivants. Travaillez avec votre partenaire.

1. se faire battre très sévèrement
2. se faire enfermer dans une salle
3. se faire expulser d'un terrain
4. se faire applaudir/acclamer
5. se faire inviter à une finale de ...
6. se faire éliminer bêtement
7. se faire exclure d'un jeu
8. se faire sanctionner injustement
9. se faire agresser par un adversaire
10. se faire voler la 1ère place

MODÈLE	A. Est-ce qu'il t'est déjà arrivé de te faire battre très sévèrement ? B. Oui, bien sûr, plusieurs fois. Je me souviens particulièrement d'un match de tennis : j'ai perdu 6-0 6-0, c'était horrible, je ne touchais pas une balle ! ou C. Pas vraiment, j'ai perdu, bien sûr, mais pas de manière trop écrasante.

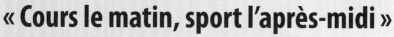

emcl.com | WB 16–19

Question centrale

?

Comment le sport et les loisirs contribuent-ils à la qualité de la vie ?

« Cours le matin, sport l'après-midi »

Interpretive Communication : Audio Texts 🎧

Vous allez entendre un reportage qui porte sur une expérimentation en milieu scolaire : alors qu'en général, en France, les élèves ont cours le matin et l'après-midi (lundi, mardi, jeudi et vendredi), dans un certain nombre de classes, les élèves ont cours le matin seulement et l'après-midi est consacré aux activités sportives. Le reportage se déroule dans un collège de la banlieue parisienne.

32 A l'écoute !

Faites les activités suivantes.

A. *Ecoutez le début du reportage. Après la voix off qui présente le sujet, c'est la principale (la directrice) du collège que vous entendrez, puis à nouveau la voix off. Ecoutez deux fois et dites si les affirmations suivantes sont vraies ou fausses. Corrigez les phrases qui sont fausses.*
   1. L'expérimentation ne concerne que les collèges.
   2. Les après-midi peuvent être consacrées à d'autres activités que le sport.
   3. Il s'agit seulement d'améliorer les résultats scolaires.
   4. L'expérimentation se déroule dans une classe mixte.
   5. Les élèves qui y participent sont volontaires.
   6. Ces élèves étaient tous doués pour le sport.
   7. Grâce au sport les élèves apprennent à respecter des règles et à prendre des responsabilités.

B. *Vous allez maintenant entendre des élèves de cette classe et leur professeur d'éducation physique et sportive. Repérez parmi les activités suivantes celles qui sont citées par les élèves.*

volley	tennis	ping pong
voile	aviron	piscine
cirque	danse	gymnastique
judo	lutte	boxe

C. *Répondez aux questions.*
   8. Quel effet positif a l'aménagement de l'emploi du temps ?
   9. Pourquoi l'enseignante diversifie-t-elle ces activités ?

D. *Grâce à un partenariat avec une école de cirque, le cirque fait partie des activités proposées aux élèves. A votre avis...*
   10. Que peuvent-ils faire dans ce cadre ?
   11. Qu'est-ce que ça leur apprend ?

E. *La fin du reportage porte sur une première évaluation de l'expérimentation. Plusieurs personnes interviennent : un inspecteur de l'Éducation Nationale, le professeur et la principale que vous avez déjà entendues ainsi que deux mères. Evaluez le bilan.*

Le bilan est...
   A. très positif pour tout le monde
   B. positif pour les uns mais pas pour tous
   C. nuancé
   D. encore indécis

F. *Avec un partenaire, discutez de ce que vous pensez de cette formule. Avez-vous vous-mêmes étudié de cette manière à un moment ou un autre de votre scolarité ?*

 Search words : rythmes scolaires en france

Communiquez!

Presentational Speaking : Oral Presentation

Vous préparez pour un public francophone un exposé sur une activité de loisirs, sportive ou autre, qui vous semble typique de votre environnement, régional ou national.

> **Outils**
>
> Vous pouvez par exemple :
> • souligner l'importance de cette activité dans la communauté, son origine, son évolution...
> • expliquer en quoi elle consiste, expliquer la règle, s'il s'agit d'un jeu...
> • parler de ceux qui la pratiquent, de leurs motivations, de ce qu'ils en retirent...
> • raconter une anecdote, parler d'un lieu ou d'un personnage emblématique...

Communiquez!

34 **Les loisirs en France et chez vous**

Presentational Writing : Summary

Reportez-vous au sondage dans « Culture ». Préparez un résumé écrit du graphique en soulignant ce qui vous a frappé.

35 **Mon enquête sur les loisirs**

Interpersonal Speaking

Demandez à dix personnes de votre entourage quelle(s) activité(s) de loisirs elles pratiquent et laquelle elles préfèrent. Comparez vos enquêtes en groupes. Discussion : A partir des données que vous avez recueillies, même si elles sont bien sûr limitées, quelles comparaisons pouvez-vous établir entre la situation française et la situation américaine ?

Communiquez!

36 Dialogue guidé

Presentational Speaking : Conversation

Vous discutez avec une amie qui est à la recherche d'une activité de loisirs. Votre conversation doit suivre le canevas qui vous est donné ci-dessous. Vous allez entendre les répliques de votre amie et vous réagirez comme le canevas l'indique.

> – Votre amie vous expose rapidement son problème : elle ne peut pas choisir une activité.
>
> **– Vous, vous êtes très content(e) d'une activité que vous pratiquez depuis un certain temps.**
>
> – Elle veut en savoir plus et pose des questions.
>
> **– Vous répondez.**
>
> – Elle veut savoir plus précisément comment ça se passe.
>
> **– Vous décrivez.**
>
> – Elle vous demande quel bénéfice vous en retirez.
>
> **– Vous répondez, vous expliquez.**
>
> – Elle émet une réserve sur une possible lassitude.
>
> **– Pour l'encourager, vous parlez d'un objectif que vous aimeriez atteindre.**

Communiquez !

Interpersonal Writing : Letter

*Lisez le témoignage de Robin, 18 ans. Après, vous souhaitez réagir. Vous écrivez
au Courrier des Lecteurs de Phosphore (18, rue Barbès 92128 Montrouge Cedex – France).
Si vous partagez le point de vue de Robin sur le sport, vous le réconforterez et dédramatiserez
la situation. Vous pouvez parler de vos expériences. Si vous n'êtes pas d'accord, vous lui
démontrerez que le sport peut avoir un autre visage et vous lui donnerez quelques conseils pour
le réconcilier avec le sport.*

Interpretive Communication : Print Texts

Ce que je n'aime pas dans le sport, c'est surtout l'esprit de compétition. Quand tu es en club,
les autres cherchent toujours à être meilleurs que toi, et ils n'hésitent pas à te le faire savoir.
Je l'ai remarqué plusieurs fois, en sport individuel ou collectif. Lorsque j'étais dans un club
de rugby par exemple, les autres se prenaient au sérieux comme s'ils jouaient une Coupe du
monde ! Au foot, sur le terrain, certains croyaient être Zidane, même les tout petits à 10 ans.
En plein match, tu es sûr que si tu passes une balle à ces jeunes-là, ils ne te la rendent pas.
Sur le terrain, ils étaient très tendus, très concentrés, je venais pour jouer, mais eux étaient là
pour gagner.

Je crois que c'est au tennis que cet esprit de compétition m'a le plus choqué. Pendant un
match, je me souviens qu'un de mes adversaires criait comme à Roland Garros quand il
marquait un point. Il avait même des mimiques et des gestes de pro à la fin de chaque point.
Il avait aussi ses supporters au bord du terrain qui l'encourageaient. Il se prenait vraiment trop
au sérieux. [....]

Source : FAURE, Estelle. Magazine *Phosphore,* janvier 2013, page 61.

1 Le fossé

Interpretive Communication : Print Texts

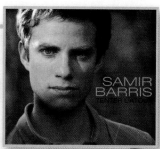

Samir Barris.

Rencontre avec l'auteur

Samir Barris est un jeune auteur-compositeur-interprète bruxellois, né d'une mère flamande et d'un père algérien, qui a fait ses premières armes au sein du groupe Melon Galia. Adepte de la pop, auteur de textes poétiques, il connaît le succès en 2007 avec son premier album *Quel effet ?* dont est extraite la chanson « Le fossé » que vous allez lire. Comment se fait-il que « la ligne d'arrivée a perdu de son intérêt » pour l'athlète ?

Pré-lecture

Avez-vous eu, ou vu, un accident de sport ? Racontez à votre voisin/voisine.

« Le fossé* » par Samir Barris

Parcours*, accident de parcours
Je n'y étais pas vraiment préparé
Cassé, dans le bas-côté*
Je regarde le monde tourner
Tout bas, je dépose* les armes
Me fais porter pâle* pour ce combat
Vidé*, les forces m'ont quitté
Et ma respiration se joue de moi
J'ai besoin d'un arrêt, j'ai besoin qu'on ne me dise plus d'avancer
Qu'on me laisse en paix*
Et tant pis si je ne suis pas le premier
La ligne d'arrivée a perdu de son intérêt
Défait[1], moi qui déjà me voyais
Médaillé, riche et coiffé de lauriers*
Forfait, forcé de déclarer
De battre mon cœur s'est presque arrêté
Vertige, sueurs* et contre coups*
Ça fait peur de voir les autres passer, pourtant
Plus doux que je ne l'imaginais

Rappel

Au passé composé, on met les pronoms d'objet direct (**me**, **te**, **le**, **la**, **l'**, **nous**, **vous**, **les**) avant le verbe auxiliaire. Répondez aux questions en remplaçant l'objet direct par un pronom : *As-tu mis le couvert ? Marie a-t-elle lu la lettre ?*

Pendant la lecture
1. Qu'est-ce qui arrive à cet athlète ?

Pendant la lecture
2. Quel est son état physique ?

Pendant la lecture
3. Il désire quelle réaction des autres ?

Pendant la lecture
4. Comment savez-vous qu'il se croit un champion de son sport ?

---

le fossé *trenches* ; **le parcours** épreuve sportive ; **le bas-côté** *side* ; **dépose (déposer) les armes** métaphore de guerre qui signifie abandonner ; **se faire porter pâle** prétendre être malade ; **vidé(e)** sans forces ; **en paix** seul ; **coiffé(e) de lauriers** *crowned with laurels* ; **les sueurs (f.)** *sweating* ; **un contre coups** retard imprévisible

1. Défait : signifie « vaincu » ici.

Le retrait montre un chemin soupçonné*

J'ai besoin d'une pause

Qu'on ne me dise plus d'avancer

Qu'on me laisse en paix

Et tant pis si je ne suis pas le premier

La ligne d'arrivée a perdu de son intérêt

Sourire, qu'est-ce qui me prend de sourire ?

La défaite* aurait-elle un goût sucré ?

Trompé*, si je m'étais trompé ?

Que le bonheur était dans le fossé[2]

Et si cet arrêt

Et si cette pause faisait de moi le premier ?

Qu'importe le trophée

Je crois que j'ai trouvé

Ça tient en peu de choses

La ligne d'arrivée a perdu de son intérêt

Pendant la lecture
5. Qu'est-ce qu'il voit ?

Pendant la lecture
6. De quoi a-t-il besoin ?

Pendant la lecture
7. Qu'est-ce qui remplace son désir d'être à « la ligne d'arrivée »?

Source : « Le Fossé », Barris, Samir : la chanson est extraite de l'album *Quel effet ?* 2006 (Rue Stendhal).

---

soupçonné(e) *suspected* ; **la défaite** *defeat* ; **trompé(e)** dans l'erreur

2. « Le bonheur est dans le fossé » est une allusion au poème de Paul Fort, *Le Bonheur*, qui a inspiré le titre du film d'Étienne Chatiliez, « Le bonheur est dans le pré ». Le poème commence ainsi : « Le bonheur est dans le pré. Cours-y vite, cours-y vite. Le bonheur est dans le pré. Cours-y vite. Il va filer. » L'idée du passage du temps fait penser au thème de *carpe diem*.

Langue vivante

Comment comprenez-vous : « Trompé, si je m'étais trompé ? »

Post-lecture

Qu'est-ce qui change l'attitude de l'athlète ?

38 Ai-je bien compris ?

Répondez aux questions.

1. Que raconte cette chanson ?
2. Qui est le héros de ce récit ?
3. A votre avis, que lui est-il arrivé ?
4. Quelle est sa profession ou l'activité qu'il pratique ?
5. Dans les lignes 5–6 à quoi compare-t-il son activité ?

6. « .... moi qui déjà me voyais médaillé, riche et coiffé de lauriers. »/« Et tant pis si je ne suis pas le premier, la ligne d'arrivée a perdu de son intérêt. » Ces deux réflexions semblent assez contradictoires. A votre avis, pourquoi le sportif renonce-t-il à la victoire ? Que vient-il de réaliser ?

39 L'état du héros

Relevez tous les adjectifs ou expressions qui décrivent l'état physique ou psychologique du sportif. Comment apparaît-il ? Quelle peut en être la cause, à votre avis ?

MODÈLE « Vidé, les forces m'ont quitté... »

40 Défaite et victoire

Dans une grille, relevez tous les éléments qui relèvent de la défaite et de la victoire.

Défaite	Victoire
MODÈLE accident de parcours	**MODÈLE** coiffé de lauriers

Synthèse

Ecoutez la chanson. Sur l'ensemble de la chanson, quel est le sentiment qui se dégage (musique et paroles)?

- l'amertume
- l'espoir
- le désespoir

- l'apaisement
- la sérénité
- la colère

41 Activités d'expansion

Faites les activités suivantes.

1. Le besoin de performance à tout prix, la pression des sponsors ne conduisent-ils pas les champions à certains excès ? Pourquoi la carrière d'un sportif de haut niveau est-elle relativement courte ? Qu'apprend le sportif de ses défaites et triomphes ? Choisissez un de ces deux thèmes et développez-le dans une composition.
2. Quelle est sa conception de la compétition ? La partagez-vous ? Avez-vous un souvenir de veille de compétition, spectacle ? Comment vous sentiez-vous au moment « d'entrer en scène » ? Aviez-vous envie de vous faire « porter pâle » ? Ecrivez votre récit.
3. Samir Barris raconte dans l'interview ci-dessous comment lui est venue l'idée de cette chanson. Décrivez votre inspiration pour une chanson, nouvelle ou film futur. Expliquez d'où vient votre idée et comment vous la développerez.

« Je me souviens que l'idée de cette chanson m'est venue en repensant à une interview de Shady Torbey, peu après ses prouesses au concours musical Reine Elisabeth. On lui posait une question sur le stress que comporte une compétition de ce type (la plus prestigieuse pour la musique classique en Belgique) et comment il l'avait géré. Il avait expliqué qu'il était un peu comme un coureur cycliste au Tour de France qui fait la course tout en profitant du paysage. Et ça, regarder et profiter du paysage, lui avait permis de surmonter la difficulté du parcours. Dans "Le Fossé", j'ai poussé le truc plus loin pour finalement chanter la joie de l'abandon—pas tant que j'aime perdre, mais j'aime évacuer l'idée d'enjeu. Et me focaliser sur le plaisir qu'il y a à être là, faire ce qu'on fait, comme on l'entend. »

Source : POPNEWS. « Samis Barris -Track by track ». 3 octobre 2007. www.popnews.com (16 mars 2013).

Faisons le point !

A. *Pour retrouver les principales idées développées au cours de la leçon, notez dans votre cahier, un ou deux exemple(s) en face de chacun des points de repère qui vous sont proposés. Reportez-vous à tous les documents de la leçon (écrits journalistiques, témoignages, analyses, chanson).*

Question centrale

?

Comment le sport et les loisirs contribuent-ils à la qualité de la vie ?

Sports et loisirs	Notes
Les sports :	
• diversité	
• vertus	
Le sport, pour aider à surmonter des obstacles, des épreuves	
Les dérives du sport	
Le choix des activités de loisirs	
Le rôle des activités de loisirs :	
• dans l'amélioration de la qualité de la vie	
• dans le développement personnel	
• dans le vivre ensemble	

B. *Discutez en groupes. Que répondriez-vous à la question posée au début de l'unité : Comment le sport et les loisirs contribuent-ils à la qualité de la vie ?*

Vocabulaire de l'Unité 2

l'   **accrobranche (m.)** rope course *C*
s'   **affaiblir** to weaken *A*
   affronter to confront *C*
une   **agence** agency *B*
l'   **aile (m.): aile delta** hang gliding *C*
   aller : aller dans les brocantes to go to secondhand stores *C*
l'   **alto (m.)** viola *C*
   ancien(ne) ancient *A*
un   **annonceur, une annonceuse** advertiser (person or company) *B*
l'   **aquagym (m.)** water aerobics *C*
un(e)   **Arabe** Arab *B*
l'   **aviron (m.)** rowing *C*
   avoir : avoir un impact sur to have an impact on *B*
un   **baiser** kiss *A*
le   **baptême** baptism *A*
le   **bizutage** hazing *A*
une   **bouffonne : bonne bouffonne** clown *A*
la   **boxe** boxing *C*
une   **campagne** campaign *B*
le   **canyoning** canyoning *C*
un   **casque** helmet *C*
   célébrer to celebrate *A*
   cérémonial(e) ceremonial *A*
la   **cérémonie** ceremony *A*
un   **circuit** track *C*
un   **code** code *A*
   collectif, collective collective *A*
la   **communion** communion *A*
la   **conception** conception *B*
   concevoir to design *B*
les   **confessions (f.)** confessions *A*
se   **conformer (à)** to conform (to) *A*
le   **consommateur, la consommatrice** consumer *B*
la   **consommation** consumption *B*
la   **courage** courage *A*
un   **court** court *C*
   déterminer to determine *B*
   différer to differ *A*
se   **dire** to tell oneself *A*
   distribuer to distribute *B*
le   **distributeur, la distributrice** distributer *B*
la   **distribution** distribution *B*
   dominer to prevail *A*
   dominical(e) Sunday *A*
   durant during *A*
un   **élément** thing *A*
l'   **endurance (f.)** endurance *A*

l'   **Épiphanie (f.)** Epiphany *A*
une   **épreuve** test, hardship *A*
l'   **équilibre (m.)** equilibrium *C*
   établir to establish *A*
une   **étape** stage *A*
   être : être initié(e) à to be initiated into *A*
une   **étude** study *B* ; **étude de marché** market research study *B*
   évoluer to evolve *A*
   façonner to shape *B*
   faire : faire de la photographie to practice photography *C* ; **faire du scrapbooking** to scrapbook *C* ; **faire la preuve** to prove *A*
une   **galette : galette des Rois** king cake *A*
des   **gestes (f.)** gestures *A*
le   **gui** mistletoe *A*
une   **image : image de marque** branding *B*
l'   **inauguration (f.)** inauguration *A*
   incitatif, incitative incentivising *B*
   inciter (à) to encourage (to) *B*
   informatif, informative informative *B*
   jardiner to garden *C*
   juger to judge *B*
le   **kart** go-kart *C*
le   **karting** karting *C*
le   **kayak** kayaking *C*
   laïc, laïque non-religious *A*
le   **lancement** launch *B*
une   **liturgie** liturgy *A*
un   **logo** logo *B*
   lors de during *A*
   maîtriser to master *A*
un   **manège** riding stable *C*
la   **marche nordique** Nordic walking *C*
le   **mariage** marriage *A*
   mental(e) mental *C*
la   **méthodologie** methodology *A*
se   **modifier** to change oneself *A*
la   **montgolfière** hot air ballooning *C*
la   **moto tout terrain** all-terrain motorbike *C*
un(e)   **musulman : Arabes non musulmans** non-religious Muslims *B*
   négliger to disregard *A*
un   **palet** puck *C*
le   **parachute** parachute *C*
le   **parapente** paragliding *C*
un   **passage** passage *A*
une   **patinoire** skating rink *C*
   perdurer to carry on *A*
   permettre (de) to allow (to) *C*

	persuasif, persuasive persuasive *B*	
	physique physical *C*	
les	**piercings (m.)** body piercings *A*	
une	**piste** piste *C*	
	pratiquer to practice *C*	
	profane secular *A*	
une	**promotion** promotion/sale *B*	
la	**pub (publicité)** advertising *B*	
le	**public** public *B*	
le	**quotidien** daily life *C*	
le	**rafting** rafting *C*	
la	**randonnée : randonnée en quad** ATV ride *C*	
une	**raquette** racket *C*	
une	**réception-cadeaux (pour bébé)** baby shower *A*	
	refléter to reflect *B*	
une	**règle** rule *A*	
	religieux, religieuse religious *A*	
	respecter to respect *A*	
un	**rite** rite *A* ; **rite de passage** rite of passage *A* ; **rites d'initiation** initiation rites *A* ; **rites funèbres** funeral rites *A* ; **rites funéraires** funeral rites *A*	
un	**rituel** ritual *A*	
	rituel, rituelle ritual *A*	

le	**ruban** ribbon *A*	
une	**selle** saddle *C*	
	seul(e) single *A*	
le	**ski : ski sur herbe** grass skiing *C*	
un	**slogan** slogan *B*	
	somatiser to suffer psychosomatically from *A*	
le	**stress** stress *A*	
	strictement strictly *A*	
	subir (de) to submit (to) *A*	
	suggestif, suggestive suggestive *B*	
	surmonter to overcome *A*	
un	**tatami** mat *C*	
les	**tatouages (m.)** tattoos *A*	
les	**tendances (f.)** tendancies *B*	
un	**terrain** field *C*	
	totalement totally *A*	
	transformé(e) transformed *A*	
	transgresser to transgress *A*	
se	**transmettre** to be passed *A*	
	trompeur, trompeuse deceptive *B*	
	viser to aim for *B*	
	vivant(e) alive *A*	
le	**VTT (vélo tout-terrain)** mountain bike *C*	
l'	**ULM (m.) (ultra-léger motorisé)** ultralight aviation *C*	

Unité
3 La quête de soi

Unité 3

La quête de soi

Question centrale

Comment la langue influence-t-elle l'identité ?

Quelle est la langue maternelle de ce pays africain ?

Question centrale

Comment est-on enrichi par les produits, les pratiques, les points de vue d'autres cultures ?

Question centrale

Quelles valeurs a le nationalisme pour les individus et les institutions ?

Qui était cet homme ?

6 B

DE GAULLE AS

Contrat de l'élève

Leçon A **Je pourrai...**

» parler du processus pour maîtriser une deuxième langue.

» discuter des langues maternelles, des immigrés en France, du français.

» employer des expressions hypothétiques dans mon discours, y compris le conditionnel.

Leçon B **Je pourrai...**

» expliquer la progression et l'évolution d'un phénomène, utiliser un synonyme pour **pour que**.

» discuter du programme Erasmus, de la world, du métissage en art et en cuisine, de la diversité culturelle au Canada.

» utiliser la négation et les pronoms interrogatifs.

Leçon C **Je pourrai...**

» expliquer une action, exprimer combien de temps j'ai mis à faire quelque chose et utiliser « **que** » au début d'une phrase.

» discuter du patriotisme, de la Libération de la France en 1944, de l'asile et la naturalisation d'une campagne pour aider les réfugiés.

» utiliser le participe présent et le gérondif.

Vocabulaire actif

emcl.com
WB 2–7

L'identité linguistique

Question centrale

?

Comment la langue influence-t-elle l'identité ?

Les langues maternelles

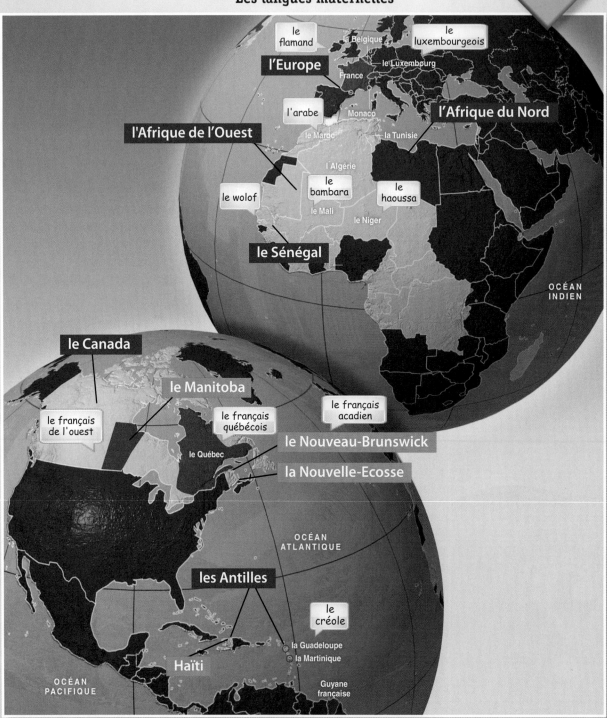

Langue : idiome/dialecte/patois/idiotisme/néologisme

Le mot qui a le sens le plus général est **idiome**. Il désigne tout procédé qui permet à des gens d'une communauté de communiquer entre eux, oralement ou par écrit : les langues, les dialectes, les patois sont donc des « idiomes ». « Langue » peut aussi avoir ce sens très général.

Mais une langue est aussi un ensemble de mots et de règles que des peuples différents utilisent pour parler. Elle a souvent un caractère officiel : ses règles (orthographe, grammaire, etc.) sont enseignées dans des écoles ; elle est parlée sur un territoire assez vaste défini par des frontières. Mais ce n'est pas toujours le cas. De nombreuses langues africaines, par exemple, n'ont pas ce statut officiel.

Un **dialecte** est une forme particulière d'une langue parlée dans une région. L'italien et le français sont deux langues différentes. Le provençal est un dialecte occitan.

Un **patois** est un dialecte qui n'est parlé qu'à la campagne. Le mot a aussi un caractère péjoratif : on dira qu'une langue est « un patois » quand on veut la mépriser.

Un **créole** est une langue qui provient du contact du français, de l'espagnol, du portugais, de l'anglais ou du néerlandais avec des langues indigènes ou importées et qui est devenue langue maternelle d'une communauté. Les créoles d'Haïti, de la Guadeloupe, de la Martinique, de La Réunion sont des créoles à base française (mais très différents du français et incompréhensibles pour des Français). Les créoles de la Barbade ou de la Jamaïque sont à base anglaise.

Un **idiotisme** est une façon de s'exprimer particulière à un idiome (une langue ou un dialecte) et qu'on ne peut pas traduire mot à mot. Chaque langue a ses idiotismes : un idiotisme anglais est un « anglicisme », un idiotisme français un « gallicisme » , espagnol un « hispanisme » . L'expression idiomatique française « il pleut des cordes » peut se traduire par un anglicisme : « *It's raining cats and dogs* ».

Un **néologisme** est une création récente, le plus souvent un mot nouveau (cf. *consom-action* leçon 2 B), ou un nouveau sens donné à un mot (*la souris* de l'ordinateur).

Pour la conversation

How do I express which language I'm comfortable using ?

> **C'est en** français **que je me sens à l'aise dans** une conversation intellectuelle...

It's in French that I feel at ease in intellectual conversation...

How do I say that a new language doesn't help me with the basics I learned as a child ?

> **Ce n'est donc pas** le français **qui me vient en aide quand** je sèche sur mes additions et mes multiplications...

So it's not French that helps me when I blank out when adding and multiplying.

How do I say I'm making progress in speaking a language ?

> **J'avance dans mon apprentissage de** l'anglais.

I'm making progress in learning English.

1 Les langues maternelles dans la Francophonie

Complétez la phrase avec le nom de la langue maternelle.

MODÈLE   Les guides au Louvre expliquent les peintures aux touristes américains…
en anglais

1. Les guides du musée national de Niamey commentent la culture nigérienne qu'on voit dans les pavillons en français et…
2. Les guides au Parc national de la Guadeloupe parlent aux visiteurs en français et…
3. Au Sénégal les griots racontent leurs contes aux enfants…
4. En France les chanteurs de raï chantent en français et…
5. Les chefs qui préparent les fruits de mer dans les restaurants martiniquais parlent français et… dans le restaurant.
6. Les écrivains au Québec écrivent…
7. Les banquiers à Luxembourg parlent à leurs clients en français et…
8. Jacques Brel, le chanteur belge, chante en français et…

2 Apprenez d'autres français !

Pour chacune de ces expressions venues d'Afrique de l'Ouest, choisissez la bonne définition.

1. C'est bientôt l'examen. Aya va **caïmanter**. Elle n'est pas paresseuse.
   A. avoir peur
   B. tricher
   C. travailler dur
2. Toi, tu **cherches** toujours **palabre** ! Il faut que tu évites la bagarre. **Chercher palabre**, c'est…
   A. chercher le conflit.
   B. inventer des excuses.
   C. chercher à connaître un secret.
3. Invite Dikembe à la soirée, c'est **un ambianceur ;** ça veut dire….
   A. quelqu'un de sympathique.
   B. quelqu'un qui met de l'animation.
   C. quelqu'un qui a des idées.
4. Il est tard, on va **demander la route**. Il me faut travailler tôt demain.
   A. demander son chemin
   B. exprimer à un hôte son intention de partir
   C. demander à un gardien l'autorisation de passer

5. Ça fait longtemps… **On dit quoi ?** Cette expression s'utilise pour…
   A. demander de répéter.
   B. demander une réponse.
   C. demander des nouvelles
6. Au café, elle aime les **sucreries** !
   A. les boissons sucrées
   B. les compliments
   C. les bonbons
7. Essaye de faire ça, tu vas voir **c'est caillou** ! Ça m'a fait plus de deux heures.
   A. C'est facile.
   B. C'est intéressant.
   C. C'est difficile.
8. Tu peux pas sortir comme ça avec Koffi ! Lui, c'est **un sapeur**.
   A. quelqu'un qui est très soucieux de sa tenue.
   B. quelqu'un de très sérieux.
   C. quelqu'un à qui on ne peut pas faire confiance.

3 Néologismes récents

A gauche vous trouverez des expressions ou phrases qu'on entend en France, mais qui ne sont pas acceptées par l'Académie française, une institution qui veille sur l'usage du français correct. Choisissez la lettre qui correspond à l'expression souhaitée par l'Académie.

1. un business plan
2. la deadline
3. Je suis booké.
4. eco-friendly
5. customiser sa voiture
6. prime time
7. Je peux profiter de cette opportunité.
8. un dress code
9. un acteur nominé aux Césars

A. le dernier délai
B. personaliser son véhicule
C. J'ai un agenda bien rempli.
D. un plan du développement
E. un acteur selectionné aux Césars
F. respectueux de l'environnement
G. l'heure de grande écoute
H. Je peux profiter de l'occasion.
I. tenue souhaitée

4 Faux amis

Méfiez-vous de ces mots ou expressions français, ce sont de faux amis ! Ils ressemblent à des mots de votre langue et pourtant ils ont des significations différentes. A deux, donnez rapidement la définition des mots de l'encadré.

achever	librairie	blesser	assister	caméra	collège	commande	faculté	large
	photographe	actuellement	attendre	conducteur	démonstration	exhibition		
	lecture	nouvelle	passer un examen	rester	sensible	surnom		

MODÈLE   achever : **terminer ce qui est commencé**

COMPARAISONS

Avec quels mots anglais ne faut-il pas confondre ces faux amis ?

5 Apprentissage des langues

Tout le monde étudie une langue étrangère. Dites qu'ils avancent dans leur apprentissage de la langue du pays ou de la province indiqués.

MODÈLE   Solange et Océane/le Mali
Solange et Océane avancent dans leur apprentissage du bambara.

1. Marc et moi/le Québec
2. Marie-Claire/le Sénégal
3. Dikembe et Moussa/l'Angleterre
4. je/la France

5. tu/la Nouvelle-Ecosse
6. Julie et Thomas/le Niger
7. Eric et toi/la Belgique
8. Martin et Chloé/le Luxembourg

Répondez aux questions.

1. Quelle est ta langue maternelle ? Quelle est celle de tes parents ? De tes grands-parents ?
2. Les gens de ton entourage se servent-ils d'un idiome « ado » que tes parents ne comprennent pas ? Quelles sont ces expressions ?
3. Y a-t-il un dialecte dans ta région ? Parles-tu ce dialecte ?
4. Quels gallicismes aimes-tu ?
5. Connais-tu des néologismes du monde de la technologie ? Lesquels ? Connais-tu leurs équivalents en français ?

Narratives

Langue maternelle, langue adoptive

Interpretive Communication : Print Texts

Introduction

Nancy Houston est née à Calgary, au Canada, en 1953. Elle arrive en France en 1973. Elle est l'auteur de best-sellers en français. Elle les traduit elle-même dans sa langue. Dans ses livres, elle s'interroge sur l'exil, l'écriture et la langue.

Pré-lecture

Regardez le nom de l'auteur. Quelle est la langue maternelle de Houston ? Où s'est-elle installée en 1973 ? Quelle est sa langue adoptive ?

> **Comment la langue influence-t-elle l'identité ?**
>
> *Question centrale*

Depuis longtemps, je rêve, pense, fais l'amour, écris, fantasme et pleure dans les deux langues tour à tour*, et parfois dans un mélange ahurissant* des deux. Pourtant, elles sont loin d'occuper dans mon esprit des places comparables : comme tous les faux bilingues sans doute, j'ai souvent l'impression qu'elles font chambre à part* dans mon cerveau*. Loin d'être sagement* couchées face à face ou dos à dos ou côte à côte, loin d'être superposées ou interchangeables, elles sont distinctes, hiérarchisées : d'abord l'une ensuite l'autre dans ma vie, d'abord l'une ensuite l'autre dans mon travail. Les mots le disent bien : la première langue, la « maternelle », acquise dès la prime enfance, vous enveloppe et vous fait sienne, alors que pour la deuxième, l'adoptive, c'est vous qui devez la materner, la maîtriser, vous l'approprier.

> **Rappel**
> Le participe présent peut parfois se transformer en adjectif. Décrivez quatre personnes en vous servant d'un participe présent comme adjectif.

Chaque faux bilingue doit avoir sa carte spécifique de l'asymétrie lexicale ; pour ce qui me concerne, c'est en français que je me sens à l'aise dans une conversation intellectuelle, une interview, un colloque*, toute situation linguistique faisant appel aux concepts et aux catégories appris à l'âge adulte. En revanche, si j'ai envie de délirer*, me défouler*, jurer*, chanter, gueuler*, me laisser aller au pur plaisir de la parole, c'est en anglais que je le fais. Tout mon français en d'autres termes doit se trouver dans l'hémisphère gauche de mon cerveau, la partie hyper-rationnelle et structurante qui commande à ma main droite alors que ma langue maternelle, apprise en même temps que la découverte du corps, la maîtrise des sphincters et l'intériorisation des interdits, est répartie entre les deux hémisphères (la droite, plus holistique, artistique et émotive, est donc entièrement anglophone).

Source : HOUSTON, Nancy. *Nord perdu.* Arles : Actes Sud. Paris : 1999.

---

tour à tour *in turn* ; **ahurissant** incroyable ; **font chambre à part** sont séparés (*fam.*) ; **le cerveau** *brains* ; **sagement** *wisely* ; **le colloque** conférence ; **délirer** m'amuser comme un fou ; **me défouler** me relaxer ; **jurer** *to swear* ; **gueuler** crier

Répondez aux questions.

A. *Lisez le texte en entier puis relisez le premier paragraphe.*
   1. Comment se définit Nancy Houston ?
   2. Quelle relation entretient-elle avec les deux langues qu'elle parle ?
   3. Qu'est-ce qui distingue, selon Nancy Houston, la langue maternelle de la langue adoptive ?

B. *Relisez le deuxième paragraphe jusqu'à « c'est en anglais que je le fais ».*
   4. Qu'est-ce qui se rapporte à l'anglais ?
   5. Qu'est-ce qui se rapporte au français ?

   MODÈLE   **Français : conversation intellectuelle...**
   Anglais : je délire...
   6. A quoi renvoient respectivement les suites de mots que vous avez relevées ?
   7. Que nous apprennent-elles sur l'usage que fait Nancy Houston de l'une et l'autre langue ?

C. *Lisez la fin du texte.*
   8. Comment Nancy Houston explique-t-elle les fonctions différentes que remplissent pour elle les deux langues ?
   9. Dans l'ensemble du texte, qu'est-ce qui souligne une différence, une opposition ?
   10. Dans le deuxième paragraphe, avec quels mots N. Houston reprend-elle cette idée : « j'ai souvent l'impression qu'elles font chambre à part dans mon cerveau » ?

Je n'ai pas perdu ma langue maternelle

Interpretive Communication : Print Texts

Introduction

Julia Kristeva est née en Bulgarie en 1941. Elle vit en France depuis 1966. Elle est sémiologue, psychanalyste et écrivaine. Auteur de nombreux ouvrages, elle est professeur à l'Université Paris VII.

Pré-lecture

Lisez le titre et l'introduction. Pensez-vous que Kristeva parle plus en langue bulgare ou en français dans sa vie quotidienne ?

Je n'ai pas perdu ma langue maternelle. Elle me revient, de plus en plus difficilement, je l'avoue*, en rêve ; ou quand j'entends parler ma mère et qu'au bout de vingt-quatre heures d'immersion dans cette eau désormais* lointaine*, je me surprends à nager assez convenablement ; ou encore quand je m'astreins* à un idiome étranger—le russe ou l'anglais par exemple—, et qu'en perte de mots et de grammaire, je me cramponne* à cette vieille bouée de sauvetage* soudain offerte à ma disposition par la source originelle[1] qui, après tout, ne dort pas d'un sommeil si profond. Ce n'est donc pas le français qui me vient en aide quand je suis en panne dans un code artificiel, ou quand, fatiguée, je sèche[2] sur mes additions et mes multiplications, mais bien le bulgare, pour me signifier que je n'ai pas perdu les commencements.

Rappel
Pour former certains adverbes, on commence avec un adjectif (« difficile ») et ajoute le suffixe –**ment** (« difficilement »). Formez des adverbes avec ces adjectifs : **sérieuse, naturelle, facile, heureuse, malheureuse.**

Et pourtant, le bulgare est déjà pour moi une langue morte. C'est dire qu'une partie de moi s'est lentement éteinte* au fur et à mesure que j'apprenais le français chez les dominicaines*, puis à l'Alliance Française, et enfin à l'Université ; et que l'exil a fini par cadavériser* ce vieux corps, pour lui en substituer un autre—d'abord fragile et artificiel, ensuite de plus en plus indispensable, et maintenant le seul vivant, le français.

Source : KRISTEVA, Julia. *Le français dans tous ses états.* Flammarion. Paris : 2000.

je l'avoue (avouer) *I admit (to admit)*; **désormais** dès aujourd'hui ; **lointaine** loin ; **je m'astreins (s'astreindre)** je me force (se forcer) ; **me cramponne (se cramponner)** m'accroche ; **la bouée de sauvetage** *rescuing buoy* ; **s'est éteinte (s'éteindre)** a disparu ; **les dominicaines** *nuns of the Dominican order* ; **cadavériser** faire de quelque chose un cadavre

1. « je m'astreins... la source originelle » : Quand je n'arrive pas à m'exprimer dans une langue étrangère, ce sont les mots de ma langue maternelle qui reviennent, c'est ma langue maternelle qui vient spontanément à mon secours.
2. sécher (*familier*) : ne pas savoir quoi répondre, ne pas réussir à résoudre un problème. Julia Kristeva fait sans doute allusion à la difficulté de compter en français dans sa tête quand elle est fatiguée.

Langue vivante

1. Dans le premier paragraphe, Julia Kristeva développe la métaphore de l'immersion. Relevez les mots qui correspondent à cette image.
2. Dans le second paragraphe quels mots reprennent l'idée de « langue morte »?

8 Sa langue maternelle

Répondez aux questions.

1. Quand est-ce que sa langue maternelle revient à l'auteur ?
2. Le second paragraphe s'ouvre sur une contradiction avec le premier. Laquelle ? Quel mot la souligne ?
3. Dans quelles circonstances a-t-elle appris le français ?

Rokia Traoré, musicienne malienne

Interpretive Communication : Audio Texts

Introduction

Rokia Traoré est une chanteuse malienne, auteur-compositeur-interprète. Elle est née à Bamako et elle est d'ethnie bambara. Mais, fille de diplomates, elle a grandi dans différents pays, à Bruxelles notamment. Son style musical mêle la tradition mandingue et la modernité occidentale. Elle chante en bambara, en français et en anglais et partage sa vie entre le Mali et la France. En quelles langues est-elle tout à fait bilingue ?

Interviewée dans l'émission « La grande table » sur France Culture, Rokia Traoré répond à la question : « Est-ce que pour vous travailler en français et en bambara et en anglais, et penser comme ça entre les langues, c'est une occasion d'un espace de liberté, d'enrichissement pour votre chanson et pour votre art » ?

9 | J'ai bien compris !

Faites les activités suivantes.

A. *Ecoutez une première fois sa réponse.*

B. *Lisez les affirmations suivantes. Ecoutez une deuxième fois l'enregistrement et dites si ces affirmations ci-dessous sont vraies ou fausses. A deux, vérifiez si vous êtes d'accord et justifiez vos réponses.*

1. Pour Rokia Traoré, c'est une grande chance de parler plusieurs langues.
2. Parler une langue donne accès à sa culture.
3. Il a été difficile pour elle d'apprendre le français.
4. Elle est plus à l'aise en bambara qu'en français.
5. Les deux langues correspondent pour elle à deux univers séparés.
6. Elle a appris l'anglais en vivant dans un pays anglophone.
7. Elle a commencé récemment à chanter en anglais.

C. *Rokia Traoré éprouve le sentiment d'être différente quand elle passe d'une langue à une autre. Elle observe que ce changement se manifeste de façons différentes. Relevez ces détails.*

D. *La chanteuse note la diversité des cultures dans le monde anglophone. Faites une liste des pays qu'elle cite.*

Ensemble des documents

Comment ces trois personnalités vivent-elles leur bilinguisme ? Quelles sont les similarités ? Les différences ?

Question centrale
?
Comment la langue influence-t-elle l'identité ?

Les langues maternelles et les immigrés en France

Interpretive Communication : Print Texts

Introduction

Vous allez lire des statistiques sur l'usage du français par les immigrés en France. Pensez-vous que tout le monde sache parler français en arrivant en France ?

Les immigrés, souvent arrivés en France à l'âge adulte ou plus jeunes avec leurs parents, ont été majoritairement élevés dans une langue étrangère, éventuellement* associée au français : dans les trois quarts des cas, il s'agissait exclusivement d'une langue étrangère et dans un cas sur cinq du français et d'une langue étrangère. Seulement 7% des immigrés ont des parents qui leur parlaient exclusivement en français : il s'agit pour l'essentiel d'immigrés arrivés très jeunes ou natifs d'anciennes colonies françaises. Les immigrés venus du Portugal ont très rarement grandi dans un environnement francophone (7%). A l'inverse*, les immigrés originaires du Maghreb sont les plus nombreux à avoir bénéficié* d'un tel environnement (36%). A sexe et âge à l'arrivée* comparables, ces différences demeurent*.

La grande majorité des immigrés qui n'ont pas été élevés exclusivement en français continuent à utiliser leur langue maternelle étrangère à l'âge adulte avec des membres de leur entourage (famille vivant en France et voisinage*) : c'est le cas de 87% d'entre eux. Quelques-uns, 2 %, utilisent leur langue maternelle avec des personnes de leur voisinage sans l'utiliser avec leur famille. Plus les immigrés sont arrivés jeunes ou sont installés en France depuis longtemps, moins ils pratiquent leur langue maternelle et plus le cercle des personnes avec lesquelles ils l'utilisent est restreint* ; 64% de ceux arrivés en 1960 ou avant continuent à l'employer avec leur entourage, contre 91% pour ceux arrivés depuis 1981.

Bien que plus faible parmi ceux arrivés très jeunes, la pratique de la langue maternelle reste importante : 80% des immigrés arrivés à 10 ans ou plus jeunes continuent de l'utiliser avec leur entourage. Les immigrés du Maghreb ont eu plus souvent que les immigrés du Portugal des parents qui leur parlaient aussi en français quand ils étaient enfants, mais devenus adultes, ils utilisent aussi souvent leur langue maternelle avec leurs proches*. Dans leur grande majorité, les immigrés dont la langue maternelle n'est pas exclusivement le français considèrent qu'ils maîtrisent la langue française...

Source : INSEE. « Education et maîtrise de la langue ». www.insee.fr (14 avril 2013).

 Search words : langues parlées par les immigrés en france, langue minoritoires en france

---

éventuellement *possibly* ; **A l'inverse** Inversement ; **avoir bénéficié** *to have reaped the benefits of* ; **à l'arrivée** qui ont un résultat ; **demeurent (demeurer)** restent là (rester là) ; **le voisinage** *neighborhood* ; **restreint** plus petit ; **proches** les gens qu'ils connaissent bien

Quels immigrés considèrent qu'ils maîtrisent la langue française ?

Ma perspective

Quelles connaissances faut-il avoir pour maîtriser une deuxième langue ? Quand est-ce qu'on sait qu'on est vraiment bilingue ?

COMPARAISONS

Les immigrés que vous connaissez dans votre pays gardent-ils leur langue maternelle ? Comment le savez-vous ? C'est facile pour eux de maîtriser l'anglais ?

---

10 Le français et l'immigration en France

Répondez aux questions.

1. Quelle langue les immigrés parlent-ils en arrivant en France ?
2. Quelle est la situation linguistique des immigrés Maghrébins qui arrivent en France ?
3. Quels immigrés continuent à utiliser leur langue maternelle dans leur entourage à l'âge adulte ?
4. Qu'est-ce qui se passe le plus souvent lorsque les immigrés sont arrivés jeunes ou sont installés en France depuis longtemps ?
5. Quelle compétence en français ont les immigrés dont la langue maternelle n'est pas exclusivement le français ?

Le français a toutes les ressources nécessaires pour se réinventer

Interpretive Communication : Print Texts

Introduction

Xavier North, agrégé, normalien[1] et délégué général à la langue française et aux langues de France, s'entretient avec Aymeric Janier. Pense-t-il que le français se situe bien par rapport à d'autres langues internationales ?

Comment le français se situe-t-il par rapport à d'autres langues internationales ?
Le français a le privilège, avec l'anglais, l'espagnol et le portugais, d'être l'une des grandes langues de diffusion internationale. Du point de vue du nombre de ses locuteurs[2], il figure, selon les classements en vigueur, dans un peloton* d'une douzaine de langues. C'est loin d'être négligeable, d'autant que* la France ne représente que 1 % de la population mondiale et qu'il existe quelque 6.000—6.500 langues sur la planète. Ce qu'il est important de noter, c'est que le français a connu une évolution très importante de son statut*. Pendant longtemps, deux ou trois siècles, il a eu une prétention à l'universalité. Aujourd'hui, il se veut plutôt une langue d'influence mondiale, ce qui n'est pas la même chose. Bien sûr, ce changement de statut est souvent interprété comme

---

le peloton l'ensemble des personnes d'un même groupe ; **d'autant que** surtout que ; **le statut** *status*

---

1. diplômé de l'Ecole Normale
2. les gens qui parlent la langue

---

un recul*, voire* un déclin. Mais cette image est fausse car le français, sous l'effet conjugué de l'alphabétisation* et de l'expansion démographique, est une langue qui, en chiffres* absolus, continue de progresser. C'est notamment le cas en Afrique[3].

Quelle est l'image globale du français ?

Tout a été dit—et son contraire—sur le français. Certains ont soutenu que c'était une langue qui se distinguait par son élégance ou sa clarté*. D'autres en ont fait la critique. Ce sont là des jugements qui sont nécessairement subjectifs. Ce que l'on peut dire objectivement, c'est que la langue française est une langue qui, assez tôt dans son histoire, à partir du XVIème siècle, a été codifiée[4], dans le sens où elle a pu s'adosser à des dictionnaires[5]. C'est l'une des raisons pour lesquelles l'Académie française a été créée ; Académie qui, d'ailleurs, n'est pas la première en Europe, puisque* l'*Accademia della Crusca* a été créée à Florence en 1583.

A vos yeux, le français joue-t-il un rôle crucial dans la construction de l'identité nationale ?

Je parlerais d'identité culturelle plutôt que d'identité nationale. En effet, il ne faut pas oublier que le français n'est pas seulement la langue des Français, mais aussi celle du Québec, de la communauté française de Belgique et de populations qui ne se reconnaissent pas* nécessairement dans une identité française ; des populations qui se sont approprié la langue et qui voient en elle un instrument de liberté et, particulièrement dans les pays du Sud, de développement. Ce qu'il faut bien comprendre, c'est qu'une langue n'est pas qu'un outil* de communication, c'est aussi une manière d'exprimer* un rapport collectif avec le monde.

Du fait du nombre croissant d'emprunts à l'anglais, certains linguistes affirment que la langue française est en danger. Partagez-vous ce constat ?

Je ne pense pas que la langue française se trouve en danger, car elle n'a pas cessé* d'emprunter aux diverses langues du monde, comme au XVIème siècle avec l'italien[6]. La nouveauté, c'est que le français, dans la langue courante*, a plus emprunté à l'anglais au cours de ces dix ou quinze dernières années qu'il ne l'avait fait au cours du demi-siècle, voire du siècle écoulé*. Ce qui est également remarquable, c'est que ces emprunts* sont quasi exclusifs. En effet, hormis l'anglais, le français n'emprunte que très peu aux autres langues, si ce n'est peut-être à l'arabe compte tenu des flux migratoires et des échanges entre les deux rives* de la Méditerranée. Mais une langue étant un organisme vivant, rien ne dit qu'un grand nombre de mots anglais que nous utilisons aujourd'hui continueront à l'être dans dix, vingt, trente ou cinquante ans.

---

un recul *step back* ; **voire** *indeed* ; **l'alphabétisation (f.)** *literacy* ; **une chiffre** *figure* ; **la clarté** *clarity* ; **puisque** parce que ; **ne se reconnaissent pas (se reconnaître)** ne s'identifient pas les unes aux autres ; **un outil** moyen ; **exprimer** communiquer ; **cessé** arrêté ; **courant(e)** familier ; **écoulé** passé ; **un emprunt** *borrowed term* ; **la rive** la côte

3. D'après les projections, on comptera 700 à 750 millions de Francophones dans le monde en 2050, dont 500 millions en Afrique.
4. la langue française a été codifiée : la langue a acquis un statut officiel, elle a dû se soumettre à des règles.
5. s'adosser à des dictionnaires : s'appuyer sur des dictionnaires.
6. Dans le domaine des arts, notamment, avec des mots comme *arabesque, fresque, sonnet*...

Comment la langue française va-t-elle évoluer, selon vous ?

J'ai tout à fait confiance dans la capacité du français à exprimer les réalités du monde contemporain et celles du monde à venir. Je crois qu'il possède en lui toutes les ressources nécessaires pour se réinventer, sur les trottoirs* de nos villes, dans les quartiers de nos grandes agglomérations ou dans les commissions de terminologie. C'est une langue en constante évolution. Il n'y a qu'à voir le nombre de termes ou de mots nouveaux qui font leur entrée chaque année dans les dictionnaires pour s'en convaincre*…

Source : M INTERNATIONAL. « Le français a toutes les ressources nécessaires pour se réinventer. » www.lemonde.fr (14 avril 2013).

 Search words : le statut du français, le français dans le monde, la francophonie

le trottoir *sidewalk* ; **s'en convaincre** *to convince oneself*

COMPARAISONS

Lisez le titre. Comment le comprenez-vous ? A votre avis, pourquoi le français doit-il ou devrait-il se « réinventer » ? C'est vrai pour toutes les langues, y compris la vôtre ?

Savez-vous… ?

L'Académie française, institution créée en 1635, est chargée de définir la langue française. Elle publie un dictionnaire qui fixe l'usage du français. Par exemple, elle préfère qu'on utilise l'expression « consulter ses courriels » plutôt que « checker ses mails ». Chaque année, ses 40 membres reçoivent des ouvrages à lire et décernent des prix tels le Grand Prix du Roman et le Prix de la Francophonie.

Sa perspective

Qu'est-ce qu'une langue, selon Xavier North ? Relevez les différentes définitions qu'il donne dans l'article.

Ma perspective

Selon vous, qu'est-ce qu'une langue ? Etes-vous d'accord avec Xavier North ? Si oui, pourquoi ? Laquelle de ses définitions préférez-vous ? Pourquoi ?

11 Le français dans le monde

Lisez l'ensemble de l'article, puis répondez aux questions.

1. Quelle est la place du français dans le monde ? Quel est son statut actuel ? Peut-on parler de déclin ? Justifiez votre réponse.
2. Qu'est-ce qui fait la particularité du français ?
3. Pourquoi Xavier North préfère-t-il parler d'identité culturelle plutôt que d'identité nationale ?
4. Xavier North ne pense pas que le français soit menacé par l'anglais. Pourquoi ?
5. De quelles langues le français emprunte-t-il du vocabulaire ?
6. D'après Xavier North, comment le français se réinventera-t-il ? A quelles sources puisera-t-il ? Est-ce qu'elles sont de même nature ?

Le français, une langue au riche passé

Interpretive Communication : Print Texts

Introduction

Vous allez lire quelques dates-clés qui témoignent de l'importance du français dans le passé. Le français est-il toujours la langue de la diplomatie ?

1523: Le théologien* et humaniste Jacques Lefèvre d'Etaples traduit* en français le *Nouveau Testament*.

1539: Le roi François Ier signe l'ordonnance de Villers-Cotterêts (192 articles), en vertu de laquelle* le français remplace le latin pour la rédaction* de tous les actes légaux* et notariés*.

1635: Le cardinal de Richelieu fonde* l'Académie française. La première édition de son dictionnaire remonte à* 1694.

1714: Le traité de Rastatt (Allemagne), conclu entre la France et l'Espagne, fait du français la langue de la diplomatie. La concurrence* de l'anglais se renforcera* à partir de la signature du traité de Versailles, en 1919.

2 thermidor an II (20 juillet 1794): La Convention nationale impose l'emploi du français dans la rédaction de tout acte public.

1992: La révision constitutionnelle du 25 juin pose le principe que « *la langue de la République est le français* ».

Source : M INTERNATIONAL. « Le français a toutes les ressources nécessaires pour se réinventer ». www.lemonde.fr (14 avril 2013).

 Search words : académie française, français langue de la diplomatie, le traité de rastatt

---

un(e) théologien (ne) personne qui fait de la théologie ; **traduit (traduire)** *translates* (*to translate*); **en vertu de laquelle** selon laquelle ; **la rédaction** écriture ; **légaux** pluriel de légal ; **notarié(e)** *notarized* ; **fonde (fonder)** crée (créer) ; **remonte à (remonter à)** *goes back to* (*to go back to*); **la concurrence** compétition ; **se renforcera (se renforcer)** sera plus forte

---

12 Le français au passé

Donnez la date qui correspond à chaque événement.

1. Le français devient langue diplomatique.
2. La constitution affirme que le français est la langue officielle de la France.
3. Une version du *Nouveau Testament* de la Bible paraît en français.
4. L'Académie française est fondée.
5. Le français remplace le latin dans les documents légaux.
6. Le premier dictionnaire français voit le jour.

Savez-vous... ?

Le français est devenu une *lingua franca*—une langue qui dépasse les frontières des communautés de ses locuteurs, une langue de communication entre groupes qui ne partagent pas la même langue maternelle. Au 17ème siècle, le français était devenu une langue de diplomatie, utilisée par les communautés internationales à travers le monde. De nos jours, de nombreuses personnes attribuent ce status à l'anglais.

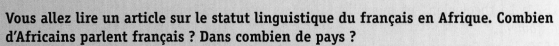

La Francophonie : Le français

✴ *En Afrique*

Interpretive Communication : Print Texts

Introduction

Vous allez lire un article sur le statut linguistique du français en Afrique. Combien d'Africains parlent français ? Dans combien de pays ?

A ce jour, il y a plus de Francophones sur le continent africain qu'en Europe. Sur 53 pays, l'Afrique comprend 32 pays francophones. Au total, l'on compte plus de trois cent millions d'Africains francophones en 2012, soit l'équivalent de la population des Etats-Unis. L'on prévoit* que ce chiffre doublera d'ici l'année 2040.

La langue française est apparue en Afrique lors de* la colonisation de l'Afrique par les pays occidentaux* au 19ème siècle. La France et la Belgique ont colonisé la plus grande partie de l'Afrique de l'Ouest et y ont donc imposé leur langue. Toutefois, le processus de francisation[1] a continué après la période coloniale car les frontières coloniales qui avaient divisé de façon arbitraire les pays africains ne retiennent* pas toujours leurs étanchéités* artificielles. Ainsi, les pays anglophones tels le Ghana et le Nigéria se voient constamment* francisés car ils sont entourés de pays francophones.

Le français est aujourd'hui la langue la plus parlée en Afrique. Les apprenants* du français en Afrique subsaharienne et Océan Indien représentent aujourd'hui un pourcentage de 60,37 %. Le français sert aussi de langue véhiculaire* et parfois maternelle dans un grand nombre de pays africains (Côte d'Ivoire, Gabon, Bénin, Congo et Cameroun, par exemple). En 2001, l'on a créé l'Académie africaine des langues (ACALAN) afin de gérer ce patrimoine* linguistique.

 Search words : le français en afrique, pays africains où on parle français

---

prévoit (prévoir) *forecasts (to forecast)*; **lors de** pendant ; **occidental** de l'Ouest ; **retiennent (retenir)** gardent ; **l'étanchéité (f.)** *distinctive separatism* ; **constamment** continuellement ; **apprenants** personnes qui apprennent ; **la langue véhiculaire** langue qu'on utilise ; **le patrimoine** *cultural heritage*

1. *francisation* : fait d'influencer ou de conformer un peuple à la langue (et la culture) française

Les déclarations suivantes sont fausses. Réfutez-les par un renseignement du texte.

MODÈLE   Le plus grand nombre de Francophones se situe en Europe.
              Il y a plus de Francophones sur le continent africain qu'en Europe.

1. Il y a 53 pays francophones en Afrique.
2. Plus d'Américains que d'Africains parlent français.
3. La mondialisation est la cause de la présence francophone en Afrique.
4. Le processus de francisation s'est terminé à la fin de la colonisation.
5. Les frontières linguistiques en Afrique sont très étanches.
6. Le Ghana et le Nigéria sont des pays francophones.
7. Le français n'est pas parlé en Océan Indien.
8. L'Académie Française gère le statut de la langue française.

Ensemble des documents

Que révèlent ces différents documents sur le statut du français dans le monde d'hier et d'aujourd'hui ?

La culture de tous les jours

Lisez la bande dessinée. Ensuite, répondez aux questions.

Répondez aux questions.

1. Qu'est-ce que Paul va faire pendant les vacances ?
2. Où va-t-il séjourner ?
3. Il voudrait maîtriser quelle langue ?
4. Pourquoi ?

Structure de la langue

L'hypothèse

A. Le possible

1. **Si + présent** peut exprimer :
- une hypothèse réalisable dans le présent ou dans le futur (**si + présent** suivi du futur)
Si on *ne réforme* *pas l'enseignement des langues,* *le niveau* *des élèves ne s'améliorera pas.*
(une éventualité qu'on peut envisager)

- mais aussi une règle générale (on peut remplacer « si » par « quand ») :
Si on *ne pratique* *pas une langue,* *on l'oublie* *vite.*

- ou encore une condition :
Le niveau en langue des élèves *s'améliorera si on baisse* *les effectifs.*

2. **Si + passé composé** exprime une hypothèse possible dans le passé
- dont la conséquence peut être passée (**si + passé composé** suivi du passé composé)
Si dans un pays étranger, *vous n'avez pas compris* *le menu,* *vous avez* *certainement* *mangé* *des choses inattendues.*

- dont la conséquence est actuelle (**si + passé composé** suivi du présent) :
Si vous avez appris *une langue étrangère quand vous étiez petit(e),* *vous avez* *sûrement une bonne prononciation.*

B. L'irréel

1. **Si + imparfait** exprime une hypothèse irréelle ou difficilement réalisable dans le présent ou le futur (**si + imparfait** suivi du conditionnel)

Si j'avais *le temps,* *j'apprendrais* *le chinois* (…mais je n'ai pas le temps, donc je ne peux pas apprendre cette langue)

Le verbe de la deuxième partie de la phrase est au **conditionnel**, le plus souvent au conditionnel présent mais ce peut être le conditionnel passé quand le résultat de l'hypothèse est passé.

Si les Français étaient *moins conservateurs,* *ils auraient réformé* *l'orthographe depuis longtemps* (…mais ils sont conservateurs et ils ne l'ont pas réformée).

2. **Si + plus-que-parfait** exprime *une* hypothèse irréelle dans le passé (**si + plus-que-parfait** suivi du conditionnel présent ou passé)

Le verbe de la deuxième partie de la phrase est au **conditionnel présent** si la conséquence de l'hypothèse est actuelle, ou au *conditionnel passé* si la conséquence est passée.

Si on avait protégé *les langues régionales,* *on n'aurait pas perdu* *toute une partie de notre culture* (…mais on n'a rien fait pour les protéger et elles ont donc disparu)

Si on avait protégé *les langues régionales,* *on les parlerait* *encore.*

Attention ! Le verbe qui suit « si » ne peut être **ni au futur ni au conditionnel**.

3. Autres manière de formuler une hypothèse irréelle :

- *au cas où* + conditionnel :

  Au cas où tu aurais un doute, vérifie dans le dictionnaire.
  Au cas où je partirais dans ce pays, je te demanderais des conseils.

- *en cas de* + nom :

  En cas de doute, vérifie dans le dictionnaire.

15 Choisir le temps qui convient

Mettez les verbes entre parenthèses au temps qui convient.

1. J'aurais pu travailler dans un hôtel de la Côte d'Azur l'été dernier si mon niveau de français (être)... meilleur. Je (pouvoir)... sans doute le faire l'été prochain, si je fais des progrès.
2. Si on est à l'étranger sans interprète, on (être)... bien forcé d'essayer de parler la langue du pays.
3. Il est têtu : s'il a décidé d'apprendre le sango, il le (faire)....
4. Si tu me (prévenir)..., j'aurais pu t'apporter un bon dictionnaire.
5. Si vous (aller)... chez Paul, vous avez pu constater que chez lui tout le monde parle français, même son chien !
6. Si vous étiez allés chez Paul, vous (pouvoir)... constater que chez lui tout le monde parle français, même son chien !
7. On dit que si le nez de Cléopâtre (être)... moins long, la face du monde en aurait été changée.
8. Je ne (pouvoir)... partir en weekend que si j'ai fini ce travail avant samedi.
9. Si je (ne pas venir)... t'aider à traduire ce texte, je ne sais pas ce que tu aurais pu faire.
10. Si je ne l'aidais pas, je ne sais pas ce qu'il (faire)... !

16 Au cas où...

Complétez les phrases suivantes avec au cas où et le conditionnel. Utilisez le verbe proposé entre parenthèses.

1. Je vous laisse mon numéro de téléphone au cas où.... (avoir un problème)
2. Il a vécu longtemps à Madagascar, il pourrait t'aider au cas où.... (aller)
3. Je vous avertirais assez tôt au cas où.... (ne pas être disponible)
4. Je vous informe que le voyage est annulé au cas où.... (ne pas le savoir encore)
5. Il peut vous donner quelques adresses au cas où.... (vouloir rencontrer des gens du pays)
6. Change un peu d'argent pour pouvoir prendre un taxi au cas où.... (attendre à l'aéroport)
7. Il apprend quelques éléments de russe au cas où sa société.... (envoyer)
8. Est-ce qu'on a prévu une solution de rechange au cas où... ? (échouer)

Le conditionnel

emcl.com
WB 15–17

Les valeurs de la construction hypothétique

1. Les constructions avec « si »

Les constructions hypothétiques peuvent avoir des valeurs différentes telles que :

- le regret

  Si on avait protégé les langues régionales, on n'aurait pas perdu toute une partie de notre culture.

- le souhait

  Si j'avais eu le temps, j'aurais appris le chinois.

- le reproche

  Si tu m'avais encouragé(e), j'aurais fait un stage à l'étranger et aujourd'hui, ça me servirait.

2. **Si + passé composé** exprime une hypothèse possible dans le passé

- dont la conséquence peut être passée (**si + passé composé** suivi du passé composé)

  *Si dans un pays étranger, vous n'**avez** pas **compris** le menu, vous **avez** certainement **mangé** des choses inattendues.*

- dont la conséquence est actuelle (**si + passé composé** suivi du présent):

  *Si vous **avez appris** une langue étrangère quand vous étiez petit(e), vous **avez** sûrement une bonne prononciation.*

---

17 Valeurs des phrases

Retrouvez quelle valeur a chacune des phrases suivantes.

A. souhait
B. regret
C. reproche
D. hypothèse non confirmée
E. condition

MODÈLE Des centaines de langues auraient déjà disparu.

1. Si je n'avais pas abandonné l'espagnol, j'aurais pu avoir ce poste.
2. Si tu m'avais demandé mon avis, je ne t'aurais pas laissé faire ça !
3. Tu progresseras si tu prends en charge ton apprentissage.
4. Ce serait super s'il acceptait de nous aider !
5. Si vous saviez que c'était si difficile, vous auriez dû me le dire.
6. La réforme des programmes au collège supprimerait l'enseignement des langues mortes.
7. Si on se débrouillait mieux en langue, notre voyage aurait été beaucoup plus intéressant.

Révision : Formation du conditionnel présent

emcl.com
WB 18

Pour former le conditionnel :

Racine du futur + terminaisons de l'imparfait	
Futur/Conditionnel des verbes irréguliers:	
Infinitif	**Racine**
Aller	**ir–**
Avoir	**aur–**
Courir	**courr–**
Devoir	**devr–**
Etre	**ser–**
Faire	**fer–**
Falloir	**faudr–**
Pouvoir	**pourr–**
Recevoir	**recevr–**
Savoir	**saur–**
Venir	**viendr–**
Voir	**verr–**
Vouloir	**voudr–**

18 Vouloir/ne pas vouloir être...

Vous voudriez/ne voudriez pas être : un dictionnaire, une grammaire, un roman policier, une tablette, un répondeur, un lecteur MP3, une imprimante, un haut-parleur, etc.
Vous expliquez pourquoi. Vous pouvez bien sûr trouver d'autres catégories : un monument, un animal, un livre, un artiste, un instrument de musique...

> **Je ne voudrais pas être un haut-parleur parce que je devrais toujours parler très fort.**
> > ou
> **J'aimerais être un haut-parleur parce que tout le monde m'écouterait.**

19 Portrait d'une langue

A deux, faites le portrait d'une langue selon le modèle suivant. Faites deviner votre langue aux autres.

MODÈLES   **Si c'était une montagne, ce serait le mont Fuji**
Si c'était un vêtement, ce serait un kimono...
(le japonais)

A vous la parole

Comment la langue influence-t-elle l'identité ?

Communiquez!

20 Les langues maternelles de la Francophonie

Presentational Communication : Poem

Finissez le poème ci-dessous en liant une observation culturelle à la langue maternelle.

MODÈLE **Les boulangers à Paris vendent leurs baguettes en français.**
L'annonceur à Québec annonce le match de hockey en français québécois.
Les femmes à Tunis préparent le couscous ensemble en arabe...

Communiquez!

21 Langue de domination

Interpretive Communication : Audio Texts

Dany Laferrière, écrivain haïtien, est interviewé par Bernard Pivot, le présentateur d'une émission littéraire célèbre en France.

A. *Ecoutez les paroles de Bernard Pivot.*
  1. Qu'apprend-on sur Dany Laferrière ?
  2. Sur quel thème s'engage l'entretien ?
B. *Ecoutez la réponse de Dany Laferrière jusqu'à la question du journaliste :* « On peut se demander finalement.... »
  3. Dany Laferrière a vécu dans quels lieux ?
  4. Quelles langues sont associées avec ces endroits ?
  5. Quelle place, quel statut a chacune d'elles ?
  6. A chaque déménagement, Dany Laferrière est confronté à un renversement de situation. Lequel ?
C. *Ecoutez la fin de l'entretien.*
  7. Ecoutez la réponse de Dany Laferrière. Il dit au début : « *Je peux écrire en ....* » Que veut-il dire ?
  8. Quelle conception de la langue refuse Dany Laferrière ?
  9. Qu'est-ce qu'une langue pour lui ?

Communiquez!

Interpersonal Speaking : Conversation

Vous avez une conversation avec votre frère cadet. Cette conversation doit suivre le canevas qui vous est donné ci-dessous. Vous allez entendre les répliques de votre frère et vous réagirez comme le canevas l'indique.

–Votre frère ne veut pas étudier de langue étrangère.

–Vous êtes choqué(e). Vous parlez des bénéfices qu'une langue étrangère apporte en général.

–Il n'est pas convaincu et il donne un contre-argument.

–Vous lui posez une question sur ce qu'il voudrait faire comme profession.

–Il vous donne deux ou trois idées.

–Vous soulignez l'intérêt des langues dans le travail.

–Il est sceptique.

–Vous poussez l'argument en évoquant votre expérience personnelle avec le français.

–Il donne son avis final.

–Vous donnez votre avis.

Communiquez!

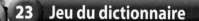

Presentational Writing : Game

Faites des équipes de trois ou quatre. Chaque équipe choisit dans un dictionnaire français un mot que personne ne connaît. Elle invente 2 définitions différentes pour ce mot et écrit aussi la bonne définition donnée par le dictionnaire. Puis tour à tour chaque équipe dit son mot et propose les trois définitions. Les autres doivent deviner quelle est la bonne.

L'équipe qui trouve la bonne définition marque 1 point. Si personne n'a trouvé la bonne définition, l'équipe qui a proposé le mot et inventé les définitions marque 2 points.

Communiquez!

24 L'apprentissage d'une langue en immersion

Presentational Communication : Persuasive Essay

« Le résultat de l'apprentissage d'une langue en immersion par les élèves est une diminution de capacité dans les autres matières telle que les maths, les sciences sociales, les sciences et la langue maternelle. » Prenez le pour ou le contre de cet argument et développez votre position par écrit. Servez-vous du texte suivant, et du graphique. Vous pouvez aussi faire des recherches supplémentaires en ligne.

Immersion : piège à cons ?

Depuis plusieurs années fleurissent un peu partout dans nos écoles des sections d'immersion linguistique en néerlandais, avec les meilleurs éléments (triés sur le volet s'il vous plaît, avec « interview d'embauche ») et les meilleurs enseignants (des « native speakers » flamands)[1]. Si j'écris ces lignes, ce n'est pas contre l'apprentissage des langues, maîtriser une langue étrangère est un atout que personne ne contredira, mais contre cette hypocrisie ambiante et le véritable danger que représente l'immersion en néerlandais pour notre culture francophone.

Professeur depuis bientôt 10 ans dans une école dite « huppée » en Brabant Wallon[2], je vois avec tristesse péricliter le niveau de français de nos chérubins. Pourtant de bons élèves, éduqués, cultivés, dont les parents se soucient… et pallient les difficultés à grands coups de cours particuliers (tellement plus facile d'avoir un prof perso que d'écouter en classe…)

Le niveau de français est alarmant. Certains mots de vocabulaire de base sont inconnus par plus de 70 % de mes élèves en rhéto[3] (du style « enjeu » , « suspicion » , « protagoniste » , et j'en passe et des meilleurs[4]). Je ne vous parle même pas de la grammaire (« ils sons » …[5]) ou des accords avec le participe passé.

Mon constat est conforté par ces enquêtes menées par la Communauté Française et par l'Europe. Nous luttons déjà suffisamment contre le langage SMS et les anglicisations douteuses pour que, en plus, on nous prenne nos meilleurs éléments en les privant d'une partie de leur culture française des cours d'histoire, de géographie ou de sciences. A l'heure où notre langue périclite, nous adoptons la position inverse. Plutôt que de renforcer l'enseignement de notre langue en gardant les bons éléments afin d'augmenter le niveau de tous les autres, nous cultivons celle du voisin. « Devenons tous flamands, cela résoudra tous les problèmes communautaires ? ! »

1. La construction grammaticale de cette phrase est inversée, le sens est : *des sections d'immersion linguistique en néerlandais fleurissent un peu partout…* ; triés sur le volet : soigneusement sélectionnés
2. huppée : riche et snob ; Brabant Wallon est une communauté française de la Wallonie, l'un des trois provinces de la Belgique. Située près de Bruxelles, la Wallonie couvre plusieurs communautés linguistique qui ont chacune leur propre langue, dont l'allemand, le français, le néerlandais, le flamand et le wallon.
3. Classe de terminale en Belgique.
4. j'en et des meilleurs: je n'ai pas le temps de tout raconter mais il y a d'autres exemples comme ceci.
5. Exemples de mauvaises réponses d'étudiants.

Pour maîtriser une langue étrangère, il faut d'abord bien maîtriser la sienne. Mes collègues germanistes s'arrachent les cheveux, non seulement parce qu'elles ont plus ou moins trente élèves en classe (ce qui fait 1 minutes et 39 sec pour faire parler chacun) mais aussi parce que ceux-ci sont incapables de comprendre correctement leur propre langue avant d'essayer de la traduire (« Ik heb kopen » « J'ai acheter » , « l'âge du faire » « De jaren of het doen » [6])

Il est primordial qu'un enfant entende correctement parler sa langue dans les premières années de son apprentissage par des personnes ayant un vocabulaire riche et varié. La télé n'est pas une personne et Dora n'est pas une babysitter !

Source : Laurence Detiège, professeur d'Histoire, Lycée de Berlaymont à Waterloo, Belgique. « Immersion : piège à cons ? » (blogue): 26 novembre 2008. www.davanac.me (19 avril 2013).

6. Les élèves font des fautes de français en traduisant littéralement les constructions néerlandaises, et vice-versa.

L'enquête de 2007 sur les attitudes des Canadiens à l'égard de l'apprentissage

Deux grandes conclusions peuvent être tirées des réponses aux questions sur les programmes d'immersion linguistique [au Canada]. Premièrement, la majorité des parents qui ont choisi d'inscrire leurs enfants à un programme d'immersion semblent le faire avant tout en raison des avantages découlant de la connaissance de plus d'une langue, comme en fait foi leur conviction qu'une telle compétence peut contribuer aux chances de décrocher un emploi. En revanche, bon nombre de parents continuent d'adhérer à la croyance persistante, quoique non fondée, voulant que les programmes d'immersion linguistique puissent nuire à l'apprentissage d'autres matières, comme la maîtrise de leur langue maternelle écrite et parlée, les mathématiques et les sciences. De telles divergences d'opinions font ressortir la nécessité de sensibiliser le public aux avantages sociaux, économiques et cognitifs du bilinguisme, comme en font largement foi les documents publiés.

Source : EACA. « L'enquête de 2007 sur les attitudes des Canadiens à l'égard de l'apprentissage ». www.ccl-cca.ca (19 avril 2013).

Résultats en mathématiques d'élèves en immersion française par type d'immersion (Canada)

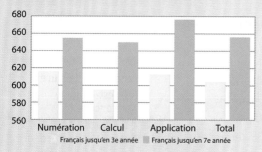

Source : Adaptation de données de Bournot-Trites et Reeder, 2001.

---

25 Stage de français en France

Interpersonal Writing : Email Reply

Vous souhaitez suivre un stage de français en France. Vous vous êtes renseigné(e) auprès du site web de Cavilam-Alliance française de Vichy. Puis, vous posez des questions sur la ville, l'hébergement, langue et loisirs—toute information supplémentaire dont vous avez besoin pour planifier votre séjour linguistique.

 Search words : cavilam vichy alliance française

Lectures thématiques

Les mots étrangers
Interpretive Communication : Print Texts

Rencontre avec l'auteur

Vassilis Alexakis (1943–) est né à Athènes mais vit en France depuis 1968. Journaliste, auteur de nombreux livres, il écrit aussi bien en français qu'en grec. Dans *Les mots étrangers* il relate sous la forme d'un roman son expérience de l'apprentissage du sango, une langue parlée en République Centrafricaine. A quelle langue compare-t-il le sango ?

Vassilis Alexakis.

Pré-lecture

Partagez votre propre expérience de l'apprentissage d'une langue étrangère.

« Parler sango » par Vassilis Alexakis

Un quart d'heure après avoir repris la lecture du dictionnaire je me sens porté si loin que la sonnerie* du téléphone me trouble énormément, exactement comme si elle retentissait* en pleine nuit. Je ne me demande pas qui m'appelle mais si je suis là pour répondre. Je sais à présent que le sango me conduit quelque part—peut-être à un endroit où je constaterai* avec joie mon absence ? J'évite de songer* à notre destination. Je me contente de le suivre à la trace*, ce qui n'est déjà pas très facile. Il chemine* sur des terres où la quasi-totalité des plantes et les trois quarts des arbres me sont inconnus. Sa syntaxe me déconcerte* encore plus. Il ne dit rien comme j'ai l'habitude de l'entendre. « Je porte une malle* sur ma tête » devient « Je porte sur ma tête malle une » . « Il y a trois femmes dans mon lit » (je n'ai trouvé nulle part cet exemple) se dit, selon toute probabilité : « Il y a dans mon lit femmes trois. » Je présume que l'histoire de Blanche-Neige s'intitule* *Blanche-Neige et les nains sept* ? Je n'ai pas oublié que « sept » se traduit par *mbasambara*.

Pendant la lecture
1. Que fait l'auteur ?

Pendant la lecture
2. Qu'est-ce qui reste inconnu de l'auteur ?

Pendant la lecture
3. Qu'est-ce qui le déconcerte ?

Pendant la lecture
4. Où est placé l'article indéfini dans le sango ?

Pendant la lecture
5. Comment dit-on « sept » en sango ?

---

la sonnerie bruit du téléphone ; **retentissait (retentir)** était très forte ; **constaterai (constater)** observerai ; **songer** penser ; **à la trace** *to keep up with* ; **chemine (cheminer)** va ; **déconcerte (déconcerter)** décourage ; **une malle** valise ; **s'intitule (s'intituler)** va pour titre

Tandis qu'en* français comme en grec l'adverbe de négation se place en début de phrase, en sango on le trouve à la fin. Comment ne pas être surpris par une langue qui présente toujours les choses sous un angle positif, quitte à se dédire* aussitôt après ? Si l'on veut exprimer l'idée qu'on n'a plus ses parents, on affirmera d'abord qu'on les a, puis on ajoutera *pepe* (la première syllabe est moyenne, la seconde grave[1], *pepè*), c'est-à-dire « pas », « point du tout », ou *dèn*, en grec : « J'ai mon père et ma mère pas. » « Il n'y a pas trois femmes dans mon lit » sera rendu* à peu près de la manière suivante : « Il y a dans mon lit femmes trois pas. » Lorsque deux propositions négatives se suivent, « je n'ai pas su que tu n'es pas venu » , note W.J. Reed[2], on déclarera « j'ai su que tu es venu » , après quoi on répétera pepe deux fois. Pepe est en somme une espèce de trappe* où le sens des mots s'engouffre* subitement*. Le grec et le français expriment la négation énergiquement, d'entrée de jeu. Le sango, lui, tergiverse*, se risque à formuler* le contraire de ce qu'il entend, cultive le suspense. La phrase sango se développe à l'ombre d'un doute*.

L'Africain qui aurait la curiosité de découvrir le grec ne serait pas moins embarrassé que je ne le suis. « Pourquoi dites-vous cela de cette façon ? » s'étonnerait-il sans cesse*. Le sango me renvoie* les questions que je lui pose. Apprendre une langue étrangère oblige à s'interroger sur la sienne propre. Je songe aussi bien au grec qu'au français : je les vois différemment depuis que j'ai entrepris* de m'éloigner d'eux, la distance les rapproche*, par moments j'ai l'illusion qu'ils ne forment plus qu'une seule langue. Serais-je en train de me servir du sango pour faire la paix avec moi-même ? Malgré mes innombrables voyages entre ma langue maternelle et ma langue d'adoption, je ressens* toujours une légère agitation quand je vais de l'une à l'autre. Ce sont certes* des langues qui se connaissent, qui se sont fréquentées, qui ont des souvenirs communs. Je distingue mieux leurs ressemblances à présent. Vu de Bangi[3], l'écart* entre Athènes et Paris doit paraître totalement insignifiant.

Pendant la lecture
6. Quel mot signifie la négation en sango ?

Pendant la lecture
7. Qu'est-ce qu'on est obligé de faire quand on apprend une langue étrangère ?

Pendant la lecture
8. Quelles langues forment une seule langue dans la tête de l'auteur ?

Pendant la lecture
9. Qu'est-ce qu'il ressent quand il change de langue ?

Pendant la lecture
10. Quelle langue lui semble plus lointaine—le grec, le français ou le sango ?

Source : ALEXAKIS Vassilis. *Les mots étrangers*. Stock. Paris : 2002.

Tandis qu'en Alors que ; **quitte à se dédire** même si on doit se contredire ; **rendu** tranformé ; **une espèce de trappe** une sorte de trou ; **s'engouffre (s'engouffrer)** *is swallowed up* ; **subitement** tout d'un coup ; **tergiverse (tergiverser)** change constamment d'opinion ; **formuler** exprimer ; **à l'ombre d'un doute** *in the shadow of a doubt* ; **sans cesse** tout le temps ; **renvoie (renvoyer)** redonne ; **j'ai entrepris (entreprendre)** j'ai réussi à ; **rapproche (rapprocher)** rend plus proches ; **ressens (ressentir)** ai la sensation ; **certes** bien sûr ; **l'écart (f.)** la séparation

1. la première syllabe est moyenne, la seconde grave : le sango, langue africaine, est une langue à tons : la hauteur à laquelle est prononcée une syllabe (haute, moyenne ou basse) a la même importance qu'une différence de voyelle ou de consonne.
2. W.J. Reed est l'auteur du manuel de sango avec lequel V. Alexakis étudie.
3. Bangi : Capitale de la République Centraficaine (Centrafrique). L'orthographe officielle est « Bangui ». Mais V. Alexakis explique au début du livre qu'il préfère écrire « Bangi » pour respecter la prononciation du sango : Bangui se prononcerait « bangoui ».

Langue vivante

A l'ombre d'un doute : il y a là un jeu de mots sur l'expression « sans l'ombre d'un doute » qui signifie que ce qu'on affirme est absolument certain, et l'expression « à l'ombre de quelque chose », c'est-à-dire à l'abri de cette chose, sous sa protection.

Post-lecture

Le texte de Vassilis Alexakis laisse-t-il penser que le fait de parler telle ou telle langue a une influence sur notre personnalité ? Justifiez votre réponse par des références précises au texte.

Partagez-vous cette opinion ? Fondez votre argumentation sur votre propre expérience ou sur celle des gens que vous connaissez bien.

26 Compréhension du texte

Lisez d'abord le texte en entier. Puis, répondez aux questions.

   A. *Lisez le premier paragraphe.*
      1. Quel vocabulaire a trait au voyage, au déplacement ?
      2. Quel état d'esprit de l'auteur est traduit par ce vocabulaire ?
      3. Comment comprenez-vous « *un endroit où je constaterai avec joie mon absence* » : pourquoi cette joie ? Qu'est-ce qu'elle révèle des attentes de l'auteur ? Autrement dit : que semble-t-il chercher en apprenant le sango ?
      4. « *...je n'ai trouvé nulle part cet exemple* » : pourquoi cet exemple que l'auteur avoue avoir inventé et cette remarque entre parenthèses ? Quelle est l'intention de l'auteur, l'effet qu'il veut produire ?

   B. *Lisez le deuxième paragraphe.*
      5. Quelles sont les particularités du sango par rapport au grec et au français ?
      6. Comment Alexakis présente-t-il l'expression de la négation en sango ? Montrez par l'étude du vocabulaire employé dans ce paragraphe (surtout à la fin) qu'il n'y voit pas simplement un fait grammatical. Comment l'interprète-t-il ?

   C. *Lisez le troisième paragraphe.*
      7. Que signifie « *Le sango me renvoie les questions que je lui pose ?* » Relevez dans le contexte l'explication de cette phrase.
      8. « *Serais-je en train de me servir du sango pour faire la paix avec moi-même ?* » Pourquoi n'est-il pas « en paix avec lui-même » ? Qu'est-ce qui trouble cette paix ? Pourquoi l'étude du sango peut-elle y remédier ?

Faites les activités suivantes.

1. Utilisez les règles de grammaire du sango pour reformuler ces phrases avec la syntaxe du sango :
   A. *Les trois mousquetaires* d'Alexandre Dumas
   B. Cécile ne va pas au fitness.

2. Ecrivez un essai qui affirme une de ces citations d'Alexakis sur la langue. (Remplacez *le sango* avec *le français*.)

   « Je sais à présent que le *sango* me conduit quelque part... »

   « Apprendre une langue étrangère oblige à s'interroger sur la sienne propre. »

   Vous développez soit le thème du français comme un chemin, soit l'étude du français comme un outil pour mieux comprendre l'anglais.

3. C'est Charles Perrault qui a écrit l'histoire de Blanche-Neige. Faites des recherches pour trouver les autres histoires de Perrault qu'on lit aux enfants dans votre pays.

L'hospitalité de la langue
Interpretive Communication : Print Texts

Rencontre avec l'auteur

Edmond Jabès (1912–1991) est né au Caire, en Egypte, dans une famille francophone. En 1956, il a dû quitter l'Egypte, en guerre contre Israël, en raison de ses origines juives. Naturalisé Français, il a vécu le reste de ses jours à Paris. A quel personnage du dialogue ressemble-t-il ?

Edmond Jabès.

Pré-lecture

Quels avantages vous apporte l'apprentissage du français ?

Rappel

Le pronom possessif « le tien » remplace un nom et un adjectif possessif. Répondez aux questions en vous servant d'un adjectif possessif. **Tes parents te permettent de conduire leur voiture ? Le travail de ton meilleur ami se passe bien ?**

L'hospitalité de la langue par Edmond Jabès

- Que viens-tu faire dans mon pays ?

- De tous les pays le tien m'est le plus cher.

- Ton attachement à mon pays ne justifie pas ta permanente présence parmi nous.

- Que me reproches-tu ?

- Etranger, tu seras toujours pour moi un étranger. Ta place est chez toi et non ici.

- Ton pays est celui de ma langue.

- Derrière la langue il y a un peuple, une nation. Quelle est ta nationalité ?

- Aujourd'hui la tienne.

- Un pays est, d'abord, une terre*.

- Cette terre est, aussi, dans mes mots. Mais je le confesse, elle n'est pas la mienne.

- Enfin, tu avoues*.

- Je n'ai pas vraiment de terre. J'ai, du livre, fait mon lieu. Tu le sais.

- Tu as, très habilement*, œuvré* afin de t'approprier ma langue.

- Ne la partageons-nous pas ?

- Nullement*. Tu l'as apprise. C'est tout. Moi je suis né avec.

- Doux leurre. J'ai, chaque fois le sentiment que ma langue naît* avec moi.

- L'exercice, la pratique d'une langue ne nous donne aucun droit* sur elle. Ils nous incitent* à la parler, à l'écrire le plus correctement possible.

- Ils nous donnent le droit de l'aimer. Et n'est-ce pas à elle que j'ai recours*, pour mieux me connaître, me comprendre ; pour interroger, enfin, mon devenir ?

- Tu ne peux revendiquer* le passé de ma langue.

- Mon passé est le sien, dans la mesure où* mes premiers mots ont été soufflés* par elle.

- Ils auraient pu, tout aussi bien, être mots d'une autre langue.

- Sans doute. Au départ il y a le désir.

Pendant la lecture
1. A qui le natif parle-t-il ?

Pendant la lecture
2. Le natif accepte-t-il la présence de l'étranger ?

Pendant la lecture
3. Où le natif veut-il que l'étranger retourne ?

Pendant la lecture
4. Qu'est-ce que c'est, un pays ?

Pendant la lecture
5. Comment l'étranger a-t-il appris la langue du natif ?

Pendant la lecture
6. A quoi a-t-on droit après avoir étudié une langue ?

Pendant la lecture
7. A quoi mène l'acquisition d'une langue ?

---

une terre un territoire ; **avoues (avouer)** *admits* ; **habilement** *craftedly* ; **œuvré** travaillé ; **Nullement** Pas du tout ; **naît** *is born* ; **le droit** *right* ; **incitent** encouragent ; **j'ai recours à** *I resort to* ; **revendiquer** *to claim* ; **dans la mesure où** à la condition que ; **soufflés** *breathed*

- Ton désir, peut-être, mais pas, forcément, le sien. La langue est libre d'attaches*. C'est aux circonstances que tu dois d'avoir adopté ma langue. Moi, j'ai hérité d'elle.

- Mes parents me l'ont révélée. Mes paroles, depuis, sont de reconnaissance* envers elle, et de fidélité.

- Est-ce parce que ma maison te plaît qu'elle est à toi ?

- *La langue est hospitalière*. Elle ne tient pas compte* de nos origines. Ne pouvant être que ce que nous arrivons à en tirer*, elle n'est autre que ce que nous attendons de nous.

- Et si nous n'en attendons rien ?

- Ta solitude sera égale à la nôtre. Je te fais don, ce soir, de mon livre.

- Un livre ne s'offre pas. On le choisit.

- Ainsi en est-il de la langue.

Source : JABÈS, Edmond. *Le Livre de l'Hospitalité*. Gallimard. Paris : 1991.

---

des attaches (f.) *ties* ; **la reconnaissance** *gratitude* ; **hospitalière** *hospitable* ; **ne tient (tenir) pas compte** *ne compte pas* ; **à en tirer** *à prendre d'elle*

Pendant la lecture
8. Qui a hérité la langue ? Qui l'a adoptée ?

Pendant la lecture
9. Qu'est-ce qui est hospitalière ?

Pendant la lecture
10. Qu'est-ce que l'immigré offre au natif ?

Langue vivante

L'expression *doux leurre* signifie douce erreur. L'interlocuteur fait entendre que l'attitude de son interlocuteur, qui différencie la présence du français chez l'immigré et chez le natif, est inexacte. Quel autre mot suggère la consonance *doux leurre* ?

Les phrases de ce texte ont une construction « poétique » qui bouscule un peu la syntaxe ordinaire, l'ordre habituel des mots dans une phrase courante. Comment l'auteur exprime-t-il ces idées ?

—*Depuis, j'ai des paroles de reconnaissance et de fidélité envers elle.*
—*J'ai fait du livre mon lieu (c'est-à-dire : ma terre, mon pays).*

Citation

L'auteur dit, « La langue est hospitalière ». Expliquez cette phrase en donnant des exemples.

Post-lecture

Après avoir étudié ce texte, comment comprenez-vous son titre ?

28 Compréhension du texte

Répondez aux questions.

A. *Regardez rapidement le texte.*
   1. De quel type de texte s'agit-il ?
B. *Lisez le texte.*
   2. Les interlocuteurs de ce dialogue ne sont pas explicitement présentés. Qui est le premier et à qui s'adresse-t-il ?
   3. Comment pouvez-vous préciser la situation du second à partir des répliques suivantes ?
      • Ton attachement à mon pays ne justifie pas ta permanente présence parmi nous.
      • Ton pays est celui de ma langue.
      • Quelle est ta nationalité ?
      • Aujourd'hui la tienne.
      • Cette terre [...] je le confesse, n'est pas la mienne.
      • Je n'ai pas vraiment de terre. J'ai, du livre, fait mon lieu.
      • [...] mes premiers mots m'ont été soufflés par elle [ta langue].
      • Mes parents me l'ont révélée.
   4. De quelle manière le dialogue est-il autobiographique ?
   5. Comment qualifieriez-vous l'attitude du citoyen quand il dit : « *Etranger tu seras toujours pour moi un étranger. Ta place est chez toi et non ici ?* »
   6. Comment comprenez-vous « *J'ai chaque fois le sentiment que ma langue naît avec moi ?* »

29 Les deux interlocuteurs

Chacun des deux interlocuteurs a une conception différente de la langue, un rapport bien différent avec elle. Relevez dans le texte tout ce qui correspond à la conception de chacun. Enfin, résumez les deux conceptions qui s'affrontent.

MODÈLE	Le « natif » :	L' « étranger » :
	Je suis né avec.	**J'ai chaque fois le sentiment que ma langue naît avec moi.**

30 Activités d'expansion

Faites les activités suivantes.

1. Refaites le dialogue, ou une partie du dialogue, en remplaçant la menace du natif avec l'accueill d'un natif.
2. Créez un « back story » pour l'étranger qui explique pourquoi il parle couramment le français. Il dit, « *Mes parents me l'ont révélée,* » c'est-à-dire, la langue française. Incluez les parents de l'étranger dans votre « back story » .
3. Selon Jabès, « *La langue est hospitalière.* » A part la langue, qu'est-ce que vous trouvez qui est hospitalière dans les cultures francophones, par exemple, la cuisine, la musique ou la littérature ? Développez vos idées dans un essai.

Synthèse

Quel rôle la langue étudiée joue-t-elle dans l'identité d'Alexakis et de l'étranger de Jabès ?

T'es branché ?

Faisons le point !

A. *Pour retrouver les principales idées développées au cours de la leçon, notez dans votre cahier un ou deux exemple(s) en face de chacun des points de repère qui vous sont proposés. Reportez-vous à tous les documents de la leçon (écrits journalistiques, témoignages, analyses, textes littéraires).*

? Question centrale

Comment la langue influence-t-elle l'identité ?

L'identité linguistique	Notes
L'influence d'une langue sur notre personnalité	
Les rapports langue maternelle —langue adoptive	
L'apprentissage d'une autre langue • dépaysement • prise de distance • quête de soi	
Langue dominée—langue dominante	
Langue, propriété des locuteurs natifs ?	
Le français : • diversité • évolution • une institution gardienne • le français et les Français	

B. *Discutez en groupes. Que répondriez-vous à la question posée au début de l'unité : Comment la langue influence-t-elle l'identité ?*

Vocabulaire actif

emcl.com
WB 1–6

Le pluriculturalisme

Question centrale

? Comment est-on enrichi par les produits, les pratiques, les points de vue d'autres cultures ?

Le récit de Muriel

Muriel a toujours eu beaucoup d'intérêt et de curiosité pour les cultures **étrangères.** Elle va aussi passer l'année scolaire au Bénin.

Au début, **l'indifférence** de ses amis la laisse dans un **cloisonnement**, et elle **se replie** sur elle.

Enfin, elle s'ouvre aux **singularités** de la culture béninoise. Peu à peu, elle **s'adapte** et **s'assimile.**

Quand il est temps de quitter son **pays d'accueil** et de rentrer dans son **pays d'origine**, Muriel est triste de laisser ses amis.

Attitude positive vis-à-vis d'une culture étrangère
l'attrait (m.)–l'ouverture (f.)–l'intérêt (m.)–la curiosité

Attitude négative vis-à-vis d'une culture étrangère
le mépris–le rejet–la méfiance–l'indifférence (f.)

Rapports entre les cultures

échange–domination–cloisonnement–emprunt–mélange–hégémonie–fusion–globalisation–assimilation–métissage–uniformisation–résistance–adaptation–mixité–ségrégation–intégration–coopération–dialogue–croisements

Une expérience personnelle

-être fidèle à/renier ses origines
-(français) de souche/(français) d'adoption
-s'ouvrir aux autres/se replier sur soi
-établir, construire ou créer des ponts ou des passerelles, lever une barrière/dresser une barrière
-originalité/uniformité
-singularité, particularité/universalité
-pays d'origine/pays d'accueil
-l'ouverture aux autres/le repli sur soi
-original/uniforme
-singulier, particulier/universel (*rendre uniforme :* uniformiser)
-s'adapter
-perdre/retrouver ses racines

Pour la conversation

How do I describe a progressive action ?

> **Au fur et à mesure que** mon niveau de chinois a augmenté, j'ai acquis une connaissance plus profonde...

Progressively as my level of Chinese increased, I acquired a deeper knowledge...

How do I express I've done quite a few of something ?

> **J'ai fait pas mal de** duos...

I've done quite a few duets...

How do I express a result for something I do ?

> **J'essaie de faire en sorte que** les collections **soient** le plus personnelles possible...

I try to do it so that the collections can be as personal as possible...

1 Attitudes vis-à-vis d'une culture étrangère

Faites les activités.

A. *Classez les noms suivants selon ce qu'ils expriment : une attitude positive ou négative vis-à-vis d'une culture étrangère.*

> intérêt   attrait   méfiance   fascination   rejet   ouverture
> curiosité   mépris   indifférence

MODÈLE   **Attitude positive : intérêt**
Attitude négative :

B. *Les rapports entre les cultures peuvent être très différents. Observez les mots ci-dessous. Quels regroupements proposeriez-vous pour eux ? Cherchez à deux, puis comparez votre classement avec celui d'un autre groupe.*

> domination   échange   emprunt   hégémonie   fusion   globalisation
> assimilation   métissage   mélange   résistance   uniformisation   adaptation
> ségrégation   intégration   coopération   mixité   dialogue   croisements   cloisonnement

2 Expressions

Choisissez parmi les mots ou les expressions présentés en opposition pour compléter les phrases suivantes.

Note : deux adverbes peuvent renforcer l'idée de singularité : *bien* et *typiquement*. Par exemple : *cette coutume est bien française, cette musique est typiquement bretonne.*

Certes je suis Américain... : ça fait 20 ans que je vis à New-York. Je me sens très bien dans mon pays.... Mais je reste français... (on ne peut pas...). C'est pourquoi je garde une certaine prédilection pour la chanson française « classique ». Il y a en France un certain nombre de jeunes chanteurs qui reviennent à des formes... françaises après être passés par le rock ou le rap, comme s'ils voulaient.... Il y en a aussi qui luttent contre... qu'impose la mode anglo-saxonne et qui... d'autres types d'expressions musicales : le reggae ou les rythmes brésiliens. Je crois que c'est une bonne chose, car n'aimer qu'un seul type de musique c'est une forme de..., alors que la chanson peut... entre les peuples ; même si on ne comprend pas les paroles, on peut apprécier dans la musique populaire une mélodie..., un rythme..., et c'est déjà....

Lisez le texte suivant. Ensuite, choisissez la lettre qui correspond à la réponse correcte. Attention : il peut y en avoir plusieurs.

Rien n'est plus dépaysant que de se plonger dans l'origine des mots d'une langue car, à côté du lexique transmis en ligne directe, il y a aussi des mots venus d'ailleurs, au gré de l'histoire des populations, provoquant ainsi des métissages, parfois rejetés mais le plus souvent réussis. Pour ces mots venus d'autres langues, les linguistes emploient un euphémisme très sympathique en parlant d'emprunts, mais la plupart du temps, ces soi-disant « emprunts » sont des emprunts à vie. Plus généralement, on peut parler d'échanges réciproques. Loin d'être des forteresses isolées, les langues au contraire ne connaissent pas de frontières et c'est en douceur que les mots passent d'une langue à l'autre. Dans l'histoire des langues, le métissage est une donnée naturelle et constitue un premier pas vers la compréhension entre les peuples.

> —Henriette Walter

Source : ALSIC. « L'intégration des mots venus d'ailleurs ». 2005. http://alsic.revues.org/324 (19 avril 2013).

1. Le mot « kiwi, » qui fait partie de la langue française, est un mot de la langue maori. Les maori habitant en Nouvelle-Zélande. Donc, « kiwi » est… de la langue maori.
   A. une forteresse
   B. un emprunt
   C. dépaysant
   D. une frontière
2. Le mot « métissage » peut décrire…
   A. une personne
   B. un mot emprunté d'un autre pays
   C. un produit culturel
   D. un euphémisme
3. Quand l'auteur dit « les langues… ne connaissent pas de frontières, » que veut-elle dire ?
   A. Il y a des emprunts et des échangent réciproques de vocabulaire entre nations.
   B. Il y a des métissages dans chaque langue.
   C. Les langues ne sont pas pures ; c'est-à-dire, chaque langue a des mots venus d'ailleurs.
   D. Les mots passent de pays en pays parce qu'il n'y a pas de barrières pour la langue.

Citation

Henriette Walter a dit : « les langues… ne connaissent pas de frontières ». Commentez d'après votre propre expérience et vos observations.

4 Qu'a-t-on fait ?

Dites qu'on a fait pas mal de choses dans les situations mentionnées. Suivez le modèle.

MODÈLE les ados/manger/dans la cantine
Les ados ont mangé pas mal de plats ethniques dans la cantine.

crêpes   animaux malades   accidents de voiture   mauvais conducteurs
plats ethniques   erreurs   cocas

1. les élèves/faire/à l'examen
2. maman/cuire/dans la cuisine
3. M. Forestier/voir/sur l'autoroute
4. le babysitteur/boire/chez les Dupont
5. l'agent de police/arrêter/dans l'avenue de la République
6. le vétérinaire/s'occuper de/à la clinique

5 Questions personnelles

Répondez aux questions.

1. Prends-tu intérêt pour les cultures étrangères, ou est-ce que tu les rejetes ou les méprises ?
2. Quelles ouvertures t'apporte l'exploration d'autres cultures ?
3. Aimes-tu la fusion culturelle des cuisines, des musiques, de la mode ou des produits artistiques ?
4. Quels produits viennent du métissage ? Quelles pratiques ? Quels points de vue ?
5. Quels mots est-ce que ta langue a empruntés du français ? de l'espagnol ? de l'italien ?

Narratives

Etudier à l'étranger : Témoignages

Narrative 1

Interpretive Communication : Print Texts

Introduction

Question centrale

?

Comment est-on enrichi par les produits, les pratiques, les points de vue d'autres cultures ?

Une étudiante témoigne des avantages d'un séjour à l'étranger. Comment ses expériences forment-elles une identité métissée ?

Pré-lecture

Pensez-vous que ce récit que vous allez lire encourage ou décourage les séjours à l'étranger ?

Aurélie Dupassieux a étudié à Salvador de Bahia, au Brésil. Son expérience représente une ouverture à une autre culture qu'elle trouve très riche. A votre avis, comment cette expérience l'a-t-elle enrichie ?

Le fait d'être immergée dans une culture complètement différente de la nôtre, de devoir accepter un mode de vie différent, des manières de faire et de penser souvent opposées à ce que l'on a l'habitude de voir en Europe, est une expérience très riche, qui permet d'évoluer, de remettre nos habitudes en question et d'être plus ouvert aux autres.

A l'université : travail dans un environnement calme. Beaucoup de communication, d'écoute, de spontanéité. Grande liberté d'expression. Grande créativité dans les travaux de groupe. Débats très intéressants, qui permettent de partager les idées, de bien assimiler le cours, et de résoudre des problèmes concrets. Salvador, par son passé colonial, a une culture très riche et diversifiée : un mélange des cultures africaine, indienne et portugaise, que ce soit au niveau de la religion, de la musique, des arts, de la cuisine... Ceci permet une grande créativité. La réalité ici est beaucoup plus dure qu'en France (travail des enfants, conditions de vie très difficiles pour la plupart des habitants : santé, éducation...), mais les gens ont le sourire. La société bahianaise est pour moi un exemple de solidarité et d'entraide. Le cadre est magnifique : les paysages, le soleil, la plage (eh oui...). Un conseil ? Allez-y ! ! !

—Aurélie DUPASSIEUX, Master 2 Manager International (CAAE) à UNIFACS, Salvador de Bahia, Brésil 2005–2006

Source : GRENOBLEIAE. « Témoignages d'étudiants partis à l'étranger ». www.iae-grenoble.fr (19 avril 2013).

 Search words : grenoble-iae

6 Etudier à l'étranger

Répondez aux questions.

1. Qu'est-ce que ses études à l'étranger lui ont apporté ?

   MODÈLE **Elles lui ont permis d'évoluer...**

2. Qu'est-ce qu'elle a apprécié...?
   - à l'université
   - à Salvador
   - dans la société de cette ville

La formule gipsy raï de Cheb Aïssa

Narrative 2

Interpretive Communication : Print Texts

Introduction

En s'associant à l'emblématique Chico, figure de la musique gitane depuis l'époque des Gipsy Kings, le chanteur algérien Cheb Aïssa ouvre de nouvelles perspectives au raï. Son album *Baraka*, c'est l'histoire d'une fusion à haute dose énergétique. C'est un mariage musical naturel. De quelle manière sa musique reflète-t-elle sa vie ?

Pré-lecture

Lisez le titre et l'introduction. De quel mariage musical s'agit-il ?

> **Savez-vous... ?**
> • Le mot « cheb » désigne un chanteur de raï en arabe.
> • K. Rhyme le Roi est un rappeur marseillais.

RFI Musique : Comment voyez-vous ce mariage entre ces deux musiques ?

Pour moi, il est culturellement logique. La musique arabe et la musique gitane, c'est un peu la musique andalouse.

Avez-vous beaucoup écouté de musique gitane ou andalouse durant votre enfance en Algérie ?

J'ai grandi avec. Il n'y avait que ça dans les programmes algériens pendant les années 80. En plus, dans la ville d'Oran, il y avait beaucoup d'Espagnols, donc je connais un peu la mélodie espagnole et les Gipsy Kings, le groupe de Chico. La musique andalouse a une histoire en Algérie, qui est liée entre autres à celle des Juifs, et de grands musiciens l'ont jouée, comme Enrico Macias.

> **Rappel**
> Au passé composé, les verbes avec l'auxiliaire avoir précédés d'un objet direct (pronom ou nom) s'accordent avec le genre et le nombre de cet objet direct. A quel mot le l' se réfère-t-il? Comment savez-vous que ce mot est féminin?

On n'a pas rencontré de réelles difficultés sur le plan musical, même s'il y a une grosse différence dans la façon d'interpréter la chanson dans le raï et dans la musique gitane. Mais le raï peut se mélanger avec tout !

Est-ce dans ce métissage que réside son avenir ?

Je crois. C'est devenu une musique internationale maintenant. Et c'est aussi mon expérience. J'ai fait pas mal de duos : avec le reggaeman jamaïcain U Roy, avec l'Ivoirien Paco Sery[1] pour le titre *Maghreb* sur son album *Voyages*, avec les rappeurs de Mafia Maghrebine, Ihmotep[2], K.Rhyme le Roi...

 —Bertrand Lavaine

Source : RFI MUSIQUE. « La formule gipsy raï de Cheb Aïssa ». 21 août 2012. www.rfimusique.com (19 avril 2013).

 Search words : cheb aïssa, cheb aïssa discographie, chico et gipsy kings

1. Paco Séry, né en 1956, est un batteur et percussionniste de jazz de génie, originaire de la Côte-d'Ivoire.
2. Imhotep, de son vrai nom Pascal Perez, est né en 1960 à Alger. A la fois compositeur, beat-maker et mixeur, il fait partie du groupe de rap marseillais IAM.

Lisez l'interview de Cheb Aïssa et répondez aux questions.

1. Qu'apprend-on sur Chico et Cheb Aïssa ? Qu'est-ce qui rapproche leurs musiques ?
2. Qu'est-ce qui peut expliquer l'ouverture de Cheb Aïssa aux autres musiques ?
3. A quelles musiques a-t-il « mélangé » le raï ? Pourquoi ?

Langue vivante

Relevez dans l'interview tous les mots ou expressions qui évoquent l'idée de la rencontre, du contact, tels que *mariage musical*.

Rencontre avec Alix Petit, créatrice d'Heimstone

Interpretive Communication : Print Texts

Introduction

Alix Petit a lancé la marque Heimstone parce qu'elle voulait que les femmes aient l'occasion de porter ce qu'elle aimait. Regarder les collections Heimstone est une invitation au voyage. Qu'est-ce qui définit sa marque ?

Pré-lecture

Lisez les questions posées par le reporter. De quoi Alix Petit va-t-elle parler ?

Quel est l'esprit de la marque ?

L'idée de base c'était vraiment de créer des vêtements différents pour des filles différentes. Du coup, les collections n'obéissent à aucune règle et ne rentrent dans aucun moule. Je dessine vraiment ce qui me passe par la tête, je fais des tests, des expériences, ça passe ou ça casse. Je voyage beaucoup, j'ai besoin d'être loin de Paris pour aimer Paris, et pour trouver un nouveau souffle dans chacune de mes collections qui sont donc très inspirées de mes voyages. J'essaie de faire en sorte que les collections soient le plus personnelles possible, je développe mes propres imprimés en rapport avec mes voyages comme les Google maps par exemple.

> **Rappel**
> Le verbe *obéir à* est un verbe regulier en *–ir*. Pouvez-vous donnez la conjugaison pour *je, tu, elle, nous, vous* et *ils* ?

Mes collections restent une proposition, un souvenir, c'est comme un carnet de voyage, on regarde, ça plaît ou non ! Après il y a certains codes *Heimstone* que j'essaie de véhiculer de saison en saison car c'est l'essence même de la marque : le mélange des matières, le souci des détails, les pièces métalliques, etc.

Tes collections appellent au voyage, quelles destinations t'inspirent ?

Les grands espaces, la nature, les odeurs, plus que les villes, je pique dans chaque endroit ce qui me plaît, et plus ça n'a rien à voir ensemble, plus j'aime.

Source : PAULETTEMAGAZINE. « Rencontre avec Alix Petit, créatrice d'Heimstone. » 2 mai 2011. www.paulette-magazine.com (25 avril 2013).

Citation

Alex Petit dit : « Les grands espaces, la nature, les odeurs, plus que les villes, je pique dans chaque endroit ce qui me plaît.... » Comment décririez-vous sa méthode ?

Les sources d'inspiration d'Alix Petit

Lisez l'interview d'Alix Petit, créatrice de mode, et répondez aux questions.

1. Quelles sont les sources d'inspiration d'Alix Petit ?
2. Comment s'approprie-t-elle les autres cultures ?
3. Comment se retrouvent-elles imbriquées dans ses créations ?
4. Comment définiriez-vous son style ?
5. En quoi peut-on parler de métissage ?

Ensemble des documents

Quels types de métissage sont présentés dans les deux derniers textes ?

COMPARAISONS

Voyez-vous dans votre entourage des styles de vêtements venus d'autres cultures ? Appréciez-vous plus particulièrement certaines influences d'ailleurs : matières, motifs, coupes...?

Culture

emcl.com
WB 7–11

?
Question centrale

Comment est-on enrichi par les produits, les pratiques, les points de vue d'autres cultures ?

Partir en Erasmus

Interpretive Communication : Print Texts

Introduction

Trente-trois pays européens accueillent des étudiants d'Europe dans un programme de coopération et d'échange dans le monde de l'éducation. Combien de Français y participent ?

Etre Européen ce n'est pas seulement se déplacer* comme on le souhaite pour les vacances, c'est aussi pouvoir partir étudier un semestre ou un an dans l'un des 33 pays du programme Erasmus.

Erasmus ? Oui, vous avez bien lu. Ce programme européen en matière d'enseignement supérieur* a trouvé son nom en référence à Erasme de Rotterdam... Le programme Erasmus a été créé en 1987, et depuis lors, plus de 2 millions d'étudiants européens en ont déjà profité. Au cours de* l'année universitaire 2009–2010, le cap des 30.000 étudiants français ayant bénéficié d'une bourse* d'échange Erasmus en Europe a été franchi*, soit une hausse* de 6,9% par rapport à l'année antérieure.

« Partir en Erasmus » est devenu une véritable institution ! A partir* de la deuxième année post-bac, de plus en plus d'étudiants partent pour une année universitaire, en Espagne, en Allemagne ou encore en Norvège*.

Etre étudiant Erasmus, c'est d'abord faire un grand pas* vers l'autonomie. Partir loin de sa famille et de ses amis, c'est surement le défi* le plus dur pour un étudiant. C'est aussi s'adapter à une culture nouvelle, apprendre à maîtriser* une autre langue au quotidien*, et surtout apprendre à vivre avec des jeunes de toute l'Europe. Mais une fois arrivé à destination, les rencontres, les découvertes et la fête sont au rendez-vous....

Source : TOUTE L'EUROPE. « Partir en Erasmus ». 30 novembre 2011. www.touteleurope.eu (25 avril 2013).

 Search words : erasmus, erasmus world, erasmus bourse, toute l'europe

---

se déplacer changer d'endroit ; **l'enseignement supérieur (m.)** études universitaires ; **Au cours de** pendant ; **une bourse** grant ; **le cap... a été franchi** the program reached its goal ; **une hausse** augmentation ; **A partir** Depuis ; **Norvège** Norway ; **pas** step ; **défi** challenge ; **maîtriser** bien connaître ; **au quotidien** tous les jours

COMPARAISONS

L'université qui vous intéresse offre quels programmes d'études à l'étranger ? Lequel vous intéresse le plus ? Pourquoi ?

Savez-vous... ?
Erasme de Rotterdam, ou « Erasmus, » était un philosophe et humaniste néerlandais du XVIème siècle.

Remplissez les espaces blancs avec le mot ou l'expression correct.

1. Le programme Erasmus existe depuis....
2. Pour l'année universitaire 2009-2010, le nombre d'étudiants français a... par rapport à l'année antérieure.
3. On peut s'inscrire dans le programme Erasmus à partir de la... année post-bac.
4. On... à une autre culture et... une autre langue.

La world music se réinvente

Interpretive Communication : Print Texts

Introduction

La « musique du monde » ou « world music » est un phénomène assez récent. Quels musiciens étaient les premiers à faire de la musique du monde ?

Note : Cet article est écrit au passé simple.

... « World music » est devenu un terme générique pour désigner ce qu'on appelle également musique ethnique, une expression tout aussi vague. En fait, il est impossible de donner une bonne définition de la world music. On limite souvent le concept à la musique du tiers-monde*, mais le blues, le gospel et la country américains, de même que le flamenco andalou, les *jigs & reeks* irlandais et le *joik* des Sames peuvent être eux aussi à juste titre* qualifiés de world music.

Ma première rencontre avec la musique non occidentale* remonte à la venue de Ravi Shankar à Copenhague en 1967. J'avais pu assister à quelques enregistrements* pour la télévision du légendaire joueur de sitar et de son remarquable tabliste*, Ali Akbar Khan. Par le biais* du jazz, j'avais découvert qu'il existait une musique dynamique et intéressante en dehors de l'Europe et des Etats-Unis. Miles Davis et John Coltrane racontaient en effet que Ravi Shankar leur avait inspiré la forme particulière d'improvisation modale qu'ils reprenaient dans leur album légendaire *Kind of Blue* de 1959.

> **Savez-vous... ?**
> Ravi Shankar est le père de la chanteuse américaine Norah Jones.

Le milieu du jazz a toujours été très ouvert aux musiques du monde. Dès 1948, Dizzy Gillespie avait initié un large public aux rythmes afro-cubains en intégrant le batteur* cubain Chano Pozo à sa formation, et, en 1960, Miles Davis et Gil Evans s'étaient inspirés du flamenco dans leur chef-d'œuvre *Sketches of Spain*.

La bossa nova brésilienne a contribué elle aussi à la formidable percée* de la world music et, une fois de plus, c'est un musicien de jazz, Stan Getz, qui fit* naître cet engouement* lors de*

---

le tiers-monde *Third-World* ; **à juste titre** *justifiably so* ; **occidentale** *Western* ; **un enregistrement** *recording* ; **un(e) tabliste** *tabla player* ; **Par le biais** *A travers* ; **un(e) batteur (se)** *joueur de batterie* ; **la percée** *succès* ; **fit** *a fait* ; **l'engouement (m.)** *craze* ; **lors de** *pendant*

son voyage à Rio en 1963. A une époque où des pionniers comme Albert Ayler et Cecil Taylor avaient renoncé à la structure mélodique et harmonique pour réduire* le jazz à un simple cri désarticulé*, Stan Getz réintroduisit la mélodie dans le jazz en s'associant aux chanteurs João et Astrud Gilberto et à leur compositeur, le pianiste Antonio Carlos Jobim. Getz fut influencé pour certains de ses plus beaux enregistrements par les Brésiliens, qui purent, grâce à lui, avoir accès au vaste public américain et européen.

Les musiciens de rock ont eux aussi largement contribué à la percée de la world music. Ainsi, après avoir découvert les maîtres musiciens de Jajouka au cours d'*un voyage au Maroc, Brian Jones enregistra un disque avec eux. Paul Simon, lui, partit en Afrique du Sud à une époque où le pays était encore sous le coup* d'un boycott en raison de sa politique d'apartheid, afin d'enregistrer dans le plus grand secret *Graceland* – paru en 1986 – avec plusieurs musiciens noirs relativement peu connus à l'époque, dont le groupe de chanteurs a capella Ladysmith Black Mambazo. Cette collaboration apporta un nouveau souffle*, bien nécessaire, à Paul Simon, tout en procurant* aux Africains un public occidental.

Source : THOMSEN, Christian Braad. « La world music se réinvente ». 8 octobre 2009. www.courrierinternational.com (25 avril 2013).

 Search words : la world (+ nom du musicien), la musique du monde, paul simon graceland, bossa nova brésilienne, miles davis, john coltrane, ravi shankar

réduire *to reduce* ; **désarticulé** *disjointed* ; **au cours de** *pendant* ; **sous le coup** *sous les effets de* ; **le souffle** *breath* ; **procurant** *donnant*

---

10 Les débuts de la world

Faites les activités suivantes.

1. Ecrivez une définition pour « la musique du monde ».
2. Faites un exposé sur l'un de ces musiciens : Ravi Shankar, Miles Davis, John Coltrane, Dizzy Gillespie, Gil Evans, Stan Getz, Brian Jones, Paul Simon. Faites écouter sa musique en classe.
3. Ajoutez à cette liste de musiciens cinq noms qui représentent la world actuellement. Assurez-vous d'y inclure des Francophones !

L'art des mélanges

Interpretive Communication : Print Texts

Introduction

Le métissage est bien plus que le croisement d'individus d'origines différentes. On le retrouve aussi dans les objets du quotidien ou dans les œuvres d'art. L'auteur parle de métissages dans quels continents du monde ?

Quel est le lien entre un gobelet* en argent, une noix de coco peinte, deux haches* cérémonielles, un brûle-parfum* en nacre et argent, un boléro en plumes de perroquet* multicolores Jean-Paul Gaultier et une nef* réalisée avec des emballages* Coca-Cola ? Aucun, semble-t-il. Et pourtant, tous ces objets sont *« l'expression d'une création humaine née de la rencontre des mondes européens et des sociétés d'Asie, d'Afrique et d'Amérique. Ils donnent à voir la complexité des sociétés,* observe Serge Gruzinski[1], spécialiste du Nouveau Monde et commissaire* de l'exposition « Planète métisse : to mix or not to mix ? » *Des sociétés qui ne subsistent et ne se reproduisent qu'à travers l'échange, l'assimilation et la création d'idées nouvelles ».*

Dès les premiers contacts entre l'Homo sapiens et l'homme de Néandertal, des matériaux, des formes, des croyances* ou des idées se sont mélangés*. Ils ont ainsi donné naissance* aux premiers objets métis*. Mais, c'est au XVe et au XVIe siècle qu'ils se multiplient et se propagent* aux quatre coins de la planète[2]. Choc des civilisations, rencontre des continents, autant de facteurs qui ont favorisé la création de ces objets euro-américains, euro-africains ou euro-asiatiques. [...]

Au XIXe siècle, à l'époque coloniale, un artiste nigérian s'inspire de portraits officiels de Victoria, reine d'Angleterre et impératrice* des Indes. Sans jamais oublier les éléments traditionnels de sa culture (la tête mesure plus de la moitié de la hauteur* du personnage), l'artiste la transforme en une statue africaine en bois sculpté. *« Cette statuette traduit*, à sa manière, l'acceptation de la souveraineté* de Victoria par les populations locales. Mais pas à n'importe quel prix,* insiste Serge Gruzinski, *puisqu'elle est représentée de façon à être assimilée au panthéon royal yoruba. »*

Toujours en mouvement, le métissage voyage d'un continent à l'autre, se modifie et s'enrichit. Aujourd'hui, le processus se poursuit* et s'accélère avec l'évolution des

---

un gobelet *tasse* ; **une hache** *axe* ; **un brûle-parfum** *perfume burner* ; **des plumes (f.) de perroquet** *parrot feathers* ; **la nef** *nave* ; **l'emballage (m.)** *wrappings* ; **le commissaire** *comissioner* ; **la croyance** *belief* ; **se sont mélangés** *became mixed* ; **donné naissance** *fait apparaître* ; **métis** *mixed* ; **se propagent (se propager)** *se multiplient* ; **l'impératrice (f.)** *empress* ; **la hauteur** *height* ; **traduit (traduire)** *translates* ; **la souveraineté** *sovereignty* ; **se poursuit (se poursuivre)** *continues*

---

1. Historien, archiviste-paléographe, spécialiste de l'Amérique latine, Serge Gruzinski est directeur de recherche au CNRS et directeur d'études à l'Ecole des Hautes Etudes en Sciences Sociales. Il a notamment publié *La pensée métisse* en 1999.
2. C'est l'ère des grandes découvertes (découverte de l'Amérique, tour du monde de Magellan...) et de l'expansion de l'empire ibérique.

nouvelles technologies comme Internet. Il touche une part toujours plus grande de la production artistique de notre société. A son tour, le cinéma puise* dans les cultures du monde. Ainsi, les films asiatiques reprennent un certain nombre de codes du western ou du glamour hollywoodien. De même, les films d'arts martiaux, essentiellement chinois, influencent tout un pan* du cinéma américain. Même les dessins animés se métissent ! Le manga, inspiré de Walt Disney, est devenu lui aussi une véritable source d'inspiration pour Hollywood. Des arts dits premiers à la musique en passant par le septième[3] et le neuvième art (bande dessinée), rien n'échappe aux métissages. « *Si aujourd'hui les mondialisations économique et technologique vont de pair* avec l'universalisation des métissages c'est parce que,* conclut Serge Gruzinski, *les deux processus sont liés depuis plusieurs siècles* ».

Source : VERON, Géraldine. « Anthropologie, l'art des mélanges ». Juin 2008. www2.cnrs.fr (25 avril 2013).

 Search words : musée du quai branly, yoruba, serge gruzinski

puise (puiser) prend (prendre) ; **tout un pan** beaucoup ; **de pair** ensemble

3. Le « septième art » est le cinéma.

Savez-vous... ?
• L'exposition « Planète métisse : to mix or not to mix ? » a eu lieu en 2009 au musée du Quai Branly à Paris.
• Le yoruba est une langue africaine parlée par environ vingt-cinq millions de personnes, au Nigeria, au Bénin et au Togo ; les deux derniers étant des pays francophones.

Langue vivante

L'auteur parle des « premiers objets <u>métis</u> ». Le mot souligné est un adjectif. Quelle est la forme féminine de « métis » ?

11 Planète métisse

Répondez aux questions.

A. *Lisez le titre, le chapeau et le début de l'article jusqu'à « des emballages Coca-Cola ».*
   1. Quel est le sujet de l'article ?
   2. Quels univers, quels horizons, quelles cultures évoquent pour vous les objets énumérés, leurs matières ?
B. *Poursuivez la lecture du premier paragraphe.*
   3. D'après Serge Gruzinski, que met en évidence le rapprochement de ces objets ?
   4. Que reflète-t-il ?
C. *Lisez les deuxième et troisième paragraphes.*
   5. A quelle époque remontent les premiers objets métis ?
   6. Qu'est-ce qui a favorisé leur essor au cours des XVème et XVIème siècles ?
   7. Que démontre l'exemple de la statuette en bois de la reine Victoria ?
D. *Lisez la fin de l'article.*
   8. Qu'est-ce qui influence le métissage artistique aujourd'hui ? Relevez les différents domaines dans lesquels il transparaît tels que le cinéma.
   9. A quel double phénomène assiste-t-on aujourd'hui ? Comment Serge Gruzinski l'explique-t-il ?
   10. Dans le dernier paragraphe, l'auteur dit : « le métissage voyage d'un continent à l'autre, se modifie et s'enrichit ». Quelles phrases illustrent ce processus d'allers-retours ?

Langue vivante

Relevez dans l'article les mots qui reprennent l'idée de « mélange ».

« *des objets <u>euro-américains</u>, <u>euro-africains</u> ou <u>euro-asiatiques</u>* » (2ème paragraphe) : que soulignent ces trois adjectifs ? Connaissez-vous d'autres d'adjectifs construits sur le même modèle ? A deux, faites une liste.

> **MODÈLE**   **Les relations franco-américaines (politique), les accords franco-canadiens (coopération économique)...**

Le bonheur est dans la cuisine métissée

Interpretive Communication : Print Texts

Introduction

Olivier Rœllinger, cuisinier gastronomique, originaire de Cancale, a baigné durant son enfance dans les histoires de corsaires malouins et de commerce des épices. A ceux qui lui parlent de cuisine du terroir français, il rétorque que c'est le mélange des saveurs qui est à l'origine de la cuisine bleu, blanc, rouge. Que sait-il des débuts de la cuisine fusion en France ?

Pré-lecture

Lisez le titre. Ce chef est-il pour ou contre la cuisine fusion ?

« *Au 17ᵉ siècle, la mondialisation des saveurs se fait entre les murs de Saint-Malo* ». Les épices* sont des trésors rapportés, qui lui permettent de révéler la face cachée de ses mets*. « *Pensez au riz et à toutes ses variantes, au curry, au safran* », suggère-t-il.

Amoureux des mets métissés, Rœllinger pointe avec humour les spécialités qui font la réputation et la culture d'un pays. « *Les accras de morue sont une spécialité des Antilles, alors qu'il n'y a jamais eu de morue dans les eaux antillaises* ».

Autre paradoxe, la tomate, la pomme de terre, la courge*, le cacao ou encore la vanille, viennent directement des Amériques. Or, ces produits font aujourd'hui la fierté* de la cuisine française. Les chefs les utilisent pour faire de la cuisine du terroir*. « *La force de la cuisine française, c'est sa perméabilité, sa capacité à accepter et intégrer tous ces produits d'ailleurs* ».

Le marché est un haut-lieu* des rencontres et du métissage. « *Quel que soit l'endroit où l'on se trouve sur la planète, il faut aller sur un marché, car c'est un lieu pacifiste où les échanges se créent* ».

Le plat le plus populaire en France, qui a détrôné* la blanquette* et le pot-au-feu*, n'est autre que le couscous...

Source : LIBERATION. « Le bonheur est dans la cuisine métissée ». 27 mars 2010. www.liberennes.fr (25 avril 2013).

    Search words : olivier rœllinger, cancale, saint-malo, recette pot-au-feu, recette la blanquette, cuisine fusion, restaurants fusions (+ nom de ville)

---

une épice *spice* ; **des mets (m.)** plats ; **une courge** *pumpkin* ; **la fierté** sentiment d'être fier ; **du terroir** *of the land* ; **haut-lieu** endroit très important ; **détrôné (détrôner)** *dethroned (to dethrone)* ; **une blanquette** plat de veau ; **le pot-au-feu** plat de viande et pommes de terre

COMPARAISONS

Aujourd'hui, la mode est à la
« cuisine fusion » . La cuisine fusion
vise à mélanger les cuisines de différents
pays pour obtenir des saveurs différentes.
On peut soit mélanger des plats entre eux,
soit réaliser des recettes étrangères avec
des ingrédients locaux. Quelles sont vos
expériences avec la cuisine fusion dans
votre pays ? Vous la recommanderiez ?
Pourquoi ?

12 Mélange de saveurs

Lisez l'article et répondez aux questions.

1. Quelle idée de la cuisine Olivier Rœllinger défend-il ? Quelle idée de la cuisine rejette-t-
il ? Retrouvez ses arguments.
2. Qu'est-ce qui, selon lui, fait la force de la cuisine française ? Comment cela se traduit-il
dans le quotidien des Français ?
3. En quoi le marché est-il un « haut-lieu du métissage » pour Olivier Rœllinger ?

13 La cuisine fusion

*Trouvez un menu d'un restaurant français qui sert la cuisine fusion. A deux, dites ce que vous
prendriez si vous étiez sur place. Vous devez choisir un hors-d'œuvre ou une entrée, un plat, un
dessert et une boisson. Présentez votre dialogue à un autre groupe.*

14 L'alimentation : espace de rencontre ?

Interpersonal Speaking : Discussion

*A votre avis, l'alimentation est-elle aujourd'hui un espace de rencontre des cultures ? Quels
autres espaces sont des lieux de rencontre entre cultures étrangères ? Donnez des anecdotes, des
observations, partagez vos expériences et vos observations.*

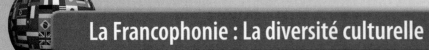

La Francophonie : La diversité culturelle

✷ *Au Canada*

Engagement en matière de diversité

Interpretive Communication : Print Texts

Introduction

Tiré du site du Patrimoine canadien, cet article décrit les priorités du gouvernement canadien vis-à-vis de la diversité. Qu'est-ce que vous ne saviez pas ?

Le Canada se distingue de la plupart des autres pays par son expérience en matière de* diversité. Ses 32 millions d'habitants composent une mosaïque culturelle, ethnique et linguistique qui n'existe nulle part ailleurs*. Chaque année, environ 200.000 immigrants venant de partout dans le monde choisissent encore le Canada, attirés* par la qualité de vie et la réputation de ce pays où l'on trouve une société ouverte, paisible* et accueillante, qui reçoit bien les nouveaux venus et valorise* la diversité.

Pour encourager, ici et ailleurs, la création et le partage* de récits canadiens qui reflètent la mosaïque culturelle canadienne, Patrimoine canadien s'est fixé* un certain nombre d'objectifs stratégiques. Le principal objectif est de reconnaître l'importance de la diversité culturelle. Notre engagement* et nos expériences en cette matière sont décrits dans les publications ministérielles* suivantes :

- Raconter le Canada : la diversité culturelle au pays et dans le monde
- Convention sur la protection et la promotion de la diversité des expressions culturelles

- Canada et l'UNESCO

 Search words : patrimoine canadien, diversité culturelle au canada, mosaïque culturelle canada

---

en matière de à propos de ; **nulle part ailleurs** *nowhere else* ; **attirés** *attracted* ; **paisible** calme ; **valorise (valoriser)** donne de la valeur (donner...) ; **le partage** *dissemination* ; **s'est fixé (se fixer)** a déterminé (déterminer); **l'engagement (m.)** *commitment* ; **ministériel(le)** du gouvernement

Produits   **Le Patrimoine canadien** est lié au Ministère du patrimoine canadien. Selon leur site web bilingue, il est « responsable des politiques et des programmes nationaux qui font la promotion d'un contenu canadien, encouragent la participation à la vie culturelle et communautaire, favorisent la citoyenneté active et appuient et consolident les liens qui unissent les Canadiens et Canadiennes ».

15 Diversité culturelle : une perspective canadienne

Remplacez l'espace blanc avec un mot ou une expression correcte.

1. Le Canada est fier de la diversité de sa culture, de son... et de ses langues.
2. Le Canada attire environ... d'immigrés chaque année.
3. Le but principal du pays est de... l'importance de la diversité culturelle.

Sa perspective

Selon le Patrimoine canadien, ses 32 millions d'habitants composent une mosaïque culturelle. Qu'est-ce que cela veut dire ?

Ma perspective

Les habitants de mon pays composent-ils une mosaïque culturelle aussi ? De quelle manière ?

La vigueur du métissage

Interpretive Communication : Audio Texts

16 La science et le métissage

Ecoutez l'intervention d'Axel Kahn et répondez aux questions.

Introduction

Axel Kahn, médecin généticien et essayiste, ancien Président de l'Université Paris Descartes, participe à une émission sur le métissage sur radio RFI. Le docteur parle de quelle science vis-à-vis du métissage—la physique, la chimie ou autre ? Quel rapport y a-t-il entre cette science et le métissage culturel ?

A. *Première partie.*
   1. Quelle thèse soutient-il ?
   2. Quels exemples donne-t-il pour appuyer sa thèse ?
   3. A quels domaines les emprunte-t-il ?
   4. Sur quoi repose l'évolution de la civilisation ?

B. *Deuxième partie.*
   5. A quoi conduirait, selon Axel Kahn, l'absence de métissage ?
   6. Pour lui, quels sont les mérites du métissage ? (Nommez-en deux.)

Ensemble des documents

- D'après ces textes, quels sont les avantages du métissage ?
- On peut lier ces textes culturels à quelles narratives ? Comment ?

La culture de tous les jours

Lisez la bande dessinée. Ensuite, répondez aux questions.

17 Rendez-vous dans un resto fusion

Répondez aux questions.

1. Où sont Karim et Adèle ?
2. Quelle sorte de cuisine Adèle aime-t-elle ?
3. Karim suggère quelle sorte de cuisine pour ce soir ?
4. Quelle est sa définition de la cuisine fusion ?
5. Où les ados décident-ils de dîner ?
6. Qu'est-ce qu'ils vont prendre ?

Structure de la langue

emcl.com
WB 12–15

Révision : La négation

Relisez quelques phrases des extraits précédents. Quelle est la règle pour former une phrase négative ?

« ... les langues **ne** connaissent **pas de** frontière ».
« On **n'**a **pas** rencontré de réelles difficultés sur le plan musical ».
« Les collections **n'**obéissent à **aucune** règle et **ne** rentrent dans **aucun** moule ».
« ... plus ça **n'**a **rien** à voir ensemble, plus j'aime ».
« ... les clichés **ne** se vérifient **pas toujours** ».
« ... **rien n'**est revigorant autant que le métissage ».
« ... **rien n'**échappe au métissage ».

1. La négation se compose de deux éléments : **ne**, placé avant le verbe, et un autre élément, placé après le verbe : **pas, rien, personne, jamais, pas encore, plus**.

Note : ne devient **n'** devant une voyelle.

- **Ne... pas** est la négation simple :

  Il est très ouvert. → *Il **n'**est **pas** très ouvert.*

- **Ne... ni... ni** ou **ne... pas... ni** est la négation de deux éléments, ou plus, reliés par « et »:

  Il aime le couscous et la paella. → *Il **n'**aime **ni** le couscous **ni** la paella. Il **n'**aime **pas** le couscous **ni** la paella.*

- **Ne... rien (objet)** ou **rien... ne (sujet)** est la négation de « quelque chose » ou de « tout ».

  -Elles ont fait quelque chose pour la Journée de la diversité culturelle ?
  *-Non, elles **n'**ont **rien** fait.*

  *Des arts dits premiers à la musique en passant par le septième et le neuvième art, **rien** **n'**échappe au métissage.*

- **Ne... personne (objet)** ou **personne... ne (sujet)** est la négation de « quelqu'un ».

  -Elles ont invité quelqu'un ?
  *-Non, elles **n'**ont invité **personne**.*

  ***Personne ne** vit totalement isolé de nos jours.*

Note : Comme « quelqu'un » et « quelque chose », **rien** et **personne** peuvent être suivis d'un adjectif. Dans ce cas, celui-ci est précédé de « de ».

  *Je **n'**ai **rien** appris de nouveau ; je **n'**ai rencontré **personne** d'intéressant.*

- **Ne... jamais** est une négation de « déjà » (= un jour) ou de « toujours » (= habitude).

  -Tu as déjà fait un stage à l'étranger ?

*Non, je n'ai **jamais** fait de stage à l'étranger.*

-Tu commences toujours à huit heures ?
*-Non, je **ne** commence **jamais** à huit heures.*

- **Ne... pas encore** est une négation de « déjà ». Elle indique que l'action, l'événement devrait ou pourrait se produire plus tard (à la différence de **« ne... jamais »**).

  -Vous avez déjà écouté le dernier album de Cheb Aïssa ?
  *-Non, je **ne** l'ai **pas encore** écouté.*

- **Ne... plus** est la négation de « encore ».

  -On peut encore voir l'expo « Planète métisse » ?
  *-Non, on **ne** peut **plus** la voir.*

- **Ne... guère** signifie « pas beaucoup » ou encore « pas souvent ».

  *-Elle ne connaît pas la musique andalouse, de toute façon elle **n'**écoute **guère** de musique.*

Note : Quand il s'agit de la négation d'une quantité, le mot négatif est toujours suivi de « de ».

  -Avant, il y avait de nombreux échanges entre nos deux pays. → *Aujourd'hui, il n'y a plus d'échanges./... il **n'**y a **pas** d'échanges./...il **n'**y a **guère** d'échanges.*

- **Ne... aucun(e) (objet)** ou **aucun(e)... ne (sujet)** est la négation absolue de « un », « une », « des ».

  *-Il **n'**y a **aucun** lien entre une noix de coco peinte et un boléro signé Jean-Paul Gaultier et pourtant...*
  *-**Aucune** culture **ne** reste isolée des autres.*

- **Ne... nulle part** est la négation de « partout » ou de « quelque part ».

  *On **ne** trouve **nulle part** la traduction de ce mot.*

- **Ne... pas (plus) un(e) seul(e), ne... pas (plus) du tout** sont des négations très fortes.

  *Aujourd'hui, il **n'**y a **plus un seul** domaine artistique qui échappe vraiment au métissage !*

- Il est possible d'utiliser plusieurs mots négatifs dans la même phrase, tels que : **Ne... plus rien, ne... jamais personne, sans rien, sans jamais.**

  *-Ce petit musée a peu de visiteurs : il **n'**y a **jamais personne** en semaine !*

2. Une négation particulière : SANS, **suivi d'un nom ou d'un verbe à l'infinitif :**

  *« Il n'y a pas de processus de civilisation **sans** rencontre, **sans** contact, **sans** métissage culturel ».*

  *« L'artiste transforme la reine Victoria en une statuette africaine **sans** oublier les éléments traditionnels de sa culture ».*

Une construction négative à valeur restrictive : **Ne... que**

  *Elle **n'**est restée **que** 6 mois à l'étranger (elle est restée seulement 6 mois).*

18 Points communs et différences

Avec un(e) partenaire, faites la liste de vos points communs dans les domaines de la vie quotidienne, des goûts et des loisirs. Attention ! Vous ne devez formuler que des phrases négatives.

MODÈLE **Nous ne nous couchons jamais avant 23h00./ Nous n'aimons ni l'un(e) ni l'autre les sports de combat...**

19 Portraits

Faites le portrait de ces types de voyageurs en utilisant le maximum de formes négatives possibles : le casanier, le conformiste, l'aventurier, le blasé, le prudent, le routard, l'organisé. Lisez quelques descriptions et faites deviner par les ados dans votre groupe.

MODÈLE **Le conformiste ne part jamais sans son guide, ne visite que ce qui est conseillé dans le guide, ne goûte guère aux produits locaux, ne remet pas en question ses stéréotypes.**

20 Conseils

Vous donnez des conseils à un voyageur qui arrive dans votre pays et vous le mettez en garde contre certains risques de malentendus ou de problèmes. Vous pouvez utiliser : il ne faut pas..., il faut faire attention à ne pas..., il vaut mieux ne pas..., il est plus prudent de ne pas..., veillez à ne pas..., n'oubliez pas de..., ne soyez pas...

MODÈLE *Un Français qui donnerait des conseils à un voyageur pourrait dire :* **N'oubliez pas que les banques et la plupart des petits magasins ne font pas la journée continue, ne soyez pas choqué si l'on vous fait la bise, il ne faut pas vous impatienter pour 5 minutes de retard.**

21 Aucun... aucune

En vous servant des thèmes de la leçon, formulez des opinions générales en utilisant « aucun » et « aucune ». Vous pouvez penser aux choses suivantes : culture, pays, tradition, cuisine, art, musique, littérature...

MODÈLE **Aucun voyageur ne revient tout à fait pareil ; aucune langue ne mérite de disparaître...**

Racontez en utilisant le maximum de formes négatives une expérience malheureuse, par exemple, un voyage ou une soirée complètement raté(e). Pour un voyage, vous pouvez parler du temps, des rencontres, des paysages, des activités, des conditions de transport... Pour une soirée, vous pouvez parler du lieu, de l'ambiance, de l'organisation, des rencontres...

Révision : Les pronoms interrogatifs

emcl.com
WB 16

On distingue les pronoms interrogatifs simples : **qui, que, quoi** et les pronoms composés à partir de l'adjectif interrogatif **quel** : **lequel, laquelle, lesquels, lesquelles**. Utilisés avec les prépositions **à** et **de**, ces pronoms deviennent **auquel, à laquelle, auxquels, auxquelles** ; **duquel, de laquelle, desquels, desquelles**.

1. Tous les pronoms interrogatifs peuvent être utilisés seuls ou avec « est-ce que » .

	Formes simples	**Formes avec « est-ce que »**
Personne	qui	Qui est-ce qui ? (sujet) Qui est-ce que ? (complément)
Chose	que	Qu'est-ce qui ?* (sujet) Qu'est-ce que ? (complément)
	Préposition + quoi Préposition + qui	Préposition + quoi est-ce que ? Préposition + qui est-ce que ?

*Note : Que ne peut jamais jouer le rôle du sujet ; la forme **qu'est-ce qui** est la seule possible. Il ne peut pas non plus être utilisé avec une préposition. On utilise alors **quoi**.

> *Qui a créé le groupe « les Gipsy Kings » ?/Qui est-ce qui a créé le groupe ?*
> *Qui préférez-vous dans ce groupe ?/Qui est-ce que vous préférez ?*
> *Qu'est-ce qui l'intéresse ? (seule possibilité)*
> *Que recherche ce cuisinier ?/Qu'est-ce que ce cuisinier recherche ?*
> *A quoi tiennent-ils ?/A quoi est-ce qu'ils tiennent ?*
> *Avec qui ce musicien joue-t-il ?/Avec qui est-ce que ce musicien joue ?*

L'adjectif qui accompagne le pronom interrogatif est toujours précédé de la préposition « **de** ». Exemples :

> *Quoi de neuf ?/Qui d'autre partage ce point de vue ?/ Qu'avez-vous découvert de nouveau ?/*

2. On emploie **lequel** lorsque la question implique un choix. Exemples :

> *Lequel de ces témoignages trouvez-vous le plus intéressant ?*
> *A laquelle de ces traditions êtes-vous attaché(e) ?*

23 Constructions interrogatives

Reportez-vous aux parties « Narrative « et « Culture » de la leçon. Parcourez les consignes des activités. Beaucoup contiennent des pronoms interrogatifs. A deux, relevez cinq constructions différentes. Donnez, quand c'est possible, l'autre forme (la forme simple/la forme avec « est-ce que) ».

MODÈLE **Qu'évoquent ces trois adjectifs ?/Qu'est-ce que ces trois adjectifs évoquent ?**

24 Retour de voyage

Interpersonal Communication : Interview

Vous rentrez d'un échange à l'étranger et votre partenaire va vous interviewer. Ensuite, vous inverserez les rôles. Préparez chacun(e) de votre côté une douzaine de questions. Utilisez les formes interrogatives que vous avez revues mais pas seulement.

Communiquez!

Comment est-on enrichi par les produits, les pratiques, les points de vue d'autres cultures ?

25 **Emile Biayenda** 🎧

Interpretive Communication : Audio Texts

Répondez aux questions.

A. *Extrait 1. Ecoutez la présentation d'Emile Biayenda.*
 1. Qui est Emile Biayenda ?
 2. D'où vient-il ?
 3. En quels sens peut-on dire qu'il est « celui qui a ouvert la route ? »

B. *Extrait 2. Le musicien parle de son séjour chez les Pygmées Babi, un groupe pygmée du nord-est du Congo.*
 4. Pourquoi est-il parti là-bas ?
 5. Qu'est-ce qui l'a surpris et déçu au début ?
 6. Quelle leçon a-t-il retirée de cette expérience ?

C. *Extrait 3. L'ouverture d'Emile Biayenda.*
 7. Dans quel domaine se manifeste maintenant l'ouverture d'Emile Biayenda ?
 8. L'animatrice utilise deux mots qui pourraient définir sa personnalité. Lesquels ?
 9. Quels plats, de produits bien français et d'autres typiquement africains, énumère Emile Biayenda ? Relevez-les et classez-les.
 10. Comment comprenez-vous la leçon de son père ?

D. *Extrait 4. Bien vivre en France.*
 11. Que pensez-vous de la réponse du musicien à la dernière question ?
 12. Ce que vous avez appris sur lui dans l'interview vous semble-t-il correspondre à ses paroles ? Justifiez votre réponse.

Communiquez!

26 — Quel type de culture portons-nous en nous ?

Presentational Speaking

« Donc à l'intérieur même de la France, on peut avoir plusieurs sortes de culture, la culture qui est dite peut-être nationale puis la culture de l'environnement dans lequel nous nous trouvons puis les cultures que nous accumulons au fur et à mesure de nos déplacements ».

—Alain Mabanckou

Vous avez aussi certainement des cultures différentes. De quel type de culture pensez-vous être porteur ? (Voir ci-dessous.) Réfléchissez à la question et répondez-y. Précisez comment se manifeste en vous cette appartenance.

la culture de votre pays d'origine, de votre pays d'accueil, de votre quartier, de votre communauté (religieuse, linguistique, sportive...), du milieu social de vos parents, de la région où vous avez grandi

MODÈLE **De mon enfance mexicaine, j'ai gardé le goût des couleurs très vives et des plats épicés.../ Je crois que c'est à mon milieu japonais que je dois une certaine réserve dans le contact avec les autres...**

Communiquez!

27 — Journée de la diversité culturelle

Presentational Speaking : Oral Presentation

Lisez le document suivant. Parmi ces propositions de l'UNESCO, choisissez l'idée qui vous attire le plus particulièrement. Dites comment vous pourriez mettre en marche cette idée. Pensez à un objet, un plat, une musique, un jeu, une technique, un conte...

- Apprenez une nouvelle langue avec un ami dont c'est la langue maternelle et exercez-la avec lui régulièrement !
- Si vous voyagez, sortez des sentiers battus, mêlez-vous à la population locale et découvrez les particularités de leur culture que le guide ignore !
- Proposez à votre ville d'organiser des festivals dédiés à ses minorités locales et valorisez leur culture.
- Invitez les écoles de musique à donner des concerts multiculturels combinant tradition et influences étrangères.
- Incitez les artistes qui ont vécu à l'étranger à expliquer l'impact positif que leur culture d' « accueil » a eu sur leurs travaux et leur évolution artistique.

—UNESCO

Communiquez !

28 Festivals français

Presentational Speaking : Oral Presentation

Observez le document et faites l'activité.

Trois festivals

Festival de Saint-Malo
Etonnants Voyageurs

Festival d'Angoulême
Musiques métisses

Festival de Clermont-Ferrand
Carnet de voyage

Cherbourg
Lille
Rouen
Le Havre
▲Reims
Brest
Paris
Nancy
Strasbourg
Rennes
▲Nantes
Dijon
Limoges
Clermont-Ferrand
▲Lyon
Grenoble
▲Bordeaux
Toulouse
Marseille ▼Nice
Toulon

En groupes, cherchez des informations sur les trois festivals indiqués sur la carte. Partagez ensuite les informations recueillies. Auquel de ces festivals aimeriez-vous participer ? Dites pourquoi à vos camarades de classe.

Communiquez !

29 Le métissage vu de deux cultures

Presentational Speaking : Cultural Comparison

Dans un exposé, comparez le métissage d'un milieu francophone avec un métissage de votre milieu. Vous pouvez parler de la musique, de l'art, de la mode ou de la cuisine fusion. C'est une occasion pour vous de montrer vos connaissances de la Francophonie. Organisez clairement votre présentation.

Communiquez!

30 Stage à l'étranger

Presentational Writing : Composition

Comme Aurélie, vous voulez faire un séjour, un stage à l'étranger. Vous faites des recherches en ligne pour trouver le programme idéal. Ecrivez une composition qui répond à ces questions :

- Où irez-vous et en quelle année universitaire ?
- Quelle langue voudriez-vous maîtriser et/ou Quelles connaissances voudriez-vous acquérir ?
- Quel logement choisiriez-vous et pourquoi ?
- Quels cours suivrez-vous ?
- Quels changements verriez-vous dans votre compréhension du monde ?
- A quoi mènerait cette expérience dans votre vie personnelle et/ou professionnelle ?

Communiquez!

31 Dialogue guidé

Interpersonal Speaking : Conversation

Vous avez une conversation avec votre ami. Cette conversation doit suivre le canevas qui vous est donné ci-dessous. Vous allez entendre les répliques de votre ami et vous réagirez comme le canevas l'indique.

–**Vous dites que vous cherchez un échange universitaire à l'étranger.**

–Votre ami exprime l'utilité de cette décision pour votre avenir. Il vous demande de préciser.

–**Dites ce que vous attendez de cette expérience. Demandez une suggestion à votre ami.**

–Il vous propose un pays ou un programme.

–**Vous lui posez une question essentielle.**

–Il vous répond.

–**Vous êtes intéressé mais vous avez une autre question à lui poser.**

–Il vous répond.

–**Vous expliquez comment vous allez poursuivre cette résolution en indiquant chaque chose que vous allez faire.**

Lecture 1

Voyageur

Interpretive Communication : Print Texts

Rencontre avec l'auteur

Bernard Lavilliers (1946–) est un chanteur français qui écrit lui-même ses chansons, paroles et musique. Grand voyageur, il a sillonné le monde, l'Amérique en particulier mais aussi l'Afrique, et a vécu plusieurs années au Brésil. Cet éternel vagabond s'imprègne des rythmes locaux, des images et des couleurs pour écrire et composer ses chansons. Sa chanson « Voyageur » est le premier titre de son album *Carnet de bord*, qui a paru en 2004. Quels sens Lavilliers évoque-t-il ?

Bernard Lavilliers.

Pré-lecture

Ecoutez la chanson sans en lire les paroles. Que vous suggère cette musique ? Exprimez ce que vous entendez, ce que la musique vous fait voir.

« Voyageur » par Bernard Lavilliers

1 Pas moi qu´ai fait les voyages
C´est les voyages qui m´ont fait[1]
Entre passeur* et passage
C´est le métier qui me plaît

5 Voir passer les caravanes
Mélanger l´ocre* et le sang*
Ecouter près des Chamans[2]
Les origines du temps

[Refrain : *Pas moi qu'ai fait...*]

Dans le langage tambour[3]
10 Y a des dialectes inconnus
Pour dessiner les contours
D´une cité disparue*

Rappel
Le verbe **plaire (à)** s'utilise avec un complément d'objet indirect, parce qu'il est suivi de la préposition **à**. Si on remplace l'objet indirect par un pronom, celui-ci doit se placer devant le verbe, ce qui inverse la structure. Comment diriez-vous : « I like this unit »?

Pendant la lecture
1. Qu'est-ce qui a influencé le narrateur ?

Pendant la lecture
2. Quel est son métier préféré ?

Pendant la lecture
3. Où a-t-il voyagé ?

Pendant la lecture
4. Il évoque quelle sorte de civilisation ?

le passeur personne qui passe ; **ocre** couleur ; **le sang** *blood* ; **disparu(e)** parti(e)

1. Nicolas Bouvier (écrivain-voyageur suisse) a dit : « *Certains pensent qu'ils font un voyage, en fait, c'est le voyage qui vous fait ou vous défait* ».
2. *Chaman* : prêtre de certaines religions asiatiques et amérindiennes, qui est un intermédiaire entre les hommes et les divinités.
3. Langage tambour : cette alliance de mots évoque sans doute la pratique africaine du « tambour parleur » ou « tambour parlant » , dont les sons modulés constituent un langage que seuls certains initiés peuvent décoder.

[Refrain]

Faut chercher dans les racines*
¹⁵ Le goût subtil des fruits
Et même dans les usines
La mécanique des mélodies

[Refrain]

Alors, jouons sur la rime
Entre le fleuve et la mer
²⁰ Un voyageur anonyme
M'attendra pour prendre un verre*

Trafiquant de métaphores
Insurgé* de l'univers
Passager du Maldoror⁴
Entre la mort et la mer

[Refrain]

Pendant la lecture
5. Quels sont ses conseils pour tous les autres voyageurs ?

Pendant la lecture
6. Il est content de quelles sortes de rencontres ?

Pendant la lecture
7. Quel mot indique que son travail est artistique ?

Source : « Voyageurs », Bernard Lavilliers - Edition : Big Brother Company.

---

le racine *root* ; **prendre un verre** boire de l'alcool ; **Insurgé(e)** révolté(e)

4. Maldoror : l'expression suggère qu'il s'agit d'un bateau. Bernard Lavilliers lui a donné le nom d'un héros maléfique et doué de pouvoirs surnaturels, celui d'un poème en prose de Lautréamont (1846–1870): *Les chants de Maldoror*, où s'exprime une révolte adolescente contre l'ordre établi.

Langue vivante

1. *Pas moi qu'ai fait les voyages* = « Ce n'est pas moi qui ai fait les voyages » ; le texte transcrit la prononciation, le français parlé est souvent elliptique : certaines syllabes, ou même des mots, ne sont pas prononcés. De même, plus loin : *Faut chercher* = « Il faut chercher ».
2. *C'est* : un accord correct serait : « Ce sont les voyages », mais cette incorrection est très fréquente et admise à l'oral.

Post-lecture

Les « origines du temps » font penser à quelles sortes d'histoires ? (Ce sont des histoires qui expliquent les choses comme la création.)

Répondez aux questions.

A. *Lisez les deux premiers couplets.*
1. Comment interprétez-vous l'emploi des infinitifs *Voir, Mélanger, Ecouter* ?
2. Quels mots évoquent des modes de vie exotiques ?
3. Où situez-vous ce qu'ils évoquent ?
4. Quels mots et expressions évoquent des choses étranges ou mystérieuses ? Qu'est-ce que le compositeur veut dire de l'expérience de voyager ?
5. D'après ce que vous avez relevé, à quel type de voyage invite ce texte ?

B. *Notez que ce couplet a une place à part : il est central et n'est pas chanté, mais parlé, déclamé. Lisez le troisième couplet.*
6. Comment interprétez-vous la métaphore des deux premiers vers ? Retrouvez dans les couplets précédents l'expression de la même idée, ou d'une idée proche.
7. Ces quatre vers jouent sur quels oppositions ou paradoxes ?

C. *Lisez les deux derniers couplets.*
8. Quelle fonction le mot *Alors* donne-t-il à ces derniers vers ?
9. Quelle relation l'expression *prendre un verre* établit-elle entre le narrateur et ce *voyageur anonyme ?* Est-il important qu'il soit anonyme ? Expliquez.
10. Qu'est-ce qui fait référence à la poésie ?
11. Que pensez-vous alors de l'expression *Trafiquant de métaphores* : quelle activité désigne-t-elle, et avec quelles connotations ?

Faites les activités suivantes.

1. Ecrivez un essai qui explique le monde du narrateur. Relevez les expressions qui désignent des lieux ; qu'ont-elles en commun ? Relevez les mots qui désignent des hommes ; quels rapprochements peut-on faire ?
2. Il n'y a pas, dans une chanson, la ponctuation nette que donneraient les intonations d'une phrase parlée. Cette absence de ponctuation permet des interprétations différentes du texte : il est possible de mettre un point à la fin du 1er vers, ou seulement à la fin du 2ème. Il est possible aussi de ne pas mettre de point à la fin du 4ème : les deux couplets s'enchaînent alors car ils ne sont pas séparés par la reprise du refrain. Envisagez toutes les possibilités de ponctuation, et notez les différences de sens que vous constatez. Préparez le poème comme vous l'envisagez et discutez avec vos amis.
3. Ecrivez un poème qui parle de votre monde, ou votre monde idéal.

T'es branché ?

Faisons le point !

A. *Pour retrouver les principales idées développées au cours de la leçon, notez dans votre cahier un ou deux exemple(s) en face de chacun des points de repère qui vous sont proposés. Reportez-vous à tous les documents de la leçon (écrits journalistiques, témoignages, interviews, analyses, chanson).*

Question centrale

?

Comment est-on enrichi par les produits, les pratiques, les points de vue d'autres cultures ?

Le pluriculturalisme	Notes
Le voyage des mots	
Le dialogue des musiques	
La découverte de l'autre	
• le voyage	
• les études	
L'importance du métissage	
• dans l'art	
• dans la cuisine	
• dans la mode	
La mondialisation	
L'enrichissement par l'autre	

B. *Discutez en groupes. Que répondriez-vous à la question posée au début de l'unité : Comment est-on enrichi par les produits, les pratiques, les points de vue d'autres cultures ?*

Le nationalisme, le patriotisme

Question centrale
?
Quelles valeurs a le nationalisme pour les individus et les institutions ?

L'histoire d'un réfugié

Ne t'inquiète pas. Nous allons quitter ce **camp** et nous expatrier dans **une patrie** où nous serons libres.

Regarde, ce **peuple** vit dans **la justice, la tolérance** et **la liberté**. Ils ont **des droits civils justes**.

Je suis **réfugié** congolais. Je voudrais obtenir **la citoyenneté** canadienne pour moi et ma fille.

Ce sont nos **compatriotes** alors ?

Bientôt, oui.

Angola, ça y est, nous avons la **nationalité** canadienne !

NATURALISATION

Il vous faut remplir tous ces documents et vous montrer digne de notre nation **souveraine**.

Alors, nous sommes chez nous maintenant !

Six mois plus tard….

Noms

la patrie, l'état (m.), la nation (plurielle)
un(e) patriote, un(e) compatriote, un(e) apatride, un citoyen/une citoyenne
le gouvernement : une république, une monarchie, une oligarchie
la nationalité
un peuple
la libération
la justice
la tolérance
la naturalisation
les devoirs (m.)
les droits (m.)

Adjectifs

national(e), nationaliste
souverain(e)
civil(e)
juste
fédéral(e)

Verbes

nationaliser
s'expatrier, rapatrier
libérer
immigrer

Symboles de la France
la fleur de lys
la Bastille
Marianne
le drapeau tricolore
le coq
« La Marseillaise »
« liberté, égalité, fraternité »

La vie d'un(e) réfugié(e): quitter un camp, se réfugier, demander asile, faire une demande de naturalisation

Pour la conversation

How do I explain why something happened ?

> **C'est pour cela que** l'avant-garde française est entrée à Paris...

That's why the French vanguard entered Paris....

How do I express « Let (something) happen...» ?

> **Que** la France accepte l'Europe fédérale...

Let France accept federal Europe...

How do I express how much time has passed ?

> **J'ai mis** un an et demi avant d'obtenir le statut de réfugié...

It took a year and a half for me to obtain refugee status...

---

1 **Nation**

Faites les activités.

Le Téléjournal *Grand Montréal* a consacré un sujet à l'examen du mot « nation ».

A. *Vous entendrez d'abord un micro-trottoir. Le journaliste demande « Qu'est-ce que c'est une nation ? » Il interroge six personnes mais toutes ne répondent pas vraiment. Ecoutez. De quels mots est rapproché le mot « nation » dans les réponses 3 et 4 ? Notez complètement la dernière réponse.*

B. *Le journaliste donne ensuite les définitions de « nation » dans deux dictionnaires, l'un français, l'autre anglais. Ecoutez et complétez ces définitions :*

Dans le dictionnaire français : « un groupe de personnes..., conscient de..., avec une... C'est aussi une... personnifiée par une.... »

Dans le dictionnaire anglais : « Une... de personnes d'une ou plusieurs... qui habite sur un..., avec un... plus ou moins défini ». C'est aussi un « ... assez grand et relativement... »

Le journaliste note enfin qu'en français, la définition est plus proche de..., et en anglais de...

2 Nationalisme et patriotisme

Savez-vous... ?
Albert Camus (1913–1960) a refusé d'être rangé parmi les philosophes existentialistes ; cependant il est toujours lié à ce mouvement. Il était écrivain, romancier, drama-turge, essayiste et philosophe français. On lui a décerné le prix Nobel de littérature en 1957.

Faites les activités.

1. A deux, cherchez des mots que vous associez respectivement à « nationalisme » et à « patriotisme ».
2. Auquel de ces deux mots rattacheriez-vous plutôt les mots suivants ? *xénophobie, résistance, combat, protectionnisme, indépendantisme, frontière, chauvinisme, héroïsme, défense, séparatisme.* Comparez vos réponses.
3. Un des deux mots a-t-il, pour vous, une connotation plus positive que l'autre ? Justifiez votre réponse.
4. Comment comprenez-vous cette phrase d'Albert Camus, dans la préface de *Lettres à un ami allemand* : « *J'aime trop mon pays pour être nationaliste* ».

3 Les mots de la famille

Complétez les phrases suivantes avec les mots de la liste dérivés de « nation » ou de « patrie ».

> national   la nationalité   nationaliste   nationaliser   patriote
> compatriote   apatride   s'expatrier   rapatrier

1. En voyage, je ne tiens pas à rencontrer mes..., je préfère les contacts avec les gens du pays.
2. On peut acquérir... par mariage.
3. La Suisse a quatre langues...
4. Ils ont dû... pour des raisons politiques, mais ils espèrent retourner un jour dans leur pays.
5. L'Etat va... la banque pour éviter une faillite qui serait catastrophique pour le pays.
6. Face à l'insécurité croissante dans ce pays, plusieurs Etats occidentaux ont décidé de... leurs ressortissants.
7. Ce n'est pas facile d'être..., de n'être le citoyen d'aucun pays.
8. Le... croit que sa nation est supérieure aux autres ; le... aime sa patrie et la défend si elle est attaquée ; il reconnaît aux autres peuples les mêmes droits qu'au sien.

COMPARAISONS

Que diriez-vous en anglais ?

Il y a des *frontières* entre notre pays et les pays voisins mais il y a aussi à l'intérieur même du pays des *frontières* invisibles entre certaines catégories sociales.

4 Les symboles

Faites les activités suivantes.

A. Jetez un coup d'œil aux symboles. Dites à votre partenaire quels symboles évoquent la République française.

B. Devinez ce que les autres symboles représentent. Puis, vérifiez en faisant des recherches en ligne.

C. Lisez ces textes. Des erreurs s'y sont glissées. Relevez-les et corrigez-les !

1. *Diane* est une allégorie de la République française. Représentée tantôt rebelle et populaire (les cheveux défaits, bonnet phrygien mis en valeur) tantôt sage et bourgeoise, elle incarne la « mère patrie » et l'idéal patriotique et révolutionnaire né en *1870*.

2. En composant le « *Chant de guerre pour l'armée du Rhin* » en avril 1972, l'officier Rouget de *Lyon* ne se doutait certainement pas que son hymne à la liberté serait entonné quelques mois plus tard par des Marseillais venus à Paris pour réclamer la déchéance du roi et qu'il deviendrait éventuellement hymne national en 1879. Aujourd'hui, on ne chante plus guère la chanson qu'à l'occasion des manifestations sportives.

3. Seul emblème national de la France (article 2 de la Constitution de la Ve République), le drapeau *multicolore* est né de la réunion, sous la Révolution française, des couleurs du roi (blanc) et de la ville de Paris (bleu et rouge). Aujourd'hui, le drapeau tricolore flotte sur tous les bâtiments publics. Il est déployé dans la plupart des cérémonies officielles, qu'elles soient *religieuses* ou militaires.

Allons enfants de la patrie
Le jour de gloire est arrivé !

Liberté • Égalité • Fraternité
RÉPUBLIQUE FRANÇAISE

5 Que les grandes vacances arrivent bientôt !

Formez des phrases qui commencent avec « Que » .

> **MODÈLE** Salim/m'inviter à la teuf
> **Que Salim m'invite à la teuf !**

1. Julie/obtenir son permis de conduire
2. l'équipe de France/gagner la Coupe du monde
3. je/trouver un boulot d'été
4. mes cousins/me rendre visite pendant les vacances
5. tu/voyager dans un pays lointain

6 Questions personnelles

Répondez aux questions.

1. D'où tes aïeux ont-ils immigré ?
2. Tu veux que les ados aient quels droits ?
3. Es-tu patriotique ? Si oui, comment ?
4. Enseigne-t-on la tolérance dans ton école ? Si oui, comment ?
5. Trouves-tu le nationalisme dangereux ? Si oui, comment ?

Discours du Général de Gaulle à Paris

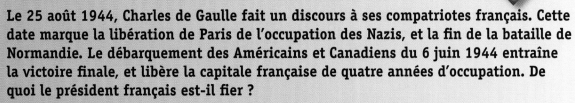

Quelles valeurs a le nationalisme pour les individus et les institutions ?

Narrative 1

Interpretive Communication : Print Texts

Introduction

Le 25 août 1944, Charles de Gaulle fait un discours à ses compatriotes français. Cette date marque la libération de Paris de l'occupation des Nazis, et la fin de la bataille de Normandie. Le débarquement des Américains et Canadiens du 6 juin 1944 entraîne la victoire finale, et libère la capitale française de quatre années d'occupation. De quoi le président français est-il fier ?

Pré-lecture

Cherchez les mots en majuscules. Il parle de la libération de quoi ?

> **Rappel**
> Cette expression est au subjonctif parce que les verbes de volonté, comme **vouloir**, sont suivis du subjonctif.

Pourquoi voulez-vous que nous dissimulions l'émotion qui nous étreint tous, hommes et femmes, qui sommes ici, chez nous, dans Paris debout pour se libérer et qui a su le faire de ses mains. Non ! Nous ne dissimulerons pas cette émotion profonde et sacrée. Il y a là des minutes qui dépassent* chacune de nos pauvres vies. Paris ! Paris outragé, Paris brisé, Paris martyrisé, mais Paris libéré ! Libéré par lui-même, libéré par son peuple avec le concours* des armées de la France, avec l'appui* et le concours de la France toute entière, de la France qui se bat, de la seule France, de la vraie France, de la France éternelle. Eh bien ! Puisque l'ennemi qui tenait Paris a capitulé dans nos mains, la France rentre à Paris, chez elle. Elle y rentre sanglante*, mais bien résolue*. Elle y rentre, éclairée* par l'immense leçon, mais plus certaine que jamais de ses devoirs et de ses droits. Je dis d'abord de ses devoirs, et je les résumerai tous en disant que, pour le moment, il s'agit de devoirs de guerre. L'ennemi chancelle* mais il n'est pas encore battu. Il reste sur notre sol. Il ne suffira même pas que nous l'ayons, avec le concours de nos chers et admirables alliés, chassé* de chez nous pour que nous nous tenions pour satisfaits après ce qui s'est passé. Nous voulons entrer sur son territoire comme il se doit, en vainqueurs. C'est pour cela que l'avant-garde française est entrée à Paris à coups de canon. C'est pour cela que la grande armée française d'Italie a débarqué* dans le Midi et remonte* rapidement la vallée du Rhône. C'est pour cela que nos braves et chères forces de l'intérieur vont s'armer d'armes modernes. C'est pour cette revanche*, cette vengeance*, et cette justice que nous continuerons de nous battre jusqu'au dernier jour, jusqu'au jour de la victoire totale et complète. Ce devoir de guerre, tous les hommes qui sont ici et tous ceux qui nous entendent en France savent qu'il exige* l'unité nationale. Nous autres, qui aurons vécu les plus grandes heures de notre Histoire, nous n'avons pas à vouloir autre chose que de nous montrer, jusqu'à la fin, dignes* de la France. Vive la France !

Source : CHARLES-DE-GAULLE.ORG. « Discours de l'Hôtel de Villes de Paris ». www.chjarles-de-gaulle.org (24 juin 2013).

---

dépassent (dépasser) affligent (affliger) ; **le concours** l'aide ; **l'appui (ml)** l'aide ; **sanglant(e)** *bloody* ; **résolu(e)** déterminé(e) ; **éclairée** *enlightened* ; **chancelle (chanceler)** *is weak* ; **chassé (chasser)** *driven out* ; **a débarqué (débarquer)** est arrivée (par la mer) ; **remonte (remonter)** avance ; **la revanche** *revenge* ; **la vengeance** *revenge* ; **exige (exiger)** *demands (to demand)* ; **digne** *worthy*

Faites les activités suivantes.

1. Trouvez une photo de la Libération de la France qui vous plaît. Faites une légende en vous servant des mots de Charles de Gaulle qu'on peut y associer.
2. Faites une liste de mots et expressions qui évoquent la nationalisme ou le patriotisme.
3. Faites un axe chronologique qui montre les grands événements de l'occupation de la France pendant la Seconde Guerre mondiale.

Mon pays, c'est...

Narrative

Interpretive Communication : Print Texts

Introduction

En mai 2011, deux photographes sont partis sur les routes à la rencontre des Français. Ils ont réalisé 300 portraits de Français de toutes régions. A chaque personne photographiée, ils ont posé les questions « Que représente la France pour vous ? », « Quelle est votre dernière émotion patriotique ? », « Et si vous aviez un rêve pour votre pays ».

Pré-lecture

Les photographes s'intéressent aux attitudes de quels Français—âgés, riches, hommes politiques ? Lisez les informations entre parenthèses.

1. Mon dernier souvenir patriotique ? Quand on a gagné la Coupe du monde en 1998. Tout le monde avait le même objectif. Tout le monde était heureux. C'était en 1998, ça fait* un petit moment... (agriculteur)
2. Ma dernière émotion patriote, ça a été l'abolition de la peine de mort en 1981. (hôtelier*)
3. Ce que je souhaite ? Du travail pour tout le monde, plus de misère. (jardinier)
4. La France ? C'est pas grand-chose, juste un pays en Europe, une nation normale, c'est tout. (lycéen, 16 ans)
5. Mon souhait ? Une cohésion sociale beaucoup plus forte. On est un mélange de cultures qui forme un tout mais, malheureusement, on n'apprend pas forcément* à tolérer et apprécier l'autre. (chef de publicité, 27 ans)
6. Un souhait pour le pays ? Plus d'humilité dans la mentalité française, moins de « bruit pour rien ». (professeur de français)
7. Je rêve* que l'on retrouve l'unité populaire et la fierté qui nous ont été transmises par la Révolution française. (professeur de danse, 27 ans)
8. Vivre ensemble dans la fraternité entre les communautés et les Français de toutes origines, couleurs, races, religions, c'est ça mon rêve. (imam)

ça fait il y a ; **un hôtelier** qui travaille dans un hôtel ; **forcément** nécessairement ; **rêve (rêver)** *dream*

9. Un souhait pour mon pays ? Qu'on soit capable de relancer* des fabrications locales en France. (chef meunier, 37 ans)

10. La France, c'est un esprit de révolte. C'est la Révolution française, c'est la Commune[1]. (président d'une radio locale)

11. Une émotion patriotique ? La dernière fois que je suis allé voter, là je me suis senti* français. (livreur, 30 ans)

12. La France, c'est l'exception culturelle[2], la gastronomie* et une grande histoire forte. (couple, quatre enfants)

13. Un souhait ? Que la France accepte l'Europe fédérale parce qu'il n'y a pas d'avenir sans Europe aujourd'hui. Les peuples unis sont forts ; ceux qui ont peur les uns des autres se mettent en état de faiblesse*. (chanteur-compositeur)

14. Il faudrait retrouver les droits de l'homme, l'égalité des chances. Liberté, Egalité, Fraternité à fond*. (hôtelier, Martinique)

15. Etant de père corse* et de mère guadeloupéenne, pour moi, France, c'est le pays des cultures multiples. Je suis un insulaire* mais mon pays, c'est la France, la mère-patrie. (producteur farine de châtaignes, 38 ans)

> **Rappel**
> Le verbe *falloir* est au conditionnel pour exprimer que, selon l'auteur, la France n'a pas encore atteint tous ses idéaux. Dites ce qu'il faudrait retrouver dans votre pays pour qu'il montre la « liberté, égalité, et fraternité ».

Source : BASSIGNAC, Gilles et TURPIN, Jean-Michel. *Les Français dans l'objectif.* Paris : Editions de La Martinière : 2012.

---

relancer mettre encore en commerce ; **senti (se sentir)** *felt (to feel)* ; **la gastronomie** bonne cuisine ; **la faiblesse** *weakness out* ; **à fond** totalement ; **corse** originaire de la Corse ; **insulaire** *islander*

1. La Commune est une insurrection populaire parisienne qui s'est déroulée au printemps 1871.
2. « L'exception culturelle française » est une expression utilisée pour caractériser certaines spécificités de la France dans le secteur culturel. Elle désigne en particulier l'action de l'Etat pour soutenir le secteur de la culture et de la création artistique (aides au cinéma, par exemple).

Citation

Le chanteur-compositeur dit : « Que la France accepte l'Europe fédérale parce qu'il n'y a pas d'avenir sans Europe aujourd'hui ». Quel est le rôle de la France dans l'Union européenne ?

8 La France, c'est...

Faites les activités suivantes.

A. Retrouvez les réponses aux trois questions notées dans l'introduction. La France, c'est ...

B. Dites si vous remarquez une différence philosophique entre les ouvriers et les professionnels.

C. Relevez, dans ces témoignages, les références à la Révolution. Expliquez ce qu'elle représente pour les Français.

D. Que font apparaître ces témoignages ? Voyez-vous certaines constantes ? Etes-vous surpris(e)/ amusé(e)/touché(e) par quelques-uns ? Ecrivez un paragraphe qui résume votre analyse.

Communiquez !

Interpersonal Speaking

Organisez un sondage dans la classe autour des mêmes questions pour votre pays (Introduction : p. 282). Formez trois groupes. Chaque groupe s'occupe d'une question. Les membres du groupe vont poser leur question aux autres et bien sûr y répondent aussi eux-mêmes. Ils font ensuite une synthèse des réponses obtenues et présentent les résultats de leur analyse à la classe.

« Acquérir la nationalité française, c'est un combat ».

Narrative 3

Interpretive Communication : Print Texts

Introduction

Adama, 40 ans, a choisi de se réfugier en France. Il parle des difficultés administratives auxquelles il a dû faire faire avant d'acquérir la nationalité française. Cela prend combien de temps, en général, pour faire une telle démarche ?

Pré-lecture

Lisez les premières lignes du texte pour trouver d'où Adama est venu et pourquoi.

Je suis apatride. J'ai quitté la Côte-d'Ivoire précipitamment en 2005. Je n'y retournerai jamais. Mes parents et toute ma famille ont été décimés*. Ce n'est plus mon pays, je ne suis plus ivoirien*. Je suis parti avec une valise, sans avoir eu le temps de rien organiser. J'ai choisi la France comme pays de résidence. Parlant la même langue, j'ai cru que ce serait plus facile pour l'intégration. J'ignorais les difficultés administratives qui m'attendaient. Avant de venir, on n'en a pas conscience. Pour obtenir le statut de réfugié politique d'abord, il faut réunir de très nombreux documents, avant d'être convoqué* pour un test d'intégration. Puis, il y a la visite médicale*. Au total, j'ai mis un an et demi avant d'obtenir le statut de réfugié. J'ai eu de la chance, pour certains l'attente est beaucoup plus longue. Il faut ensuite demander la carte de résident qui donne droit à dix ans sur le sol* français. Là encore, ce n'est pas simple, il y a beaucoup de justificatifs* à fournir*. Cela m'a pris six mois de plus.

Il faut ensuite attendre cinq ans pour déposer* une demande de naturalisation. J'ai retiré mon dossier en janvier, j'ai préféré ne pas perdre de temps. Pour moi, c'est primordial. Je le vois comme une nouvelle naissance pour donner une nouvelle orientation à ma vie. Pour l'instant, je ne pense

> **Rappel**
> Cette phrase est au futur. Quelles seraient les terminaisons du verbe si on changeait les sujets à *tu, elle, nous, vous* et *ils* ?

---

décimé(e) tué(e) ; **ivoirien (ne)** habitant de la Côte-d'Ivoire ; **convoqué** appelé ; **la visite médicale** *medical check-up* ; **le sol** territoire ; **un justificatif** document officiel ; **fournir** donner ; **déposer** donner

qu'à cela, il y a tellement d'étapes à franchir*, jamais je n'aurais pensé que ce serait si difficile. On vous demande tellement de choses : il faut avoir un travail stable, un logement à votre nom... C'est tellement difficile dans le contexte de crise actuel.

J'ai aussi dû passer les nouveaux tests de langue, obligatoires depuis peu. Toute une histoire. D'abord, il faut trouver un organisme agréé*, il y en a peu et des mois d'attente. Cela m'a coûté 110 euros, j'attends les résultats. C'était dur. Déjà, le test se fait sur ordinateur, donc il faut un minimum de maîtrise* informatique. Il y a énormément de questions et il faut répondre en un temps record. A chaque réponse erronée*, c'est des points en l'air.

Vraiment, acquérir la nationalité française, c'est un combat*. A vrai dire, je ne comprends pas pourquoi c'est si difficile. Ce n'est pas un crime de demander à appartenir* à une nation. Manifester* la volonté d'appartenance, c'est la preuve* que l'on aime le pays... Pourquoi ne pas nous dire bienvenue ? Quand on arrive au bout de toutes les épreuves*, même si toutes les conditions sont respectées, la bataille n'est pas gagnée. Le préfet peut vous refuser la nationalité, il fait ce qu'il veut avec votre destin. J'ai ça en tête.

Source : PIQUEMAL, Marie. « Acquérir la nationalité française, c'est un combat ». 21 avril 2012. www.liberation.fr (4 mai 2013).

---

une étape à franchir obstacle à affronter ; **agréé(e)** reconnu(e) ; **la maîtrise** connaissance ; **erronée** faux (fausse) ; **le combat** *fight* ; **appartenir** *to belong to* ; **Manifester** Montrer ; **la preuve** *proof* ; **une épreuve** *test*

---

10 Témoignage

Lisez ce témoignage et faites les activités.

    A. *Faites le profil d'Adama :*
- nationalité
- âge
- situation personnelle
- but actuel

    B. *Décrivez son statut au moment où il témoigne.*

    C. *Retracez son parcours de « combattant » pour acquérir la nationalité française.*

    D. *Ecrivez votre perspective sur tout ce qu'Adama doit faire et incluez des réponses à ces questions : Est-ce pareil dans votre pays ? De quoi les nations ont-elles peur vis-à-vis de l'immigration ?*

Langue vivante

Adama dit « A chaque réponse erronée, c'est des points en l'air ». L'expression « en l'air » signifie perdu, inutile. Adama veut dire qu'à chaque fois qu'il donne une réponse fausse, il perd des points.

Ensemble des documents

Quelle image de la France avez-vous à partir de ces documents ?

Culture

Quelles valeurs a le nationalisme pour les individus et les institutions ?

La libération

Interpretive Communication : Print Texts

Introduction

Qu'est-ce qui venait de se passer en France au moment où Charles de Gaulle a fait son discours (voir *Narratives*) ?

La libération de la France intervient* après quatre années d'occupation. Elle se déroule* selon un scénario qui était certainement espéré, mais qui n'était pas le mieux assuré. Les Alliés et les résistants prévoyaient* une bataille prolongée. La Résistance était atomisée* et ses principales composantes se disputaient de plus en plus vivement sa direction. Le risque de chaos était grand. Or l'essentiel du territoire national est libéré en deux mois, entre juillet et septembre 1944, sans guerre civile, sous l'autorité d'un pouvoir légitime. En l'espace d'un an, l'épuration* est en grande partie achevée, le processus électoral est rétabli, des réformes profondes sont entamées* et la France est reconnue comme l'une des quatre puissances* victorieuses.

Source : ENCYCLOPÆDIA UNIVERSALIS. « Libération, France (1944 – 1946): Introduction ». www.universalis.fr (1 mai 2013).

intervient (intervenir) *intervenes (to intervene)* ; **se déroule (se dérouler)** se passe (se passer) ; **prévoyaient (prévoir)** anticipaient (anticiper) ; **atomisée** détruite ; **une épuration** *clearing up* ; **entamées** commencées ; **une puissance** *power*

Savez-vous... ?

Les quatre puissances victorieuses de la Deuxième Guerre mondiale étaient le Royaume Uni, la France, l'Union Soviétique et les Etats-Unis.

Le Général Charles de Gaulle est devenu le premier président de la Vème République française en 1959.

---

11 Libération de la France

Remplissez les espaces blancs avec un mot ou une expression pour résumer l'article de l'encylopédie.

L'occupation de la France par les Nazis a duré... ans. Tout le monde s'attendait à... ... était en train de se désintégrer. Mais la Libération n'a pris que deux... Il n'y a pas eu de... Après avoir... le processus électoral et... des réformes profondes, la France est... comme l'une des quatre... victorieuses.

12 Deux témoins

Imaginez qu'un homme de la Résistance et une femme qui ont vécu la libération de Paris vont venir parler à votre classe. Préparez six questions à poser à chacun.

13 Les Français dans l'objectif

Introduction

France Info présente *Les Français dans l'objectif* **dont le principe est simple : montrer une photo et une citation des Français qui représentent leurs rêves pour la France. Quelle question posent les auteurs qui n'est pas abordée dans la section** *Narratives* **?**

Faites les activités suivantes.

1. Expliquez ce que vous savez de la personnalité emblématique le plus souvent nommée qui incarne le mieux la France.
2. Faites une liste des professions des Français mentionnés dans l'émission.
3. Relevez les mots ou expressions qui indiquent que France Info recommande ce livre.

Sa perspective

Laure-Lynn dit : « La France pour moi c'est une terre d'accueil, une nation patriote présente partout dans le monde... »

Ma perspective

Définiriez-vous votre pays comme Laureline ? Pourquoi ?

14 Sondage

Posez la question « Quel est le personnage qui pour vous incarne le mieux notre pays ? » à dix élèves. Partagez les résultats de votre sondage avec la classe. Comparez les réponses des Français et des citoyens de votre pays.

L'asile et l'acquisition de la nationalité française

Interpretive Communication : Print Texts

Introduction

Le Ministère de l'Intérieur en France présente des statistiques concernant l'asile et l'acquisition de la nationalité française. La France accueille-t-elle plus ou moins de réfugiés aujourd'hui qu'aux années antérieures ?

Pré-lecture

Ce document parlera de quelles particularités de l'expérience des réfugiés en France–le logement, le travail, la santé, ou autre ?

L'asile*

Le nombre total de demandeurs d'asile accueillis en France progresse de 7,2% de 2011 à 2012, atteignant—premières demandes et réexamens confondus*—un total de 61 468.

L'année 2012 marque ainsi, pour la cinquième année consécutive, la poursuite* de la croissance* de la demande d'asile en France ; cette augmentation ayant été toutefois plus importante dans d'autres pays de l'Union européenne. Avec 77 500 demandeurs d'asile, l'Allemagne devient ainsi le premier pays d'accueil des demandeurs d'asile au niveau européen et le deuxième parmi les pays industrialisés, après les Etats-Unis. Cinq pays concentrent 70% de la demande en Europe (Allemagne, France, Suède, Royaume-Uni et Belgique).

Le premier pays de provenance* des primo-demandeurs* d'asile en France est la République Démocratique du Congo (4 000 demandes), puis, avec des demandes comprises entre 2 500 et 1 500 par an, la Russie, le Sri Lanka, le Kosovo, la Chine, le Pakistan, la Turquie, la Géorgie, l'Albanie et l'Arménie.

Le nombre de personnes s'étant vues octroyer* une protection en 2012 fléchit* : 10 028 contre 10 755 en 2011. Le taux* d'admission au statut passe de 25,4% à 21,7%.

L'OFPRA[1], comme le CNDA[2], ont augmenté le nombre de décisions prises, de plus de 9% pour l'OFPRA et de 8% pour la CNDA.

L'acquisition de la nationalité française

En 2012, le flux des acquisitions de la nationalité française a connu une baisse, liée aux acquisitions par décret* qui sont en retrait* de 30% par rapport à 2011 (46 003 naturalisations en 2012 contre 66 273 en 2011). Cette diminution apparaît due d'abord au fort resserrement* des critères d'admission à la nationalité entamé* les deux années précédentes.

---

l'asile (f.) *refuge* ; **confondu(e)** ensemble ; **la poursuite** continuation ; **la croissance** *growth* ; **de provenance** de qui vient de ; **les primo-demandeurs (m.)** les demandeurs les plus nombreux ; **s'étant vues octroyer** à qui on a donné ; **fléchit (fléchir)** baisse ; **le taux** pourcentage ; **par décret** officiell(e) ; **en retrait** diminuent ; **le resserrement** *tightening* ; **entamé(e)** commencé

---

1. L'Office français de protection des réfugiés et apatrides (OFPRA) est en France un établissement public chargé d'assurer l'application des conventions, accords ou arrangements internationaux concernant la protection des réfugiés.
2. La Cour nationale du droit d'asile (CNDA) est une juridiction administrative spécialisée qui intervient dans le processus d'aider les réfugiés.

Il convient ensuite de constater* que ce sont les demandes qui diminuent : 50 705 demandes de naturalisation par décret en 2012 contre 72 616 en 2011. Les mêmes effets se constatent en matière de déclaration par mariage (17 061 contre 22 999).

La première cause de cette diminution des demandes réside dans le fait que la mise en œuvre* des tests de langue a exigé un délai de déploiement de plusieurs mois ralentissant* ainsi l'ensemble de la procédure.

La seconde cause est la normalisation* du niveau exigé, qui doit dissuader une partie des candidats dont le niveau de français est insuffisant de se présenter. Les conditions actuelles dans lesquelles sont passés les tests linguistiques éliminent 10 % des candidats

En revanche*, plusieurs indicateurs montrent que les consignes* données récemment, en particulier par la circulaire du 16 octobre 2012, pour assouplir* certains critères (notamment l'insertion professionnelle et la régularité du séjour antérieur) ont commencé à produire leurs effets. Ainsi le rapport décisions favorables/décisions défavorables s'est inversé* dès le mois de novembre 2012 et cette évolution s'est confirmée en décembre (3 164 favorables/1 174 défavorables).

Source : MINISTERE DE L'INTERIEUR. « Communiqué de presse : la diffusion régulière des informations statistiques annuelles de l'immigration, l'intégration et l'asile ». 28 mars 2013. www.immigration.interieur.gouv.fr (2 mai 2013).

 Search words : immigration france, nationalisation france

constater voir ; **la mise en œuvre** *installation* ; **ralentissant** *slowing* ; **la normalisation** fait de traiter tout le monde de la même façon ; **En revanche** Cependant ; **une consigne** *indication* ; **assouplir** *to lighten up* ; **s'est inversé (s'inverser)** *was reversed (to reverse)*

---

15 **Statistiques du Ministère de l'Intérieur**

Faites les activités suivantes.

A. *Préparez des graphiques qui montrent :*
  - les destinations principales en Europe pour les demandeurs d'asile (carte)
  - les primo-demandeurs d'asile en France en chiffre ronds (diagramme en camembert)
  - le taux d'admission au statut (graphique à barres)

B. *Faites correspondre le fait à gauche avec son explication à droite :*

1. la baisse des acquisitions de la nationalité française

2. les demandes diminuent

3. les décisions défavorables se sont inversées critères

A. des tests de langue

B. un décret a exigé un retrait de 30% et un resserrement des critères d'admission à la nationalité

C. l'assouplissement de certains critères

La Francophonie : Aide pour les réfugiés

✳ *Au Canada*

Campagne « Fiers de protéger les réfugiés » lancée cette Journée des droits des réfugiés

Interpretive Communication : Print Texts

Introduction

Ce texte est un communiqué diffusé par le Conseil canadien pour les réfugiés au moment de la Journée des droits des réfugiés. Il annonce une campagne. Quel est le but principal de cette campagne ?

Pré-lecture

Regardez le titre. Quel est le slogan de cette campagne ?

Le Conseil canadien pour les réfugiés annonce aujourd'hui le lancement d'une campagne qui vise à transformer le discours concernant les réfugiés. Ce 4 avril, la Journée des droits des réfugiés donne le coup d'envoi* à de nouveaux efforts, sous la devise « Fiers de protéger les réfugiés », afin de promouvoir* une vision positive de ce qu'on veut pour les réfugiés et des contributions importantes qu'offrent les réfugiés à nos communautés.

« A son meilleur, nous pouvons tous être fiers de la réponse canadienne aux réfugiés », a dit Loly Rico, présidente du Conseil canadien pour les réfugiés. « Il y a vingt-trois ans, je suis venue au Canada en tant que réfugiée avec ma famille et nous avons été bien accueillis. Je veux m'assurer du maintien* de la tradition canadienne d'offrir une protection et un accueil chaleureux* ».

« Les réfugiés subissent* des violations de leurs droits humains à cause de leur identité ou de leurs croyances*. Amnistie internationale est fière d'endosser* une campagne qui protège les droits des réfugiés à la vie, à la liberté et à la sécurité de la personne » a dit Gloria Nafziger d'Amnesty International Canada.

Le révérendissime Fred Hiltz, archevêque* et primat* de l'Eglise anglicane du Canada a dit : « Cette campagne est une merveilleuse occasion d'apprendre et de communiquer l'impératif évangélique de tendre la main à des millions de personnes les plus vulnérables et les plus à risque dans le monde, de répondre à leur espérance* d'un nouveau départ, d'accueillir et d'être transformés par leur présence, leur voix et leur cœur parmi nous ».

Le Conseil canadien pour les réfugiés et d'autres groupes à travers le Canada invitent tout le monde à démontrer leur fierté* de protéger les réfugiés. Il s'agit d'un geste important afin d'assurer que le Canada reste une terre d'accueil.

---

le coup d'envoi *starting point* ; **promouvoir** *to promote* ; **le maintien** pour garder ; **chaleureux** très aimable ; **subissent (subir)** *undergo* ; **croyances** *beliefs* ; **endosser** *to endorse* ; **un archevêque** *archbishop* ; **le primat** *Primate* ; **l'espérance (f.)** espoirs ; **la fierté** fait d'être fier

De récents changements au système d'asile et un discours de plus en plus négatif à propos des nouveaux arrivants pourraient faire en sorte que les réfugiés aient plus de difficulté à trouver la protection et à se sentir les bienvenus au Canada.

« Des communautés de foi* au Canada sont fières de protéger les réfugiés depuis longtemps. Nous sommes également fiers de notre système de santé universel. Pour que cette tradition continue, il faut s'assurer que toute personne au Canada reçoit un traitement adéquat. Offrir ce même traitement aux réfugiés et à d'autres personnes qui cherchent la protection au Canada est la bonne chose à faire, tant* sur le plan moral que financier », a dit Joe Gunn, directeur de Citoyens pour une politique juste.

Le 4 avril marque l'anniversaire de la décision Singh de la Cour suprême en 1985. Depuis cette date, il est connu comme la Journée des droits des réfugiés au Canada. Dans cette décision, la Cour suprême a conclu que la Charte canadienne des droits et libertés protège les droits fondamentaux des réfugiés. La Cour suprême a décidé que les demandeurs d'asile font partie du terme « chacun » dans la phrase : « Chacun a droit à la vie, à la liberté et à la sécurité de sa personne ; il ne peut être porté atteinte* à ce droit qu'en conformité avec les principes de justice fondamentale. »

Pour plus d'informations à propos de la campagne Fiers de protéger les réfugiés, consultez : ccrweb.ca/fr/fiers-de-proteger-refugies

Source : CONSEIL CANADIEN POUR LES REFUGIES. « Campagne 'Fiers de protéger les refugiés' lancée cette Journée des droits des réfugiés ». 4 avril 2013. http://ccrweb.ca (4 mai 2013).

 Search words : immigration canada, campagne réfugiés canada

---

la foi *faith* ; **tant** *as well* ; **porté atteinte à** *denied*

---

16 Profil du Conseil Canadien pour les réfugiés

Ecrivez un paragraphe qui résume ce communiqué en parlant :

- de sa vision
- d'une description de sa clientèle
- du but de la nouvelle campagne et pourquoi c'est essentiel actuellement
- de la raison pour le lancement à cette date

Eloge du patriotisme
Interpretive Communication : Audio texts

Introduction

Michel Lacroix, philosophe, écrivain, auteur de *Eloge du patriotisme, petite philosophie du sentiment national* s'entretient avec Asbel Lopez sur RFI.

A. *Ecoutez la première phrase de Michel Lacroix. Complétez pour résumer sa définition du patriotisme.*

   Complétez : « Le patriotisme, c'est pas un sentiment..., c'est pas un sentiment... »

B. *Poursuivez l'écoute jusqu'à « ... à s'extérioriser ». Pour Michel Lacroix, il y a actuellement une crise du patriotisme en France. Complétez pour comprendre son point de vue.*

   Complétez : « Le patriotisme est profondément... dans l'opinion française mais il est... de manière... Il est... dans... à l'état... C'est un sentiment qui... dont... Il y a une sorte de... à en parler. »

C. *Faites une liste des situations dans lesquelles, selon Michel Lacroix, le patriotisme peut s'extérioriser.*

D. *Ecoutez la fin. Répondez aux questions.*
   1. On oppose souvent deux termes. Lesquels ?
   2. M. Lacroix considère, lui, comme indissociables deux exigences fondamentales. Quelles sont ces deux exigences ?
   3. Comment justifie-t-il sa position ?
   4. Quels exemples donne-t-il pour illustrer sa thèse ?

E. *Retrouvez et notez tous les mots qui se rattachent à l'une ou à l'autre de ces exigences. Puis, retrouvez son raisonnement.*

 Search words : jean monnet, robert schumann (deux des Pères fondateurs de l'Union européenne)

Langue vivante

M. Lacroix se réjouit que le patriotisme d'aujourd'hui ne soit plus un patriotisme « va-t-en guerre ». Cette expression suggère que le patriotisme d'autrefois était révolutionnaire, et les dirigeants prêts à faire la guerre à toute occasion.

Ensemble des documents

Comment la notion du patriotisme évolue-t-elle avec le temps ? Pensez à la Libération, au rôle de la France depuis la fondation de l'Union européenne, par exemple.

La culture de tous les jours

Lisez la bande dessinée. Ensuite, répondez aux questions.

18 Le 14 juillet

Répondez aux questions.

1. L'affiche est une convocation à quel événement ?
2. Qu'est-ce que Zakia ignore ?
3. Qu'est-ce qui va se passer demain matin ?
4. Qu'est-ce qui va se passer demain soir ?
5. Pourquoi Zakia n'est-elle pas au courant de ce qui va se passer ? Créez une histoire pour elle.

Révision : Le participe présent

1. Formation

Pour former le participe présent, on prend (comme pour former l'imparfait) le radical de la première personne du pluriel du présent de l'indicatif (*faire*, par exemple) et on lui ajoute la terminaison « –ant » : *faisant*.

> nous finissons à *finissant* ; nous voyons à *voyant* ; nous disons à *disant* ; nous pouvons à *pouvant*.

Les trois seules exceptions sont les verbes : être à *étant* ; avoir à *ayant* ; savoir à *sachant*.

Il existe une forme composée : *ayant lu, étant allé,* formée du participe présent de l'auxiliaire *avoir* ou *être* au participe présent et du participe passé. Comme toutes les formes composées, elle exprime l'antériorité :

> *Ayant vécu plusieurs années à Londres, elle parle très bien l'anglais.*

2. Emplois et valeurs

- Le participe présent peut se rapporter à un nom et avoir la même valeur qu'une proposition relative :

  > *Les Français sont d'abord des citoyens disposant de droits égaux.* (= qui disposent)

- Il peut être employé dans une proposition séparée de la proposition principale, il exprime alors la cause. Dans ce cas, il peut avoir un sujet propre ou le même sujet que celui de la proposition principale :

  > *L'héritage culturel reste par nature hétérogène et changeant, la culture française étant tissée d'apports historiques successifs et d'emprunts multiples.* (= parce que la culture française est tissée...)

Comparez l'emploi et la valeur du participe présent dans les deux phrases suivantes :

- *Parlant la même langue, j'ai cru que ce serait plus facile pour l'intégration.* (= Comme je parle la même langue, j'ai cru...)
- *Normalement, les étrangers parlant la langue du pays s'intègrent plus vite que les autres.* (= les étrangers qui parlent la langue du pays)

Le participe présent est plutôt utilisé à l'écrit. Il est très fréquent dans les articles de presse mais aussi dans les lettres à caractère administratif.

19 Le vote des étrangers

Reformulez les participes présents de ces trois phrases extraites du texte « Le vote des étrangers » soit avec une relative, soit avec une proposition de cause, suivant la valeur de chacun.

- Les étrangers extracommunautaires, c'est-à-dire issus d'un pays extérieur à l'Union européenne, et **habitant** en France depuis au moins cinq ans...
- Tous les nationaux français majeurs des deux sexes, **jouissant de** leurs droits civils et politiques...
- Elle souligne que les citoyens des pays de l'Union européenne peuvent voter en France parce que les Français le peuvent chez eux, le système **fonctionnant** sur la base de la réciprocité.

20 Comme ou *parce que...*

Faites les activités.

A. *Associez les deux parties de phrases.*

1. Son passeport expirant dans un mois,
2. Craignant une réponse négative,
3. Ayant vécu longtemps à l'étranger,
4. Me rendant pour la première fois dans ce pays,
5. Ne sachant pas à qui nous adresser,
6. Etant entré illégalement dans le pays,
7. Son dossier n'étant pas arrivé à temps,
8. Ne pouvant pas retourner dans leur pays,

A. j'ai perdu mes repères dans ma propre culture.
B. sa demande a été rejetée.
C. j'ai besoin d'informations.
D. elle n'a pas pu obtenir son visa.
E. il risque d'être expulsé.
F. ils ont demandé l'asile.
G. j'ai préféré ne rien demander.
H. nous nous permettons de vous demander conseil.

B. *Reformulez la première partie de chacune des phrases ci-dessus. N'utilisez plus le participe présent mais « comme » ou « parce que ».*

MODÈLE   Comme son passeport expire dans un mois, elle n'a pas pu obtenir son visa. →
Elle n'a pu obtenir de visa parce que son passeport expire dans un mois.

Comment acquérir la nationalité française ? Réécrivez le petit texte suivant en remplaçant les expressions en italiques par des participes présents.

La **naturalisation**, qui est un des modes d'acquisition de la nationalité française, n'est pas un droit. Elle est soumise à la décision de l'administration qui peut la refuser même si les conditions sont réunies, les conditions *sont liées* notamment à la régularité du séjour en France, à l'intégration dans la communauté française, à l'absence de condamnations pénales. **Tout étranger majeur...**

- *qui réside* habituellement sur le sol français depuis au moins cinq ans,
- *qui justifie* de son « assimilation à la communauté française » lors d'un entretien individuel,
- *qui a réussi* le test de connaissance de la langue française, le niveau requis est le niveau B1 du cadre européen commun de référence pour les langues,
- *qui a* une connaissance suffisante de l'histoire, de la culture et de la société françaises,
- *qui a signé* une charte des droits et des devoirs
- et qui *adhère* aux principes et aux valeurs essentiels de la République.

...peut demander à être naturalisé.

Le gérondif

emcl.com
WB 15–17

1. Formation
Le gérondif se forme à l'aide du **participe présent**, **précédé de « en »**.

2. Emplois et valeurs

Il a différentes valeurs :

- Il peut marquer que deux actions sont **simultanées**, se réalisent en même temps :

  Les soldats défilent en chantant l'hymne national.

- Il peut indiquer **le moment** où se réalise une action. Il répond alors à la question « quand ».

  En composant le Chant de guerre pour l'armée du Rhin, Rouget de Lisle ne se doutait pas que son hymne à la liberté deviendrait La Marseillaise. (= Lorsqu'il composait, quand il composait, alors qu'il composait...)

- Il peut expliquer **la manière** dont l'action principale se passe ; il répond à la question « comment » :

  On peut changer cette loi en organisant un référendum.

- Il peut marquer **la condition** à la réalisation d'une action.

On n'obtient pas la nationalité française automatiquement. On l'obtient en satisfaisant à beaucoup de conditions. (= si on satisfait à beaucoup de conditions)

• Il peut encore avoir une valeur de **cause :**

En prenant cette décision, le gouvernement a déclenché un mouvement de révolte.

Le gérondif peut être renforcé par **« tout »**. Il a alors...

• soit la valeur de simultanéité : *Elle continue ses études tout en travaillant.*

• soit (très souvent) une valeur d'opposition : *Tout en vantant la mondialisation, on ferme nos frontières.* (On vante la mondialisation et pourtant on ferme nos frontières.)

Attention ! le gérondif a toujours le même sujet que le verbe principal.

---

22 **Un peu d'histoire de France !**

Transformez, quand c'est possible, les phrases suivantes en utilisant le gérondif.

1. Quand François 1er l'a rendu obligatoire dans les textes officiels, le français s'est imposé face au latin.
2. Quand François 1er a rendu le français obligatoire dans les textes officiels, il l'a imposé face au latin.
3. Henri IV a mis fin aux guerres de religion quand il a promulgué l'Edit de Nantes qui accordait la liberté de culte aux protestants.
4. Les guerres de religion ont pris fin quand Henri IV a promulgué l'Edit de Nantes.
5. Quand le peuple a pris la Bastille, le symbole de l'absolutisme royal est tombé.
6. Quand le peuple a pris la Bastille, il n'a pas libéré beaucoup de prisonniers mais il a renversé le symbole de l'absolutisme royal.
7. Quand le roi a tenté de s'enfuir, il a perdu la confiance du peuple.
8. Le peuple a perdu toute confiance dans le roi quand il a tenté de s'enfuir.

MODÈLE **On ne peut pas transformer la 1ère phrase parce qu'il y a 2 sujets différents. On peut transformer la 2ème : En rendant le français obligatoire dans les textes officiels, François 1er l'a imposé face au latin.**

---

23 **La citoyenneté et l'assimilation**

Faites les activités en utilisant le gérondif.

1. Comment devient-on un bon Français ? Bien sûr en portant un béret basque et une baguette sous son bras, en mangeant des escargots et du fromage.... A votre tour, jouez avec les stéréotypes sur votre pays et dites comment on devient un bon Américain.
2. Puis, plus sérieusement, dites à un jeune étranger qui arrive chez vous comment il peut s'intégrer.

24 Dans quelles circonstances...

Répondez à ces questions en utilisant le gérondif (en apprenant, en découvrant, en entendant...).

A. ...avez-vous pris conscience de votre attachement à votre pays ?

B. ... avez-vous éprouvé ou éprouvez-vous :
- un sentiment de fierté par rapport à votre pays ?
- ou inversement un sentiment de honte ?
- ou encore de la joie, de la tristesse, de l'émotion, de la colère ?

> **MODÈLE**   **J'ai éprouvé de la honte en voyant le gouvernement de mon pays recevoir un dictateur avec beaucoup d'honneur.**

25 Comment s'impliquer dans la communauté

Interpretive Communication : Print Texts

Lisez le texte ci-dessous. A deux, reprenez les points énumérés dans le document canadien et en utilisant des gérondifs répondez à la question : Comment s'impliquer dans la communauté ? Continuez la liste avec vos propres idées, puis échangez avec vos voisins.

Le Forum jeunesse de la région de la Capitale-Nationale, au Québec, qui a pour mission d'informer, de concerter et de représenter les jeunes de manière à ce qu'ils contribuent activement au développement social, culturel et économique de la région, suggère d'explorer les pistes suivantes :

- Fais preuve de civisme dans ta vie de tous les jours ;
- Informe-toi afin de mieux connaître les différents enjeux sociaux, politiques, environnementaux ;
- Tiens-toi au courant des décisions prises dans ta communauté ;
- Vote aux différentes élections afin que soient bien représentées tes aspirations et ta vision ;
- Exprime-toi sur différentes tribunes pour défendre une cause, proposer une idée ou pour dénoncer une injustice ;
- Engage-toi au sein d'un organisme afin de participer activement à la vie sociale de ta communauté ;
- Apporte ta contribution, grande ou petite.

D'après : FORUM JEUNESSE. « Pourquoi, comment et où s'impliquer ? » www.fjrcapitale-nationale.qc.ca (4 mai 2013).

À vous la parole

emcl.com
WB 18–21

Question centrale

?

Quelles valeurs a le nationalisme pour les individus et les institutions ?

Communiquez!

26 Le concept de nation

Interpretive Communication : Audio Texts

Répondez aux questions.

Introduction

Le journaliste du *TéléJournal Québécois* analyse l'évolution du concept de nation.

A. *Ecoutez deux fois le début de l'extrait (jusqu'au moment où l'on entend « Une nation sans conditions monsieur » !)*
   1. Quels pays sont cités au début de l'extrait et pourquoi ?
   2. Qu'est-ce que le philosophe interviewé affirme ?

B. *Ecoutez la suite jusqu'à « pouvoir politique ».*
   3. Qui appelle-t-on au Canada « Premières nations » ? Quelle est l'appellation officielle, celle de la Constitution ?
   4. Pourquoi l'expression « Premières nations » n'a-t-elle pas été retenue par la Constitution canadienne ?

C. *Ecoutez la fin.*
   5. Le journaliste joue avec les mots qui se terminent par « -nation ». Quel mot propose-t-il ? Pourquoi, à votre avis ?
   6. Qu'est-ce qu'Ellen Gabriel dit de son identité et du peuple auquel elle appartient ?
   7. Quel problème fait apparaître cet extrait par rapport à la situation canadienne ?

Communiquez!

Presentational Writing : Letter

Lisez le document ci-dessous et faites l'activité qui le suit.

Un jour de l'année 1998, je me suis souvenu de mon enfance. Dans la ville occupée par l'ennemi qui en revendiquait la possession, l'instituteur nous apprenait *La Marseillaise* et *Le Chant du départ*. [...] Le jour de la Libération, j'ai couru de barricade en barricade, et mon père portait un brassard tricolore.

Mon enfance fut donc patriotique. C'est ainsi que l'histoire de France est entrée en moi. Je l'ai aimée. Ma génération est-elle la dernière à vivre de cette manière son rapport à la nation ?

J'observe mon fils, penché sur son ordinateur. Il se promène, comme il dit, d'un site à l'autre. Il consulte son *e-mail*. Quel est son « territoire » ? Quel est son « enracinement » ? Internet ? Le mot *France* signifie-t-il pour lui autre chose qu'une équipe de football dont on célèbre la victoire au cours d'une manifestation festive aussi éphémère que l'engouement pour un groupe musical, ou ni plus ni moins importante que la *Gay Pride* ou la *Love Parade* ?

GALLO, Max. *L'amour de la France expliqué à mon fils.* Editions du Seuil. Paris : 1999.

Pourquoi l'enfance de Max Gallo a-t-elle été patriotique : à quelle époque s'est-elle déroulée ? Vous écrivez à l'auteur de ce texte pour lui donner votre opinion. Vous pouvez le rassurer sur la compatibilité entre « l'enracinement » dans un pays et le développement des technologies de la communication ou au contraire juger son souci d'enracinement complètement dépassé dans le monde actuel.

Communiquez !

Le droit de vote pour les étrangers
Presentational Writing : Persuasive Essay

Vous allez écrire un essai persuasif qui répond à cette question. Le sujet est basé sur l'article ci-dessous qui présentent deux points de vue distincts, et un graphique avec des informations supplémentaires. Vous devrez d'abord présenter clairement les deux points de vue, puis indiquer votre propre point de vue que vous défendrez en prenant le rôle d'un Français ou d'une Française. Servez-vous des renseignements fournis dans les deux pour argumenter votre essai. Faites un effort d'organiser votre essai en paragraphes bien distincts.

Introduction

Le premier à avoir abordé la question est Président François Mitterrand dans les années 80. Trente ans plus tard, la question n'est toujours pas réglée.

Qui est concerné par la mesure ?

Les étrangers extracommunautaires, c'est-à-dire issus d'un pays extérieur à l'Union européenne, et habitant en France depuis au moins 5 ans. Les ressortissants européens ont déjà le droit de voter aux élections locales - les municipales - depuis 1998 et l'application dans le droit français du traité de Maastricht. En revanche, ils ne peuvent être ni maire ni adjoint, et ne peuvent participer à l'élection sénatoriale.

Comment voter la loi ?

L'instauration du droit de vote aux étrangers nécessite une modification de la Constitution. La formule concernée : « Sont électeurs, dans les conditions déterminées par la loi, tous les nationaux français majeurs des deux sexes, jouissant de leurs droits civils et politiques ». L'expression « Tous les nationaux français » devrait alors être changée. Pour cela, le gouvernement doit obtenir la majorité des 3/5e au Congrès-Assemblée nationale et Sénat réunis.

Les arguments pour

La gauche avance de nombreux arguments moraux : égalité entre tous : « il n'y a pas de raisons pour que ceux qui habitent avec nous, qui travaillent avec nous, qui envoient leurs enfants dans les écoles françaises, ne participent pas à la vie de la commune », reconnaissance du rôle des étrangers dans la construction de la société, facilité d'intégration des étrangers via le vote pour lutter contre le communautarisme. Le fait de travailler en France, donc de payer des impôts et de participer au budget de l'Etat, est aussi avancé.

Les arguments contre

La droite base son argumentation sur plusieurs points. D'abord, elle lie droit de vote et nationalité française. Ensuite, elle redoute que la mesure renforce le communautarisme : « Nous ne voulons pas que des conseillers municipaux étrangers rendent obligatoire la nourriture halal dans les repas des cantines ». Elle souligne que les citoyens des pays de l'Union européenne peuvent voter en France parce que les Français le peuvent chez eux, le système fonctionnant sur la base de la réciprocité.

Enfin, la droite ne veut pas d'un vote par le Congrès, elle est favorable au recours au référendum : c'est aux Français de trancher la question.

Si c'est globalement un débat droite-gauche, il n'y a pourtant pas d'unanimité totale au sein des deux camps.

D'après : L'EXPRESS. « Ce qu'il faut savoir sur le droit de vote des étrangers ». 18 septembre 2012. www.lexpress.fr (2 mai 2013).

Les citoyens de l'Union européenne qui résident en France peuvent participer aux élections municipales et aux élections européennes dans les mêmes conditions que les électeurs français. Pour exercer ce droit de vote, ils doivent être inscrits sur les listes électorales et remplir les conditions d'âge et de capacité juridique.

Qui peut être électeur ?

Il faut remplir les conditions suivantes :

- être âgé d'au moins 18 ans
- habiter en France
- être ressortissant d'un pays de l'Union européenne
- et jouir de ses droits civils et politiques.

Quelles sont les élections concernées ?

Un citoyen de l'Union européenne peut voter en France pour :

- les élections européennes et les élections municipales,
- les élections municipales seulement,
- ou les élections européennes seulement.

Pour les élections européennes, il doit choisir le pays dans lequel il souhaite exercer son droit de vote. En effet, il n'est pas possible de voter plusieurs fois pour un même scrutin.

Source : SERVICE-PUBLIC. « Elections : droit de vote d'un citoyen européen ». 21 mars 2013. http://vosdroits.service-public.fr (2 mai 2013).

Communiquez!

29 **Dialogue guidé** 🎧 👥

Interpersonal Speaking : Conversation

Vous avez une conversation avec une amie française. Cette conversation doit suivre le canevas qui vous est donné ci-dessous. Vous allez entendre les répliques de votre amie et vous réagirez comme le canevas l'indique.

–Vous voulez savoir si votre amie s'inquiète comme vous pour les apatrides.

–Votre interlocutrice vous donne sa position et vous donne un exemple.

–Vous résumez son point de vue.

–Elle vous dit si vous avez raison.

–Vous parlez d'une apatride que vous connaissez et demandez si votre amie voudrait l'aider.

–Elle explique ce qu'elle voudrait bien faire.

–Vous la poussez pour faire un peu plus. Vous suggérez une idée.

–Elle répond à votre idée.

–Vous exprimez comment vous vous sentez après avoir entendu sa réponse.

emcl.com
WB 22

Lecture 1

C'est du lourd

Interpretive Communication : Print Texts

Rencontre avec l'auteur

Enfant de l'immigration et de la banlieue, **Abd al Malik** (1975–) est un rappeur, musicien et poète d'origine congolaise. Il milite pour la paix et pour un « vivre ensemble ». Avec *Dante*, sorti en 2008, il reste au croisement du rap, du slam, de la chanson et du jazz. En 2011, il sort un livre *Le dernier Français*. Dans ce recueil où sont réunis poèmes, chansons et essais, il entreprend d'exposer son idée de la France. La chanson qu'on vous présente est le premier titre de l'album *Dante*. Quel est son point de vue sur le patriotisme ?

Abd Al Malik.

Pré-lecture

Ecoutez les premières notes de musique. Quels instruments reconnaissez-vous ? Qu'évoquent-ils pour vous ? A quel type de chanson vous attendez-vous : *légère, romantique, réaliste*... La chanson a pour titre « C'est du lourd. » A quoi associez-vous l'adjectif *lourd* ? Quelle valeur a-t-il pour vous : une valeur positive ou négative ? Notez les mots qui terminent chaque couplet. Qu'observez-vous ? Comment définiriez-vous le style musical de cette chanson ?

Argot des ados

les thunes, la thune : *l'argent*
une meuf : *une fille*
taffer : *travailler*
la bouffe : *la nourriture*
la baraque : *la maison*
un mec : *homme*

« C'est du lourd[1] » par Abd Al Malik

Je m'souviens, maman qui nous a élevés* toute seule, nous réveillait pour l'école quand on était gamins, elle écoutait la radio en pleurant notre pain[2], et puis après elle allait au travail dans le froid, la nuit, ça c'est du lourd.

Ou le père de Majid qui a travaillé toutes ces années de ses mains, dehors, qu'il neige, qu'il vente, qu'il fasse soleil, sans jamais se plaindre*, ça c'est du lourd.

> **Rappel**
> Ces verbes sont au subjonctif. Reformulez la phrase en écrivant « Quand il neige..., etc. »

Et puis t'as tous ces gens qui sont venus en France parce qu'ils avaient un rêve et même si leur quotidien après il a plus ressemblé à un cauchemar*, ils ont toujours su rester dignes*, ils ont jamais basculé* dans le ressentiment*, ça c'est du lourd, c'est violent.

Pendant la lecture
1. L'auteur vient de quelle sorte de famille—nucléaire, recomposée,... ?

Pendant la lecture
2. Ressent-il de la fierté ou de la honte pour sa mère ?

Pendant la lecture
3. Qu'est-ce qu'il admire du père de Majid ?

Pendant la lecture
4. Qu'est-ce qu'il a remarqué des immigrés ?

élevé(e) *raised* ; **se plaindre** *to complain* ; **le cauchemar** *nightmare* ; **digne** (*dignified*) ; **basculé (basculer)** *tombé (tomber)* ; **le ressentiment** *resentment*

1. C'est du lourd veut dire « Ça mérite vraiment le respect ».
2. « En pleurant notre pain » : Elle regarde avec angoisse le peu de nourriture qu'ils ont à manger.

Et puis t'as tous les autres qui se lèvent comme ça, tard dans la journée, qui se grattent* les bourses[3], je parle des deux, celles qui font référence aux thunes, du genre « la fin justifie les moyens » et celles qui font référence aux filles, celles avec lesquelles ils essaient de voir si y'a moyen[4], ça c'est pas du lourd.

Les mecs qui jouent les choses « zarma »[5] devant les blocs[6], dealent un peu de coke, de temps en temps un peu de ke-cra[7] et il dit « je connais la vie moi monsieur » !, alors qu'il connaît rien, le gars ça c'est pas du lourd.

Moi je pense à celui qui se bat pour faire le bien, qu'a mis sa meuf enceinte*, qui lui dit j't'aime, je vais assumer*, c'est rien, c'est bien, qui va taffer* des fois même pour un salaire de misère*, mais le loyer qu'il va payer, la bouffe qu'il va ramener à la baraque, frère, ça sera avec de l'argent honnête, avec de l'argent propre, ça c'est du lourd.

Je pense aussi à ces filles qu'on a regardées de travers[8] parce qu'elles venaient de cités*, qu'ont montré à coup de* ténacité, de force, d'intelligence, d'indépendance, qu'elles pouvaient faire quelque chose de leur vie, qu'elles pouvaient faire ce qu'elles voulaient de leur vie, ça c'est du lourd.

Mais t'as le bourgeois aussi, genre emprunté, mais attention hein je n'généralise pas, je dis pas que tous les bourgeois ils sont condescendants, paternalistes ou totalement imbus[9] de leur personne, non parce que ça, c'est pas du lourd je veux juste dire qu'il y a des gens qui comprennent pas, qui croient qu'être français c'est une religion, une couleur de peau, ou l'épaisseur* d'un portefeuille en croco*, ça c'est bête, c'est pas du lourd, c'est...

La France elle est belle, tu le sais en vrai, la France on l'aime, y'a qu'à voir quand on retourne au bled[10], la France elle est belle, regarde tous ces beaux visages qui s'entremêlent* ça c'est du lourd. Et quand t'insultes ce pays, quand t'insultes ton pays, en fait tu t'insultes toi-même, il faut qu'on se lève, faut qu'on se batte* ensemble, rien à faire de ces mecs qui disent « vous jouez un rôle ou vous rêvez », ces haineux* qui disent « vous allez vous réveiller », parce que si on y arrive, si on y arrive à faire front* avec nos différences, sous une seule bannière*, comme un seul peuple, comme un seul homme, ils diront quoi tous, hein ? Ben que c'est du lourd, du lourd, un truc de malade[11]...

Pendant la lecture
5. Pourquoi méprise-t-il ces gens ?

Pendant la lecture
6. Il les compare à quelle sorte de jeune homme ?

Pendant la lecture
7. Où ces filles ont-elles grandi ? Pourquoi les admire-t-il ?

Pendant la lecture
8. Quel portrait fait-il des Français qu'il ne respecte pas ?

Pendant la lecture
9. De quelle manière l'auteur est-il patriotique ? Quels aspects de la France apprécie-t-il ?

Source : « C'est du lourd », Abd al Malik Album Dante 2008 (Polydor).

se grattent (se gratter) *scratch* (*to scratch*) ; **enceinte** *pregnant* ; **assumer** prendre mes responsabilités ; **taffer** travailler ; **de misère** minime ; **la cité** ghetto ; **à coup de** à mesure de ; **l'épaisseur (f.)** *thickness* ; **en croco** crocodile ; **s'entremêlent (s'entremêler)** se réunissent (se réunir) ; **se batte (se battre)** *fight* (*to fight*) ; **un mec** homme ; **ces haineux** *haters* ; **faire front** faire face à ; **la bannière** drapeau

3. Les bourses : le porte-monnaie. Ces gens s'approprient les plaisirs de la vie sans y penser.
4. Si y'a moyen (*fam.*): ici, si c'est possible de les draguer.
5. Zarma (argot, provient de l'arabe): interjection utilisée pour tourner en dérision les propos d'une personne ; synonyme de genre, style.
6. Un bloc : un ensemble d'immeubles, un immeuble.
7. Le Ke-cra (*verlan*): le crack, drogue faite à base de cocaïne.
8. Regarder quelqu'un de travers (*fam.*): le regarder d'une manière qui marque du mécontentement, de la colère ou de l'aversion.
9. Imbu (*adj.*): prétentieux, vaniteux.
10. Le bled (*argot*, provient de l'arabe): ici, le pays d'origine.
11. Un truc de malade : un truc de ouf (fou), quelque chose d'extraordinaire, de magique. Malade et fou prennent un sens positif.

Langue vivante

En vous aidant du glossaire, reformulez le couplet suivant : « Moi je pense à celui qui se bat pour faire le bien, qu'a mis sa meuf enceinte, qui lui dit j'taime, je vais assumer, c'est rien, c'est bien, qui va taffer des fois même pour un salaire de misère, mais le loyer qu'il va payer, la bouffe qu'il va ramener à la baraque, frère, ça sera avec de l'argent honnête, avec de l'argent propre, ça c'est du lourd ».

Post-lecture

Abd Al Malik est-il content de vivre en France ? Justifiez votre réponse.

30 Compréhension de la chanson

Ecoutez la chanson une deuxième fois avec les paroles. Puis, répondez aux questions.

A. *Lisez les sept premiers couplets.*

1. Pour chaque couplet quels sont les personnes, le sentiment, le comportement qui y sont dénoncés ou au contraire mis à l'honneur ?

MODÈLE **Couplet 1/ sa mère : l'amour maternel, le courage, le sens de l'économie, le travail.**

2. Quelle image contrastée de la banlieue nous donne-t-il ?

B. *Lisez le couplet 8.*

3. Quelle catégorie de gens juge-t-il dans ce couplet ?
4. Vous semblent-ils appartenir au même monde que les précédents ?
5. Que leur reproche-t-il ? (Il formule sa critique avec une certaine prudence. Relevez les expressions qui le montrent.)

C. *Lisez le couplet 9.*

6. Vers qui se tourne-t-il dans ce dernier couplet ?
7. Quels sentiments exprime-t-il ?
8. Quelles qualités attribue-t-il à la France ?
9. Comment comprenez-vous : « ...la France on l'aime, y'a qu'à voir quand on retourne au bled ? »
10. A qui s'adresse-t-il ? Qui est ce « tu » ?
11. Quel message lance-t-il ?
12. Comment comprenez-vous : « rien à faire de ces mecs qui disent « vous jouez un rôle où vous rêvez », ces haineux qui disent « vous allez vous réveiller » ? En quoi peut-on dire que ce message est très républicain ?

31 Activités d'expansion

Faites les activités suivantes.

1. A deux ou en petits groupes, réfléchissez à des comportements que vous observez dans votre entourage et classez-les dans l'une ou l'autre des deux catégories relevées par le compositeur.
2. Trouvez une chanson patriotique dans votre langue. Comparez les exemples et les messages des deux chansons par écrit.
3. Ecrivez un slam ou un rap qui montre vos sentiments pour votre pays.

T'es branché ?

Faisons le point !

A. *Pour retrouver les principales idées développées au cours de la leçon, notez dans votre cahier, un ou deux exemple(s) en face de chacun des points de repère qui vous sont proposés. Reportez-vous à tous les documents de la leçon (écrits journalistiques, témoignages, micros-trottoirs, analyses, chanson, illustrations).*

Question centrale

?

Quelles valeurs a le nationalisme pour les individus et les institutions ?

Le nationalisme, le patriotisme	Notes

Des notions liées au thème

L'identité nationale
- des symboles
- des valeurs
- des personnages
- des mises en question

Des manifestations du nationalisme
- le nationalisme sportif
- les fêtes
- au fil du temps

Intégration et division
- la naturalisation
- le droit de vote
- des nations plurielles

B. *Discutez en groupes. Que répondriez-vous à la question posée au début de l'unité : Quelles valeurs a le nationalisme pour les individus et les institutions ?*

Vocabulaire de l'Unité 3

à : à l'aise at ease *A*
acquérir to acquire *B*
s' **adapter (à)** to get used (to) *B*
les **additions (f.)** addition *A*
un(e) **apatride** stateless person *C*
un **apprentissage** apprenticeship *A*
l' **asile (m.)** asylum *C*
l' **assimilation (f.)** assimilation *B*
s' **assimiler** to assimilate *B*
une **attitude** attitude *B*
l' **attrait (m.)** attraction *B*
au : au fur et à mesure que progressively as *B*
augmenter to increase *B*
avancer to make progress *A*
l' **avant-garde (f.)** vanguard *C*
une **barrière** barrier *B*
c'est : c'est pour cela que that's why *C*
un **camp** campsite *C*
un **cloisonnement** isolation *B*
un(e) **compatriote** compatriot *C*
un **comportement** behavior *C*
une **connaissance** understanding *B*
construire to construct *B*
la **coopération** cooperation *B*
un **croisement** meeting
la **curiosité** curiosity *B*
de : d'adoption by adoption *B* ; **de souche (+ origin)** ethnic (+ origin) *B*
un **demande** application *C*
les **devoirs (m.)** duties *C*
un **dialecte** dialect *A*
la **domination** domination *B*
dresser to raise *B*
un **duo** duet *B*
l' **égalité (m.)** equality *C*
l' **emprunt (m.)** loan *B*
en : en sorte que so that *B*
étranger, étrangère foreign *B*
s' **expatrier** to emigrate *C*
fédéral(e) federal *C*
une **fleur : fleur de lys** fleur-de-lis *C*
la **fraternité** fraternity *C*
la **fusion** merger *B*
la **globalisation** globalisation
gouvernemental(e) governmental *C*
une **hégémonie** hegemony *B*
un **idiome** idiom, language *A*
un **idiotisme** idiom *A*
immigrer to immigrate *C*
institutionnel, institutionnelle institutional *C*
l' **intégration (f.)** integration *B*
intellectuel, intellectuelle intellectual *A*
l' **intérêt (m.)** interest *B*
la **justice** justice *C*
lever to lift *B*
la **libération** freedom, liberation *C*
libérer to free *C*
la **liberté** liberty *C*
linguistique linguistic *A*
maternel, maternelle maternal *A*

un **mélange** mixture *B*
le **mépris** contempt *B*
le **métissage** intermixing *B*
mettre to take *C*
la **mixité** diversity *B*
une **monarchie** monarchy *C*
nationaliser to nationalize *C*
le **nationalisme** nationalism *C*
nationaliste nationalist *C*
la **nationalité** nationality *C*
la **naturalisation** naturalization *C*
un **néologisme** neologism *A*
une **oligarchie** oligarchy *C*
l' **originalité (f.)** originality *B*
s' **ouvrir (à)** to open up (to) *B*
la **particularité** particularity *B*
particulier, particulière particular *B*
pas : pas mal de quite a few *B*
une **passerelle** link *B*
un **patois** patois *A*
la **patrie** homeland *C*
un(e) **patriote** patriot *C*
le **patriotisme** patriotism *C*
un **pays : pays d'accueil** host country *B* ; **pays d'origine** country of origin *B*
peu : peu à peu little by little *B*
pluriel, plurielle plural *C*
plus : le plus (+ adjective) possible as (+ adjective) as possible *B*
positif, positive positive *B*
profond(e) deeper *B*
que let *C*
la **quête** quest *A*
les **racines (f.)** roots *B*
rapatrier to repatriate *C*
un **réfugié** refugee *C*
se **réfugier** to take refuge *C*
le **rejet** rejection *B*
rendre : rendre uniforme to make uniform *B*
renier to deny *B*
le **repli** withdrawal *B*
se **replier sur soi** to withdraw into yourself *B*
la **résistance** resistance *B*
retrouver to find (again) *B*
scolaire school *B*
sécher : sécher sur [inform.] to blank out *A*
la **ségrégation** segregation *B*
signifier to signify *C*
la **singularité** uniqueness *B*
singulier, singulière different *B*
soi (one) self *A*
souverain(e) soverein *C*
le **statut** status *C*
le **tricolore** red, white, and blue *C*
uniforme uniform *B*
uniformiser to standardize *B*
l' **uniformité (f.)** uniformity *B*
l' **universalité (f.)** universality *B*
venir : venir en aide to help *A*
vis-à-vis vis-à-vis *B*

Unité
4 Les défis mondiaux

À savoir

La Fédération internationale des droits de l'homme (FIDH), créé en 1922, est une ONG internationale basée à Paris qui défend tous les droits, civils, politiques, économiques, sociaux et culturels, tels qu'ils sont énoncés dans la Déclaration universelle des droits de l'homme. Elle regroupe 164 organisations de droits de l'homme dans le monde.

Unité 4
Les défis mondiaux

Question centrale

?

En l'ère moderne, que signifie lutter pour les droits de l'homme ?

Comment s'appelle cet auteur ?

Question centrale

?

Peut-on justifier la violence et la guerre, et quelles en sont les alternatives ?

Question centrale

?

Que signifie la tolérance à l'égard des autres, et quelles en sont les limites ?

Quelle est la particularité de ce pays ?

Contrat de l'élève

Leçon A Je pourrai...

>> parler de mon engagement.

>> parler de la vie de Stéphane Hessel, des buts de Jeudi-Noir, de la Révolution de Jasmin et des réseaux sociaux qui ont contribué à son avènement.

>> me servir des pronoms « y » et « en »; élaborer des phrases complexes à l'aide de constructions relatives.

Leçon B Je pourrai...

>> parler des principes et exprimer ma colère et comment faire de mon mieux.

>> voir les mesures prises contre le hooliganisme, contre la violence, et comprendre l'après-guerre en France et en Europe.

>> me rappeler la formation et l'usage du subjonctif.

Leçon C Je pourrai...

>> dire comment ne pas attaquer les gens et utiliser « s'agir de ».

>> comprendre le racisme en France et l'opinion des Français sur l'Islam.

>> utiliser le subjonctif après les conjonctions.

Vocabulaire actif

emcl.com
WB 2–6

Les droits de l'être humain

En l'ère moderne, que signifie lutter pour les droits de l'homme ?

L'histoire d'Haïti

Dès le 15ème siècle, Haïti, dite Saint-Domingue, était une colonie sous l'esclavage. Les esclaves noirs et mulâtres étaient maltraités et leurs **droits** étaient **bafoués**.

Certaines des **libertés refusées ou restreintes** au peuple étaient, entre autres, le droit à **la propriété**, à **la justice** et à **l'éducation**.

Conscients des **libertés** récemment **acquises** en France et en Amérique, les nègres haïtiens, conduits par le Général Toussaint Louverture, **se sont mobilisés** pour affronter la répression par **une révolte** massive.

A force de **combat** et de **solidarité**, en 1804, Saint-Domingue devient la première **république** noire libre.

Les droits de l'homme

1. Les **droits** suivants figurent tous dans *la Déclaration universelle des droits de l'homme* adoptée par l'Assemblée générale des Nations-Unies en 1948.
   - Le droit de vote, le droit d'asile
   - Le droit de circuler librement, de prendre part à la direction des affaires publiques de son pays, de se marier et de fonder une famille, de s'affilier à des syndicats pour la défense de ses intérêts
   - Le droit à la vie, à la dignité, à la liberté, à l'égalité, à la sûreté, au travail, au repos, à une rémunération équitable et satisfaisante, à l'éducation, à la sécurité sociale, à la justice (à un procès équitable), à la propriété
   - La liberté d'opinion–de pensée–de conscience–de religion–d'expression–de réunion et d'association pacifiques

2. **Un droit peut être :**
   - revendiqué–exigé–obtenu–acquis–conquis–gagné–accordé ou refusé–reconnu–garanti–respecté
   - ou menacé–restreint–limité–nié–bafoué–violé–défendu–perdu–rétabli

Les droits **subissent des atteintes, des violations. On porte atteinte à** un droit.

On peut aussi **bénéficier d'un droit** ou **en être privé.**

Pour **conquérir ou défendre un droit**, une liberté, on peut **se battre–lutter–combattre–s'engager–militer–se mobiliser** et même **s'insurger–se révolter.** Il faut alors parfois **affronter** la répression.

Noms	l'apathie–le combat–l'indifférence–le mécontentement–la résignation–la révolte–le scandale–la solidarité
Adjectifs	honteux(se)–condamnable–méprisable–qui ne fait pas honneur à–décent(e)–convenable
Verbes	se scandaliser–scandaliser–se révolter–s'insurger –pester–outrer –s'affranchir

L'histoire contemporaine : la dictature–s'engager–un soulèvement–passer à l'action

COMPARAISONS

Droit **au** travail et droit **du** travail.
Droit **à la** santé et droit **de la** santé.
Qu'est-ce que ces expressions vous apprennent sur « droit **de** » et « droit **à** » ?
Que diriez-vous en anglais ?

Pour la conversation

How do I explain my behavior ?

> **Je ne pouvais pas** faire **autrement.**

I couldn't act in any other way.

How do I explain what motivated my commitment ?

> Je me suis engagé(e) **par colère.**

I became committed due to anger.

How do I express that something is a travesty ?

> **En matière de** logement **comme de** boulot, **c'est la zone !**

In what concerns lodging as well as work, it's a travesty !

1 Les droits

Complétez la phrase.

1. Le droit d'avoir accès aux soins médicaux, *c'est le droit...*.
2. Le droit pour chacun d'obtenir un emploi, *c'est le droit...*.
3. Les règles qui s'appliquent aux professionnels de la santé, *c'est le droit...*.
4. L'ensemble des règles qui fixent les relations employeur-employé, *c'est le droit...*.

2 Catégorisez !

A deux, regroupez les droits ou libertés qui vous paraissent aller ensemble. Partagez votre liste avec deux autres élèves. Puis, en groupes, faites la liste des droits qui vous semblent essentiels en ordre de priorité. Présentez votre travail à la classe.

3 Définitions

Le droit d'asile, c'est le droit d'obtenir l'asile, de se réfugier, dans un autre pays, quand on est en danger dans le sien. Sur ce modèle, reformulez les droits suivants :

le droit à la sûreté   le droit à l'éducation   la liberté de religion

4 Des précisions sur les droits

Complétez les phrases suivantes avec la forme correcte du verbe qui convient.

bafouer   se battre   bénéficier   garantir   menacer
obtenir   porter atteinte   rétablir

1. En France, c'est en 1944 seulement que les femmes... le droit de vote.
2. La Constitution française... le droit de grève.
3. Les dictatures... les libertés fondamentales.
4. Les lycéens français... du droit de publication et d'affichage à condition de respecter le règlement de leur établissement.
5. La réduction des moyens budgétaires... le droit d'asile.
6. Amnesty International... pour le respect des droits fondamentaux dans le monde.
7. Selon les syndicats, la loi sur le service minimum dans les transports... au droit de grève.
8. Le régime avait mis en place une censure rigoureuse. Après la révolution, la liberté de la presse a été....

5 Exprimez l'indignation !

Dans les phrases ci-dessous, remplacez les mots ou expressions en italiques par des équivalents de la liste.

> scandalisé   convenables   s'insurger   condamnable

1. La Charte des Droits fondamentaux de l'Union européenne prévoit que tout travailleur a droit à des conditions de travail *saines, sûres et dignes*.
2. Il y a de quoi *s'indigner* devant tant d'injustices !
3. C'est une pratique *indigne* d'un gouvernement soucieux de respecter les droits de l'homme.
4. Cette décision de justice *a indigné* l'opinion publique.

6 Notre constitution

Vous avez fondé une nation sur une autre planète. Travaillez avec vos camarades de classe pour écrire le préambule de votre constitution qui mentionne tous les droits que vous comptez garantir.

7 On ne pouvait pas faire autrement !

Dites que tout le monde ne pouvait pas faire autrement en choisissant un verbe de la liste.

MODÈLE   étant activistes/les Dufour
Etant activistes, les Dufour ne pouvaient faire autrement qu'agir.

> parler au juge   communiquer   agir   voter   s'engager dans la révolution   nous héberger

1. comme témoin/Dikembe
2. étant socialiste/je
3. limités par nos ressources/nous
4. avec le droit d'association/tu
5. avec son blog/Lina, une Tunisienne

8 Questions personnelles

Répondez aux questions.

1. Quels sont les droits des ados dans votre lycée ?
2. A 18 ans tu vas bénéficier de quel droit ?
3. Pour quels droits es-tu prêt ou prête à te battre ?
4. Quand doit-on se révolter ?
5. Quels droits sont garantis par la Constitution ?

Narratives

Question centrale

?

En l'ère moderne, que signifie lutter pour les droits de l'homme ?

Indignez-vous ! par Stéphane Hessel

Narrative 1

Interpretive Communication : Print Texts

Introduction

Stéphane Hessel est un écrivain et ancien diplomate, connu pour avoir survécu à son expérience dans des camps de concentration, pour son activisme contre les inégalités sociales, et pour ses prises de position sur les droits de l'homme. Dans cet extrait, Stéphane Hessel parle de son livre *Indignez-vous* !

Pré-lecture

Le titre du livre est à l'impératif. Qu'est-ce que cette ponctuation indique ? Comment l'auteur voudrait-il que vous agissiez face aux injustices ?

« 93 ans. La fin n'est plus bien loin. Quelle chance de pouvoir en profiter pour rappeler ce qui a servi de socle à mon engagement politique : le programme élaboré il y a soixante-six ans par le Conseil National de la Résistance[1] ! » Quelle chance de pouvoir nous nourrir de l'expérience de ce grand résistant, réchappé des camps de Buchenwald et de Dora, co-rédacteur de la Déclaration universelle des Droits de l'homme de 1948, élevé à la dignité d'Ambassadeur de France et de Commandeur de la Légion d'honneur !

> **Rappel**
>
> M. Hessel veut profiter « du temps qui reste ». Il remplace « du temps qui reste » par **en** parce que « profiter » est suivi de « **de** ». Comment répondriez-vous à la question : *Profitez-vous des vacances ?*

Pour Stéphane Hessel, le « motif de base de la Résistance, c'était l'indignation ». Certes, les raisons de s'indigner dans le monde complexe d'aujourd'hui peuvent paraître moins nettes qu'au temps du nazisme.

Mais « cherchez et vous trouverez » : l'écart grandissant entre les très riches et les très pauvres, l'état de la planète, le traitement fait aux sans-papiers, aux immigrés, aux Roms[2], la course au « toujours plus », à la compétition, la dictature des marchés financiers et jusqu'aux acquis bradés de la Résistance—retraites, Sécurité sociale... Pour être efficace, il faut, comme hier, agir en réseau : Attac, Amnesty, la Fédération internationale des Droits de l'homme... en sont la démonstration.

Alors, on peut croire Stéphane Hessel, et lui emboîter le pas, lorsqu'il appelle à une « insurrection pacifique ».

—Sylvie Crossman, 4ème de couverture

Source : *Indignez-vous* ! Hessel, Stéphane. Indigènes Editions. 2010

Citation

Selon Hessel, « il faut... agir en réseau ». Quels en sont les bénéfices, selon vous ?

---

1. Les membres de la Résistance ont lutté contre les Nazis quand ils occupaient la France pendant la Deuxième Guerre mondiale.
2. Il y a environ 10 à 12 millions de Roms, ou Tziganes, en Europe ; ils constituent la plus grosse minorité ethnique. Certains vivent comme des nomades, d'autres s'installent dans les villes. En France ils viennent de l'Europe de l'Est, principalement de la Roumanie et la Bulgarie. Ils sont souvent victimes de discriminations.

Langue vivante

Lisez ces deux titres parus dans la presse :

La Fnac brade la PlayBook à partir de 199 euros !

Il brade sa maison de rêve pour partir au soleil....

Dans quel contexte « brader » est-il utilisé ici ? Il veut dire
« proposer », « liquider à bas prix » ou « mettre aux enchères » ?

9   Motifs d'indignation

Classez les motifs d'indignation d'aujourd'hui. A quoi renvoient-ils ?

le droit à la dignité	les droits sociaux	l'économie	l'écologie	les inégalités

10   Le préceptes de Hessel

Dans son livre, Hessel introduit cinq préceptes : (1) trouver un motif d'indignation ; (2) changer de système économique ; (3) mettre fin au conflit israélo-palestinien ; (4) choisir la non-violence ; (5) endiguer le déclin de notre société. Les paroles de Hessel dans cet extrait soulignent surtout quel(s) précepte(s) ? Expliquez.

La colère de Juliette

Narrative 2

Interpretive Communication : Print Texts

Introduction

Juliette, 19 ans, étudiante en 1ère année en histoire de l'art, engagée dans le collectif « Jeudi noir » qui agit dans le domaine du logement, répond aux questions de *Plus belle la vie*.

Pré-lecture

Qu'est-ce qui pousse Juliette vers l'engagement ? Lisez le tire de cette lecture.

- *Pourquoi cet engagement ?*

- Je ne pouvais pas faire autrement. Comment vivre sans malaise dans une société comme la nôtre ? Je ne me suis engagée ni par idéologie ni par désœuvrement. Non, c'est par colère : j'étais tout le temps en colère.

> **Rappel**
>
> « **La nôtre** » est un pronom possessif ; il remplace « une société ». Comment diriez-vous : « How can one live without discomfort in a society like yours ? » Deux réponses.

- *Tu ne penses pas que tu exagères ? En France, la situation est quand même plutôt bonne...*

- Bonne ! En matière de logement comme de boulot, c'est la zone ! Sous prétexte de stages, les entreprises exploitent comme elles veulent les jeunes qui n'ont droit à rien et leur refusent un véritable emploi. Quant au logement, c'est dramatique !

- *Ton association a des moyens d'action très discutables. Elle réquisitionne des logements vides, c'est illégal...*

- Oui mais nous, nous pensons que c'est légitime. Pour nous la légitimité prime sur la légalité. Mais on ne fait pas que ce type d'actions ! On étudie régulièrement et sérieusement toute l'actualité du logement, on connait nos dossiers !

- *En général, quand même, vous aimez le spectaculaire !*

- Il faut bien qu'on parle de nous dans les médias. Et la créativité et l'humour sont des armes importantes.

- *Tu peux concilier tes études et ton action militante ?*

- Pas toujours facile, c'est vrai. Mais on est ensemble, on partage.

- *Tu ne penses pas qu'il y a des droits beaucoup plus fondamentaux qui mériteraient ton temps, ton engagement ?*

- Le droit à un toit, ce n'est pas fondamental peut-être ? Et puis, moi j'ai besoin d'agir sur mon terrain, dans mon environnement, celui que je connais. Je suis très sensible aux problèmes d'ailleurs mais j'agis sur ceux auxquels je peux m'attaquer directement.

 Search words : jeudi noir

COMPARAISONS

En français, on dit par exemple : un auteur *engagé*, un film *engagé*, une chanson *engagée*. Comment diriez-vous ces trois exemples en anglais ?

---

11 **Dans ses propres mots**

Examinez les paroles de Juliette, et répondez aux questions ci-dessous.

1. « Le droit à un toit, ce n'est pas fondamental peut-être ? » Pourquoi Juliette a-t-elle choisi cette cause ?

2. « Je ne pouvais pas faire autrement ». Qu'exprime cette phrase pour vous ?

   de la résignation   du courage   de la lucidité   le sens du devoir

3. « Pour nous la légitimité prime sur la légalité ». Quelle est la meilleure reformulation de cette pensée ?
   - Le respect du droit est notre priorité.
   - Pour nous, le bien-fondé d'une action est aussi important que sa légalité.
   - Le problème n'est pas de savoir si une réquisition est conforme à la loi, le problème est de savoir si elle est juste.

4. « ... moi j'ai besoin d'agir sur mon terrain, dans mon environnement... » Croit-elle qu'on doive s'indigner d'abord globalement ou localement ?

Lina Ben Mhenni, blogueuse de la révolution tunisienne

Interpretive Communication : Print Texts

Introduction

Lina Ben Mhenni est une des égéries de la révolution-éclair tunisienne qui a conduit à la chute de Ben Ali, le 14 janvier d'une année 2011 riche de promesses pour les pays arabes. Une révolutionnaire d'un genre nouveau, Ben Mhenni a mené son combat sur le web. Sur son blog, *A Tunisian Girl*, elle a sans relâche appelé au soulèvement et témoigné en ligne. Grâce à des cyberactivistes comme cette jeune femme de 27 ans, le monde a pu suivre la révolution en direct.

Pré-lecture

En lisant le titre, quelles prédictions pouvez-vous faire sur le contenu de l'article ?

Elle a commencé à bloguer en 2007, sous le pseudo de Nightclubbeuse. « *Je voulais parler de problèmes sociaux, mais en Tunisie c'était impossible. J'ai pensé que ça détournerait l'attention. J'aimais observer les gens et je voyais que certains dépensaient beaucoup d'argent, alors que d'autres n'avaient rien* ».

Elle se lance sur Facebook, y rencontre des défenseurs des droits de l'homme, des membres des partis d'opposition. En 2008, elle s'insurge aux côtés des travailleurs du bassin minier. Puis elle soutient des étudiants privés d'études à cause de leurs activités politiques.

Avec d'autres Internautes, elle lance des manifestations contre la censure, elle qui l'a subie. « *C'était la première fois que l'on arrivait à convaincre des gens de passer du monde virtuel au monde réel !* »

Lina se dit programmée pour être activiste. « *Mon père, employé du ministère des Transports, militant de gauche sous Bourguiba, a passé six ans en prison et a été torturé. Ma mère, enseignante d'arabe, faisait partie de l'Union des étudiants. Et mon frère a été un des fondateurs de la section tunisienne d'Amnesty International !* »

Sur son blog, elle écrit tour à tour en français, en anglais, en arabe. « *Cela varie selon mes humeurs. Et pendant la Révolution c'était l'anglais, pour toucher plus de monde* ».

La jeune femme descend aussi dans l'arène, défiant sa santé fragile, elle qui a dû se faire greffer un rein. « *Un cyberactiviste doit aller sur le terrain, sentir ce que vivent les autres. On dit que la Révolution tunisienne est celle du Net, mais si elle n'était que ça, elle n'aurait jamais abouti !* »

Source : OUEST FRANCE « Lina Ben Mhenni, blogueuse de la révolution tunisienne ». 14 juin 2011. http://www.ouest france.fr.

Sur le blog de Lina…

J'espère que certains Tunisiens retrouvent leur raison et repensent sérieusement au progrès de ce pays et à l'établissement d'une vraie démocratie, au sein de laquelle tout Tunisien peut vivre librement et dignement quelles que soient sa religion, sa croyance, son idéologie, son sexe, sa couleur, sa langue etc. ... Nos problèmes urgents sont d'ordre social et économique. Des Tunisiens meurent de faim et de froid et des blessures de la révolution... alors que notre assemblée constituante et nos dirigeants cherchent à détourner notre attention vers de faux problèmes d'ordre identitaire et religieux.

Langue vivante

Lina n'hésite pas à « descendre dans l'arène ». Retrouvez dans le texte une autre expression de sens voisin. Utilisez les deux termes dans des phrases originales.

12   Profil de Lina Ben Mhenni

Faites le profil de Lina en écrivant un paragraphe qui comprend :

- son âge
- son blog et son pseudo, son réseau social
- l'influence de ses parents
- ses débuts dans l'engagement
- son engagement pendant la Révolution de jasmin

Ensemble des documents

1. Quel(s) lien(s) établissez-vous entre les différents documents : ton, objectifs, philosophie, sujet(s) abordé(s)... ?
2. Stéphane, Juliette et Lina se sont engagés par quels sentiments ?

Question centrale

?

En l'ère moderne, que signifie lutter pour les droits de l'homme ?

Stéphane Hessel : Diplomate, écrivain et ancien résistant français

Interpretive Communication : Print Texts

Introduction

Cet article est une rubrique nécrologique, écrit pour annoncer la mort de quelqu'un et parler de sa vie. C'est Stéphane Hessel qui est mort.

Stéphane Hessel.

Né à Berlin en 1917, Stéphane Hessel (à l'époque Stefan) débarque en France avec toute sa famille en 1925. Très tôt, le jeune homme est attiré par la philosophie, et particulièrement la phénoménologie*. Après un baccalauréat de philosophie obtenu à 15 ans et un passage à la London School of Economics, il intègre l'Ecole libre des sciences politiques.

En 1937, Stéphane Hessel est naturalisé français. Deux ans plus tard, il entre à l'Ecole nationale supérieure. Quand la guerre éclate, il est mobilisé avec sa promotion de normaliens*. Résistant de la première heure, il est fait prisonnier et s'évade* en 1940. Il rallie Londres en mars 41, aux côtés du Général de Gaulle. Après plusieurs années en tant qu'agent de liaison, il est envoyé en mission en France en 1944. Arrêté par la Gestappo, il est déporté à Buchenwald. Le 4 avril 45, lors d'un transfert en train, il s'échappe et rejoint les lignes américaines.

Une fois la guerre achevée, il devient ambassadeur de France à l'ONU, puis occupe divers postes de diplomate à travers le monde (Saïgon, Alger, Genève, New York, etc.), et ce jusqu'en 1985. Grand défenseur des droits de l'Homme, il participe en 48 à la rédaction de la Déclaration universelle des droits de l'homme. Tout au long de sa carrière, tant diplomatique que politique, Stéphane Hessel se bat* contre les injustices, dénonçant tantôt* les offensives israéliennes au Liban ou en Palestine, tantôt le traitement réservé aux sans-papiers. Encore aujourd'hui, âgé de plus de 90 ans, Hessel fait entendre sa voix. Il vient notamment de publier 'Indignez-vous !'—petit manifeste d'une trentaine de pages devenu un best-seller—dans lequel il dénonce les revers de notre société moderne, des écarts de richesses grandissants au manque d'humanité en passant par la dictature des marchés financiers. Il décède le 27 février 2013.

> **Savez-vous... ?**
> L'ONU, ou l'Organisation des Nations Unies, est située à New York.

Source : LE FIGARO. Evene. « Stéphane Hessel ». 27 février 2013. www.evene.fr (10 mai 2013).

 Search words : la résistance, buchenwald, l'onu

---

la phénoménologie *study of the mind* ; **un normalien, une normalienne** étudiant(e) qui suit des cours a l'Ecole Normale Supérieure ; **s'évade (s'évader)** *escapes (to escape)* ; **se bat (se battre)** lutte (lutter) ; **tantôt... tantôt** *sometimes... sometimes*

Faites un axe chronologique qui indique les moments importants dans la vie de Stéphane Hessel. N'oubliez pas de mentionner la publication de son livre.

Jeudi noir : Qui nous sommes

COMPARAISONS

Chez vous, quels organismes aident les gens sans moyens à se loger ?

Interpretive Communication : Print Texts

Introduction

Jeudi noir **est un collectif français créé en 2006 pour dénoncer la flambée des prix des loyers. Sa méthode ? La réquisition citoyenne d'immeubles entiers laissés à l'abandon.**

Pour les jeunes en recherche de logement, le jeudi est une journée noire : celle de la chasse aux petites annonces. Des logements toujours plus chers et des bailleurs* toujours plus exigeants. C'est aussi la journée ou on envisage des solutions alternatives : collocation*, sous-location, logement chez des proches, squat, retour chez les parents ?...

A la sortie du PAP, lors des visites d'appartements, dans les agences immobilières : tous les jeudis nous attaquerons le mal-logement, le mettrons en lumière pour le faire sortir de l'oubli. En pointant du doigt la spéculation, entretenue par l'Etat, nous dénoncerons la supercherie* immobilière : statistiques au mieux approximatives, bizutage* immobilier de la jeunesse, aides aux locataires détournées de leur objectif et autres politiques publiques pro-cycliques....

Les politiques du logement peuvent jouer un rôle stabilisateur. Elles doivent aider prioritairement les personnes qui ont besoin de se loger. Aux pouvoirs publics de se mobiliser. A nous de leur rappeler.

Source : Collectif Jeudi Noir. « Qui nous sommes ». www.jeudi-noir.org (10 mai 2013).

 Search words : jeudi noir

---

un bailleur *landlord* ; **la collocation** *sharing an apartment with another renter* ; **la supercherie** *trickery* ; **le bizutage** *hazing*

Compétez les phrases pour résumer l'article en choisissant un mot ou une expression de la liste.

logement	dénonce	petites annonces	mobilise	association	collocation

Jeudi Noir est une... qui aide les jeunes à trouver un... Chaque jeudi, les jeunes recherchent des.... La... est l'une des solutions alternatives. Jeudi Noir... la spéculation dans l'immobilier soutenue par l'Etat. Jeudi Noir... des ressources pour aider les gens qui ont besoin de logement.

Les réseaux sociaux font la révolution

Interpretive Communication : Print Texts

Introduction

Cet article considère le rôle des réseaux sociaux dans la Révolution de jasmin.

Quel a été l'impact des médias en ligne, et notamment* des réseaux sociaux, dans la « révolution de jasmin » tunisienne, qui s'est traduite* le 14 janvier par la fuite* du pays de Ben Ali ? Comme pour d'autres mouvements de protestation, en Iran par exemple, la question est posée par les médias, l'AFP décrivant par exemple Twitter et Facebook comme « *des caisses de résonance de la révolte des Tunisiens* », dans « *un flux ininterrompu* que le régime* n'est pas parvenu* à contenir* ».

Dans un post publié le 15 janvier, le blog Meilcour dresse, lui, un bilan nuancé de l'impact d'internet sur l'évènement. S'il reconnaît qu'internet a joué un rôle pour façonner* la vision du mouvement dans un pays comme la France, où le « *traitement médiatique a évolué de manière progressive* », il ironise sur l'analyse des « *joyeux prophètes des nouvelles technologies* » et affirme qu'il ne faut pas surestimer* l'impact d'un outil en particulier dans le mouvement, ni l'impact d'internet tout court.

Ce n'est pas une révolution Twitter, ni Wikileaks. [...] c'est une révolution qui trouve ses fondamentaux tellement ailleurs (faim, répression, corruption, inégalités...) que la place des médias sociaux dans cette page d'histoire devrait moins nous intéresser que ce qui va maintenant advenir*.*

Sur Twitter, une romancière* tunisienne installée en Californie, Laila Lalami, écrit : « *S'il vous plaît, arrêtez d'attribuer le renversement* de Ben Ali à Wikileaks ou Twitter ou YouTube. C'est le peuple tunisien qui l'a fait* ».

Source : SLATE.FR « Quel impact d'internet sur la révolution tunisienne ? ». 15 janvier 2011. http://www.slate.fr (10 mai 2013).

 Search words : ben ali, afp, meilcour blog, la révolution tunisie et internet (ou réseaux sociaux)

---

notamment particulièrement ; **s'est traduit (se traduire)** *ended in* ; **la fuite** *running away from* ; **ininterrompu** sans interruption ; **le régime** le gouvernement ; **parvenu(e)** arrivé(e) ; **façonner** créer ; **surestimer** *overestimate* ; **une inégalité** *inequality* ; **advenir** arriver, devenir ; **une romancière** une femme qui écrit des romans ; **un renversement** *overthrowing*

Sa perspective

Laila Lalami pense que c'est le peuple tunisien qui est responsable de la révolution en Tunisie. Que pense-t-elle de l'impact des réseaux sociaux ?

Ma perspective

Etes-vous d'accord avec Laila Lalami ? Justifiez votre réponse.

Savez-vous... ?

Il y a eu d'autres révolutions fleuries ou colorées : la révolution des œillets, la révolution des roses, la révolution orange et la révolution verte. Recherchez où et quand elles ont eu lieu. Qu'évoque pour vous le jasmin ? Pourquoi a-t-on appelé la révolution tunisienne « révolution de jasmin » ?

15   Trois réponses à la question des réseaux sociaux

L'article « Les réseaux sociaux font la révolution » présente trois réponses à la question initiale : celles de l'AFP, du blog Meilcour, d'une romancière tunisienne. Retrouvez qui dit quoi. Faites un tableau comme celui de dessous. Vous pouvez cocher deux cases pour la même phrase : il est possible de trouver la même idée dans deux sources différentes.

	AFP	Meilcour	L. Lalami
La révolution a des causes profondes.			
Internet n'a pas joué un rôle aussi important qu'on le dit.			
Internet a considérablement amplifié le mouvement.			
Le véritable acteur de la révolution c'est le peuple tunisien.			

16   L'Internet et les droits des citoyens

Presentational Writing : Persuasive Essay

Les réseaux sociaux et plus généralement Internet jouent-ils aujourd'hui un rôle essentiel pour défendre les droits des citoyens et faire évoluer les systèmes politiques ? Donnez votre propre avis sur cette question. Appuyez-vous pour votre réponse sur les documents que vous avez étudiés.

Ensemble des documents

Dites quelle est l'intention de chacun des documents : raconter/analyser/exprimer une opinion/faire un portrait/donner des renseignements.

La Francophonie : Les internautes militent pour la liberté d'expression.

✳ *Au Maroc*

Interpretive Communication : Audio Texts 🎧

Introduction

Vous allez entendre un reportage radio de trois minutes réalisé par RFI (Radio France International) au Maroc.

17 | La nature des médias

Retrouvez la nature de chacun des médias cités :

Mamfakinch	site Internet
Goud.ma	
Fabtv	

18 | Un sommaire

Pour résumer le reportage, complétez le texte suivant en vous servant des mots et expressions ci-dessous.

> se politiser   la censure   débat   altermilitantisme   limité
> la démocratie   la liberté d'expression

Tous ces médias ont en commun de défendre... et de refuser.... Il n'y a pour eux aucun sujet.... il faut au contraire susciter le... et intéresser les gens, les jeunes en particulier, à.... Ils mènent ce combat pour instaurer... dans leur pays. Ils considèrent leur lutte comme une forme d'....

La culture de tous les jours

Lisez la bande dessinée. Ensuite, répondez anx questions.

19 Non au harcèlement !

Répondez aux questions.

1. Où sont les garçons ?
2. Que font les garçons querelleurs ?
3. Qui intervient ?
4. Que dit-elle ?
5. Trouvez une autre situation où on pourrait dire « Non au harcèlement ».

Révision : Les pronoms *en* et *y*

Observez :

J'***en*** *suis solidaire* : je suis solidaire d'un système qui permet d'aider les autres.

*On s'***y*** *intéresse* : on s'intéresse à ce système.

Complétez la règle :

Le pronom *en* remplace un complément introduit par la préposition....

Le pronom *y* remplace un complément introduit par la préposition...

Attention :

On est responsable de ses actes : on en est responsable.

Les parents sont responsables de leurs enfants : ils sont responsables d'eux.

Elle s'intéresse à ce sujet : elle s'y intéresse.

Elle s'intéresse aux exclus : elle s'intéresse à eux.

Précisez la règle de l'emploi de *y* et de *en* dans les exemples ci-dessus.

20 Remplacez par un pronom

Complétez les phrases suivantes avec l'expression ou le verbe donné entre parenthèses. Faites attention au pronom !

MODÈLE   Les nouvelles lois doivent respecter la Constitution. Le Conseil Constitutionnel **en est le garant.** (*être le garant de*)

1. Les citoyens de ce pays ont massivement exercé leur droit de vote. Il faut dire qu'ils... pendant longtemps. (*être privé de*)
2. La manifestation a été un succès. Des milliers de personnes... (*participer à*)
3. Le gouvernement améliorera la protection sociale ; il... avant les élections. (*s'engager à*)
4. Cette communauté est mal intégrée et elle... (*souffrir de*)
5. Le système éducatif est en crise, les responsables... mais ne font rien pour... (*être conscient de – remédier à*)
6. La liberté d'expression a été rétablie et les journaux... ! (*profiter de*)
7. Protéger l'environnement est notre devoir, nous... pour les générations futures. (*avoir la responsabilité de*)
8. L'éducation est un droit ; tout le monde doit... (*avoir accès à*)
9. L'association organise des actions pour les plus démunis. Beaucoup de personnes... (*bénéficier de*)

Révision : Les pronoms relatifs simples : *qui, que, dont, où*

Les pronoms **relatifs** mettent en **relation**, relient, deux phrases et évitent de répéter un mot. Le choix du pronom dépend de la fonction de ce mot dans la phrase.

Sujet : **qui**

> *L'écrivain a écrit* Indignez-vous ! *Il est engagé.*

> *L'écrivain* **qui** *a écrit* Indignez-vous ! *est engagé.*

Complément d'objet direct : **que**

> *Il voudrait voir des changements dans le monde. Ces changements sont le traitement fait aux sans-papiers et la dictature des marchés financiers.*

> *Les changements* **qu'***il voudrait voir sont le traitement fait aux sans-papier et la dictature des marchés financiers.*

Complément de lieu : **où**

> *Il est allé en Tunisie. Le printemps arabe a commencé en Tunisie.*

> *Il est allé en Tunisie* **où** *le printemps arabe a commencé.*

Complément indirect introduit par **de**, complément d'un nom ou d'un adjectif : **dont**

> *Le pays traverse une crise. Les causes de cette crise sont multiples.*

> *Le pays traverse une crise* **dont** *les causes sont multiples.*

21 Exemples dans les documents

Pour chacune des phrases ci-dessous, extraites des documents de la leçon, retrouvez les deux phrases originales en supprimant le pronom relatif.

1. « Nous dénonçons une situation *dont* personne ne parle . » (« Lacolère de Juliette »)
2. « Les entreprises exploitent comme elles veulent les jeunes *qui* n'ont droit à rien » .(« La colère de Juliette »)
3. « ... un flux ininterrompu *que* le régime n'est pas parvenu à contenir ». (« Les réseaux sociaux font la révolution »)
4. « Internet a joué un rôle dans un pays comme la France, *où* le « traitement médiatique a évolué de manière progressive ». (« Les réseaux sociaux font la révolution »)

22 Complétez le paragraphe !

Complétez le texte avec les pronoms relatifs qui conviennent.

Connaissez-vous un pays *qui* se développe, ... joue un rôle croissant dans le monde, ... la guerre a épargné, ... n'a pas de problèmes de frontières avec ses voisins, un pays... le système judiciaire fonctionne bien, ... toutes les communautés ont les mêmes droits, ... les dirigeants sont démocratiquement élus, un pays... la crise ne touche pas, ... le niveau de vie progresse, ... les finances sont saines ?

Révision : Les pronoms relatifs composés

emcl.com
WB 15

Pour les compléments indirects introduits par une autre préposition que *de*, on utilise *lequel, laquelle, lesquels, lesquelles*.

> *C'est un droit pour **lequel** les jeunes se sont battus, une loi contre **laquelle** ils se sont mobilisés.*

Lequel se combine avec la préposition *à* et devient *auquel, à laquelle, auxquels, auxquelles*.

> *« J'agis sur les problèmes **auxquels** je peux m'attaquer ».* (« La colère de Juliette »)

Lorsqu'un groupe prépositionnel se termine par la préposition *de*, *lequel* devient *duquel, de laquelle, desquels, desquelles*.

> *« … une vraie démocratie, au sein de laquelle tout Tunisien peut vivre librement et dignement ».*
> (Le blog de Lina)

Notez : Lorsque le pronom relatif renvoie à une personne et non à une chose, on utilise *qui* plutôt que *lequel*.

> *Ce sont des candidats pour **qui** ils ont voté, des causes pour lesquelles ils se sont engagés.*

> *C'est une femme **à qui/à laquelle** tout le monde fait confiance.*

23 Formez des phrases complètes !

Associez les éléments de la colonne A et de la colonne B.

A	B
1. C'est une liberté sans…	A. laquelle d'anciens exclus retrouvent dignité et travail.
2. Ce sont des conquêtes sociales pour…	B. laquelle il n'y a pas de démocratie.
3. C'est un abus de pouvoir contre…	C. lesquelles des générations ont lutté.
4. C'est une communauté dans…	D. laquelle l'association souhaite attirer l'attention.
5. C'est une nouvelle politique du logement sur…	E. lequel les étudiants se révoltent.

24 Combinez les phrases !

Avec un partenaire, transformez les énoncés suivants avec un pronom relatif composé pour obtenir une seule phrase.

1. Tout citoyen français peut prétendre <u>à des droits</u>./Pour en savoir plus, il peut consulter le site : http://www.service-public.fr
   - Pour en savoir plus sur...
2. On assiste <u>à de nombreuses violations</u> de la liberté d'information./*Reporters sans frontières* les dénonce régulièrement.
   - *Reporters sans frontières* dénonce régulièrement....
3. Le combat pour la démocratie en Birmanie s'est fait <u>autour d'Aung San Suu Kyi</u>./Elle a reçu le prix Nobel de la paix.
   - Aung San Suu Kyi...
4. « Les libertés ne se donnent pas, elles se prennent ». Cette citation qui rappelle Mai 1968, est attribuée <u>à Pierre Kropotkine</u>, anarchiste et scientifique russe mort en 1921.
   - Pierre Kropotkine...
5. Pour Stéphane Hessel, l'indignation doit rester non-violente. Aussi a-t-il invité les jeunes <u>à une « insurrection pacifique »</u> dans son ouvrage *Indignez-vous !*
   - L'insurrection...
6. Le Conseil des droits de l'homme de l'ONU est chargé de veiller au respect des droits de l'homme dans le monde./ La France joue un rôle actif <u>au sein de ce Conseil</u>.
   - Le Conseil des droits de l'homme de l'ONU...

Révision : Les constructions relatives introduites par un pronom démonstratif

emcl.com
WB 16

Les propositions relatives peuvent s'associer à un pronom démonstratif : **celui**, **celle**, **ceux**, **celles**.

25 Complétez les questions !

Complétez les questions suivantes avec la construction relative de la liste. Ensuite, posez ces questions à votre partenaire qui répondra.

| celle qui | celle que | celle dont | celui qui | celui pour lequel | ceux que | ceux pour lesquels |

1. Quels sont les droits qui vous paraissent fondamentaux, ... vous jugez essentiels, ... vous seriez prêts à vous battre ?
2. Quelle est la liberté à laquelle vous êtes le plus attaché, ... la privation vous serait le plus insupportable ?
3. Des différents combats évoqués dans cette leçon, quel est ... vous semble le plus justifié, ... vous avez le plus de sympathie ?
4. Parmi les causes d'indignation énumérées dans *Indignez-vous !*, quelle est, au contraire, ... vous est la plus étrangère ou ..., peut-être, vous désapprouvez ?

Révision : *Ce qui, ce que, ce dont, ce à quoi*

emcl.com
WB 17–18

Le pronom **ce**, suivi d'une relative, représente une notion non précisée, il pourrait être remplacé par une expression très vague et générale comme « la chose, les choses ».

*Lina lutte pour **ce qui** est juste pour son pays.*

Ce qu*'elle voulait changer au début c'était la dictature de Ben Ali.*

*Nous apprenons **ce à quoi** elle résiste.*

*Comprenez-vous **ce dont** cette cyberactiviste parle ?*

Notez :
Après **ce**, on ne peut pas utiliser **lequel** (**auquel**, **duquel** etc.). On utilise **quoi** précédé d'une préposition : **à quoi, de quoi, pour quoi, contre quoi**, etc.

Langue vivante

Ce qui est l'équivalent de « **les choses qui** ». **Ce que** est l'équivalent de « **les choses que** ». **Ce dont** est l'équivalent de « **les choses dont** ».

---

26 Des phrases originales

*Ecrivez deux phrases originales pour chaque expression : **ce qui, ce que, ce dont, ce à quoi**.*

A vous la parole

Question centrale

En l'ère moderne, que signifie lutter pour les droits de l'homme ?

27 « Exigeons la dignité ! »

Interpersonal/Presentational Communication : Oral Presentation

C'est le thème de la dernière campagne d'Amnesty International. Réfléchissez et discutez en groupes : Dans quelle(s) situation(s) une personne peut-elle être atteinte dans sa dignité ?

A. En groupe, trouvez des exemples concrets dans la vie quotidienne, la vie scolaire, dans l'histoire passée ou récente du monde ou de votre pays.

B. Cherchez des supports—photos, publicités, articles de presse, etc.—pour illustrer la situation que vous avez plus particulièrement envie de dénoncer, par exemple le harcèlement scolaire ou le cyber-harcèlement.

 Search words : agir contre le harcèlement à l'école

C. Affichez vos travaux en ligne et présentez-les à la classe.

Communiquez!

28 Eclairage

Interpretive Communication : Audio Texts

Vous allez entendre un court extrait de l'émission « Eclairage » diffusée sur Canal Académie le 7 décembre 2008. Marianne Durand-Lacaze s'entretient avec Mireille Delmas-Marty de l'Académie des Sciences morales et politiques.

A. Ecoutez l'enregistrement.
B. Reformulez la question de la journaliste avec vos propres mots.
C. Dégagez le(s) problème(s) que soulève sa question.
D. Faites une liste des différents droits auxquels Mireille Delmas-Marty fait référence. Résumez sa réponse.
E. A deux ou en groupes, discutez des principaux devoirs de l'homme envers la nature, envers les êtres vivants en général.

Communiquez!

Presentational Speaking : Cultural Comparison

Vous allez faire un exposé sur les droits et devoirs des lycéens français en les comparant aux droits et devoirs des lycéens dans votre pays. Vous devez vous aider de la page d'accueil du ministère de l'Education nationale en France pour organiser votre comparaison. Montrez votre compréhension des facettes culturelles du monde francophone et organisez clairement votre exposé.

 Search words : vie lycéenne, éducation gouvernement français

Langue vivante

Essayez d'incorporer quelques-unes de ces expressions dans votre exposé :

- La situation est comparable/sensiblement la même, cependant il me semble que...
- Il y a une grande différence entre nos deux pays, notamment en ce qui concerne...
- Ce qui me frappe surtout, c'est la présence/l'absence de...
- On peut noter plus de/moins de...
- Dans notre système, il n'y a pas autant de... qu'en France par exemple.
- En conclusion, il me semble que le système français est plus/moins... que le nôtre.

Communiquez!

Presentational Writing : Blog Entry

Après avoir lu l'article sur Lina et l'extrait de son blog, vous réagissez.

Quel commentaire posteriez-vous sur son blog ? Vous pouvez exprimer votre admiration pour son combat, votre solidarité, votre inquiétude, vos doutes... Vous pouvez aussi formuler des souhaits.

Interpersonal Speaking : Conversation

Avec votre partenaire, vous jouez les rôles de Yasmine et son ami. Yasmine va aller manifester contre la cruauté animale devant une compagnie de cosmétique parce qu'elle pense que tester les produits cosmétiques sur les animaux est cruel. Cette conversation doit suivre le canevas qui vous est donné ci-dessous. Vous pouvez vous servir des expressions qui suivent.

–Yasmine dit ce qu'elle va faire samedi après-midi.

–**Exprimez votre surprise.**

–Yasmine explique de manière générale son engagement pour les animaux en parlant de ses valeurs.

–**Vous approuvez mais vous exprimez votre incompréhension sur le choix précis de cette cause.**

–Yasmine se justifie en parlant des pratiques de la compagnie de cosmétique, puis elle dit qu'elle doit se préparer pour la manifestation.

–**Vous lui demandez ce qu'elle fait pour se préparer.**

–Yasmine répond et demande de l'aide.

–**Dites si vous allez l'aider ou pas. Justifiez votre réponse.**

Langue vivante

- Pour exprimer la surprise, vous pouvez dire :

    Ça alors !   Ah bon !   Qu'est-ce qui te prend ?   Je n'aurais jamais cru ça !

- Pour exprimer l'incompréhension, vous pouvez dire :

    Ça me dépasse (complètement).   Ça m'échappe.   Ce n'est pas clair pour moi.

32 **Je passe à l'action !**

Presentational Writing : Email Reply

Vous passez à l'action : vous envoyez votre proposition à « Indignez-vous.fr », le site citoyen des indignés constructifs. Vous expliquez les motifs de votre indignation, puis vous faites des propositions concrètes, argumentées pour remédier à la situation.

 Search words : www.indignez-vous.fr

Lecture 1

Les Vautours

Interpretive Communication : Print Texts

David Diop.

Rencontre avec l'auteur

David Diop (1927–1960) est né d'un père sénégalais et d'une mère camerounaise. Le titre de son unique recueil poétique, *Coups de pilon*, paru en 1956, suggère l'énergie d'une poésie engagée au service de la Négritude, un mouvement littéraire des années 1930–1940. A l'origine, ce mouvement s'exprime comme une réaction face au colonialisme. De quelles façons ce poème est-il engagé ?

Pré-lecture

Qu'est-ce que vous savez de l'homme blanc en Afrique pendant la période coloniale ?

« Les Vautours* » par David Diop

1 En ce temps-là
   A coups de gueule* de civilisation
   A coups d'eau bénite* sur les fronts domestiqués
   Les vautours construisaient à l'ombre de leurs serres*
5 Le sanglant* monument de l'ère tutélaire*
   En ce temps-là
   Les rires agonisaient dans l'enfer métallique des routes
   Et le rythme monotone des Pater-Noster*
   Couvrait les hurlements* des plantations à profit
10 O le souvenir acide des baisers arrachés*
   Les promesses mutilées au choc des mitrailleuses*
   Hommes étranges qui n'étiez pas des hommes
   Vous saviez tous les livres vous ne saviez pas l'amour
   Et les mains qui fécondent* le ventre de la terre
15 Les racines* de nos mains profondes comme la révolte
   Malgré vos chants d'orgueil* au milieu des charniers*
   Les villages désolés l'Afrique écartelée*

Pendant la lecture
1. Quelle religion est-ce que les « vautours » pratiquaient ?

Pendant la lecture
2. A qui appartenaient les plantations ? Dans quel continent ?

Pendant la lecture
3. De quelle époque parle-t-on ?

Pendant la lecture
4. A qui est-ce que le poète s'adresse ?

---

un vautour *vulture* ; **un coup de gueule** *une dispute* ; **bénit(e)** *blessed* ; **une serre** *talon* ; **sanglant** *bloody* ; **tutélaire** *collectif* ; **Pater-Noster** *une prière chrétienne « Notre-Père »* ; **un hurlement** *un grand cri, souvent d'animal* ; **arraché(e)** *stolen* ; **une mitrailleuse** *machine gun* ; **féconder** *give birth to* ; **la racine** *root* ; **l'orgueil (m.)** *pride* ; **le charnier** *repository for dead bodies* ; **écartelé(e)** *ripped apart*

L'espoir vivant en nous comme une citadelle*

Et des mines du Souaziland* à la sueur* lourde

²⁰ des usines d'Europe

Le printemps prendra chair* sous nos pas de clarté*.

Pendant la lecture
5. Quel est le sentiment des Africains ?

Pendant la lecture
6. La fin du poème suggère-t-elle que les Africains ont été vaincus ?

Source : DIOP, David. *Coups de Pilon*. Paris : Présence Africaine, 1967.

---

une citadelle *citadel* ; **le Souaziland** *Swaziland* ; **la sueur** *perspiration* ; **la chair** *flesh* ; **prendre chair** *to be born* (*fig.*) ; **la clarté** la lumière

Post-lecture

Ce poème est une condamnation de quoi ?

33 Compréhension du poème

Relisez maintenant le poème et cherchez-en le sens profond.

Vers 1 à 5

1. Les « protecteurs » étaient supposés apporter deux bienfaits. Lesquels ?
2. Cet apport est-il présenté comme bénéfique ? Relevez les expressions qui justifient votre réponse.

Vers 6 à 11

3. Qu'est-ce que la colonisation a impliqué ?
4. Comment cela est-il ressenti par les populations locales ? Justifiez votre réponse avec des mots du poème.

Vers 12 à 15

5. Comment sont présentés colonisateurs et colonisés ?

Fin du poème

6. Quel est le temps du verbe dans le dernier vers ? Comment le justifiez-vous ?
7. Qu'annonce ce dernier vers ? A quel mot du poème fait-il écho ?

34 Activités d'expansion

Faites les activités suivantes.

1. Ecrivez un paragraphe qui analyse ce poème. Qui est-ce que les vautours symbolisent ? Comment ? Quel est le thème du poème ? Citez des expressions ou vers pour justifiez votre réponse.
2. Trouvez 6–8 faits sur la colonisation de l'Afrique par la France. Comment comprenez-vous mieux le poème maintenant ? Explicitez.
3. Trouvez des images des Français en Afrique et des Africains pendant la colonisation. Faites des légendes qui utilisent des expressions ou vers du poème.

Hoquet

Interpretive Communication : Print Texts

Rencontre avec l'auteur

Léon Gontran Damas (1912–1978) est un poète français métis. Né en Guyane (colonie française où le peuple parle créole) d'une famille bourgeoise, Damas a collaboré avec Aimé Césaire et contribué à la cause de la Négritude. Comme Césaire, il a fait ses études à Paris et a été influencé par le mouvement surréaliste qui l'a amené à voir la poésie comme une arme révolutionnaire. Ses poèmes dénoncent l'assimilation à un mode de pensée occidental répressif, et appellent les peuples noirs à une prise de conscience. Ce poème fait partie de son recueil *Pigments*, paru en 1937. Il met en place deux voix différentes, celle du poète, et celle de sa mère. Dans quels vers trouvez-vous la voix du poète ?

Léon-Gontran Damas.

Pré-lecture

Comment vos parents voulaient-ils que vous comportiez quand vous aviez huit à dix ans ?

« Hoquet » par Léon Gontran Damas

¹ Ma mère voulant d'un fils mémorandum*

Si votre leçon d'histoire n'est pas sue*
vous n'irez pas à la messe
dimanche
⁵ avec vos effets* des dimanches

Cet enfant sera la honte* de notre nom
cet enfant sera notre nom de Dieu
Taisez-vous*
Vous ai-je ou non dit qu'il vous fallait parler français
¹⁰ le français de France
le français du Français
le français français

Rappel
Pour former l'impératif des verbes réfléchis, ils faut ajouter le pronom réfléchi. Comment diriez-vous « *Be quiet* » à ton ami ? Comment diriez-vous « *Let's be quiet* » ?

Pendant la lecture
1. Comment comprenez-vous l'expression « fils mémorandum » ?

Pendant la lecture
2. Qui s'adresse au garçon ?

Pendant la lecture
3. Qu'a pu faire l'enfant pour que sa mère lui dise : « Taisez-vous » ?

Pendant la lecture
4. En quelle langue la mère veut que le garçon s'exprime ?

---

mémorandum où est inscrit ce qu'il ne faut pas oublier ; **su(e)** participe passé de « savoir »; **effets** vêtements ; **la honte** *shame* ; **Taisez-vous (se taire)** Ne parlez plus (ne... plus parler)

Désastre
parlez-moi du désastre
15 parlez-m'en

Ma mère voulant d'un fils très do
très ré
très mi
très fa
20 très sol
très la
très si
très do
ré-mi-fa
25 sol-la-si
do

Il m'est revenu* que vous n'étiez encore pas
à votre leçon de vi-o-lon
Un banjo
30 vous dites un banjo
comment dites-vous
un banjo
vous dites bien
un banjo
35 Non monsieur
vous saurez qu'on ne souffre* chez nous
ni ban
ni jo
ni gui
40 ni tare
les « mulâtres* » ne font pas ça
laissez donc ça aux « nègres »

Source : GONTRAN-DAMAS, Léon. *Pigments*. Paris : Présence Africaine, 1937.

———

il m'est revenu on m'a dit ; **souffre (souffrir)** accepte (accepter) ; **un(e) mulâtre** un métis, une métisse

Pendant la lecture

5. Le « français 'français' » s'oppose à quel autre français ?

Pendant la lecture

6. Le garçon voudrait jouer de quel instrument ? Quel instrument sa mère a-t-elle choisi pour lui et pourquoi ?

Pendant la lecture

7. A quelle caractéristique est lié le rang social ?

Post-lecture

Quelle voix dans le poème accorde de l'importance à la France et au français ?

Compréhension du poème

Relisez maintenant le poème pour en trouver le sens profond.

1. A votre avis, pourquoi est-il question de leçon d'histoire plutôt que de mathématiques ou d'une autre matière ?
2. Quel effet produit la manière dont la mère est présentée dans les deux premières strophes ?
3. Que révèlent le choix de la mère et celui de l'enfant (banjo ou violon) ?
4. Pourquoi avoir coupé « banjo » et « guitare » en syllabes ?
5. Dans la dernière strophe c'est à nouveau la mère qui s'exprime. Pourquoi répète-t-elle « vous dites », « comment dites-vous », et « vous dites bien » ? Quel sentiment cela traduit-il ? Commentez l'effet du vouvoiement.
6. Quels aspects de la présence coloniale française en Guyane sont mis en lumière dans ce poème ? Selon la mère, quelle est le meilleur langage, le meilleur instrument, par exemple ?

36 **Activités d'expansion**

Faites les activités suivantes.

1. Ecrivez un paragraphe qui analyse ce poème. Pourquoi est-ce qu'il y a deux locuteurs dans le poème ? Quel est le rôle de chaque narrateur ? Quelle est la signification du poème ?
2. Avec un partenaire, lisez le poème à voix haute. Présentez votre interprétation à la classe.
3. Expliquez la hiérarchie des races—les mulâtres, les blancs, les nègres—dans la société guyanaise de cette époque. Cette hiérarchie existe-t-elle toujours aujourd'hui ? Si oui, où ?

Synthèse

Les Africains dans « Les Vautours » et le fils et sa mère dans « Hoquet » étaient privés de quels droits ? Qui s'en indigne ? Comment ces personnages retrouvent-ils leur dignité ?

T'es branché?

Faisons le point !

A. *Pour retrouver les principales idées développées au cours de la leçon, notez dans votre cahier, un ou deux exemple(s) en face de chacun des points de repère qui vous sont proposés. Reportez-vous à tous les documents de la leçon (écrits journalistiques ou littéraires) sur une feuille de papier.*

Question centrale

?

En l'ère moderne, que signifie lutter pour les droits de l'homme ?

Les droits de l'être humain	Notes
Quels droits ?	
• des droits fondamentaux	
• des droits plus actuels	
Des combats pour les droits	
• en France	
• au Maghreb	
• ailleurs	
Des moyens d'action	
Au fil du temps : Du combat pour les droits, du combat pour la démocratie	

B. *Répondez par écrit à la question posée au début de l'unité : En l'ère moderne, que signifie lutter pour les droits de l'homme ?*

La paix et la guerre

Question centrale

?

Peut-on justifier la violence et la guerre, et quelles en sont les alternatives ?

La violence entre personnes

Les maisons d'arrêt abritent des personnes dont **l'agressivité** et **la perte du contrôle** de soi ont poussé à **une bagarre**, **une agression**, ou **une menace** regrettable et dont la peine est inférieure à deux ans.

Les centres de détention sont des lieux de privation de liberté pour les criminels violents et brutaux, condamnés pour **vol**, **meurtre**, **assassinat**, etc.

Le tempérament

la colère, l'agressivité, la violence, la brutalité

coléreux(-se), agressif(-ive), violent(e), brutal(e)

perdre le contrôle de soi, être (mettre qqn) hors de soi

se maîtriser, se dominer, se calmer

Les crimes

une insulte, une injure, une humiliation, le harcèlement (cyberharcèlement)

insulter/traiter de, injurier, humilier, brimer, intimider, harceler, menacer

une agression, une bagarre, un coup

un vol, un racket, un braquage

la torture, le meurtre, un assassinat, un attentat

casser, détruire, frapper, taper sur, donner un coup de..., attaquer, agresser, en venir aux mains, se bagarrer, se battre

Victime d'un crime

un bourreau, un tortionnaire, un assassin, un criminel, un meurtrier

subir, être victime de, être le souffre-douleur

se venger, la vengeance, prendre sa revanche

(se) défendre, prendre la défense de..., s'interposer, protéger, secourir

La guerre

guerrier, belliqueux, belliciste, va-t'en guerre

armer

déclarer la guerre, faire la guerre

une bataille

les armes, les mines antipersonnel, bombardement

combattre les combattants/les belligérants

La paix

pacifiste

désarmer, pacifier

rendre les armes, faire la paix, signer la paix

demander, accepter, signer, conclure... une trêve

un armistice/un cessez-le-feu

trouver, négocier, chercher... un compromis

proposer, tenter une médiation

engager, poursuivre des négociations

Pour la conversation

How do I express giving my all ?

> La compétition c'est donner le meilleur de **soi-même.**
>
> *Competition is to give the best of yourself.*

How do I express the value of rules and principles ?

> Les adolescents **sont très attachés aux** principes.
>
> *Teenagers are very attached to rules.*

How do I express that something makes me extremely mad ?

> **Ce qui me fait sortir de mes gonds, ce sont** les injures et la violence verbale ou physique.
>
> *What infuriates me are insults and physical or verbal violence.*

Lisez les définitions ci-dessous de la violence, puis répondez aux questions.

- « C'est dans les pays pauvres là où l'on arme même les enfants ».
  –*Adèle, 12 ans*
- « C'est quand des grandes personnes frappent des moins forts qu'eux ».
  –*Jean, 7 ans*
- « L'agressivité est un tempérament qui provient d'une angoisse psychique ».
  –*Florence, 15 ans*
- « Quand on m'insulte, j'ai du mal à me maîtriser ».
  –*Maxime, 8 ans*
- « La violence, c'est la tristesse qui fait perdre le contrôle de soi ».
  – *Alexandre, 11 ans*
- « Quand on m'embête, je vais chercher du secours chez une grande personne ».
  –*Patricia, 8 ans*
- « Une bagarre est comme une guerre, il est difficile de conclure une trêve ».
  –*Pauline, 9 ans*
- « C'est le manque de respect qui incite à la violence. Il faut apprendre à écouter sans interrompre, à ne pas couper la parole ».
  –*Aline, 10 ans*

A discuter

Et pour vous la violence c'est quoi ? Qu'est-ce qui la provoque ? Qu'est-ce qui peut la justifier ?

2 **Les mots pour parler de la violence**

Lisez les témoignages suivants et dites de quels crimes il s'agit.

MODÈLE Je me suis fait insulter par une bande de voyous dans le métro ; alors, la bagarre a commencé. Ils ont pris la fuite parce que les flics sont arrivés.
Il s'agit d'une agression.

1. L'usage de la violence verbale est souvent le moyen de prévenir du passage à la violence physique. Comme le vendeur était intimidé, la bande a commencé à tout casser. Ils ont pris tout l'argent de la caisse.
2. La victime était un homme d'une grande réputation. Comme il avait beaucoup de choses à cacher, cela a été facile pour son harceleur de lui extorquer une bonne partie de sa fortune.
3. Ce jeune homme a porté plainte après qu'il continue à recevoir des messages injurieux sur Internet. Apparemment il s'agit d'une jeune lycéenne qui espérait une relation amoureuse, mais il commence à se sentir menacé.
4. La police a arrêté le criminel. Il s'agit d'un homme armé. On a retrouvé la victime au fond d'un lac. Soi-disant, le suspect chercherait à se venger d'une agression qu'il avait lui-même subie pendant son enfance.
5. Nos adversaires sont munis de balles, grenades, missiles, roquettes, véhicules blindés et autres nouvelles armes stratégiques. Il va falloir demander un cessez-le feu si l'on veut sauver nos hommes.

3 Définitions

Associez chaque mot à sa définition.

1. brimade
2. humiliation
3. menace
4. harcèlement
5. insulte

A. action de faire subir à quelqu'un des attaques sans cesse répétées
B. parole, geste ou comportement destiné à faire peur
C. parole faite pour blesser
D. fait de rabaisser quelqu'un pour l'atteindre dans sa dignité
E. action de maltraiter quelqu'un, de lui faire du mal pour l'humilier, le vexer

Communiquez!

4 Situations qui peuvent provoquer la violence

Presentational Speaking : Discussion

*En petits groupes, faites l'inventaire des situations où on peut être confronté à la violence :
dans quel cadre elle peut se produire ? Contre qui elle peut s'exercer ? Quelles formes elle peut
prendre ? Utilisez le vocabulaire qui vous est donné pour cette leçon.*

MODÈLE   **Sur un terrain de sport, des supporters peuvent s'insulter, se traiter de
tous les noms puis en venir aux mains, se bagarrer...**

Sur Internet,...

5 Des phrases et des situations

*Trouvez dans quelle situation les phrases suivantes peuvent être prononcées : qui parle à qui ? A
quel sujet ? Quelle sorte de violence est en action ? Travaillez avec un(e) partenaire.*

MODÈLE   « Et si tu parles, on te casse la gueule ! »
**Deux élèves parlent à un autre qu'ils viennent de racketter à la sortie de
leur établissement.**

1. « Calme-toi ! Il ne l'a pas fait exprès ».
2. « Ton fric. Ton portable. Et vite ! »
3. « A mort l'arbitre ! »
4. « Alors toi, tu m'expliques ce qui s'est passé. Et toi, Luc, tu le laisses parler. Tu parleras à
   ton tour ».
5. « Arrêtez votre boucan tout de suite ou moi je saurai bien l'arrêter ! »
6. « Eh alors abruti ! T'as pas vu que je voulais me garer ! »
7. « Tu es un minable, un nul. Tu seras jamais capable de rien faire ».

6 Mots de la même famille

Cherchez des mots pour compléter les familles autant que possible.

VERBES	ADJECTIFS	NOMS
		guerre
combattre		MODÈLE combat
	belliqueux	
		pacificateur
		injure
assassiner		
	agressif	

7 Mes principes

A quels règles et principes êtes-vous attachés ? Ecrivez un paragraphe pour parler, d'un membre de votre famille, et de votre meilleur(e) ami(e), ou d'une personnalité, vivante ou non, qui vous inspire avec sa philosophie pacifiste.

8 Questions personnelles

Répondez aux questions.

1. As-tu déjà subi un acte de violence ? Décris-le et dis comment tu as réagi, et ce que tu as ressenti.
2. Connais-tu des personnes violentes ? A ton avis, pourquoi le sont-elles ?
3. Selon toi, le système de justice de ton pays fait-il suffisamment pour arrêter les actes de violence ?
4. Selon toi, la guerre est-elle un crime ou un acte justifiable ? Développe ta réponse.
5. Qu'est-ce qui se passe dans ton école quand quelqu'un est gravement blessé au cours d'une bagarre ?

Narratives

« La violence, c'est carton rouge ».

Narrative 1

–Michel Vautrot, ancien arbitre international de football

Interpretive Communication : Print Texts

Introduction

La passion des Français pour les matchs de foot est bien connue ; les actes occasionnels d'agressivité au sein du public face à la défaite de son équipe favorite le sont aussi. Pourtant, l'on parle moins de la violence interne, des joueurs même, entre eux et envers leurs arbitres. La pression qu'exerce l'enjeu d'un match peut atteindre les joueurs et réveiller leur agressivité. A votre avis, que doit faire l'arbitre dans ces situations ?

Pré-lecture

Selon Michel Vautrot, ancien arbitre international de football, « La violence, c'est carton rouge ». Que veut dire l'expression « carton rouge » ? Pensez à « carte blanche », puis devinez.

Question centrale

?

Peut-on justifier la violence et la guerre, et quelles en sont les alternatives ?

L'arbitre, ça sert à quoi ?

L'arbitre, c'est celui qui est chargé de la justice sportive. Son premier devoir est de faire respecter la loi sur le terrain, c'est-à-dire la règle du jeu, de manière à protéger les joueurs. Car, s'il n'y a pas de sport sans passion, si la compétition c'est donner le meilleur de soi-même, on n'a pas le droit de transgresser la règle. L'arbitre a aujourd'hui l'image de celui qui sanctionne. Je rêve qu'il apparaisse enfin pour ce qu'il est : quelqu'un qui rend service, un ami, un éducateur, un complice. Nous, les arbitres, partageons la même passion que les joueurs.

Si un joueur vous crie « A mort l'arbitre ! », vous répondez quoi ?

Je réponds que c'est très grave et je sanctionne. On m'a souvent reproché d'être très sévère avec les violences verbales. On m'a souvent dit « la parole, ça n'envoie personne à l'hôpital ». Moi je dis qu'un coup de langue peut entraîner un coup de pied... Les violences verbales, il ne faut pas les banaliser. Dans un match, l'arbitre est souvent le bouc-émissaire. Il est victime d'abord de la violence des joueurs qui parfois refusent l'application du règlement et n'aiment pas être sanctionnés quand ils font une erreur. L'arbitre peut aussi être victime de la violence de l'entourage des jeunes, parents, entraîneurs qui pensent que leur fils, c'est Zidane, et n'hésitent pas à vous taper dessus si vous sanctionnez leur « champion ». Il y a aussi bien sûr la violence des spectateurs.

Source : Extrait du *Grand livre contre toutes les violences*, de Brigitte Bègue, Anne-Marie Thomazeau et Alain Serres © Éditions Rue du monde (France).

Langue vivante

Reformulez : « un coup de langue peut entraîner un coup de pied ».

D'après le contexte, quelle définition choisissez-vous pour l'expression « bouc-émissaire » ?

- Celui qu'on rend responsable des problèmes qu'on a.
- Celui qui rend la justice.
- Celui qui crée des problèmes.

Utilisez cette expression dans un exemple.

Savez-vous... ?

L'expression *A mort l'arbitre !* a été fort popularisée par le film de Jean-Pierre Mocky, du même titre (1984), qui dénonce la violence excessive des supporters qui accusent l'arbitre de la défaite de leur équipe.

9 Violence au stade

Répondez aux questions.

1. Répondez à la première question : « L'arbitre, ça sert à quoi ? » Puis comparez votre réponse à celle de Michel Vautrot.
2. Lisez la suite. Pourquoi la violence verbale est-elle grave ? Que signifie « il ne faut pas la banaliser » ?
3. L'arbitre peut-il être la cible de beaucoup de violence ? Pourquoi ?

10 La violence verbale

Interpersonal Speaking : Debate

En petits groupes, faites un débat sur la question suivante : Etes-vous d'accord avec l'arbitre sur la gravité de la violence verbale ? Partagez vos opinions, et donnez des exemples, statistiques, ou faits pour soutenir chacun de vos arguments.

« C'est l'injustice qui rend violent. »

Interpretive Communication : Print Texts

Introduction

Une grande partie du succès d'un établissement d'enseignement est le maintien des règles et de l'intégrité. Qui dit enseignement, dit automatiquement système de règles. Parcourez le texte, et trouvez si les jeunes Français sont plus aptes à respecter, ou à enfreindre les règles.

Pré-lecture

Dans cette lecture, Gilbert Longhi, proviseur de lycée, présente l'école comme un autre terrain fertile pour générer la violence. A votre avis, quelles sont les causes de la violence dans les écoles ?

Vos élèves sont-ils violents ?

Tout responsable d'établissement se trouve confronté à des comportements inadmissibles de la part de certains élèves. Mais, si la plupart du temps on dit que cette violence a pour origine l'incapacité des jeunes à admettre les règles, depuis trente ans que je dirige des établissements, je n'ai, moi, jamais rencontré de jeunes réclamant un système d'anarchie, c'est-à-dire une absence de règles ou de contraintes. Au contraire, les adolescents sont très attachés aux principes. Ils demandent cependant que les règles soient appliquées avec équité et justice. Et ils ont raison.

D'après vous, quelle est l'origine de cette violence ?

C'est l'injustice qui rend violent. Or, dans nos établissements, rares sont les adultes qui s'interrogent sur la violence entraînée par la scolarité elle-même ou par certaines de leurs attitudes.

Comment rendre l'école moins violente ?

L'école est plutôt moins violente que d'autres lieux fréquentés par les jeunes, comme les cités, les stades, certaines salles de concert... Le problème, c'est que l'école réveille des plaies à vif ou empêche la cicatrisation. A un âge où l'adolescent a besoin de préciser qui il est, si on lui renvoie l'image du mauvais élève, il se dit « Je suis un nullard... ». L'école, quand on n'y réussit pas, entraîne une dégradation très importante de l'estime de soi. Certains adolescents implosent et retournent la violence contre eux-mêmes.

C'est la dépression, l'anorexie. D'autres explosent, cassent, détruisent. Derrière chaque acte violent, derrière chaque caïd des préaux, il faut rechercher où le respect lui a manqué.

Source : Extrait du *Grand livre contre toutes les violences*, de Brigitte Bègue, Anne-Marie Thomazeau et Alain Serres © Éditions Rue du monde (France).

> **Rappel**
>
> Pour comparer une qualité entre deux choses, on utilise la formule **moins/plus/aussi** + adjectif + **que**. La forme de l'adjectif s'accorde en genre et en nombre avec le sujet auquel il se rapporte.
>
> Comment diriez-vous en anglais ?
> *La violence n'est ni plus ni moins destructrice que l'égoïsme.*

> **Savez-vous... ?**
>
> D'après une enquête CSA, plus le niveau d'études augmente, plus les écoliers sont susceptibles de souffrir de dépression. Le stress et une vision négative de l'avenir en sont les causes principales, mais 75% du problème des jeunes est en fait le manque de sommeil.

> **Langue vivante**
>
> **Le préau**, c'est la partie couverte d'une cour d'école. Et **un caïd**, dans la langue familière, c'est un chef, quelqu'un qui est (ou qui se croit) important dans son milieu. Pouvez-vous alors dire comment il faut comprendre la dernière phrase ?

11 Violence à l'école

Choisissez la réponse correcte pour répondre aux questions ci-dessous.

1. Le proviseur écarte d'abord une première cause de violence à l'école. Laquelle ?
   A. l'injustice
   B. les règles
   C. l'anarchie
   D. les adultes

2. Pour lui, quelle est (ou quelles sont) la(les) vraie(s) cause(s) de cette violence ?
   A. les difficultés de scolarité
   B. la dépression et l'anorexie
   C. les comportements injustes des enseignants
   D. le manque d'estime de soi

3. En quoi l'école peut-elle être un facteur aggravant ?
   A. L'école empêche aux élèves d'aller cicatriser leurs plaies après les événements sportifs.
   B. Le milieu scolaire est trop compétitif pour les faibles et les « nullards ».
   C. Si un jeune a du mal à s'intégrer, il devient violent pour affirmer son identité.
   D. L'école peut confirmer à un élève une mauvaise image qu'il a déjà de lui.

4. Gilbert Longhi souligne en outre un fait important : la violence n'est pas toujours dirigée contre les autres. Choisissez la phrase du texte qui affirme cela.
   A. « L'école, quand on n'y réussit pas, entraîne une dégradation très importante de l'estime de soi ».
   B. « Certains adolescents implosent et retournent la violence contre eux-mêmes ».
   C. « D'autres explosent, cassent, détruisent ».
   D. « Derrière chaque acte violent, derrière chaque caïd des préaux, il faut rechercher où le respect lui a manqué ».

« Contre la violence, l'intelligence »

Interpretive Communication : Print Texts

Introduction

Jean-Pierre Rosenczveig est président du Tribunal pour enfants de Bobigny. Il est chargé de donner une peine aux mineurs accusés d'infractions criminelles. Dans cet article, Rosenczveig dénonce l'injustice comme cause principale de la violence. Parcourez le texte et dites si l'auteur justifie la violence lorsqu'elle est causée par l'injustice.

Pré-lecture

A votre avis, est-ce que la violence naît de la faiblesse ou de la puissance ?

Qu'est-ce qui peut vous rendre violent ?

Les injustices criantes comme le fait de priver les gens de leurs droits, le racisme, ceux qui n'ont rien à manger, les milliers de personnes qui fuient les guerres, voilà ce qui est une violence extrême pour moi. Ce qui me fait sortir de mes gonds également, ce sont les injures et la violence verbale ou physique.

Vous faites quoi dans ce cas-là, vous explosez ?

Non ! Je prends sur moi, je me maîtrise, je réfléchis. Je sais trop la vanité de certaines réactions impulsives. Je sais qu'il ne faut pas perdre son énergie à répondre à la violence par la violence. La non-violence, ce n'est pas une démission par rapport au plus fort, c'est un engagement pour trouver d'autres voies : le dialogue, la conciliation, la médiation. Alors je compte jusqu'à 3, jusqu'à 100 s'il le faut. Je fais fonctionner mes méninges : la seule manière de contrer la violence, c'est l'intelligence. Le violent, c'est un faible qui n'a trouvé que la force pour s'imposer. Le violent a obligatoirement une faille dans son système d'attaque. C'est cela qu'il faut mettre à jour pour le désarmer en quelque sorte. Si besoin en se faisant aider, et en général, ça marche.

> **Savez-vous... ?**
> Selon son étymologie latine, l'« intelligence » est non pas la faculté de savoir (la connaissance scientifique), mais de comprendre, de raisonner, et donc de faire un choix.

Et si ça ne marche pas ?

Il y a des cas, rares heureusement, où la violence appelle la contre-violence, où la violence reste la seule réponse à l'injustice, à l'abominable. Nos aînés n'auraient pas pu battre les nazis avec des fleurs ! Alors il y a parfois dans l'histoire des combats légitimes, y compris avec des armes parce que la liberté et les droits de l'homme sont en jeu. Mais après le conflit, il faut penser à la réconciliation. L'histoire est ainsi faite que tout est toujours possible. Qui aurait dit qu'un jour les Français et les Allemands pourraient renouer le dialogue, avoir ensemble des projets ? Se réconcilier, cela ne veut pas dire oublier, cela veut dire s'asseoir autour d'une même table, accepter d'entendre l'autre et... balayer devant sa porte.

> **Rappel**
> Le conditionnel passé se forme de la même manière que le passé composé, c'est-à-dire avec un auxiliaire et un participe passé, et observe les même règles d'accord ; la seule différence est que l'auxiliaire est au conditionnel. Comment diriez-vous en français : *« We wouldn't have been able to win without your help »* ?

Source : Extrait du *Grand livre contre toutes les violences*, de Brigitte Bègue, Anne-Marie Thomazeau et Alain Serres © Éditions Rue du monde (France).

Langue vivante

Trouvez des équivalents aux expressions suivantes (le contexte vous aide).

- **« Ce qui me fait** *sortir de mes gonds* »
- « Je fais fonctionner *mes méninges* »
- « *Balayer devant sa porte* »

12 L'intelligence, réponse à la violence ?

Répondez aux questions.

1. Qu'est-ce qui, pour Jean-Pierre Rosenczveig, représente la plus grande violence ?
2. Comment faut-il, selon lui, répondre à la violence ? Pourquoi ? Quelle vision négative de la non-violence refuse-t-il ?
3. Dans quels cas la violence peut-elle quand même être justifiée ? Jean-Pierre Rosenczveig apporte immédiatement un correctif. Lequel ? Quel exemple donne-t-il ?

Ensemble des documents

A deux, établissez des liens entre ces témoignages autour de : violence et règles ; violence et injustice ; réponses à la violence.

COMPARAISONS

« *Balayer devant sa porte* »
Comment diriez-vous cela dans
votre langue ?

Question centrale

?

Peut-on justifier la violence et la guerre, et quelles en sont les alternatives ?

Les policiers chargés de la lutte contre le Hooliganisme en séminaire à Reims.

Interpretive Communication : Print Texts

Introduction

Mardi et mercredi 05 et 06 février 2013, la Direction Centrale de la Sécurité Publique réunit les correspondants et responsables des Sections d'Intervention Rapide (S.I.R.) au Stade Auguste Delaune.

Durant deux jours à Reims : le colloque* annuel de la « Division Nationale de Lutte contre le Hooliganisme» (D.N.L.H.) Cette division dirigée* par le Commissaire Antoine Boutonnet, dépend de la Direction Centrale de la Sécurité Publique (D.C.S.P.). Elle s'appuie* sur un réseau de 36 correspondants et de 323 policiers répartis dans 14 «Sections d'Intervention Rapide» (S.I.R.), chargées d'intervenir dans les stades en cas d'incidents. Le colloque réunit l'ensemble des personnels* de la police chargés de lutter contre le hooliganisme, et les instances du football, divers clubs et associations (S.O.S. Racisme notamment), ainsi que les partenaires institutionnels. Durant ces deux jours, le commissaire Boutonnet va présenter le détail des bilans* d'activités et des actions des Pouvoirs Publics. Il présentera également les nouvelles instructions et les objectifs en matière de lutte contre les violences dans le sport.

Tolérance zéro :
C'est l'objectif fixé par le commissaire Antoine Boutonnet. En chiffres, cela se traduit par 330 interpellations* (sur 304 rencontres en Ligue 1 et Ligue 2) depuis le début de la saison de football. La plupart de ces interpellations sont motivées par :
- des ventes à la sauvette*
- des agressions
- usage et possession d'engins* pyrotechniques
- infractions à la législation sur les stupéfiants*

De plus, 398 personnes ont été frappées d'interdiction de stade (dont 117 par mesure de justice, le reste par voie* administrative).

Le commissaire Antoine Boutonnet veut inciter* ses troupes à poursuivre les efforts, notamment en prêtant attention aux mouvements extrémistes de droite et de gauche : « Ils ne sont pas marginaux » dit-il, en évoquant* par exemple les saluts nazis observés dans certains stades.

Le phénomène du hooliganisme est récurrent : un documentaire particulièrement explicite fait référence en la matière : Mais d'un point de vue plus général, il semble admis que la violence soit un corollaire du sport notamment* dans le milieu du football.

---

le colloque conférence ; **dirigé(e)** présidé(e)e par un directeur ; **s'appuie (s'appuyer)** *leans on (to lean on)* ; **personnels (m.)** *staff* ; **un bilan** conclusion ; **interpellations (f.)** *fines* ; **à la sauvette** illégales ; **engins (m.)** machines ; **stupéfiants (m.)** drogues ; **par voie** de manière ; **inciter** encourager ; **en évoquant (évoquer)** en rappelant (rappeler) ; **notamment** particulièrement

Voir pour plus de précisions : Les violences et les incivilités recensées* dans le football amateur* lors de la saison 2011–2012 (Institut National des Hautes Etudes, de la Sécurité, et de la Justice).

Source : JOURET, Caroline. « Les policiers chargés de la lutte contre le Hooliganisme en séminaire à Reims ». France 3, Champagne-Ardenne. 2013. <http://champagneardenne.france3.fr/(21 avril 2013).

 Search words : police et hooliganisme reims, dnlh

recensé(e) *surveyed* ; **un amateur** *novice*

La D.N.L.H. est une division de la Police Nationale Française, créée en octobre 2009 par le Ministère de l'Intérieur, sous le la présidence de Nicolas Sarkozy.

Langue vivante

Comment comprenez-vous la phrase suivante ? « Trois cent quatre-vingt-dix-huit personnes ont été frappées d'interdiction de stade » ?

COMPARAISONS

Quel sport américain suscite le plus de violence parmi les spectateurs ?

13 Questions sur le texte

Répondez aux questions d'après le texte.

1. Dans quelle ville de France se situe le Stade Auguste Delaune ?
2. Qui est Antoine Boutonnet ? Que veut-il renforcer ?
3. Quel est le rôle des policiers des S.I.R. ?
4. Quelles infractions M. Boutonnet veut-il sanctionner ?
5. Quelles sanctions sont imposés aux personnes qui commettent ces infractions ?
6. Est-ce que la violence est liée uniquement au football ?

COMPARAISONS

Comparez les mesures officielles dans votre pays à celles de la France contre la violence dans les stades.

La prévention et la lutte contre la violence

Interpretive Communication : Print Texts

Introduction

Vous allez lire un article du Ministère de l'Education nationale française sur des mesures de sécurités disposées destinées à prévenir la violence dans les établissements scolaires. A quelles formes de violences les jeunes étudiants français sont-ils exposés ?

Prévenir et lutter contre la violence à l'Ecole est une des conditions de réussite des élèves, qui ont besoin de travailler dans un climat tranquille pour réussir.

Pré-lecture

Quels exemples de violence avez-vous observé dans les établissements scolaires ?

Enjeux
L'Ecole doit offrir des chances égales et une intégration réussie.
La mission de L'Ecole est de :
- promouvoir* l'égalité entre les hommes et les femmes
- permettre une conscience des discriminations
- faire disparaître les préjugés*
- changer les mentalités et les pratiques

Lutter contre toutes les violences et toutes les discriminations, notamment l'homophobie
Au sein des établissements, une importance particulière est donnée aux actions visant à* prévenir les atteintes* à l'intégrité physique et à la dignité de la personne :
- violences racistes et antisémites
- violences envers les filles
- violences à caractère sexuel, notamment l'homophobie

Mesurer le climat et la violence dans les établissements scolaires
L'enquête* SIVIS (Système d'information et de vigilance sur la sécurité scolaire) permet, depuis la rentrée 2010, de mieux cerner* les contours et les évolutions de la violence en milieu scolaire, grâce à de nouveaux indicateurs* et à l'extension de l'échantillon* des établissements auxquels l'enquête est proposée.

---

promouvoir encourager ; **préjugés (m.)** *prejudices* ; **visant à (viser)** cherchant à (chercher à) ; **atteintes (f.)** *attacks* ; **une enquête** *survey* ; **cerner** *to work out* ; **indicateurs (m.)** personnes chargés de trouver des informations ; **un échantillon** *sample*

Une enquête de victimation a été conduite* au printemps 2011 dans 300 collèges publics de France métropolitaine, en partenariat avec l'Observatoire national de la délinquance et des réponses pénales*. Elle constitue une généralisation de l'enquête expérimentée en 2009 dans l'académie de Lille. Cette enquête a pour objectif de compléter l'analyse de la violence réalisée par SIVIS en quantifiant et caractérisant la violence et les atteintes vécues en milieu scolaire, y compris celles qui ne sont pas signalées. La prochaine enquête nationale de victimation aura lieu au cours de l'année 2013.

Renforcer la présence des adultes dans les établissements
500 emplois d'assistants chargés de prévention et de sécurité (APS) sont créés à la rentrée scolaire 2012.

Leur recrutement, sous statut d'assistant d'éducation, a pour objectif de renforcer les actions de prévention et de sécurité conduites au sein des* établissements scolaires les plus exposés aux phénomènes de violence et dont le climat nécessite d'être particulièrement amélioré.

Les APS exercent* leurs missions sous l'autorité du chef d'établissement et font partie d'une équipe pluridisciplinaire de prévention rassemblant les compétences de différents personnels* dans l'établissement : conseillers principaux d'éducation, personnels sociaux et de santé, conseillers d'orientation psychologues, etc.

Un contact privilégié est établi entre les APS et les membres des équipes mobiles de sécurité* (EMS), notamment pour concourir* à l'organisation d'une fonction de veille* et d'anticipation des situations de violence et pour développer des actions qui contribuent au sentiment de sécurité dans les établissements scolaires.

Former les enseignants et les personnels de l'éducation nationale
L'accueil, l'accompagnement et la formation des enseignants et personnels d'éducation stagiaires sont mis en œuvre depuis la rentrée 2010. Le dispositif national d'accompagnement des enseignants intègre :
Des outils : un portail web de ressources et de formation mis à la disposition des professeurs stagiaires, un DVD sur la tenue* de classe, présentant séquences filmées, témoignages* et commentaires de professeurs experts remis* à chacun d'entre eux.

Des modules de formation : des modules de formation spécialement conçus* pour les professeurs stagiaires sur la conduite* de classe, la gestion des situations conflictuelles et des comportements violents et discriminatoires, etc.

Un réseau national de formateurs* : pour mener ces actions, un réseau national de formateurs est constitué avec les académies.

Source : MINISTERE DE L'EDUCATION NATIONALE. « La prévention de la lutte contre la violence ». Février 2013. www.education.gouv.fr (16 avril 2013).

 Search words : ministère de éducation contre la violence, gouvernement violence et education

---

a été conduite *was made* ; **réponses (f.) pénales** *criminal justice response* ; **au sein des** dans les ; **exercent (exercer)** font (faire) ; **personnels (m.)** *staff* ; **équipes (f.) mobiles de sécurité** groupes de sécurité qui vont d'école en école ; **concourir** aider ; **fonction (f.) de veille** *surveillance* ; **une tenue** vêtements ; **témoignages (m.)** *testimonials* ; **remis(e)** donné(e) ; **conçu(e)** créé(e) ; **conduite** *management* ; **formateurs (m.)** instructeurs

Produits

Les établissements de réinsertion scolaire (ERS) sont des écoles qui offrent aux collégiens qui ont des difficultés (de comportement, familiales, sociales) une année en internat pour les aider à nouveau dans un cadre scolaire.

Savez-vous... ?

Le Ministère de l'Education nationale est l'un des 21 différents ministères du gouvernement français. Il est dirigé par un ministre et un ministre délégué.

Langue vivante

Les phrases suivantes sont écrites à la voix passive, c'est-à-dire que l'objet de la phrase est au début de la phrase, et que le sujet du verbe n'est pas mentionné, mais sous-entendu. Trouvez quels sont les sujets de ces phrases.

A. Une enquête de victimation a été conduite au printemps 2011.

B. Un contact privilégié est établi entre les APS et les membres des équipes mobiles de sécurité.

C. Un réseau national de formateurs est constitué avec les académies.

COMPARAISONS

A quelle sorte d'actes de violences font face les écoles dans votre région ?

14 Les mesures d'action en France

Faites les activités suivantes.

A. Relevez les éléments clés qui sont associés aux choses suivantes :

MODÈLE **L'une des formes de violence dans les écoles est le harcèlement.**

- **la mission de l'Ecole**
- **les différentes formes de violence**
- **l'enquête contre la violence**
- **la prévention et la sécurité**

B. Lisez la dernière partie. Dites quels nouveaux dispositifs sont donnés aux enseignants pour les aider à lutter contre la violence dans leur profession.

Les relations franco-allemandes

Interpretive Communication : Audio Texts

Avant l'écoute

Que savez-vous de la guerre de 1914–1918 ?

Introduction

Vous allez entendre, en français et lu par Daniel Koenigsberg, un extrait du discours qu'Angela Merkel, la chancelière allemande, a prononcé le 11 novembre 2009, sous l'Arc de Triomphe à Paris, à l'occasion des cérémonies commémoratives de la guerre de 14–18.

 Search words : guerre 14–18, l'armistice du 11 novembre 1918, la tombe du soldat inconnu

Langue vivante

A deux reprises, Angela Merkel parle de « cadeau » mais aussi de « grâce de l'Histoire » à propos de la réconciliation et de l'amitié franco-allemande. Comment comprenez-vous ces formules ?

15 J'ai bien compris !

Répondez aux questions.

1. A quelle période Angela Merkel fait-elle allusion au début de son discours ?
2. De quels liens parle-t-elle ? Ont-ils toujours été amicaux ?
3. En quoi le devoir de mémoire est-il indispensable pour elle ?
4. Français et Allemands se sont réconciliés.
   A. Sur quoi a débouché leur réconciliation ?
   B. Autour de quoi s'est construite leur amitié ?
5. Que symbolise pour Angela Merkel cette journée du 11 novembre ? En quoi est-ce un peu inattendu ?

Communiquez !

16 Encore une fois !

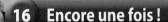

Presentational Writing : Composition

Ecoutez encore une fois. Notez les mots qui reviennent le plus souvent. Qu'expriment-ils ? Ecrivez un paragraphe.

> **Savez-vous... ?**
> La Première Guerre Mondiale (1914–1918) fut le plus grand conflit mondial jamais vu jusqu'alors. On l'a surnommée la « der des der » (la dernière des dernières), pensant, malheureusement par erreur, que l'on ne verrait jamais plus une si grande guerre.

COMPARAISONS

Quel a été le rôle des Etats-Unis dans la Première Guerre Mondiale ?

La Francophonie : La neutralité

❈ *En Suisse*

Interpretive Communication : Print Texts

Introduction

L'article suivant relate les raisons historiques de la neutralité de la Suisse. Parcourez le texte et cherchez certaines de ces raisons.

Pré-lecture

Que savez-vous de la Suisse et de sa position sur la guerre ?

La Suisse est un pays neutre depuis 1515, un statut formellement reconnu et garanti par les autres puissances* européennes en 1815, au lendemain des guerres napoléoniennes*. Ainsi, la neutralité suisse a des origines plus anciennes que celle des principaux Etats neutres d'Europe tels que la Suède (1815), la République d'Irlande (1948), la Finlande (1948) et l'Autriche (1955).

La neutralité d'un pays implique* qu'il ne participe pas à un conflit entre d'autres Etats. Les droits et devoirs des pays neutres en temps de guerre ont été fixés par la communauté internationale en 1907. En période de paix, les Etats neutres fixent leurs propres règles*, mais il va sans dire qu'ils restent en dehors de toute alliance militaire comme l'OTAN.

Le statut de neutralité n'a pas seulement protégé la Suisse de la guerre mais il a aussi permis d'éviter* que ce pays ne soit déchiré* en période de conflit, car les différentes communautés linguistiques auraient pu être tentées* de se ranger* chacune du côté d'un belligérant.

---

les puissances (f.) *powers* ; **napoléonien(ne)** de Napoléon Bonaparte ; **implique (impliquer)** signifie (signifier) ; **les règles (f.)** *rules and laws* ; **éviter** *to avoid* ; **déchiré(e)** détruit(e) ; **tenté(e)** *tempted* ; **se ranger** *to ally themselves with*

Depuis la fin de la Guerre froide, la Suisse a dû redéfinir sa conception de la neutralité. Elle s'est ainsi engagée en 1996 dans le « Partenariat pour la paix » lancé par l'OTAN, tout en soulignant* que cet acte était motivé par le désir de promouvoir la paix et la sécurité, mais en se réservant le droit de se retirer* si sa neutralité venait à être menacée*.

L'envoi de volontaires suisses non armés au Kosovo, participant aux forces de maintien* de la paix après la guerre de 1999, a réanimé* le débat sur la compatibilité entre la neutralité de la Suisse et son rôle international. Dans un référendum en juin 2001, les Suisses ont approuvé de justesse* l'armement des troupes helvétiques* engagées dans un service de promotion de la paix. Les premiers soldats de la paix armés sont arrivés au Kosovo en octobre 2002.

Source : DEPARTEMENT FEDERAL DES AFFAIRES ETRANGERES. « Neutralité et isolationisme ». www.swissworld.org/(18 avril 2013).

 Search words : la guerre froide, la guerre du kosovo

---

tout en soulignant en étant clair ; **se retirer** quitter le Partenariat ; **menacé(e)** *threatened* ; **le maintien** la conservation ; **réanimé(e)** recommencé(e) ; **de justesse** *in the nick of time* ; **helvétique** suisse

Savez-vous... ?
L'OTAN, signé en 1949, a été initialement signé pour protéger le continent européen. L'organisation regroupe 28 pays membres. Le revenu total des dépenses de l'OTAN pour la défense constitue 70% des dépenses militaires mondiales.

La Suisse, pays neutre.

17 La neutralité suisse

Lisez le document et répondez aux questions.

1. Depuis quand la Suisse est-elle neutre ? Est-elle un cas isolé en Europe ?
2. Que signifie pour un pays *être neutre* ?
3. En quoi peut-on dire que le statut de neutralité a doublement servi la Suisse pendant la Seconde guerre mondiale ?
4. Comment la neutralité suisse a-t-elle évolué depuis la fin de la Guerre froide, c'est-à-dire le début des années 90 ?
5. D'après le dernier paragraphe, que semblent en penser les Suisses ? Que peut-on en déduire de leur relation à la neutralité ?

Communiquez!

18 Avantages de la neutralité

Interpersonal Speaking : Discussion

*Outre le fait d'échapper à la guerre, peut-il y avoir d'autres avantages à la neutralité ?
Souhaiteriez-vous que votre propre pays soit neutre ? Discutez avec vos voisins.*

Sa perspective

Pourquoi les Suisses tiennent-ils à la neutralité de leur pays ?

Ma perspective

Pensez-vous qu'un pays neutre en temps de guerre est un pays lâche, ou que certains pays ont de bonnes raisons de garder la neutralité ?

Ensemble des documents

Dans quels milieux parle-t-on de mettre fin à la violence ? Comment ?

La culture de tous les jours

Lisez la bande dessinée. Ensuite, répondez aux questions.

> Rejoignez notre association JEUNES VIOLENCES! Nous offrons des programmes et des aides pour les jeunes qui ont des difficultés à maîtriser leur agressivité.

> Il faut en parler à Thierry !

> Oui, il a perdu espoir depuis la prison.

19 JEUNES VIOLENCES

Répondez aux questions.

1. Quel groupe de la population cette association cible-t-elle ?
2. Quel est le nom de l'association ? Qu'est-ce que cela signifie pour vous ?
3. Selon la scène, qu'est-ce que les jeunes sont encouragés à faire dans cette association ?
4. Pourquoi les jeunes pensent-ils que l'association puisse aider leur ami ?

Structure de la langue

Révision : Le subjonctif

Rappel sur la formation

1. Les verbes réguliers

- Au subjonctif, les 3 personnes du singulier (*je, tu, il/elle/on*) et la 3ème personne du pluriel sont phonétiquement identiques à la 3ème personne du pluriel du présent de l'indicatif.

- On utilise la forme du *ils* au présent pour avoir la racine du verbe, puis on ajoute les terminaisons toujours identiques : *-e, -es, -e, -ent*.

  finir → *nous finissons* → *Il faut que je finisse, que tu finisses, qu'il finisse, qu'elles finissent*
  (même prononciation pour toutes les personnes)

- *Nous* et *vous* sont donc identiques au subjonctif et à l'imparfait.
  prendre → *prenions, vous preniez* → *que nous prenions, que vous preniez*

2. Les verbes irréguliers forment leur subjonctif avec un radical différent de l'infinitif excepté pour *nous* et *vous*, ou un radical différent pour tous les pronoms :

aller	pouvoir
que j'a**ille**	que je p**uisse**
que tu a**illes**	que tu p**uisses**
qu'on a**ille**	qu'il p**uisse**
que nous all**ions**	que nous p**uissions**
que vous all**iez**	que vous p**uissiez**
qu'ils a**illent**	qu'il p**uissent**
Verbes de la même catégorie : **devoir, vouloir, prendre, mettre, venir...**	Verbes de la même catégorie : **faire, savoir**

- Le subjonctif de l'expression impersonnelle *il faut* est *qu'il faille*

- Enfin, *être* et *avoir* sont les plus irréguliers :

avoir	être
que j'**aie**	que je **sois**
que tu **aies**	que tu **sois**
qu'elle **ait**	qu'il **soit**
que nous **ayons**	que nous **soyons**
que vous **ayez**	que vous **soyez**
qu'elles **aient**	qu'ils **soient**

Complétez en mettant les verbes au subjonctif.

1. Le va-t-en guerre ne pense pas qu'on... (pouvoir) régler un conflit pacifiquement. Pense-t-il que ceux qui cherchent un compromis... (être) en réalité des lâches ? N'est-il pas certain qu'éviter la guerre... (coûter) finalement aussi cher ?

2. Pour le pacifiste, il faut qu'on... (prendre) des mesures à tout prix pour empêcher la guerre, il est impossible qu'une bataille... (valoir) mieux qu'un compromis. Il ne croit pas qu'il y... (avoir) des guerres justes. Il ne pense pas qu'un monde meilleur... (naître) de la guerre.

3. L'ancien combattant est très indigné qu'on... (oublier) le sacrifice de ses camarades et qu'on... (vouloir) tourner la page. Mais il refuse qu'on... (faire) de lui un héros.

Rappel sur la valeur et les emplois

Globalement, le subjonctif est le mode du douteux, du virtuel, du subjectif. On l'utilise :

1. **Après les verbes qui expriment une volonté, un souhait, un ordre, une obligation...**

   Je rêve que l'arbitre apparaisse enfin pour ce qu'il est.
   Ils demandent que les règles soient appliquées avec équité et justice.
   La situation exige que nous agissions rapidement.

2. **Après les verbes qui expriment le doute, l'éventualité, l'incertitude ou la construction de même sens : ne pas être + adjectif (sûr, certain, convaincu...) + que**

   Je doute que cette intervention réussisse.
   Nous ne sommes pas certains que cette négociation aboutisse.

3. **Après les verbes qui expriment un sentiment, une émotion, un jugement, ou les constructions de même sens : être/trouver + adjectif + que**

   Nous sommes scandalisés que des images de guerre soient diffusées à une heure de grande écoute.
   Je trouve rassurant que la mobilisation contre la violence fasse de nombreux adeptes.
   Je regrette que nous ne puissions pas nous entendre.

4. **Après les constructions impersonnelles de même valeur que les trois types de verbes précédents :**
   - *Il/C'est + adjectif + que*
   - *Il/C'est nécessaire, indispensable, obligatoire, urgent, important, douteux, peu probable, surprenant, normal, préférable, désolant, impensable, etc. + que...*
   - *Il arrive, il faut, il suffit, il est temps, il se peut, il est/c'est dommage, il y a des chances, il vaut mieux, etc. + que*
   - *Cela/Ça m'agace, m'ennuie, m'est égal, m'étonne, m'inquiète, me rassure, me choque, etc. que*
   - *Cela/Ça vaut la peine que...*

Communiquez!

21 **Souhaits et craintes**

Interpersonal Communication : Discussion

Par rapport au thème de cette leçon et/ou de la précédente (droits de l'homme, guerre, paix, violence, engagement...), exprimez vos souhaits et vos craintes pour vous et pour le monde de demain. Travaillez à deux.

Vous pouvez utiliser :
Je voudrais, je souhaite, je désire, j'aimerais ; j'ai peur, je crains, je redoute...

MODÈLE   **Je souhaite que les hommes deviennent enfin plus raisonnables ; je souhaite agir à mon niveau contre la violence.**

Révision : Subjonctif versus indicatif

emcl.com
WB 16–17

- **Les verbes d'opinion** *croire, penser, trouver que ; être sûr/certain/convaincu/persuadé que ;* l'expression *il me (te, lui...) semble que* sont suivis de l'indicatif à la forme affirmative. Dans un registre soutenu, ils sont suivis du subjonctif à la forme négative et à la forme interrogative avec inversion. Mais dans un registre courant, ils sont souvent suivis de l'indicatif.

  Il me semble qu'il fait froid aujourd'hui.
  Ne te semble-t-il pas qu'il fasse froid ? (fam. : *qu'il fait froid*)

- **Irrégularités :**

  - *Souhaiter* est suivi du subjonctif mais *espérer* est suivi de l'indicatif.
  - *Il paraît que* (= on dit que) est suivi de l'indicatif.
  - *Il est possible que* (= ce n'est pas sûr) est suivi du subjonctif.
  - *Il est probable que* (= c'est presque sûr) est suivi de l'indicatif.
  - *Je trouve que, il me semble que* sont suivis de l'indicatif mais *je trouve* + adjectif *que, il semble* + adjectif *que* sont suivis du subjonctif.
  - *Je trouve que c'est normal de réagir comme ça./Je trouve normal qu'il réagisse comme ça.*

emcl.com
WB 18

22 Moins d'armes demain ?

Reprenez deux fois chacune des phrases ci-dessous en commençant par les deux verbes introducteurs qui vous sont donnés entre parenthèses. Attention, certains demandent l'indicatif, d'autres le subjonctif.

MODÈLE   Les populations civiles sont de plus en plus touchées par les guerres. (il est désolant que, je suis convaincu(e) que)

Il est désolant que les populations civiles soient de plus en plus touchées par les guerres.

Je suis convaincu(e) que les populations civiles sont de plus en plus touchées par les guerres.

1. On parviendra à réglementer le commerce des armes. (je crois que/ça m'étonnerait que)
2. On détruira totalement les mines antipersonnel. (il semble possible que/j'espère que)
3. Tous les états finiront par renoncer aux armes de destruction massive. (je souhaite que/il est peu probable que)
4. On réussira à empêcher les guerres. (qui peut croire que... ? je voudrais tellement que)
5. Les grandes puissances réduiront massivement leurs armements. (il y a des chances qu'un jour/il est impensable que)
6. L'ONU pourra protéger efficacement les populations civiles. (il faudrait que/il y a peu de chances que)

Révision : Subjonctif versus infinitif

Si les verbes des deux propositions ont le même sujet, on doit utiliser pour le second l'infinitif et non le subjonctif.

Je veux partir (et non je veux que je parte.)/mais Je veux que vous partiez.

Cette règle s'applique aux verbes de souhait, de volonté, de désir, de peur mais aussi aux constructions **être + adjectif exprimant un sentiment ou une émotion.**

Je crains d'être en retard./Je suis désolé de partir (/je suis désolé que tu partes).

23 Frustrations

Lisez le texte et exprimez les sentiments de cet adolescent : il est frustré, humilié, blessé, révolté que/de...

« On ne me comprend pas. Je ne peux pas m'exprimer. On ne me fait pas confiance. On ne tient jamais compte de mon avis. On ne me respecte pas. Je ne réussis pas aussi bien que les autres. J'ai toujours de sales notes. Mes efforts ne sont jamais récompensés. De toute façon, à l'école, nous ne sommes pas tous considérés de la même manière. Les profs sont injustes. Nous n'avons pas tous les mêmes droits. On ne me donne aucune chance, je n'ai aucune perspective ici ».

MODÈLE   **Il est frustré qu'on ne le comprenne pas...**

A vous la parole

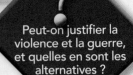

Question centrale

?

Peut-on justifier la violence et la guerre, et quelles en sont les alternatives ?

Communiquez!

24 Violence dans les collèges et lycées

Interpretive Communication : Audio Texts

Ecoutez l'ensemble du document et répondez.

A. *Quel est le sujet de l'émission ?*
B. *Complétez les résultats de l'enquête :*

... trouvent que le climat est bon ou plutôt bon.
... ont été insultés depuis le début de l'année.
... ont été bousculés violemment.
... ont été frappés.
... ont été blessés par arme.

Que démontrent ces chiffres ? Retrouvez l'expression utilisée au début de l'émission.

C. *Vrai ou faux ? Justifiez votre réponse.*
- Le risque de violence est le même dans tous les établissements scolaires.
- Le harcèlement concerne plus de la moitié des personnels.
- Un personnel sur trois est prêt à renoncer à son métier.

Langue vivante

1. Quelle expression signifie : *être le théâtre d'une grande violence ?*
2. Comment comprenez-vous « *une violence de bas-bruit* » ? Avez-vous des exemples ?
3. Comment la définit Eric de Barbieux ?
4. Que lui opposeriez-vous ?

COMPARAISONS

Que savez-vous de la violence dans les écoles de votre pays ?

Communiquez !

Interpersonal Writing : Email Reply

Votre correspondant français vous envoie un mail avec un extrait de texte qu'il a lu et vous demande votre opinion. C'est à vous de répondre.

Salut ! Suite à notre conversation sur la non-violence, j'ai relu un passage qui à mon avis soulève un argument important.

La non-violence expliquée à mes filles

Mais concrètement, face au racket, par exemple, qu'est-ce que tu proposes ? Un élève de ma classe vient encore d'être dépouillé. La première fois, ils lui ont pris son blouson, la deuxième, ses chaussures. Cette fois-ci, c'est son sac.
Mais toi, comment penses-tu qu'il faille réagir dans une telle situation ?
Leur donner ce qu'ils veulent, tiens ! Tu ne vas pas leur dire : « C'est dégueulasse. Si vous faites ça, c'est parce que vous avez souffert quand vous étiez petits et que vos parents ne s'occupent pas de vous ». On ne va pas faire le psy !

Source : SEMELIN, Jacques. *La non-violence expliquée à mes filles*, Editions du Seuil : Paris, 2000.

Et toi, comment penses-tu qu'il faille réagir ? Comment éviter qu'un conflit ne dégénère en violence ? As-tu des expériences précises pour soutenir ta réponse ?

Merci,

Etienne

Communiquez !

Interpersonal/Presentational Writing : Charter

En groupes, élaborez une charte de la non-violence dans les comportements quotidiens (en famille, à l'école, dans le sport, avec les voisins, dans les transports... ; comportement avec les animaux...).

- *Rédigez une dizaine de commandements. Soyez persuasifs !*
- *Organisez vos règlements selon un ordre du plus au moins important, ou vice-versa.*
- *Choisissez la forme que vous allez donner à votre charte : affiche, bande dessinée, PowerPoint™. Réalisez-la.*
- Affichez ou présentez vos réalisations à la classe.

Pour être persuasif, vous pouvez avoir recours à l'humour, à la gravité, choquer pour provoquer la prise de conscience.

> **MODÈLE** **Ne sortez pas vos poings dès que votre petit frère vous pique votre DS ! Il vaut mieux compter jusqu'à dix avant de riposter.**

Communiquez!

Interpersonal Speaking : Conversation

Vous avez une conversation avec un ami suisse. Cette conversation doit suivre le canevas qui vous est donné ci-dessous. Vous allez entendre les répliques de votre ami et vous réagirez comme le canevas l'indique.

–**Vous vous étonnez qu'il y ait un service militaire en Suisse, pays neutre.**

–Votre ami met en évidence la nécessité pour un pays de se défendre.

–**Vous évoquez le coût financier.**

–Il répond.

–**Vous posez une question sur le rôle de la Suisse au Kosovo.**

–Votre ami répond.

–**Vous essayez de définir la neutralité suisse avec vos propres mots.**

–Il nuance.

–**Vous demandez son avis sur la neutralité suisse.**

–Il vous répond et part.

Lecture 1

Voyage au bout de la nuit

Interpretive Communication : Print Texts

Louis-Ferdinand Céline.

Rencontre avec l'auteur

Voyage au bout de la nuit (1932) est le premier roman de Louis-Ferdinand Céline (1894–1961). Le passage ci-dessous se situe dans les premières pages du roman : le héros, Ferdinand Bardamu, qui s'est engagé par enthousiasme patriotique (comme Céline lui-même) au début de la première guerre mondiale, se trouve au front aux côtés d'un colonel : il est chargé de noter ses ordres sur un registre. Dans cette histoire, qui est lâche ? Qui est courageux ?

Pré-lecture

Ce texte a pour sujet « le baptême du feu » de Bardamu, c'est-à-dire sa première expérience de combattant. Si on vous recrutait, que feriez-vous ?

Voyage au bout de la nuit par Céline

Ces Allemands accroupis* sur la route, têtus et tirailleurs*, tiraient mal, mais ils semblaient avoir des balles à revendre*, des pleins magasins sans doute. La guerre décidément, n'était pas terminée ! Notre colonel, il faut dire ce qui est, manifestait une bravoure stupéfiante ! Il se promenait au beau milieu de la chaussée* et puis de long en large parmi les trajectoires aussi simplement que s'il avait attendu un ami sur le quai de la gare, un peu impatient seulement.

[...]

Ce colonel, c'était donc un monstre ! A présent j'en étais assuré, pire qu'un chien, il n'imaginait pas son trépas* ! Je conçus* en même temps qu'il devait y en avoir beaucoup des comme ça* dans notre armée, des braves, et puis tout autant sans doute dans l'armée d'en face. Qui savait combien ? Un, deux, plusieurs millions peut-être en tout ? Dès lors ma frousse* devint panique. Avec des êtres semblables, cette imbécilité infernale pouvait continuer indéfiniment... Pourquoi s'arrêteraient-ils ? Jamais je n'avais senti plus implacable* la sentence des hommes et des choses.

Serais-je donc le seul lâche* sur la terre ? pensais-je. Et avec quel effroi* !... Perdu parmi deux millions de fous héroïques et

Pendant la lecture
1. Comment Bardamu décrit-il le colonel ?

Pendant la lecture
2. Cette description donne-t-elle la même image du colonel ?

Pendant la lecture
3. Qui a peur, dans cette description ?

Pendant la lecture
4. Est-ce que l'armée de Bardamu est solidaire ?

Pendant la lecture
5. Quels sont les sentiments de Bardamu ? Qu'est-ce qui justifie sa « lâcheté » ?

accroupi(e) *squatting* ; **tirailleurs (m.)** armés ; **à revendre** beaucoup ; **la chaussée** route ; **le trépas** la mort ; **je conçus (concevoir)** j'ai bien compris (comprendre) ; **comme ça** semblables ; **la frousse** peur (*fam.*) ; **implacable** *without mercy* ; **lâche** contraire de courageux ; **l'effroi (f.)** grande peur

déchaînés* et armés jusqu'aux cheveux[1] ? Avec casques, sans casques, sans chevaux, sur motos, hurlants, en autos, sifflants*, tirailleurs, comploteurs*, volants, à genoux, creusant, se défilant*, caracolant* dans les sentiers, pétaradant*, enfermés sur la terre comme dans un cabanon[2], pour y tout détruire, Allemagne, France et Continents, tout ce qui respire, détruire, plus enragés que les chiens, adorant leur rage (ce que les chiens ne font pas), cent, mille fois plus enragés que mille chiens et tellement plus vicieux ! Nous étions jolis* ! Décidément, je le concevais*, je m'étais embarqué dans une croisade apocalyptique.

Le colonel ne bronchait* toujours pas. Je le regardais recevoir, sur le talus*, des petites lettres du général qu'il déchirait ensuite menu*, les ayant lues sans hâte, entre les balles. Dans aucune d'elle il n'y avait donc l'ordre d'arrêter net cette abomination ? On ne lui disait donc pas d'en haut qu'il y avait méprise ? Abominable erreur ? Maldonne* ? Qu'on s'était trompé ? Que c'était des manœuvres pour rire qu'on avait voulu faire, pas des assassinats ? Mais non ! « Continuez, Colonel, vous êtes dans la bonne voie ! » Voilà sans doute ce que lui écrivait le général des Entrayes, de la division, notre chef à tous, dont il recevait une enveloppe chaque cinq minutes, par un agent de liaison, que la peur rendait chaque fois un peu plus vert et foireux*. J'en aurais fait mon frère peureux de ce garçon-là ! Mais on n'avait pas le temps de fraterniser non plus.

Pendant la lecture
6. S'agit-il des soldats français, allemands ou des deux ?

Pendant la lecture
7. A quoi le narrateur compare-t-il cette guerre ?

Pendant la lecture
8. Selon le narrateur, que devraient dire les lettres qu'il reçoit ?

Pendant la lecture
9. Qui écrit les lettres au colonel ?

Source : CÉLINE, Louis-Ferdinand. *Voyage au bout de la nuit.* 1932.

---

déchaîné(e) *unhinged* ; **sifflant** *whistling* ; **comploteurs (m.)** *plotting* ; **se défilant (se défiler)** se cachant ; **caracolant(e)** allant de façon cahotique ; **pétaradant(e)** avec grand bruit ; **joli(e)** perdu(e) (*fam.*) ; **concevais (concevoir)** réalisais (réaliser) ; **bronchait (broncher)** *reacted* (*to react*) ; **talus (m.)** *backslope* ; **menu(e)** tout(e) petit(e) ; **une maldonne** une erreur ; **foireux, foireuse** *cowardly*

1. L'expression courante est « armés jusqu'aux dents ».
2. On appelait autrefois *cabanon* la cellule où on enfermait les fous dangereux.

Post-lecture

Ce texte met en question la valeur de l'héroïsme. Quelle est votre opinion à ce sujet ? Défier la mort, comme le fait le colonel, vous paraît-il digne d'admiration ? La « lâcheté » de Bardamu vous semble-t-elle méprisable ?

28 Compréhension du texte

Relisez maintenant le texte pour en trouver le sens profond. Répondez aux questions.

Paragraphe 1

1. Les deux premières phrases évoquent les ennemis (les Allemands), les deux suivantes, le colonel. Quelle impression donnent-elles de l'un et des autres ? Par quels mots ou expressions ?

Paragraphes 2 et 3

2. Quels sont les sentiments de Bardamu ? Qu'est-ce qui justifie sa propre « lâcheté » ?

3. Quelles expressions sont utilisées pour désigner la guerre comme « apocalyptique » dans ce paragraphe ? Quel état d'esprit son raisonnement traduit-il ?

Paragraphe 4

4. Comment interprétez-vous les nombreuses interrogations de Bardamu ?

29 Activités d'expansion

Faites les activités suivantes.

1. Faites une liste des mots qui évoquent la guerre, puis, regroupez-les selon les deux champs lexicaux auxquels ils appartiennent (la bravoure/la lâcheté). Lequel est dominant ?

2. Les sentiments fraternels de Bardamu envers ses compatriotes sont-ils sincères ? Est-il véritablement seul ? Justifiez votre raisonnement dans un paragraphe.

Faisons le point !

A. *Pour retrouver les principales idées développées au cours de la leçon, notez dans votre cahier, un ou deux exemple(s) en face de chacun des points de repère qui vous sont proposés. Reportez-vous à tous les documents de la leçon (écrits journalistiques, témoignages, débats, analyses, discours, textes littéraires, tableaux).*

Question centrale

?

Peut-on justifier la violence et la guerre, et quelles en sont les alternatives ?

La guerre et la paix	**Notes**
La violence au quotidien	
• à l'école	
• dans le sport	
Causes, manifestations et prévention	
La guerre	
• Les horreurs de la guerre	
• L'héroïsme en question	
• Des guerres justes ?	
Les alternatives à la guerre et à la violence	
L'enrichissement par l'autre	
• la neutralité	
• la non-violence	

B. *Discutez en groupes. Que répondriez-vous à la question posée au début de l'unité : Peut-on justifier la violence et la guerre, et quelles en sont les alternatives ?*

La tolérance

Question centrale

?

Que signifie la tolérance à l'égard des autres, et quelles en sont les limites ?

Le cours de philosophie

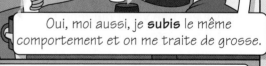

Le respect et la tolérance envers autrui

la tolérance, le respect, l'acceptation (f), l'appréciation (f.)

tolérer–tolérant(e), respecter son prochain–respectueux(euse) envers son prochain,
faire preuve d'ouverture (f.) d'esprit, communiquer, favoriser le dialogue, permettre, autoriser ;
raisonner–le raisonnement

l'harmonie, harmonieux/euse, l'autonomie–autonome
être partial/impartial, indulgent, laxiste ; ouvert, compréhensif

la diversité, la richesse, le pluralisme
un mode d'expression, un comportement, des valeurs (f.) (éthiques, sociales, culturelles, religieuses)

L'intolérance et le fanatisme

l'indifférence–indifférent(e), l'intolérance–intolérant(e), la condescendance–condescendant(e), la
frustration–frustré(e)

subir la discrimination, l'exclusion, la marginalisation, l'hostilité, l'injustice

accepter–acceptable/inacceptable, admettre–admissible/inadmissible, supporter–supportable/
insupportable, tolérer–tolérable/intolérable, imposer son opinion–opprimer

Les idéologies : le dogmatisme, l'absolutisme (m.), l'homophobie–homophobe ; le fanatisme–
fanatique ; le sectarisme–sectaire, le dogmatisme–dogmatique

Déclaration de principes sur la tolérance : UNESCO

Article premier - Signification de la tolérance

1.1 La tolérance est le respect, l'acceptation et l'appréciation de la richesse et de la diversité des
cultures de notre monde, de nos modes d'expression et de nos manières d'exprimer notre qualité
d'êtres humains. Elle est encouragée par la connaissance, l'ouverture d'esprit, la communication et
la liberté de pensée, de conscience et de croyance. La tolérance est l'harmonie dans la différence. La
tolérance est une vertu qui rend la paix possible et contribue à substituer une culture de la paix à la
culture de la guerre.

1.2 La tolérance n'est ni concession, ni condescendance, ni complaisance.

1.3 La tolérance est la clé de voûte des droits de l'homme, du pluralisme (y compris le pluralisme
culturel), de la démocratie et de l'État de droit. Elle implique le rejet du dogmatisme et de
l'absolutisme.

1.4 Conformément au respect des droits de l'homme, pratiquer la tolérance ce n'est ni tolérer
l'injustice sociale, ni renoncer à ses propres convictions, ni faire de concessions à cet égard. La
pratique de la tolérance signifie que chacun a le libre choix de ses convictions et accepte que
l'autre jouisse de la même liberté. Elle signifie l'acceptation du fait que les êtres humains, qui se
caractérisent naturellement par la diversité de leur aspect physique, de leur situation, de leur mode
d'expression, de leurs comportements et de leurs valeurs, ont le droit de vivre en paix et d'être tels
qu'ils sont. Elle signifie également que nul ne doit imposer ses opinions à autrui.

Article 2 - Le rôle de l'État

2.1 La tolérance au niveau de l'État exige la justice et l'impartialité en matière de législation, d'application de la loi et d'exercice du pouvoir judiciaire et administratif. Elle exige également que chacun puisse bénéficier de chances économiques et sociales sans aucune discrimination. L'exclusion et la marginalisation peuvent conduire à la frustration, à l'hostilité et au fanatisme.

Article 3 - Dimensions sociales

3.2 La tolérance est nécessaire entre les individus ainsi qu'au sein de la famille et de la communauté. La promotion de la tolérance et l'apprentissage de l'ouverture d'esprit, de l'écoute mutuelle et de la solidarité doivent se faire dans les écoles et les universités, au moyen de l'éducation non formelle, dans les foyers et sur les lieux de travail. Les médias sont en mesure de jouer un rôle constructif en favorisant le dialogue et le débat libres et ouverts, en propageant les valeurs de tolérance et en mettant l'accent sur les risques que fait courir l'indifférence face à l'expansion des idéologies et des groupes intolérants.

Article 4 - Education

4.3 L'éducation à la tolérance doit viser à contrecarrer les influences qui conduisent à la peur et à l'exclusion de l'autre et doit aider les jeunes à développer leur capacité d'exercer un jugement autonome, de mener une réflexion critique et de raisonner en termes éthiques.

Source : CULTURE DE LA PAIX. « Déclaration de principe sur la tolérance ». 16 novembre 1995. (30 avril 2013).

Pour la conversation 🎧

How do I express that my values are to not target others ?

> ❯ Mais on a des codes : honneur, respect, famille, **ne pas s'attaquer aux** pauvres.
>
> *But we have codes : honor, respect, family, and not target the poor.*

How do I ask what something is about ?

> ❯ **De quoi s'agit-il ?** *What's it about ?*

---

1 **Principes sur la tolérance**

Lisez la déclaration de l'UNESCO sur la tolérance. Relevez tout le vocabulaire qui est lié à la tolérance et tout celui qui s'y oppose.

MODÈLE   **Tolérance : respect, acceptation...**
   Intolérance : dogmatisme, absolutisme...

2 Collage ou nuage de mots

Interpersonal Communication

Avec les termes que vous avez relevés de la Déclaration, composez un nuage de mots ou réalisez un collage sur la tolérance. Affichez vos travaux.

3 Mots de la même famille

Faites les activités suivantes.

A. Trouvez tous les dérivés de *tolérer*.
B. Dans les phrases suivantes, remplacez le verbe « tolérer » ou ses dérivés par un ou plusieurs des synonymes qui vous sont proposés dans l'encadré.

MODÈLE   Je ne peux plus *tolérer* ses excès, aujourd'hui c'est terminé.
Je ne peux plus admettre ses excès, aujourd'hui c'est terminé.

accepter	autorisé	supportée	admettre	enduré	indulgentes	laxiste
ouverte	insupportable	inadmissible	incompréhensif			

1. Le port du voile est *toléré* à l'université.
2. Je trouve qu'il est beaucoup trop *tolérant* vis-à-vis de ses enfants.
3. Pendant longtemps, il *a toléré* sans rien dire les humiliations dont il était victime.
4. Il ne faut pas *tolérer* les propos racistes.
5. Sa présence n'est pas vraiment appréciée, elle est tout juste *tolérée*.
6. Cette communauté religieuse est aujourd'hui très *tolérante* mais elle ne l'a pas toujours été.
7. Il a rejeté en bloc mes arguments. Sa mauvaise foi est *intolérable*.
8. D'accord, il n'a pas les mêmes opinions que toi, mais je te trouve très *intolérant*.
9. L'agression verbale que cet enseignant a subie est *intolérable* et sera d'ailleurs sévèrement sanctionnée.
10. Les personnes âgées ne sont pas toujours *tolérantes* envers les jeunes, et réciproquement !

Langue vivante

Le verbe « supporter » est un faux-ami de l'anglais. Donnez l'équivalent en anglais dans les contextes suivants :

- Il est tellement méprisant vis-à-vis des autres ! Je ne peux plus le *supporter*.
- Je ne *supporte* pas qu'on me mente.
- Vous *supportez* mieux la chaleur que le froid ?

4 Préfixes et suffixes

Faites les activités ci-dessous avec votre partenairez.

A. Le suffixe *–isme* permet de former des noms qui désignent une idéologie, une doctrine, une manière de penser ; le suffixe *–iste* des noms ou des adjectifs pour désigner les partisans de ces idéologies, ceux qui pensent de cette manière. Voyez les définitions ci-dessous :

Le communisme : mouvement social idéologique basé sur la mise en commun de la propriété.

Un régime communiste : gouvernement qui adopte les idéologies communistes.

A votre tour, donnez une définition en contexte pour chacun des termes suivants : *féminisme, féministe ; racisme, raciste ; sexisme, sexiste ; pacifisme, pacifiste*

B. Le préfixe *anti–* signifie « contre », ou « opposé à ». Il est lié au mot dont il modifie le sens.

Antimilitarisme : fait d'être hostile aux institutions militaires.
Antimilitariste : partisan de l'antimilitarisme.

Trouvez des mots qui contiennent le préfixe « anti » désignant une hostilité envers des peuples ou systèmes, et présentez-les dans des phrases.

C. Les suffixes *–phobe/–phobie* expriment une peur anormale, une crainte excessive mais aussi la haine souvent née de cette aversion. En revanche, les suffixes *–phile–philie* qui signifient *ami de.*

Un *homophobe* a des sentiments d'*homophobie* (crainte/haine des homosexuels).
Un *islamophobe* fait de l'*islamophobie* (crainte/haine de la religion musulmane/des Musulmans).
Un *anglophile* pratique l'*anglophilie* (goût/amour de la culture anglo-saxonne).
Un *judéophile* a des sentiments de *judéophilie* (goût/amour de la culture juive).

Cherchez dans un dictionnaire trois ou quatre mots finissant par *–phobe–phobie* puis *–phile/–philie*, puis faites-en deviner le sens à un autre groupe.

5 Néologismes

Travaillez en groupe et créez des néologismes ! Soyez créatifs ! Imaginez des noms ou des adjectifs commençant par anti- ou/et finissant par –isme/–iste, –phobe/–phobie ou –phile/–philie sur le modèle de ceux qui vous sont proposés ci-dessus.

6   A qui s'attaque-ton ?

Reformulez les phrases suivantes pour dire à quels groupes de personnes on s'attaque.

MODÈLE   Les fanatiques antisémites *ne supportent pas* le peuple juif.
Les fanatiques antisémites s'attaquent au peuple juif.

1. Un homme indulgent ne va pas *discriminer* son prochain sans raison.
2. Les fanatiques *excluent* ceux qui ne partagent pas leur dogmatisme.
3. Il est intolérable de justifier les comportements qui *autorisent l'hostilité envers* les peuples d'une autre culture.
4. Ce sont nos valeurs éthiques qui nous empêchent de *marginaliser* ce groupe religieux.
5. Un mouvement politique ou religieux sectaire cherche à *imposer son opinion sur* les individus.
6. L'indifférence envers la discrimination raciale est un comportement qui *autorise l'injustice envers* les peuples d'une autre race que la sienne.
7. *Marginaliser* les homosexuels, c'est pratiquer l'homophobie.

7   Questions personnelles

Répondez aux questions.

1. Que signifie être tolérant, selon toi ?
2. Penses-tu que la tolérance est un phénomène social ou individuel ? Donne un exemple.
3. Considères-tu le pays dans lequel tu vis suffisamment ouvert aux autres cultures ?
4. As-tu subi, ou connais-tu des gens qui ont subi des difficultés à cause d'un manque de tolérance ? Peux-tu expliquer ce qui s'est passé ?
5. Penses-tu que la tolérance puisse devenir une valeur négative ? Pourquoi ? Pourquoi pas ?
6. A ton avis, les gens aujourd'hui sont-ils plus tolérants qu'avant ? Plus respectueux ?

Narratives

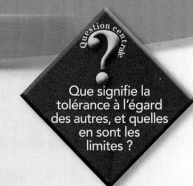

Question centrale

?

Que signifie la tolérance à l'égard des autres, et quelles en sont les limites ?

Rencontre avec Esméralda Romanez, figure Manouche

Narrative 1

Interpretive Communication : Print Texts

Introduction

Le magazine *Télérama* a publié un numéro spécial sur la discrimination envers les peuples tsiganes. Vous allez lire le témoignage d'Esméralda, femme manouche, rapporté par la journaliste Emanuelle Anison. Elle a connu roulottes, violons, loi du clan et discriminations. Rencontre avec Esméralda Romanez, figure manouche.

Pré-lecture

Dans le titre de cette interview, le nom de la personne a une consonance qui n'est pas française. De quels pays ou origine nationale viennent les peuples tsiganes ?

---

8 Le peuple tsigane

Faites les activités.

1. Associez-vous spontanément certaines caractéristiques culturelles au peuple tsigane ?
2. Notez celles que le titre de l'article lui attribue. Pourquoi à votre avis, ce peuple fait-il l'objet de discriminations ?
3. Lisez le témoignage d'Esméralda.

« *Je ne suis pas une femme manouche comme les autres : je parle* ». Cheveux noirs, yeux verts, jupe longue, Esméralda, 61 ans, est une figure du monde gitan français, présidente d'associations de lutte contre les discriminations et de défense de la mémoire des déportés tsiganes.

« *Mon peuple ne sait pas protester, il vit dans la peur* », soupire-t-elle. Elle se souvient qu'en entrant « *dans les villages, on mettait du linge aux sabots des chevaux pour qu'on ne nous entende pas et qu'on ne nous empêche pas de nous installer* ». Il lui est resté l'idée, bien ancrée, qu'on ne déballe pas ses affaires. La détestation du flic, « *le schmit* » comme elle l'appelle, et la défiance à l'écart des *gadjé*, les sédentaires. Esméralda égrène la liste rageuse de ses colères : les moqueries des enfants des villages, les tracasseries de l'administration pour obtenir des papiers, une place sur un terrain, un rattachement à une commune, un dédommagement après les inondations... Et les drames : ce petit garçon noyé dans une « roubine » (un fossé d'eau dans le Midi de la France). « *La mairie n'avait pas voulu couper les hautes herbes qui la cachaient. Sa grand-mère a ensuite été accusée de polluer l'eau parce qu'elle déposait chaque matin un verre de lait et un croissant à l'endroit où il s'était noyé !* »... Et puis, il y a cette autre peur, profonde : longtemps, la petite Manouche s'est demandé pourquoi son père avait toujours les yeux dans le vague, et pas qu'en jouant du violon. Longtemps, sa chère « *jaï* » (grand-mère) lui a répondu : « *c'est à cause de ce qui s'est passé là-bas.* »

Un jour, elle lui a dit les camps de concentration[1], Dachau, Auschwitz... « *Sur les treize frères et sœurs déportés, mon père a été le seul survivant* ».

Esméralda aimait bien le rythme des chevaux, « *25 kilomètres par jour maximum* », la fabrication des paniers en osier, du linge de maison, la récup dans les décharges (« *j'ai tout de suite su qu'il y avait deux mondes : ceux qui jettent et ceux qui réutilisent ce qui est jeté !* »), les feux du soir, les chants et les danses, cette formidable liberté, le contact avec la nature et les nuits dehors. « *Seuls les femmes, les enfants de moins de 7 ans et les vieux dormaient dans la roulotte. Les autres, dans un trou creusé sous les roulottes par nos pères, avec paill et gros édredon. On n'avait pas froid !* »

Faim, oui, malgré « *les lapins et les poules. Quand j'étais enfant, je guettais les gâteaux sur les rebords de la fenêtre. J'ai appris à avoir le poignet agile pour nourrir la famille... Mais on a des codes : honneur, respect, famille, ne pas s'attaquer aux pauvres, aux enfants ou aux vieux* ». Pas plus que ses douze frères et sœurs, elle n'est allée à l'école. « *Mon grand-père sculpteur gravait des lettres qu'il ne connaissait pas sur les monuments aux morts. Mon père ne voulait pas que je pense différemment. Mais je voyais bien qu'il fallait s'adapter aux changements du monde* ». Esméralda scolarise ses enfants, en profite pour apprendre à lire. Son père l'exclut du cercle. Elle persiste, fait des émules, entraîne les roulottes familiales dans la banlieue parisienne pour ses études d'infirmière. « *Chez nous, on ne se quitte pas* ».

Sauvée par le savoir, Esméralda reste ambivalente sur cette école « *qui lave le cerveau des enfants* », les éloigne de leur culture.

Source : ANIZON, Emmanuelle. *Télérama*, 2010, n° 3163, pp. 20–21.

---

1. Comme les Juifs, les Tsiganes ont subi, pour des raisons raciales, les persécutions du régime nazi. On estime qu'au moins un quart des Tsiganes qui vivaient en Europe ont été exterminés pendant la Seconde guerre mondiale. Ce génocide demeure largement moins connu que la Shoah. Les Roms l'appellent *Samudaripen* ou *Porajmos* (« la dévoration »).

Rappel

Le pronom démonstratif *ceux* remplace le groupe nominal *les personnes*. Les pronoms démonstratifs peuvent être sujets ou objets du verbe. Si un pronom démonstratif est en fin de phrase, on ajoute *–ci* ou *–là* après.

Quels pronoms démonstratifs utiliseriez-vous dans la phrases suivante ?
1. Nous n'avons pas rencontré *la femme* dont tu parles.

Savez-vous... ?

La roulotte typique des peuples tsiganes remonte à plus de mille ans. Ces habitations mobiles ont été adoptées par les nomades en Inde afin de fuir les persécutions des invasions musulmanes. Hier et aujourd'hui, les nomades romanichels, les Bédouins du Sahara, les clans Irlandais, les tribus nomades d'Asie, ont conservé les roulottes et les caravanes, pour avoir la liberté de quitter un endroit où ils ne sont pas les bienvenus.

Communiquez!

9 Mode de vie tsigane

Presentational Writing : Paragraphs

Cherchez des éléments dans le texte pour comparer le mode de vie, les valeurs culturelles et les discriminations subies par les peuples tsiganes aux peuples modernes là où vous habitez.

- mode de vie (à l'époque de l'enfance d'Esméralda)

MODÈLE   Ils parcouraient 25 km par jour...

Les gitans marchaient beaucoup. Aujourd'hui, dans ma culture américaine moderne, tout le monde conduit sa voiture même pour aller au supermarché. Mais je connais des Amish qui...

- valeurs de leur culture

MODÈLE   Ils ont le sens de l'honneur...

Les romanichels honorent leurs familles, leur culture, les pauvres, et les autres personnes. Je suis italienne et dans ma culture, ...

- discriminations subies

MODÈLE   Moqueries des enfants...

Parce qu'ils étaient différents, même les enfants du pays où ils vivaient se moquaient d'eux. Je suis noir américain et ma grand-mère a subi...

Langue vivante

Retrouvez dans le texte quelques mots de la langue tsigane et leur signification en français. Cherchez davantage d'informations sur cette langue.

Derrière le chiffre des voitures brûlées, le grand silence sur celui des actes anti-chrétiens

 Interpretive Communication : Print Texts

Introduction

L'auteur Jacques Charles-Gaffiot a recensé les actes de discrimination envers les chrétiens pendant l'année 2012.

Pré-lecture

D'après la sources de cet article, dans quel pays, selon-vous, ces actes anti-chrétiens seraient le plus probable d'être commis ?

Avec fanfares et trompettes, nous connaîtrons bientôt le palmarès de l'un des sports auquel chaque année on se livre dans les banlieues françaises le soir de la Saint-Sylvestre !

Gageons qu'avec des accents de circonstance notre bon ministre de l'Intérieur mentionnera une diminution du nombre de voitures incendiées tout en condamnant, non sans raison, des gestes aussi répréhensibles.

> **Rappel**
> « **Gageons** » est la forme de la troisième personne du pluriel à l'impératif. Modelé sur le verbe « manger », quel est l'infinitif de ce verbe ? Que signifie-t-il ?

Mais parmi nos grands sports nationaux, il en est un autre dont le bon docteur comme notre cher Président ne parleront pas encore cette fois en présentant leurs vœux ou en évoquant leur bilan 2012. Et pourtant, chaque année en France, nous battons les records obtenus l'année précédente. En Europe, la France confirme toujours plus sa première place.

Etrangement, sur de tels exploits, les médias contribuent à entretenir le silence quand ils ne cherchent pas à les étouffer. Pourtant, nous avons su décliner dans cette activité sportive, assez bien encadrée par des gens de tout poil, nombre de disciplines dans lesquelles en peu d'années nous nous sommes hissés à un très haut niveau qui finira par nous être envié.

De quoi s'agit-il ? Sans plus attendre voici un petit florilège permettant d'établir les principaux scores de l'année écoulée :

Profanations, vandalisme et effractions dans les églises de France : 52
Profanation de cimetières : 21
Destructions de crèches : 6

> **Savez-vous... ?**
> Trente-et-un pourcent des Français se disent sans religion, 58 % chrétiens, 6 % islamiques, 1 % judaïques, et 3 % autres.

Source : GAFFIOT, Jean-Charles. « France violente ». *Atlantico*. 1er janvier 2013. www.atlantico.fr (19 avril 2013).

Langue vivante

L'auteur compare la violence anti-chrétienne à un sport. Cette comparaison a un but sarcastique, comme dans la phrase suivante : « ... nous connaîtrons bientôt le palmarès de l'un des sports auquel chaque année on se livre dans les banlieues françaises... » Trouvez la meilleure paraphrase pour cette phrase :

- La discrimination anti-chrétienne est récompensée dans les banlieues de France.
- Il y a le plus grand nombre d'actes anti-chrétiens dans les banlieues de France.
- Les actes de discrimination sont un sport reconnu dans les banlieues de France.

Cherchez d'autres comparaisons sportives dans ce texte et expliquez-les.

Communiquez!

 **10 Recensement**

Interpersonal Speaking : Discussion

En petits groupes, récapitulez les actes de discrimination envers les chrétiens recensés dans le texte. Comparez-les aux actes de discrimination subis par les roms dans le texte précédent. Concluez en énumérant les actes de discrimination dans votre ville, région ou pays.

 11 Débat

Interpersonal Speaking : Debate

Faites un débat dans votre classe sur le sujet suivant : Une société moderne devrait-elle ne tolérer aucun degré d'actes de discrimination envers des groupes ? Pourquoi ? Pourquoi pas ?

Ensemble des documents

Quel lien voyez-vous entre ces deux articles ?

Culture

emcl.com
WB 7–12

Question centrale

?

Que signifie la tolérance à l'égard des autres, et quelles en sont les limites ?

Le racisme au quotidien : L'histoire de Yacouba

Interpretive Communication : Audio Text

Introduction

Yacouba Barry, d'origine burkinabé, était conseiller principal d'éducation dans un collège. Il a réussi un concours pour devenir chef d'établissement. Il faut alors faire une année de stage pratique dans un établissement. C'est au cours de ce stage que M. Barry a subi humiliations, vexations et persécutions de la proviseure qui était censée le former. Il a témoigné de cette expérience très douloureuse dans une émission de France Culture. Dans l'extrait, vous entendrez d'abord sa fillette (M. Barry est marié à une Française) puis lui-même.

Pré-lecture

Quelles images associez-vous au prénom (Yacouba, culture, langue, aspect physique, etc.) ? A votre avis, ces images sont-elles fondées sur vos connaissances ou sur des préjugés ?

Sa perspective

M. Barry dit ne pas utiliser le terme « racisme ». Quel raisonnement donne-t-il ?

Savez-vous... ?
Yacouba Barry est proactif à combattre la discrimination raciale dans l'éducation nationale.

Ma perspective

Pensez-vous qu'il soit bon ou non d'utiliser le terme « racisme » ? Pourquoi (pas) ?

12 Différentes générations

Répondez aux questions.

A. Ecoutez le témoignage de la fillette.
   1. Comment juge-t-elle les racistes ?
   2. Souffre-t-elle, elle-même, de racisme dans son entourage ?
B. Ecoutez maintenant son père. Il est réticent à parler de racisme. D'abord parce que, dit-il, le mot de racisme « a été assaisonné à toutes les sauces ».
   3. Comment comprenez-vous cette expression ?

13 Avez-vous bien compris ?

Ecoutez à nouveau le dialogue, puis choisissez la meilleure réponse à chaque question.

1. La fille dit que ne pas aimer les étrangers, c'est un comportement...
   A. pas normal
   B. raciste
   C. méchant
   D. bête
2. Quel exemple donne-t-elle de deux éléments qu'elle connaît à cause de son mélange culturel ?
   A. des langues et des vêtements différents
   B. sa couleur et son identité
   C. des vêtements et des plats différents
   D. des dialectes et des amis différents
3. Le groupe d'amis de la fille vient du Maghreb, de la France, de l'Afrique, et...
   A. de l'Inde
   B. de l'Afrique Noire
   C. de la Turquie
   D. de l'Afrique du Sud
4. Selon le père, quelle est la cause du racisme qu'il a vécu de la part de la cheffe d'établissement ?
   A. une conviction profonde
   B. un désir de démolir psychologiquement
   C. une crainte
   D. Il n'est pas tout à fait sûr.
5. Il dit qu'il n'est pas à l'aise avec...
   A. le fait de se positionner en victime
   B. les attitudes racistes
   C. les propos racistes
   D. son incompétence

Langue vivante

A. La fillette s'exprime dans une langue orale familière. Relevez-en quelques caractéristiques.
B. Son père s'exprime, en revanche, dans une langue particulièrement soignée à la fois au niveau des constructions (« *est-ce le désir de blesser ?* » « *je ne saurais le dire* ») et au niveau du lexique. Notez les mots qu'il utilise pour dire :
   - « ... son comportement est *marqué par* le racisme »
   - « ... est-ce un racisme qui *découle (tire son origine)* d'une conviction... »
   - « ... Je ne voudrais pas *fournir l'occasion* d'une critique de ce type »

L'islam, une religion « intolérante » pour 74% des Français

Interpretive Communication : Print Texts

Savez-vous... ?
Il y a 2.000 femmes en France qui portent le niqab, le voile intégral.

Introduction

Le Centre de recherches politiques de Sciences Po (Cevipof) et la Fondation Jean-Jaurès ont effectué une enquête qui montre qu'une majorité des Français est mécontente de l'immigration, notamment des cultures Maghrébines. Mais aujourd'hui, ce n'est plus une discrimination économique, mais religieuse.

Rarement la défiance envers l'islam aura été aussi clairement exprimée par la population française. 74% des personnes interrogées par Ipsos estiment* que l'islam est une religion *« intolérante »*, incompatible avec les valeurs de la société française. Chiffre plus radical encore, 8 Français sur 10 jugent que la religion musulmane cherche *« à imposer son mode de fonctionnement aux autres »*. Enfin, plus de la moitié pensent que les musulmans sont *« en majorité »* (10%) ou *« en partie »* (44%) *« intégristes »*, sans que l'on sache ce que recouvre* ce qualificatif.

Ces proportions varient certes en fonction de l'âge et de l'appartenance politique des sondés*, mais, signe de l'enracinement* de ces opinions dans l'imaginaire collectif, elles restent largement majoritaires dans toutes les catégories. Ainsi, 61% des sympathisants de gauche et 66% des moins de 35 ans jugent que l'islam n'est pas compatible avec les valeurs républicaines[1].

« Amalgame »
Au-delà de demandes jugées légitimes par les pouvoirs publics, – construction de mosquées, prise en compte de l'islam dans l'armée, les prisons, les hôpitaux, condamnation des actes antimusulmans... –, d'autres sont toujours jugées exorbitantes* par une partie de l'opinion, car perçues comme une atteinte à la laïcité* : port du foulard[2], demande de restauration halal, pratique religieuse sur le lieu de travail... Ainsi, 72% des sondés s'opposent aux repas adaptés aux convictions religieuses à l'école.

---

estiment (estimer) jugent (juger) ; **recouvre (recouvrir)** signifie (signifier) ; **un(e) sondé(e)** personne qui a répondu à un sondage ; **l'enracinement (m.)** *entrenchment* ; ... **exorbitant(e)** fou (folle) ; **la laïcité** *public sphere*

1. En France, le terme « républicain » ne veut pas dire « de droite » politique. Il représente les valeurs d'un gouvernement français démocratique, qui est une *république*.
2. Depuis le 11 avril 2011, le voile intégral est banni de tous les lieux publics en France. Ce texte complète la loi sur la laïcité de 2004 prohibant le port de signes religieux ostensibles à l'école, notamment le foulard islamique, *la kippa* et les grandes croix.

La situation géopolitique et des événements tels que l'affaire Merah[3] alimentent* aussi les inquiétudes face aux dérives* terroristes de groupes se réclamant de l'islam. Jusqu'à présent, les autorités musulmanes se sont contentées de demander que soit évité *« l'amalgame entre l'islam modéré et l'islamisme »*, plaidant même récemment pour l'abandon de ce terme dans le discours public.

« Au-delà d'un contexte d'angoisse diffuse* ou d'un fond irréductible d'intolérance, ces chiffres constituent un avertissement* aux musulmans ; ils doivent s'interroger de façon critique sur l'islam, juge le philosophe, spécialiste de l'islam et de la laïcité, Abdennour Bidar. *Mais ils sont aussi le résultat de la doxa multiculturaliste, qui a laissé l'extrême droite se saisir de ces sujets. Pourtant, la gauche et la droite républicaine peuvent trouver un équilibre entre le refus de stigmatiser les musulmans et le fait de demander des comptes* à l'islam par rapport à la tradition républicaine ».*

Source : M SOCIETE. « La religion musulmane fait l'objet d'un profond rejet de la part des Français ». 24 janvier 2013. www.lemonde.fr (20 avril 2013).

 Search words : islam en france, abdennour bidar

---

alimentent (alimenter) *feed (to feed)* ; **la dérive** *deviation* ; **diffus(e)** *spreading* ; **un avertissement** *warning* ; **demander des comptes** *to account for*

3. En mars 2013, Mohammed Merah a assassiné six personnes à Montanbanet Toulouse. Il a été tué par les policiers. Son frère Abdelkader est accusé de complicité.

14 Sondage

Répondez aux questions ci-dessous.

1. Comment comprenez-vous le titre de l'enquête d'Ipsos ?
2. Que met en évidence cette enquête ? Comment apparaissent les Français ?
3. Que traduisent ces mots « crispations », anxiété », « repli identitaire, « rejet » ?
   - de l'inquiétude
   - une ouverture d'esprit
   - de l'optimisme
   - du pessimisme
   - des tensions

15 L'islam et les Français

Faites les activités suivantes.

1. Expliquez ce que trois quarts des Français reprochent à l'islam et aux musulmans. (premier paragraphe)
2. D'après le texte, expliquez quand les pratiques de l'islam semblent poser problème.
3. Dites ce qui a nui à l'image de l'islam en France ces dernières années.
4. Dites comment vous jugez ces explications pour la société française.
5. Trouvez le message qu'Abdennour Bidar adresse aux musulmans et réagissez.

Langue vivante

Etre *intégriste* signifie :

- •être progressiste
- •honnête
- •fondamentaliste

Le « grand méchant » fait penser au *Grand méchant loup*, personnage de conte souvent terrifiant.

COMPARAISONS

Le titre de cet article met l'accent sur un résultat du sondage qu'on peut juger assez paradoxal. Précisez ce paradoxe et dites ce que vous en pensez. Quelles comparaisons pouvez-vous établir avec votre pays ?

La culture de tous les jours

Lisez la bande dessinée. Ensuite, répondez aux questions.

16 Deux manifestations

Répondez aux questions.

1. Où sont les participants à la manifestation ?
2. Les gens manifestent-ils tous pour la même chose ?
3. Pourquoi manifestent-ils ?
4. Quel groupe est plus pacifique ? Lequel est plus violent ?
5. Si vous étiez le maire, que feriez-vous ?

Le subjonctif et les conjonctions

1. Le but

Le subjonctif est le mode de la subordonnée de but puisqu'elle exprime un fait non réalisé. Elle suit généralement la proposition principale. La principale et la subordonnée ne doivent pas avoir le même sujet.

- **Pour que/afin que***

  *Il faut lutter sans relâche **pour que** les discriminations disparaissent.*
  Le Défenseur des droits a été créé afin que soient respectés les droits et libertés de chacun.

- **De peur que... (ne)/de crainte que... (ne)***

  Ces conjonctions indiquent un résultat qu'on cherche à éviter.

  Le maire a réuni d'urgence son conseil municipal de peur que des incidents n'éclatent entre les communautés.
  Il ne sort plus tout seul de crainte qu'on ne l'agresse.

- **De façon (à ce) que/de manière (à ce) que**

  Ces conjonctions insistent sur la manière d'agir pour atteindre le but souhaité.

  La municipalité a engagé des travaux importants de façon que tous les lieux publics soient accessibles aux handicapés.
  La candidate Europe Ecologie-Les Verts souhaitait accorder des jours fériés aux juifs et aux musulmans de manière que « chaque religion ait un égal traitement dans l'espace public ».

Attention ! **De façon que/de manière que** sont suivis de l'indicatif quand ils expriment la conséquence.

2. Le temps

Après **avant que... (ne), en attendant que, jusqu'à ce que**, on emploie le subjonctif parce que le fait exprimé dans les subordonnées n'est pas encore réalisé et donc incertain. **Jusqu'à ce que** indique une limite dans le futur.

Elle a accepté de nombreux petits boulots en attendant que ses capacités soient enfin reconnues.
Pour échapper aux brimades, il a tout essayé jusqu'à ce qu'on lui conseille de changer de quartier.
Il n'y avait guère d'alternative au mariage avant que ne soit adopté le PACS en 1999.

Attention ! Quand la principale et la subordonnée introduite par *avant* **que... (ne)**, *et en attendant que* ont le même sujet, on emploie l'infinitif : **avant de/en attendant de.**

*Les conjonctions marquées d'un astérisque sont d'un registre soutenu, peu utilisées dans la langue courante, à l'oral en particulier.

Lisez et rédigez le tract avec pour que.

Aujourd'hui encore,

- Tout le monde n'a pas les mêmes chances,
- Les jeunes homosexuels sont victimes de moqueries ou de brimades,
- Les handicapés n'ont pas accès à certains lieux,
- Les stéréotypes sexistes persistent,
- On entend des propos racistes,
- Des actes antisémites sont commis,
- Etre différent veut dire être exclu.

A votre tour, rédigez un tract qui appelle à réagir :
AGISSONS POUR QUE...

> **MODÈLE**   **Agissons pour que tout le monde ait les mêmes chances....**

3. La concession

La proposition de concession exprime un fait qui devrait empêcher la réalisation de la principale, mais qui en fait ne l'empêche pas.

- Les subordonnées introduites par une conjonction : **bien que/quoique***

Bien que/Quoique le principe d'égalité entre les hommes soit toujours réaffirmé, les injustices sont toujours nombreuses.

- Les constructions **si/aussi** + adjectif + **que**

Si/Aussi farfelue que soit son idée, il ne faut pas la rejeter avant d'en discuter.

Attention ! Ne pas confondre **si** + adjectif + **que** avec **si... que** + indicatif qui exprime la conséquence.

4. La condition

Pour exprimer la condition, on peut utiliser des propositions subordonnées au subjonctif après : **à condition que/pourvu que** (seule condition suffisante)/**à moins que (ne)** (qui exprime une idée de restriction) /**en admettant que** ou **en supposant que** (l'action a peu de chances de se réaliser).

> *Il est tolérant à condition que vous pensiez comme lui !*
>
> *Elle ne tolère pas que ses voisins fassent du bruit à moins qu'ils n'aient une bonne raison.*
>
> *Il acceptera votre retard pourvu que vous le préveniez.*
>
> *En admettant/supposant que le CV anonyme soit efficace, faut-il le généraliser ?*

Remarque générale : Quand il y a deux subordonnées, la seconde est introduite par **que**.

> *« On mettait du linge aux sabots des chevaux pour qu'on ne nous entende pas et qu'on ne nous empêche pas de nous installer ».*

*Les conjonctions marquées d'un astérisque sont d'un registre soutenu, peu utilisées dans la langue courante, à l'oral en particulier.

18 Bien que...

Transformez les phrases suivantes en utilisant une expression de condition ou de concession.

MODÈLE Malgré ses diplômes, elle ne peut pas trouver de travail. →
Bien qu'elle ait des diplômes, elle ne peut pas trouver de travail.

1. Il était aussi compétent que les autres pourtant il n'a pas été pris en raison de ses origines.
2. Le sexisme n'a pas disparu, il faut quand même garder l'espoir.
3. Ils ont grandi dans ce pays, on continue pourtant à les percevoir comme des étrangers.
4. Elle ne m'en a jamais parlé mais je sais qu'elle a souffert de la discrimination.
5. Les discriminations seront moins fréquentes si elles sont punies par la loi.
6. Malgré les brimades qu'il a subies, il garde confiance dans l'institution.
7. Elle pense obtenir ce poste si la compagnie ne se montre pas intolérante envers son handicap.

Le subjonctif passé

emcl.com
WB 17–19

Il exprime :

1. **L'antériorité**
   Le verbe subordonné est au subjonctif passé lorsque le fait exprimé dans la subordonnée a lieu avant le fait principal. Le verbe principal peut être au présent, au futur ou au conditionnel.

   Je suis ravi que vous ayez pu obtenir ce poste.

   Elle n'a pas été embauchée bien qu'elle ait donné toute satisfaction durant son stage.

2. **L'accompli**
   Un fait qui est accompli par rapport à une limite temporelle située dans le futur et généralement signalée par un indicateur de temps. Le verbe principal peut être au présent, au passé, au futur ou au conditionnel.

   Il faudrait qu'ils soient partis avant demain 11 heures.

   On peut regretter que les lois sur la parité n'aient toujours pas amené davantage de femmes au Parlement.

Il est formé de l'auxiliaire « être » ou « avoir » au subjonctif présent suivi du participe passé du verbe.

Mettez les verbes entre parenthèses au subjonctif, au subjonctif passé ou à l'infinitif.

Mehdi de Clichy

« Dans mon enfance, les voisins étaient français, italiens, portugais, mes parents venaient du Maghreb. C'est fini depuis longtemps ! » Mehdi, né dans le quartier du Chêne-Pointu à Clichy-sous-Bois, regrette que peu à peu tous ceux qui en avaient les moyens (partir)... et que la mixité sociale (disparaître)... Seuls les plus pauvres sont restés entre eux, ils appartiennent souvent à la même communauté et c'est normal qu'ils ne (vouloir)... plus faire d'efforts pour parler français.

Mehdi explique que son sentiment d'exclusion est né au collège, lors de son premier rendez-vous avec la conseillère d'orientation. Je rêvais de devenir chef-opérateur dans le cinéma. J'ai été tellement déçu qu'elle me (dire)... « ce n'est pas la peine que tu (se faire)... des illusions, ça ne t'arrivera jamais ». Et elle m'a proposé un BEP de mécanique. Mais j'ai persisté et j'ai obtenu une licence dans l'audiovisuel. La conseillère serait sûrement bien étonnée que je (réussir)... ces études. Je me suis investi dans le soutien scolaire dans mon quartier. C'est important d'aider les gosses pour qu'ils (s'en sortir)...

Et puis, il y a eu les émeutes de 2005. J'ai été profondément choqué que le gouvernement (répondre)... en nous stigmatisant, qu'il (ne pas prendre)... ses responsabilités, choqué qu'il (ne rien faire)... avant que la crise n'éclate et (tout nous mettre sur le dos)...

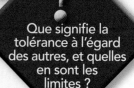

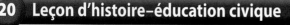

Que signifie la tolérance à l'égard des autres, et quelles en sont les limites ?

20 Leçon d'histoire–éducation civique

Interpretive Communication : Audio Texts

Répondez aux questions.

Vous allez suivre une leçon d'histoire-éducation civique dans une classe de 5ᵉ d'un collège sensible du 19ᵉᵐᵉ arrondissement de Paris.

A. *Ecoutez jusqu'à « le traitement d'une différence peut devenir une discrimination ».*
   1. Comment commence le cours ?
   2. Quelles sont les observations des élèves ?
   3. Le professeur s'appuie ensuite sur ces observations pour introduire la leçon. Quel est le droit fondamental qu'il mentionne ? Quel sujet va être traité ?
B. *Poursuivez l'écoute jusqu'à « Exactement, c'est du sexisme. Bon, c'est bien ».*
   4. Quelle question pose le professeur ? Comment la reformuleriez-vous ?
   5. Aidés ou corrigés par leur professeur, les élèves évoquent dans leurs réponses un certain nombre de situations. Lesquelles ?

| MODÈLE | Discrimination envers les personnes âgées... |

C. *Pour poursuivre la réflexion, le professeur invite ses élèves à écouter un document vidéo. Ecoutez.*
   6. De quel document s'agit-il ? Justifiez votre réponse.
   7. Quelle est la fonction de ce document ?
   8. Qu'apprend-on sur la personne qui parle ?
D. *Ecoutez la fin.*
   9. Aviez-vous aussi bien compris que les élèves ?
   10. De quelle discrimination cette personne handicapée est-elle victime ?
   11. Comment les élèves perçoivent-ils cette personne ? Que pensez-vous de leurs réponses ?
   12. Discriminer est un délit. Quels éléments d'information le confirment-ils ? (A la fin.)

 Search words : le défenseur des droits

21 Urgent : Recrutons humains !

A. *En France,* Adia *a été la première entreprise de Travail Temporaire à prendre position en faveur de la lutte contre les discriminations. Voici une représentation simplifiée du visuel d'une de ses campagnes contre les discriminations « Urgent : Recrutons humains ! »*

Voici un salarié qui n'est ni jeune, ni vieux, ni blanc, ni noir, ni de droite, ni de gauche, et qui ne demandera jamais d'augmentation.

Voici un salarié sans origine ethnique, sans orientation sexuelle, sans opinion politique et qui ne risque pas de tomber enceinte.

Voici un salarié qui n'a pas de couleur de peau, pas de convictions religieuses, pas de handicap, et qui n'aura jamais de problème d'haleine.

 Search words : adia recrutons humains

1. Quels critères retrouvez-vous ? D'autres apparaissent-ils ?

   MODÈLE   Discrimination ethnique...

2. Que pensez-vous du choix de ces images ? A votre avis, que veut démontrer *Adia* ?

B. *Voici quelques-uns des 19 critères de discrimination recensés par le Défenseur des droits.*

> l'âge   l'apparence physique   l'état de santé   l'orientation sexuelle   la grossesse
> la situation de famille   le handicap   le patronyme   le sexe   les opinions politiques   l'origine

3. A deux. Choisissez deux ou trois critères et cherchez des exemples pour les illustrer.

   MODÈLE   *Apparence physique :* une entreprise refuse d'embaucher une jeune femme obèse.
   ***Situation de famille :* un jeune cadre qui veut passer à 80% de travail pour s'occuper partiellement de ses jeunes enfants est « mis au placard ».**

4. En groupe. A votre tour, réalisez au choix un spot, un court métrage ou un sketch pour dénoncer une discrimination. Vous pouvez, par exemple, mettre en scène les situations que vous avez imaginées en #1.

Interpretive Communication : Print Texts

Lisez le document et répondez aux questions à la page 396.

Casino accélère sa lutte contre la discrimination à l'embauche

Le groupe a dévoilé les résultats d'un audit complet de ses méthodes de recrutement[1], mené par le centre de recherche ISM Corum entre 2011 et 2012. C'est la deuxième fois que l'enseigne se prête volontairement à l'exercice, en partenariat avec les syndicats. Résultat : en trois ans, les progrès ont été « significatifs ». L'écart de traitement des candidatures—à savoir entre le taux de réponses adressées uniquement au candidat d'origine « hexagonale ancienne » et à ceux d'origine étrangère pour des CV équivalents—a été réduit de 31 points en 2008 à 25 points en 2011, révèle l'audit.

« Nous sommes satisfaits de constater une amélioration, mais il reste encore beaucoup de travail à faire et nous restons vigilants pour l'avenir », explique Yves Desjacques, directeur des ressources humaines du groupe Casino. C'est pourquoi le distributeur va « poursuivre et renforcer » le plan d'actions lancé dans la lignée du premier « testing ». La formation des équipes de recrutement et des cadres sera accélérée. En parallèle, Casino s'attaque au problème à la source en pratiquant le « recrutement ciblé ». Le groupe a embauché 4 440 personnes issues de quartiers sensibles. Plus globalement, Casino mise sur la méthode de recrutement par simulation—les candidats sont mis en situation réelle, ce qui permet d'évaluer leurs compétences au-delà du CV.

Casino, premier distributeur récompensé par le Label Diversité

Depuis 1995, Casino enchaîne les plans d'actions pour endiguer le phénomène de la discrimination à l'embauche. Un chantier de longue haleine qui concerne aussi bien le handicap que le sexe, en passant par l'âge, l'orientation sexuelle ou la religion. « Le point commun entre ces thématiques est le stéréotype, qui fausse le jugement sur la qualité et la compétence d'un employé ou d'un candidat », estime Yves Desjacques. Dernier exemple en date : le groupe a signé en janvier 2011 un nouvel accord d'entreprise autour du handicap (le cinquième depuis 1995). Le taux d'emploi des travailleurs handicapés chez Casino en France est de 10,71%, alors que l'obligation légale est de 6%. Une politique qui a valu au groupe d'obtenir en 2009, puis à nouveau en 2012, le label Diversité de l'Afnor, un précieux sésame qui n'avait jamais été remis à un acteur de la distribution auparavant.

Source : LE FIGARO.FR. « Entreprise : le handicap reste le sujet prioritaire ». 13 avril 2011. www.lefigaro.fr (21 avril 2013).

 Search words : le label diversité

1. Près de 1 500 tests menés en un an ont consisté à faire postuler à une même offre d'emploi—pour un poste d'encadrant ou d'employé—deux profils de candidats strictement identiques du point de vue des compétences, de l'expérience, de la formation, de l'âge, du sexe ou encore de la situation familiale. A la seule différence que le nom et prénom de l'un des candidats devaient évoquer une origine « hexagonale ancienne » tandis que ceux de son concurrent une origine « extra-européenne » (africaine, asiatique, maghrébine ou antillaise).

1. De quel type de discrimination s'agit-il ?
2. En quoi consistait le test de discrimination ?
3. Les résultats sont-ils positifs pour Casino ?
4. Quelles actions a menées le groupe pour favoriser la diversité ?
5. Quel avantage présente le recrutement en simulation ?

Communiquez!

23 La compagnie de mon cousin

Interpersonal Writing : Email Reply

Ecrivez un mail à votre cousin qui a une compagnie de 50 employés. Donnez-lui un résumé de ce que Casino a fait et suggérez qu'il mette en œuvre un plan d'actions pour sa compagnie pour arrêter la discrimination à l'embauche.

Communiquez!

24 Réagir face aux discriminations

Interpersonal Speaking : Discussion

Avez-vous observé vous-même ou entendu parler de discriminations dans votre entourage, dans votre communauté ? De quelle nature ? Comment avez-vous réagi ? Comment pensez-vous qu'il faudrait réagir dans ces cas ? Quelles actions concrètes pourraient être menées pour lutter contre ces discriminations ? A discuter en groupe.

25 Dialogue guidé

Interpersonal Speaking : Conversation

Vous avez une conversation avec un ami. Cette conversation doit suivre le canevas qui vous est donné ci-dessous. Vous allez entendre les répliques de votre ami et vous réagirez comme le canevas l'indique.

> –**Vous dites votre indignation vis-à-vis d'une discrimination personnelle.**
>
> –Votre ami vous demande les détails.
>
> –**Vous expliquez ce qui s'est passé.**
>
> –Il comprend mais ne voit pas bien comment changer les choses.
>
> –**Vous le trouvez beaucoup trop défaitiste. Vous protestez en donnant une image d'un monde où on n'a pas arrêté la discrimination.**
>
> –Votre ami vous demande ce que vous avez l'intention de faire.
>
> –**Vous évoquez les différentes alternatives.**
>
> –Il vous demande laquelle a votre préférence.
>
> –**Vous lui répondez en justifiant.**

26 Jusqu'où caricaturer ?

Presentational Writing : Composition

Répondez aux questions, puis écrivez un essai sur le sujet donné à la page 398.

A. En pleine polémique des caricatures de Mahomet, qui ont provoqué de violentes réactions des intégristes religieux, en 2006, le journal *Le Monde*, met à la Une un croquis de Plantu en février 2006. Comment l'interprétez-vous ?

 Search words : plantu mahommet 2006

B. Plus récemment (en 2012), le journal satirique, Charlie Hebdo, a relancé la polémique. Observez et commentez sa Une du 19 septembre 12 (vous avez déjà « rencontré » le film *Intouchables* à l'unité 1C) : Qui sont les personnages ? Que signifie cette caricature ?

 Search words : charlie hebdo intouchables 2

C. Ecrivez un essai pour donner votre opinion sur le sujet suivant :

Lorsque *Le Monde* publie le dessin de Plantu, le quotidien s'explique par ces mots : « Un musulman peut être choqué par un dessin, surtout malveillant, de Mahomet. Mais une démocratie ne saurait instaurer une police de l'opinion, sauf à fouler aux pieds les droits de l'Homme ». Pour vous, y a-t-il des limites à la liberté d'expression ? Pourquoi ?

Langue vivante

...pour argumenter

Voici quelques mots que vous pouvez utiliser pour marquer l'enchaînement de plusieurs arguments :

- 1er argument : *d'abord*
- arguments suivants : *ensuite/puis/de plus/d'autre part/par ailleurs*
- dernier argument : *enfin*

• souligner votre conclusion et marquer qu'elle est la conséquence de vos arguments :
C'est pourquoi, pour toutes ces raisons/par conséquent, donc (à placer après le verbe)

• répondre à une objection :
–Quand on argumente, il faut souvent écarter un argument contraire ; on peut l'écarter résolument :
Il est faux de dire que.../On a tort de croire que...
On entend dire que.../C'est absurde/C'est une erreur
Ce n'est pas vrai

–On peut aussi le minimiser, diminuer sa portée :
On exagère quand on affirme que.../quand on prétend que...

• reconnaître en partie la justesse d'un argument contraire mais lui répondre :
Bien sûr...
Certes...
Evidemment...   *Mais .../Cependant...*
Il est vrai que...
Sans doute...
Peut-être...

• exprimer une opinion nuancée :
D'un côté... de l'autre...

Prière à Dieu

Interpretive Communication : Print Texts

Rencontre avec l'auteur

Voltaire (1694–1778) est, avec Montesquieu (1689–1755), Diderot (1713–1784) et Rousseau (1712–1778), un des philosophes du « siècle des Lumières » dont les idées ont conduit à la Révolution française. C'est du nom de « Voltaire » que François-Marie Arouet, fils d'un notaire parisien, a signé ses premiers livres, et c'est sous ce nom qu'il s'est rendu célèbre, par ses ouvrages littéraires (poésie et théâtre), et des écrits qui contestent le pouvoir absolu du roi, celui de la noblesse, et celui de l'Eglise. L'extrait que vous allez lire est tiré du *Traité sur la Tolérance* (1763). Quelle tolérance est en cause, ici ?

Voltaire.

Introduction

En 1761, Jean Calas, protestant, est accusé d'avoir tué son fils parce qu'il venait de se convertir au catholicisme. Bien que tout laisse penser à un suicide, le père est condamné à mort et exécuté. Cette affaire intéresse Voltaire car elle illustre de façon éclatante le fanatisme et l'intolérance religieuse contre laquelle il lutte depuis des années : ou bien Calas a réellement tué son fils par fanatisme, ou bien il est innocent et c'est alors le fanatisme des juges catholiques qui est en cause, mais dans les deux cas l'intolérance religieuse a suscité un crime. Pour obtenir la révision de ce procès (désormais célèbre sous le nom de « L'affaire Calas ») il écrit, en 1763, le *Traité sur la tolérance à l'occasion de la mort de Jean Calas* dont vous avez à la page suivante le chapitre 23.

Pré-lecture

Quel est le but d'une prière ?

« Prière à Dieu » par Voltaire

Ce n'est donc plus aux hommes que je m'adresse ; c'est à toi, Dieu de tous les êtres, de tous les mondes et de tous les temps : s'il est permis à de faibles créatures perdues dans l'immensité, et imperceptibles au reste de l'univers, d'oser te demander quelque chose, à toi qui as tout donné, à toi dont les décrets* sont immuables comme éternels, daigne* regarder en pitié les erreurs attachées à notre nature ; que ces erreurs ne fassent point nos calamités. Tu ne nous as point donné un cœur pour nous haïr, et des mains pour nous égorger ; fais que nous nous aidions mutuellement à supporter le fardeau d'une vie pénible et passagère ; que les petites différences entre les vêtements qui couvrent nos débiles* corps, entre tous nos langages insuffisants, entre tous nos usages ridicules, entre toutes nos lois imparfaites, entre toutes nos opinions insensées, entre toutes nos conditions si disproportionnées à nos yeux, et si égales devant toi ; que toutes ces petites nuances qui distinguent les atomes appelés *hommes* ne soient pas des signaux de haine et de persécution ; que ceux qui allument des cierges*[1] en plein midi pour te célébrer supportent ceux qui se contentent de la lumière de ton soleil ;

> **Rappel**
> Le pluriel des mots en **-al** est **aux**. « Signaux » est le pluriel de *signal*. Quels autres mots connaissez-vous qui suivent cette règle ?

que ceux qui couvrent leur robe d'une toile blanche pour dire qu'il faut t'aimer ne détestent pas ceux qui disent la même chose sous un manteau de laine noire ; qu'il soit égal de t'adorer dans un jargon formé d'une ancienne langue, ou dans un jargon plus nouveau ; que ceux dont l'habit est teint* en rouge ou en violet, qui dominent sur une petite parcelle* d'un petit tas de la boue* de ce monde, et qui possèdent quelques fragments arrondis d'un certain métal, jouissent* sans orgueil de ce qu'ils appellent *grandeur* et *richesse*, et que les autres les voient sans envie : car tu sais qu'il n'y a dans ces vanités ni de quoi envier, ni de quoi s'enorgueillir*.

Puissent tous les hommes se souvenir qu'ils sont frères ! Qu'ils aient en horreur la tyrannie exercée sur les âmes[2], comme ils ont en exécration le brigandage* qui ravit* par la force le fruit du travail et de l'industrie[3] paisible ! Si les fléaux de la guerre

---

un décret une loi ; **daigne (daigner)** accepte de (accepter) ; **débile** faible ; **teint(e)** coloré(e) de teinture ; **une parcelle** un morceau ; **la boue** *mud* ; **jouissent (jouir)** prennent plaisir (prendre plaisir à) ; **s'enorgueillir** devenir fier ; **le brigandage** *banditry* ; **ravit (ravire)** vole (voler)

Pendant la lecture
1. A qui Voltaire adresse-t-il son plaidoyer ?

Pendant la lecture
2. Comment est l'être humain, face à Dieu, selon l'auteur ?

Pendant la lecture
3. Comment l'auteur décrit-il la vie sur terre ?

Pendant la lecture
4. A quoi compare-t-il l'homme ?

Pendant la lecture
5. Cette opposition se réfère à quels groupes de personnes ?

Pendant la lecture
6. La « toile blanche » se réfère à quoi ?

Pendant la lecture
7. Voltaire décrit l'habit de quelles personnes ?

Pendant la lecture
8. A quoi compare l'auteur la « tyrannie » du système judiciaire ?

Savez-vous... ?
Voltaire parvient à faire réviser le procès et à réhabiliter Jean Calas en 1765.

sont inévitables, ne nous haïssons pas les uns les autres dans le sein* de la paix, et employons l'instant de notre existence à bénir* également en mille langages divers, depuis Siam jusqu'à la Californie, ta bonté qui nous a donné cet instant.

Source : VOLTAIRE. *Traité sur la tolérance à l'occasion de la mort de Jean Calas*, chapitre XXIII, 1763.

---

dans le sein de au milieu de ; **bénir** *to bless*

1. Dans la religion catholique, un cierge est une bougie allumée pour les morts.
2. « La tyrannie exercée sur les âmes » : Voltaire désigne ainsi tout ce qui empêche les hommes de penser librement.
3. l'industrie : le mot n'a pas encore son sens moderne : il désigne toute activité productive (l'artisanat, l'agriculture), sans aucune référence à la notion d'usine.

Post-lecture

Bien qu'il dise adresser sa lettre « à Dieu », l'auteur est bien conscient que ce sont des hommes qui vont la lire. Pensez-vous que Voltaire soit sincère ? Pourquoi (pas)?

27 Compréhension du texte

Répondez aux questions suivantes.

A. *Lisez la première phrase du texte (jusqu'à « calamités »).*
  1. Cette première phrase justifie le titre habituellement donné à ce passage. Qu'est-ce qu'elle laisse entendre quant à ce qui suit ?
  2. Dans quel but Voltaire précise-t-il : « de tous les êtres, de tous les mondes et de tous les temps » ? Sur quels autres attributs de Dieu insiste-t-il ensuite ?
  3. Qu'est-ce qui caractérise l'homme selon Voltaire ? Relevez les expressions qui justifient votre réponse.
  4. Comment interprétez-vous cette hésitation :« s'il est permis [...] d'oser te demander quelque chose »

B. *Lisez la fin du paragraphe.*
  5. Vous pouvez constater qu'il s'agit d'une seule longue phrase où s'accumulent quatre propositions complétives introduites par « que », séparées par des points-virgules. Nous pouvons y distinguer la progression que Voltaire utilise pour désigner différents hommes. De quels hommes parle-t-il ?
    • du début à « … passagère »
    • de « que les petites différences… » à «… persécutions »
    • de « que ceux qui allument…» à «… plus nouveau »
    • la fin du paragraphe

  6. A votre avis, le texte de Voltaire est-il convaincant ? Pourquoi ? Pourquoi pas ?

Faites les activités suivantes.

1. Relevez les références bibliques dans le texte, puis cherchez qui à l'époque de Voltaire lisait la bible (18ᵉᵐᵉ siècle).
2. Faites des recherches pour trouver quel a été le rôle de Voltaire dans la philosophie des Lumières.
3. Quelles étaient les valeurs fondamentales de Voltaire ?
4. Quel impact a eu la philosophie des Lumières sur les Etats-Unis ? Faites des recherches d'abord. Ensuite, écrivez une composition.

Faisons le point !

A. *Pour retrouver les principales idées développées au cours de la leçon, notez dans votre cahier, un ou deux exemple(s) en face de chacun des points de repère qui vous sont proposés. Reportez-vous à tous les documents de la leçon (écrits journalistiques, témoignages, analyses, texte littéraire, chanson, dessins de presse).*

Question centrale

?

Que signifie la tolérance à l'égard des autres, et quelles en sont les limites ?

La tolérance	Notes
La tolérance :	
• définitions	
• limites	
• tolérance et religion	
• tolérance au quotidien	
Les discriminations :	
• critères, manifestations	
• évolution	
Trois discriminations dans la France d'aujourd'hui :	
• l'intolérance raciale	
• la religion	
• les Roms	
La lutte contre les discriminations :	
• les individus et les organisations	
• la lutte institutionnelle	

B. *Discutez en groupes. Que répondriez-vous à la question posée au début de l'unité : Que signifie la tolérance à l'égard des autres, et quelles en sont les limites ?*

Vocabulaire de l'Unité 4

à : à force de through *A*
l' **absolutisme (m.)** absolutism *C*
acceptable acceptable *C*
l' **acceptation (f.)** acceptance *C*
accordé(e) granted *A*
admettre to accept *C*
admissible acceptable *C*
s' **affranchir** to emancipate oneself *A*
affronter to fight against *A*
agresser to mug *B*
une **agression** attack *B*
l' **agressivité (f.)** aggressiveness *B*
l' **alternative (f.)** alternative *B*
ambivalent(e) ambivalent *C*
l' **apathie (f.)** apathy *A*
l' **appréciation (f.)** appreciation *C*
armer to arm *B*
une **arme** weapon *B*
un **armistice** armistice *B*
un **assassin** murderer *B*
un **assassinat** assassination *B*
attaquer to attack *B*
s' **attaquer (à)** to target *C*
une **atteinte (à)** assault (on) *A*
un **attentat** attack *B*
autonome independent *C*
l' **autonomie (f.)** independence *C*
autoriser to authorize *C*
autrement in another way *A*
autrui others *C*
bafoué(e) denied *A*
se **bagarrer** *[inform.]* to fight *B*
une **bataille** battle *B*
se **battre** to fight *A*
belliciste warmongering *B*
les **belligérants (m.)** combattants *B*
belliqueux, belliqueuse aggressive *B*
bénéficier (de) to benefit (from) *A*
un **bombardement** bombing *B*
bouffer *[inform.]* to eat *C*
un **bourreau** executioner *B*
un **braquage** *[inform.]* robbery *B*
brimer to bully *B*
brutal(e) brutal *B*
la **brutalité** brutality *B*
c'est : c'est la zone it's a travesty *A*
un **cessez-le-feu** ceasefire *B*
la **colère** anger *B*
coléreux, coléreuse quick-tempered *B*
le **combat** battle *A*
les **combattants (m.)** soldiers *B*
comme : comme de as well as *A*

communiquer to communicate *C*
la **compétition** competition *B*
un **compromis** compromise *B*
conclure to end *B*
condamnable reprehensible *A*
la **condescendance** condescension *C*
condescendant(e) condescending *C*
conduire to lead *A*
conquérir to conquer *A*
conquis(e) conquered *A*
conscient(e) aware *A*
convenable decent *A*
un **coup** punch *B*
un **crime** crime *B*
un **criminel, une criminelle** criminal *B*
le **cyberharcèlement** cyberbullying *B*
décent(e) decent *A*
déclarer to declare *B*
défendre to defend *A*
se **défendre** to defend oneself *B*
défendu(e) defended *A*
désarmer to disarm *B*
détruire to destroy *B*
la **discrimination** discrimination *C*
la **diversité** diversity *C*
dogmatique dogmatic *C*
le **dogmatisme** dogmatism *C*
se **dominer** to control oneself *B*
donner : donner un coup de… to give a blow *B*
un **droit : droit à la dignité** right to human dignity *A* ; **droit à l'éducation** right to education *A* ; **droit à l'égalité** right to equality *A* ; **droit à la justice** right to justice *A* ; **droit à la liberté** right to freedom *A* ; **droit à la propriété** right to property *A* ; **droit à la sécurité sociale** right to social security *A* ; **droit à la sûreté** right to safety *A* ; **droit à la vie** right to life *A* ; **droit à une rémunération équitable et satisfaisante** right to fair and satisfying wages *A* ; **droit à un procès équitable** right to a fair trial *A* ; **droit au repos** right to rest when sick *A* ; **droit au travail** right to work *A* ; **droit d'asile** right to asylum *A* ; **droit de circuler librement** right to move around freely *A* ; **droit de fonder une famille** right to have a family *A* ; **droit de prendre part à la direction des affaires publiques de son pays** right to participate in one's country's public affairs *A* ; **droit de s'affilier à des syndicats pour la défense de ses intérêts** right to affiliate with unions to defend one's interests *A* ; **droit de se marier** right to marry *A* ; **droit de vote** right to vote *A*

l'   **égard (m.)** consideration *A*

en : **en matière de** in what concerns *A* ; **en venir aux mains** to come to blows *B*

engager to engage *B*

envers towards *C*

l'   **ère (m.)** period *A*

l'   **esclavage (m.)** slavery *A*

un(e) **esclave** slave *A*

éthique ethical *C*

être : **être hors de soi** to be beside oneself *B* ; **être le souffre-douleur** to be the punching bag *B* ; **être victime de** to be a victim of *B*

l'   **exclusion (f.)** exclusion *C*

exigé(e) demanded *A*

faire : **faire autrement** to act another way *A* ; **faire honneur à** to honor *A* ; **faire la guerre** to wage war *B* ; **faire preuve de** to show *C* ; **faire sortir de ses gonds** to infuriate someone *B*

fanatique fanatic *C*

le   **fanatisme** fanaticism *C*

favoriser to favor *C*

frapper to hit *B*

la   **frustration** frustration *C*

garanti(e) assured *A*

guerrier, guerrière belligerent *B*

le   **harcèlement** harassment *B*

harceler to harass *B*

l'   **harmonie (f.)** harmony *C*

harmonieux, harmonieuse harmonious *C*

homophobe homophobic *C*

l'   **homophobie (f.)** homophobia *C*

l'   **hostilité (f.)** hostility *C*

une **humiliation** humiliation *B*

humilier to humiliate *B*

les   **idéologies (f.)** ideology *C*

impartial(e) unbaised *C*

imposer to impose *C*

inacceptable unacceptable *C*

inadmissible unacceptable *C*

indulgent(e) lenient *C*

une **injure** insult *B*

injurier to insult *B*

l'   **injustice (f.)** injustice *C*

s'   **insurger** to stand against *A*

une **insulte** insult *B*

insulter to insult *B*

insupportable unbearable *C*

s'   **interposer** to intervene *B*

intimider to intimidate *B*

intolérable intolerable *C*

l'   **intolérance (f.)** intolerance *C*

intolérant(e) intolerant *C*

justifier to justify *A*

laver : **laver le cerveau** to brainwash *C*

la   liberté : **liberté de conscience** freedom of conscience *A* ; **liberté d'opinion** freedom of opinion *A* ; **liberté d'expression** freedom of expression *A* ; **liberté de pensée** freedom of thought *A* ; **liberté de religion** freedom of religion *A* ; **liberté de réunion et d'association pacifiques** right to peaceful meetings and associations *A*

la   **limite** limit *A*

limité(e) limited *A*

se   **maîtriser** to control oneself *B*

maltraité(e) mistreated *A*

la   **marginalisation** marginalization *C*

massif, massive massive *A*

le   **mécontentement** dissatisfaction *A*

une **médiation** mediation *B*

menacé(e) threatened *A*

menacer to threaten *B*

méprisable detestable *A*

mettre : **mettre (qqn) hors de soi** to make one mad *B*

le   **meurtre** murder *B*

un   **meurtrier, une meurtrière** murderer *B*

militer to protest *A*

une **mine : mine antipersonnel** antipersonnel mine *B*

se   **mobiliser** to mobilise *A*

un   **mode** mode *C* ; **mode d'expression** mode of expression *C*

mondial(e) worldwide *A*

mulâtre(e) mulatto *A*

négocier to negotiate *B*

un(e) **nègre** African slave *A*

nié(e) denied *A*

obtenu(e) obtained *A*

un   **opinion** opinion *C*

opprimer to oppress *C*

outrer to cause outraged feelings *A*

ouvert(e) open *C*

une **ouverture : ouverture d'esprit** open-mindedness *C*

pacifier to pacify *B*

le   **pacifisme** pacifism *B*

pacifiste pacifist *B*

par : par colère due to anger *A*

partial(e) biased *C*

passer : passer à l'action to take action *A*

permettre to allow *C*

pester to murmur, rail against *A*

le   **pluralisme** pluralism *C*

porter : porter atteinte (à) to affect *A*
poursuivre to continue *B*
prendre : prendre la défense de to stand up for *B* ; **prendre sa revanche** to take revenge *B*
les **principes (m.)** rules *B*
privé(e): privé(e) (de) deprived (of) *A*
un **prochain** peer *C*
la **propriété** property *A*
un **racket** extortion *B*
le **raisonnement** reasoning *C*
raisonner to reason *C*
récemment recently *A*
reconnu(e) acknowledged *A*
refusé(e) denied *A*
rendre : rendre les armes to disarm *B*
la **répression** oppression *A*
la **résignation** resignation *A*
respectueux, respectueuse respectful *C*
restreint(e) restricted *A*
rétabli(e) reestablished *A*
revendiqué(e) claimed *A*
la **révolte** revolt *A*
se **révolter** to rebel *A*
la **richesse** wealth *C*
le **scandale** scandal *A*
scandaliser to offend *A*
se **scandaliser** to take offense *A*
secourir to help *B*
sectaire sectarian *C*

le **sectarisme** sectarianism *C*
signer : signer la paix to sign a peace declaration *B*
signifier [form.] to mean *A*
soi-même oneself, yourself *B*
un **soulèvement** upheaval *A*
subir to suffer *A*
supportable supportable *C*
supporter to tolerate *C*
taper : taper sur to hit *B*
le **tempérament** temperament *B*
tenter to attempt *B*
tolérable tolerable *C*
tolérant(e) tolerant *C*
tolérer to tolerate *C*
un(e) **tortionnaire** torturer *B*
la **torture** torture *B*
traiter de to call *B*
une **trêve** truce *B*
une **valeur** value *C*
va-t'en : va-t'en guerre hawkish *B*
la **vengeance** revenge *B*
se **venger** to get revenge *B*
verbal(e) verbal *B*
une **victime** victim *B*
une **violation** violation *A*
violé(e) violated *A*
violent(e) violent *B*
la **zone (*fam*)** travesty *A*

Unité

5 La science et la technologie

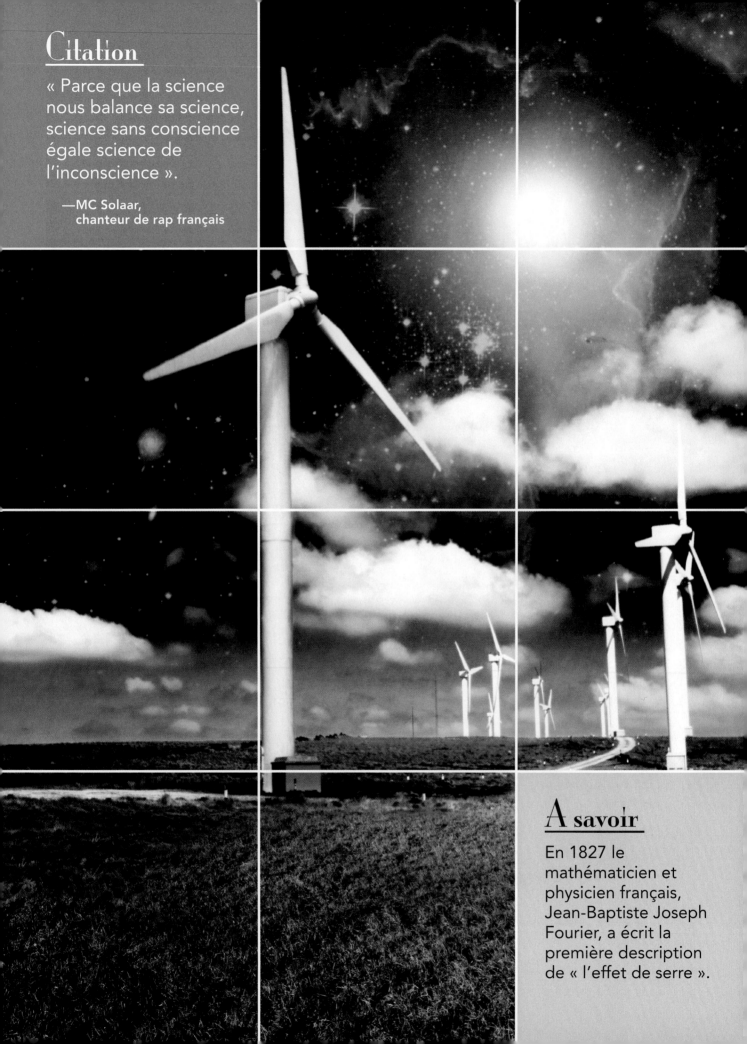

À savoir

En 1827 le mathématicien et physicien français, Jean-Baptiste Joseph Fourier, a écrit la première description de « l'effet de serre ».

Unité 5
La science et la technologie

Contrat de l'élève

Question centrale

Comment les inventions changent-elles notre vision du monde ?

Qu'est-ce que c'est ?

Question centrale

Comment les progrès scientifiques et technologiques affectent-ils notre vie ?

Question centrale

Quels débats les progrès scientifiques suscitent-ils dans les sociétés d'aujourd'hui ?

Qu'est-ce que cette maison a de particulier ?

Leçon A Je pourrai...

>> parler du processus de la découverte.

>> discuter des voitures hybrides françaises, de la mission de l'équipe Cousteau et du satellite Planck.

>> utiliser le discours indirect avec les temps appropriés.

Leçon B Je pourrai...

>> utiliser les expressions « c'est réservé à », « doté(e) de » et « il ne s'agissait pas de… ».

>> analyser les implications de la technologie dans notre quotidien.

>> mieux maîtriser les temps du futur.

Leçon C Je pourrai...

>> dire à qui je fais appel et utiliser « alors que » et « au contraire ».

>> parler des « progrès » scientifiques, y compris des OGM.

>> utiliser le passif et les verbes « plaire et « déplaire ».

Vocabulaire actif

emcl.com
WB 2–7

Les découvertes et les inventions 🎧

Question centrale ?
Comment les inventions changent-elles notre vision du monde ?

Le processus de découverte et d'invention : Louis Pasteur

En 1863, Napoléon III demande à Louis Pasteur de **confirmer l'hypothèse** de conservation des aliments que Nicolas Appert **avait testée** au XVIIIème siècle.

Parce que le vin à l'époque donne beaucoup de maladies aux gens, Louis Pasteur **fait des essais** sur le vin, et **met en évidence** qu'il y a des micro-organismes dans le vin qui empêchent le processus de vinification de bien se faire.

Pasteur **fait des expériences** et découvre qu'en chauffant le liquide à 550 °C et en l'isolant du contact avec l'air, ces bactéries sont détruites. Le scientifique **déduit** que certaines de ces bactéries sont les mêmes que celles qui se trouvent dans le lait, et causent des maladies comme la tuberculose.

Pasteur **a inventé la pasteurisation**. Cette **invention a suscité** beaucoup d'enthousiasme. On **pasteurise** aussitôt industriellement tous les liquides: vin, bière, et lait. Pasteur **a connu la gloire**.

A. La démarche
- avoir l'intuition de, supposer, émettre une hypothèse, observer un phénomène, remarquer une anomalie
- (re)mettre en question, mettre en doute, contester, réfuter
- faire des essais, des expériences, tester, expérimenter
- prouver/apporter la preuve, démontrer, mettre en évidence, déduire, confirmer un résultat, vérifier une hypothèse, valider un modèle

B. Les conséquences
Une invention/une découverte peut :
- connaître le succès, remporter un grand succès, être couronnée de succès, susciter l'intérêt/l'enthousiasme, avoir un grand retentissement, valoir à quelqu'un l'admiration/le respect/un prix...,
- passer inaperçue, être (jugée) sans intérêt, susciter la méfian,ce, être ignorée/méprisée, valoir/causer à quelqu'un des problèmes/des ennuis...,
- ouvrir la voie à, ouvrir de nouvelles perspectives, avoir des répercussions sur, déboucher sur...,
- susciter des vocations, se diffuser,
- être détrônée par, tomber dans l'oubli, passer à la trappe (*fam.*),
- changer, modifier, bouleverser, transformer, chambouler (*fam.*), révolutionner (des pratiques, des conceptions, la vision de...).

C. Un inventeur peut :
- sortir de l'ombre, devenir célèbre, connaître la gloire, être porté aux nues.
- faire des adeptes.
- se faire des ennemis, avoir des détracteurs, s'attirer les foudres...

Pour la conversation

How do I express my origins ?

> **Je suis issu(e) de** la technologie...

  I'm born of technology...

How do I describe the moment I got my idea ?

> **Le déclic s'est produit, j'ai** demandé un dossier...

  The trigger occurred, I requested an application...

How do I say how my process began ?

> **En commençant par** l'invention de l'AquaLung, ... JY Cousteau et ses équipes ont conduit au développement de grandes technologies subaquatiques.

  Beginning with the invention of the AquaLung, ... JY Cousteau and his teams drove the development of great subaquatic technologies.

---

1   Noms de la même famille

Cherchez, pour les sept verbes donnés les noms qui correspondent :

- à l'action
- à l'agent (celui qui fait)

Attention à deux mots : *trouveur* est inusité ; *metteur au point* désigne le technicien qui règle une machine et non celui qui l'a inventée, mise au point.

| inventer | trouver | découvrir | mettre au point | explorer | créer | concevoir |

MODÈLE   **inventer : l'invention, un inventeur**

Scaphandre autonome

L'aventure remonte à la Seconde Guerre Mondiale, en juin 1943. Sur une petite plage de la côte d'Azur, Jacques Yves Cousteau, muni de palmes en caoutchouc, endosse le nouveau scaphandre complètement autonome.

Ce scaphandre est inspiré des découvertes précédentes et plus particulièrement de celle du commandant Yves le Prieur, pionnier de la plongée autonome qui, en 1925, met au point l'air comprimé à circuit ouvert. Cet appareil connaît cependant un inconvénient : son débit d'air continu limite la durée de l'utilisation du scaphandre.

La solution naît à Paris : la réquisition d'essence par les Allemands pendant la guerre, pousse un ingénieur, Emile Gagnan à inventer un système de détendeur de voiture dit « à la demande » qui fournit l'exacte quantité de gaz correspondant à l'ouverture du volet du carburateur. Cousteau le modifie, l'adapte et en fait la pièce maîtresse du scaphandre autonome.

En 1966, Cousteau réunit ses meilleurs plongeurs, ingénieurs et dessinateurs, pour doter la Calypso d'un matériel sophistiqué nommé le scaphandre autonome caréné. Diminuant la fatigue et par conséquent la consommation d'air, ce nouveau scaphandre permet aux plongeurs de se déplacer plus vite et plus longtemps.

Source : THE COUSTEAU SOCIETY. « Scaphandre autonome ». 2013. www.fr.cousteau.org (18 mai 2013).

Lisez l'article à la page 411. Ensuite, complétez la phrase avec un mot ou une expression de la liste.

| essais | explorer | révolutionné | modèle | émis | la voie | conçu | rapporté |

1. Jacques Cousteau voulait… les océans.
2. Des plongeurs avant lui avaient… une invention qui permettrait aux explorateurs de nager sous l'océan.
3. Mais Cousteau a… une hypothèse que la durée de l'oxygène ne devrait pas être limitée.
4. Après avoir fait des…, il a finalement validé un nouveau…: le scaphandre autonome caréné.
5. Cette invention a ouvert… à des découvertes des océans, ce qui a… un grand succès à Cousteau et son équipe.
6. Cousteau a… la vision des océans.

L'invention des frères Montgolfier

Les frères Montgolfier, Joseph (1740–1810) et Etienne (1745–1799), peuvent être considérés comme les précurseurs de l'aéronautique, puisqu'ils ont inventé le premier appareil volant : la « montgolfière ». Ce n'étaient pas des hommes de science, mais des fabricants de papier. La démarche qui les a conduits à concevoir un aérostat est totalement empirique.

Par analogie avec les nuages, ils pensaient que la fumée avait le pouvoir de s'élever très haut dans le ciel, et ils avaient remarqué que, lorsqu'on faisait brûler du papier, quelques feuilles, souvent, s'envolaient avec la fumée. Ils en avaient déduit que la fumée les portait, et qu'une voile gonflée de fumée devait pouvoir s'envoler. Ils tentent l'expérience, en 1782, avec un sac cubique qu'ils remplissent d'une épaisse fumée en faisant brûler sous le sac ouvert de la paille mouillée et de la laine. Cette première « montgolfière » s'élève d'une trentaine de mètres. Ils réitèrent l'expérience avec des ballons sphériques de plus en plus gros, qui s'élèvent de plus en plus haut (jusqu'aux environs de 400 m). Cependant, d'expérience en expérience, en observant le gonflement du ballon, l'idée leur était venue que ce n'était peut-être pas la fumée, mais seulement la chaleur, qui le gonflait et le propulsait vers le haut. Joseph teste cette hypothèse avec un petit ballon muni d'un réchaud où brûlait de l'huile, donc sans fumée. Le succès de cette tentative confirme l'action de l'air chaud, et laisse envisager le moyen d'entretenir le gonflement du ballon, ce qui permettrait un vol plus long.

Restait à vérifier que des êtres qui vivent normalement sur le sol pourraient survivre à une ascension. Le 19 septembre 1783, devant le roi Louis XVI, un ballon emporte au-dessus du château de Versailles un grand panier contenant un mouton, un canard, et un coq. Il fait un vol de 3 km ½ en huit minutes. L'atterrissage est un peu rude, mais les animaux sortent de leur panière en pleine forme. On peut donc risquer un vol humain. Il a lieu le 21 novembre 1783. Deux hommes prennent place à bord de la montgolfière. Ils parcourent 9 km en 25 minutes.

L'homme vient d'accomplir son plus grand rêve : voler.

3 Comprenez-vous ?

Répondez aux questions.

1. Dans quel domaine les frères Montgolfiers ont-ils été précurseurs ?
2. Qu'est-ce qu'ils ont inventé ?
3. Comment était leur démarche ?
4. Qu'est-ce qu'ils ont appris de la météorologie ?
5. Qu'est-ce qu'ils ont déduit ?
6. Qu'est-ce qu'ils ont compris de leurs premières expériences vis-à-vis de la fumée ?
7. Quelle est l'hypothèse de Joseph ?
8. Qu'est-il advenu de la tentative finale ?
9. Qu'est-ce que les frères Montgolfier ont prouvé que l'homme ne pouvait pas faire avant ?

4 Quiz scientifique

Faites les deux activités suivantes.

A. *Testez votre culture scientifique avec ce quiz !*
1. Qui a mis au point la pénicilline ?
   A. Louis Pasteur
   B. Necker
   C. Alexander Flemming
2. De quand date le tout premier avion ?
   A. 1690
   B. 1790
   C. 1890
3. Que doit-on à Alfred Nobel ?
   A. le téléphone
   B. la dynamite
   C. la relativité
4. Comment appelle-t-on le procédé de conservation du lait (en particulier) qui consiste à chauffer à très haute température puis à refroidir brusquement pour détruire les microbes ?
   A. la fermentation
   B. la pasteurisation
   C. la germination
5. *La Calypso*, c'est le nom...
   A. du bateau du Commandant Cousteau.
   B. du premier avion qui a traversé l'Atlantique.
   C. de la caravelle de Christophe Colomb.

B. *En groupe, vous allez élaborer un quiz scientifique pour vos camarades de classe. Choisissez un des domaines suivants :*

- vie quotidienne/technologie
- transports
- communications
- médecine/biologie
- physique/chimie
- découvertes géographiques
- archéologie/sciences humaines

Communiquez!

5 Quelques inventeurs et découvreurs français

Presentational Speaking : Oral Presentation

Faites les activités qui suivent la liste.

Blaise Pascal (1623–1662)
Joseph (1740–1810) et Etienne (1745–1799) Montgolfier
Claude Berthollet (1748–1822)
Nicolas Appert (1749–1841)
Nicéphore Niépce (1765–1833)
Louis-Jacques Daguerre (1787–1851)
Auguste (1862–1954) et Louis (1864–1948) Lumière
Louis Braille (1809–1852)
Louis Pasteur (1822–1895)
Clément Ader (1841–1925)
Marie Curie (1867–1934)

A. *Retrouvez ces inventeurs derrière leurs anagrammes.*

1. Elle a découvert le radium.	CIREU
2. Inventeur de la conserve en bocal.	TRAPPE
3. Précurseur de la photographie, il invente « l'héliographie ».	PENICE
4. Associé au précédent, il améliore son procédé, après sa mort.	GRADEURE
5. Deux frères, inventeurs du cinéma.	REUMEIL
6. Deux frères, créateurs du premier véhicule volant.	FONTOGLEMIR
7. Il a mis en évidence la pression atmosphérique.	CLASPA
8. Il a conçu un alphabet pour les aveugles.	LALIBRE
9. Inventeur de l'eau de Javel *(bleach)*.	LETROBLETH
10. Il a vaincu la rage *(rabies)*.	STRAUPE
11. Premier homme à décoller avec un engin plus lourd que l'air.	RADE

B. *Choisissez l'un(e) de ces inventeurs (vous connaissez déjà les Montgolfier et Cousteau), cherchez davantage d'informations sur lui/elle. Présentez votre inventeur et son invention en expliquant sa démarche et les conséquences de son invention. Utilisez le vocabulaire initial.*

6 Où commencer ?

Servez-vous de l'expression « en commençant par » pour former des phrases.

| préparer le dîner | faire son exposé | écrire un poème | coudre une robe |
| faire le ménage | peindre un paysage |

MODÈLE   la sauce/M. Forestier
M. Forestier a préparé le dîner en commençant par la sauce.

1. Chloé/une image
2. Mme Deforge/l'aspirateur
3. Karim/une citation
4. Mlle Delattre/un modèle
5. l'artiste/la couleur bleue

7 Questions personnelles

Répondez aux questions.

1. Si tu inventais un robot, qu'est-ce qu'il pourrait faire ?
2. Quelle est l'invention la plus importante dans ta vie ?
3. Qu'est-ce que tu mets en doute de la technologie ?
4. A ton avis, quelle invention technologique récente mérite d'être couronnée de succès ?
5. As-tu pu vérifier une hypothèse sur la conduite humaine, ou sur celle des ados ? Explique.

Narratives

Médecin-explorateur-défenseur de la planète

Interpretive Communication : Print Texts

Introduction

Médecin, explorateur, infatigable défenseur de la planète, Jean-Louis Etienne a accepté une interview à l'occasion de la Semaine du développement durable. Quelles explorations a-t-il faites ?

Pré-lecture

Lisez les questions du reporter en gras. L'interview se concentre sur le rôle d'Etienne comme médecin, explorateur ou défenseur de la planète ?

Entre vos premières expéditions, dans les années 1980, et aujourd'hui, l'état du monde a changé. D'explorateur aventurier, vous êtes devenu l'un des porte-parole de l'urgence écologique. Vous sentez-vous investi d'une mission ?

J'ai un parcours personnel très sinueux. J'ai commencé par être en échec scolaire. J'ai passé mon certificat d'études, puis un CAP d'ajusteur. Là, j'ai été bien orienté vers une classe de bac technique, et tout est devenu possible : j'ai fait médecine, puis chirurgie. Mais j'avais depuis toujours, en parallèle, un goût pour le voyage, l'exploration. Le fait que je sois médecin m'a ouvert des portes auprès d'alpinistes, de marins. J'ai été demandé comme urgentiste sur des explorations. A 40 ans, je suis allé au pôle Nord en solitaire, et cela m'a libéré. Je suis rentré avec deux outils importants : une confiance en moi pour mener des projets tels que celui-là, et une notoriété confortable pour en monter d'autres. Je suis parti dans cette nouvelle vie. Et je suis naturellement devenu un passeur d'informations, parce que je suis celui qui va voir sur place. J'ai une responsabilité de témoin.

> **Rappel**
>
> *Celui* remplace « *ce* » plus un nom. Quelles en sont les formes au féminin, féminin pluriel et masculin pluriel ?

Dans les pires conditions naturelles, comment tenez-vous mentalement ?

Ce rêve de Pôle, je me le suis construit, pendant très longtemps, pour exister. Il s'agit déjà d'un moteur exceptionnel. Mais ce sont également des techniques personnelles qui m'ont aidé. Par exemple, chaque fois que je partais en expédition, je passais dans le Tarn dire au revoir à mes parents et emporter avec moi une image, comme les blés au mois de juin, sous le soleil. Il est facile d'y repenser et de revenir à l'émotion ressentie. La nature nous offre des opportunités exceptionnelles de pouvoir vivre en dehors du monde, d'entrer en soi, seul avec ces cathédrales que sont les montagnes ou l'océan. Ce sont des univers d'un mysticisme extrême.

Mystique au sens où vous avez approché une réalité d'ordre supérieur ?

Je n'aime pas les religions, c'est une invention de l'homme, mais je trouve qu'on aurait tort de se priver de l'idée de Dieu. Il y a une vraie magie dans le vivant, et j'aime cette idée d'un organisateur de cette magie. Au pôle Nord, j'avais un Dieu. J'étais extrêmement fragilisé par cet univers où il faisait -52 °C, où j'étais entièrement seul, sans même une arme. Un jour, j'ai vu des traces fraîches d'ours et je me suis adressé au Dieu du Pôle pour qu'il intervienne et que l'ours comprenne que je n'étais que de passage, qu'il ne risquait rien. J'étais dans un moment de mysticisme intense, et c'était très apaisant parce que, tout à coup, je me suis remis dans les mains d'un ailleurs et cela m'a aidé.

Est-ce que, au cours de vos expéditions, vous avez pu mesurer les changements climatiques, comme la fonte de la banquise ?
Bien sûr. Avant, tout était uniformément blanc du début à la fin de l'année ; aujourd'hui, on voit de vastes zones de terre libres de neige. Le réchauffement climatique, c'est une réalité scientifique. La planète s'est réchauffée, en moyenne, de 0,8 °C en un siècle. La Terre est en train de couver quelque chose. Cela va entraîner du déséquilibre, du chaos, parce que le bon fonctionnement de la machine climatique réside dans l'équilibre entre la chaleur constante des tropiques et le froid des pôles. Dans ce contexte de réchauffement moyen, on ne va pas vers un réchauffement harmonieux, mais vers de graves déséquilibres : des cyclones, des tempêtes, des tsunamis...

Vous semblez très optimiste quant à la capacité humaine à stopper le processus...
Je suis issu de la technologie, je suis un homme pratique, et je sais que dans ce savoir-faire l'intelligence humaine est prodigieuse. Mais la technologie ne peut apporter qu'une première partie de réponse. Nous sommes au cœur du reste. [...] Chaque citoyen est acteur du climat.

Source : © Laurence Lemoine et Violaine Gelly pour Psychologies magazine, « Jean-Louis Etienne » (mars 2010). En ligne sur www.psychologies.com (2013).

 Search words : jean-louis etienne, polar pod jean-louis etienne

Citation

« Chaque citoyen est acteur du climat ». Expliquez votre rôle dans la détérioration du climat. Qu'est-ce que vous pouvez faire personnellement pour la ralentir ?

Langue vivante

« La Terre est en train de couver quelque chose ». Cherchez le sens de « couver » ici.

---

8 Jean-Louis Etienne

Répondez aux questions.

A. *Lisez la première question et la réponse pour retracer le parcours de Jean-Louis Etienne.*
  1. En quoi sa première expédition en solitaire au Pôle a-t-elle été fondamentale ?
  2. Comment conçoit-il son rôle ?
B. *Lisez les deux questions et réponses suivantes.*
  3. Quelles conditions difficiles a-t-il dû affronter ?
  4. Qu'est-ce qui l'a aidé dans ces conditions extrêmes ?
C. *Lisez la fin du texte.*
  5. Quel est le message de Jean-Louis Etienne ?

Héritier de la mission de sauvegarder les océans

Interpretive Communication : Print Texts

Introduction

En 2010, Jacques-Yves Cousteau, le célèbre expéditeur qui a fait découvrir au monde la richesse naturelle ensevelie sous les océans, aurait eu 100 ans. Il n'est plus là pour défendre la grande bleue mais son fils veille toujours sur l'élément le plus indispensable à la vie : l'eau. Son mot d'ordre : « Protéger les océans, c'est se protéger soi-même. » Né en 1938, Jean-Michel Cousteau est à la fois explorateur, environnementaliste, pédagogue et producteur. Il a réalisé plus de 80 films, inspirés de ses déambulations constantes à la surface des mers et de ses multiples plongées. Il a publié quelques ouvrages dont le dernier en date est une biographie sur son père : *Mon père, le commandant*. Comment diffuse-t-il son message ?

Pré-lecture

Lisez le titre. On ne peut pas parler de Jean-Michel Cousteau sans parler de qui ?

On ne peut pas évoquer le nom de Cousteau sans penser à votre père, le célèbre commandant. Comment vous situez vous par rapport à lui ? Qu'est-ce qui vous démarque de lui ?

Tout le monde est différent. J'ai beaucoup travaillé avec mon père et ai été infiniment impacté par la philosophie qu'il m'a transmise. Je pense avoir dans l'ensemble respecté ses idées. Bien entendu, chaque individu a sa propre personnalité et je me suis beaucoup concentré sur l'éducation par exemple, ce qui n'était pas son cas, bien que ses messages étaient éducatifs aussi. Mais nous, on s'adresse aux jeunes, on les sort des écoles, on va les mouiller. On est très investis là-dedans.

Est-ce que le message est différent ?

Non, absolument pas. Il est plus en profondeur en ce sens qu'on a plus de temps donc on peut passer entre 4 ou 5 jours avec les enfants et transmettre beaucoup de messages. J'ai eu le privilège de grandir avec lui et de pouvoir continuer dans le même esprit. La technologie a beaucoup changé aujourd'hui. A travers Internet, on a accès et on peut échanger énormément d'informations.

J'ai envoyé un message au sujet de la catastrophe dans le Golfe du Mexique. 1 200 et quelques personnes sont allées le consulter en une journée, ce qui est considérable. Avant, on n'avait pas ces méthodes, cet accès relativement en profondeur au public.

Votre association, Ocean Futures Society cherche à sensibiliser le public. Pouvez-vous nous en dire quelques mots et préciser pour quelle cause vous militer, si vous militez ?

Militer n'est peut-être pas le mot qu'il faut utiliser. Je communique, je dialogue, avec les décideurs. Ça commence d'une façon superficielle, via des films de télévision d'une heure. A partir des documents qu'on a enregistrés, on est en mesure de faire des petits messages que l'on fait passer. Ce qui nous permet de faire venir des jeunes et de passer plusieurs jours ensemble dans différentes parties de la planète. Ça, on le fait depuis plusieurs années maintenant.

En plus, tout ce matériel et toute cette information nous permettent d'aller nous asseoir avec les décideurs, que ce soient des industriels ou des gouvernements, que ce soit local, national ou international. Je passe énormément de temps à avoir des dialogues avec eux. Evidemment, dans ce cas, le but est encore plus profond parce qu'on essaye de leur procurer l'information qui leur permettra de prendre des décisions, qui ont plus de valeurs et qui sont plus écologiquement orientées dans l'intérêt de tout le monde. Que ce soit l'Internet, les contacts directs, la télévision, c'est dans l'ensemble assez nouveau et pour moi, toute ma vie et celle de notre équipe sont dédiées à communiquer.

> **Rappel**
> Ces propositions commencent par la préposition *que* ; aussi le verbe qui suit est au subjonctif. Comment reformuleriez-vous la proposition, sans le subjonctif ?

Vous concentrez-vous uniquement sur les océans ou êtes-vous au contraire attiré par d'autres thèmes ? Pouvez-vous expliquer pourquoi votre mission se synthétise ainsi : « Protéger les océans, c'est se protéger soi même »?

Je me concentre sur l'eau. Si vous regardez les racines de l'océan, ça vous amène dans les Andes, dans les Alpes, partout où il y a de l'eau. Que ce soit de la neige ou de la glace, c'est le même système aquatique. La neige qui est en haut des montagnes vient des océans et y retourne.

Sans eau, il n'y a pas de vie. Quand vous buvez du vin ou du champagne, vous buvez l'océan ; quand vous allez faire du ski, vous skiez sur l'océan. Vous faites du patin sur l'océan. Il n'y a qu'un seul système aquatique qui est en mouvement constant. Une des qualités principales des océans est de purifier l'eau puisqu'elle s'évapore, que cela crée les nuages qui sont de l'eau parfaitement propre...

Source : E-VOYAGEUR. « Interview de Jean-Michel Cousteau ». 7 mai 2010. www.e-voyageur.com (21 mai 2013).

 Search words : cousteau society, équipe cousteau, jean-michel cousteau, jacques cousteau

Citation

Cousteau dit : « Quand vous buvez du vin ou du champagne, vous buvez l'océan ; quand vous allez faire du ski, vous skiez sur l'océan. Vous faites du patin sur l'océan ». Quelle remarque scientifique fait-il sur l'importance de l'eau ? (Faites une généralisation.)

9 **Discussion : Jean-Michel Cousteau et les océans**

Interpersonal Speaking : Discussion
En groupe, discutez des sujets suivants en donnant le point de vue de Jean-Michel Cousteau, puis donnez votre point de vue.

1. le rôle de l'éducation dans la mission Cousteau
2. le rôle d'Internet
3. les interventions avec les décideurs
4. pourquoi l'eau est essentielle à la vie en biologie, en sport, etc.

Claudie Haigneré, spationaute

Narrative

Interpretive Communication : Audio Texts
Introduction

Vous allez entendre l'interview que Claudie Haigneré a accordée, en 2009, à Corinne Blotin à l'occasion du 25ème *Festival Science frontières*. Comment décrit-elle la planète de loin ?

---

10 Une nouvelle perspective

Répondez aux questions.

A. *Ecoutez le début de l'interview. (Les 2 premières questions/réponses)*
   1. Qu'apprend-on sur sa formation, son parcours ?
   2. Quelle aventure particulière a-t-elle vécu ? Qu'est-ce qui en est à l'origine ?

B. *Poursuivez l'écoute jusqu'à « les responsables de cette vie et de cette préservation de la vie, ce sont... ».*
   3. Au cours de son vol dans l'espace, elle a pu mieux prendre conscience de certaines réalités. Pouvez-vous les retrouver ?

C. *Ecoutez maintenant la fin.*
   4. En quoi peut-on dire que la conquête de l'espace a profité à l'humanité ? Relevez quelques exemples.

 Search words : le cnes, le satellite corot, la station spatiale internationale (iss)

Langue vivante

- Retrouvez les deux images poétiques que Claudie Haigneré utilise pour nommer la Terre. Laquelle préférez-vous ? Pourquoi ?
- Comment définiriez-vous une « exoplanète »? Appuyez-vous sur le préfixe et sur ce qu'en dit Claudie Haigneré.

> **Savez-vous... ?**
> CNES (le Centre national d'études spatiales) est l'agence spatiale française. Il est chargé de proposer au gouvernement la politique spatiale de la France et sa mise en œuvre au sein de l'Europe. Il travaille en coopération avec l'Agence spatiale européenne (ESA).

Ensemble des documents

1. Comment ces textes sont-ils liés ? Pensez à quelle partie du monde ou de l'univers chacun couvre.
2. Peut-on dire que les explorations d'Etienne, de Cousteau et d'Haigneré ont changé leur vision du monde ? Si oui, comment ?

Peugeot 308 HDi hybride : silence, on roule !

Interpretive Communication : Print Texts

Introduction

Vous allez lire un article sur les voitures hybrides en France, conçues pour combattre l'effet de serre.

... La France est un pays qui consacre beaucoup d'argent à la recherche et l'innovation, enfin ça dépend des périodes. Des moyens colossaux sont mis à la disposition des chercheurs pour leur permettre d'évoluer dans la recherche dans le domaine énergétique. On peut trouver en France des voitures électriques et des voitures fonctionnant au GPL (gaz de pétrole liquéfié). La voiture électrique est utilisée par beaucoup d'entreprises et de collectivités territoriales, qui essayent par cette démarche d'une part d'obtenir des aides de l'Etat pour la publicité qu'elles font pour la voiture électrique, et d'autre part réduire* leurs dépenses liées à la consommation de carburant* et par la même occasion, participer à l'effort sur la protection de l'environnement.

On peut aussi trouver des voitures fonctionnant grâce au GPL. Cette énergie est maintenant disponible dans la quasi-totalité des stations services. Des voitures déjà équipées du GPL se vendent, mais il est aussi possible d'installer le système GPL sur une voiture qui à l'origine n'en était pas doté. Le GPL a bonne réputation et profite d'une bonne opinion des conducteurs. Le GPL est une énergie qui ne coûte pas cher et le gaz, d'après les estimations, à une espérance de vie assez confortable. Aussi, les voitures équipées du GPL gardent leur réservoir de carburant, ce qui veut dire que la panne sèche ne risque pas d'arriver avec une voiture fonctionnant avec cette énergie.

Le principe de fonctionnement d'un moteur Hybride est simple. L'association de deux moteurs fonctionnant avec deux énergies différentes dans un même véhicule constitue une motorisation hybride. De ce point de vue, une voiture fonctionnant au GPL est aussi une voiture hybride.

C'est la technologie hybride qui a eu le plus de succès auprès des constructeurs qui l'ont adoptée depuis quelques années. Elle consiste en l'association d'un moteur thermique* et d'un moteur électrique. Nous savons déjà que la voiture 100% électrique a beaucoup de mal à se développer et ce pour des raisons pratiques et financières. Pour faire rouler un véhicule uniquement grâce à l'électricité, il faut des batteries capables de stocker beaucoup d'énergie et pour rendre la chose possible, il faut des batteries qui prendraient beaucoup de place sous le capot et même ailleurs.

Peugeot est un grand constructeur qui a décidé de se mettre à l'hybride. La 308 est la voiture qu'a choisi Peugeot pour installer un moteur hybride. La première impression que l'on ressent au volant de cette 308 HDi Hybride c'est le silence. Au moment où vous mettez le contact, vous n'entendez rien. Silence total et là, on est séduit immédiatement par le confort induit* par cet aspect de la voiture hybride qui devient agréable grâce au moteur électrique. On pourrait même inscrire cette 308 HDi Hybride sur le registre de la discrétion et de l'humilité. L'hybride

---

réduire *to reduce* ; **le carburant** *fuel* ; **un moteur thermique** *engine that functions on heat* ; **induit (induire)** *induced (to induce)*

de Peugeot n'est pas une voiture tape à l'œil. Elle n'aime pas se faire remarquer par des artifices superficiels. Elle attire plutôt notre attention par sa discrétion et sa propreté. En effet, cette 308 HDi Hybride ne consomme que 3.5l au 100 km/h et son filtre anti-pollution se débarrasse de toutes les particules polluantes.

Cette Hybride de Peugeot est équipé d'un moteur 1.6L HDi de 100 ch qui vient à la rescousse* du moteur électrique de 16 kW délivrant 22 ch.

Grâce au moteur électrique, les performances de cette 308 HDi Hybride sont plus impressionnantes. Les accélérations sont bien franches et dynamiques. La boîte de vitesse* à 6 rapport rend le tout plus confortable et plus souple*.

Tout est mis en œuvre* dans cette Hybride Hdi pour polluer moins et économiser plus. Si vous avez le pied souple, vous pouvez ne faire fonctionner que le moteur électrique sur une distance de 5 km à 50 km/h. vous pouvez ainsi traverser une zone urbaine sans émettre* aucune particule polluante grâce aussi au bouton « ZEP » (Zéro émissions véhicule) qui empêche* le moteur diesel d'intervenir. Quand vous accélérez, le moteur diesel prend la main pour plus de puissance et de vitesse. A ce moment-là, la batterie nickel-métal-hydrure se recharge grâce à la puissance dégagée* par le moteur thermique.

Après quelques kilomètres parcourus à bord de cette 308 HDI Hybride, vous serez étonnés de constater ce que vous indique l'ordinateur de bord. La consommation en circuit mixte ne dépasse pas les 3.4L au 100 km. C'est l'équivalent de 90 g/km de CO_2 émis. Ceci représente 35% d'émission en moins par rapport à la 308 HDi 2.0L.

L'hybride en France n'est qu'à ses balbutiements*. L'avenir est prometteur, car les constructeurs français ont bien l'intention, eux aussi, d'investir le terrain hybride et surtout d'apporter leur touche inventive au futur de l'hybride.

Source : LA VOITURE HYBRIDE. « Peugeot 308 HDi hybride : silence, on roule ! » 5 avril 2009. www.lavoiturehybride.com (24 mai 2013).

---

venir à la rescousse *to come to someone's aid* ; **une boîte de vitesse** *gear box* ; **souple** *supple* ; **être mis(e) en œuvre** *to be put in place* ; **émettre** *to emit* ; **empêche (empêcher)** *prevents (to prevent)* ; **dégagé(e)** *released* ; **les balbutiements (m.)** *le début*

11 **Un hybride français**

Complétez les phrases pour faire un résumé de l'article. Choisissez un mot ou une expression de la liste.

| énergétique | prometteur | aides | recherche | batteries |
| hybride | innovation | performances | gaz de pétrole liquéfié |

La France dépense beaucoup d'argent pour la... et l'... On investit dans le domaine de l'... Comme dans d'autres pays développés, on peut trouver en France et des voitures électriques et des voitures fonctionnant au GPL, c'est-à-dire au... A part leur désir de participer à l'effort sur la protection de l'environnement, les entreprises et collectivités françaises veulent se procurer des... de l'Etat. C'est la voiture... qui est la plus populaire. Le problème avec une voiture cent pourcent électrique est qu'il n'est pas encore possible de stocker l'énergie dont on a besoin dans les... actuelles. La 308 de Peugeot a des... impressionnantes. L'avenir des hybrides en France est...

Les descendants de Jacques Cousteau et leurs actions

Interpretive Communication : Print Texts

Introduction

Jean-Michel Cousteau et Fabien Cousteau, le fils aîné et le petit-fils du commandant, étaient à Rio de Janeiro vingt ans après Jacques-Yves afin de continuer à mener* leur lutte pour la protection des océans. Paris Match les a rencontrés.

Paris Match. Vous venez d'assister à Rio+20. Que vous inspire le manque d'engagements des pays?

J.-M. C. Non, même si ce sommet* n'a pas apporté tout ce que j'espérais. Néanmoins, de nombreux sujets, absents des discussions il y a vingt ans, ont été abordés* cette année. Seul mon père, en 1992 à Rio, avait mentionné les océans, c'est l'objet d'une négociation aujourd'hui. Je pense que la prise de conscience actuelle va obligatoirement se traduire* dans les actes avec la génération qui va prendre la relève*.

Que pensez-vous de l'attitude de la France vis-à-vis de l'environnement?

J.-M. C. La France a le deuxième plus grand territoire maritime du monde, après les Etats-Unis. Elle a fait beaucoup, mais pas assez. En Méditerranée, dans les eaux territoriales, le thon rouge est pêché illégalement. Tout le monde le sait. La France pourrait être bien plus vigilante. Les thoniers abusent, ils sont bien mieux équipés que les équipes de surveillance. Quand un avion arrive pour les repérer*, ils le détectent et arrêtent de pêcher. Si François Hollande tient ses promesses de campagne*, alors il y a de l'espoir. Je veux bien l'aider.

Vous passez votre vie à naviguer. Comment constatez-vous la dégradation de la biodiversité des océans...

J.-M. C. Petit, j'allais dans le port de Sanary, les poissons étaient nombreux et l'eau était claire. Peu à peu, il y a eu moins en moins de poissons et de plus en plus d'ordures*. La situation s'améliore grâce aux efforts considérables sur le traitement des eaux. Aujourd'hui, la Méditerranée est en passe d'être envahie* par de nouvelles espèces de poissons. La température de l'eau augmente, l'eau douce ne se mélange plus à l'eau de mer car le Nil ne se déverse* plus. Des poissons tropicaux arrivent de la mer Rouge par le Canal de Suez et restent. Là où j'ai grandi à Sanary, je vois des barracudas!

Et ailleurs?

J.-M. C. Je vais retourner au large de la Louisiane, là où s'est produite la marée noire. Six mois après la catastrophe, des centaines de bébés dauphins, nés dans le pétrole et dans les diluants, allaités* par leurs mères dans ces conditions, ont été retrouvés morts sur la plage. Les œufs de tortue pondus* sur les plages ont disparu. Plus de deux ans après, à cet endroit, des crevettes n'ont pas d'yeux, des crabes n'ont pas de pinces, des poissons sont difformes. Croyez-vous qu'ils vont pouvoir se reproduire? Les pêcheurs n'ont plus de travail, des hôtels et les restaurants

mener diriger ; **un sommet** *summit* ; **abordé(e)** discuté(e) ; **se traduire** se révéler ; **prendre la relève** continuer le travail d'une personne ; **repérer** reconnaître ; **une campagne** *campaign* ; **les ordures (f.)** les déchêts (m.) ; **envahi(e)** *invaded*; **se déverser** *to spill* ; **allaité(e)** *nursed* ; **pondu(e)** *laid*

ont fermé... Dire que cette catastrophe aurait pu être évitée si les patrons n'avaient pas été si pressés et avaient écouté les ouvriers de la plateforme qui avaient prévenu du danger. Onze personnes sont mortes dans l'explosion.

F. C. Et parmi les nettoyeurs de la marée noire, plusieurs sont morts aussi depuis. Les diluants utilisés sont cancérigènes*, leur utilisation est même interdite en Europe! Les chercheurs ont constaté* depuis que ce mélange de pétrole et de diluant forme une couche de 50 centimètres qui tapisse les fonds marins*. C'est la pire catastrophe écologique marine que j'ai jamais connue.

cancérigène qui développe le cancer ; **constater** observer ; **les fonds (m.) marins** *ocean floor*

Source : Paris Match. 29 juin 2012. www.parismatch.com

Produits

En 1973 Jacques Cousteau a fondé ***The Cousteau Society*** aux Etats-Unis.

Savez-vous... ?
Jacques Cousteau a filmé les océans et on a diffusé ses émissions en Amérique. Ses films ont permis au grand public de découvrir les mystères de la mer.

12 La mission Cousteau

Identifiez la personne ou la chose décrite.

1. la Conférence des Nations unies sur le développement durable 2012, dite Rio+20
2. L'eau douce ne se mélange plus à l'eau de mer.
3. Les poissons déformés ne vont pas pouvoir se reproduire.
4. L'utilisation des diluants est interdite.
5. On fait des efforts considérables pour traiter les eaux.
6. Le thon rouge est pêché illégalement.
7. Des centaines de bébés dauphins ont été retrouvés morts.
8. On a fait des négociations pour protéger les océans.
9. le deuxième plus grand territoire maritime du monde
10. Il y a de nouvelles espèces de poissons.

L'enfance de l'univers dévoilée

Interpretive Communication : Print Texts

Introduction

Le satellite Planck.

Le satellite Planck, sous le contrôle de l'ESA, a pris des photos qui montre l'univers d'une nouvelle façon.

Les images réalisées par le satellite Planck sont les plus précises jamais réalisées de l'enfance de l'univers.

Les premiers résultats de cosmologie du satellite Planck ont été diffusés* par l'ESA (Agence Spatiale Européenne) ce jeudi 21 mars 2013. Jamais portrait de l'univers jeune n'avait été aussi précis.

La finesse et la sensibilité atteintes* par Planck permettent de préciser (et de modifier légèrement) la « recette de l'univers ». Notre monde serait composé à 69,4% d'énergie noire, responsable de l'accélération de l'expansion de l'univers, à 25,8% de matière noire, cette substance insaisissable qui a permis la naissance des galaxies, et à 4,8% de matière ordinaire, dont nous sommes faits.

Par ailleurs, l'expansion de l'univers selon Planck est légèrement moins rapide que prévu, et son « âge » un soupçon* plus grand (à 13,82 milliards d'années). Ce succès est d'abord celui des expérimentateurs qui ont été capables de concevoir et de réaliser un engin comme Planck, dont la caméra HFI a par exemple fonctionné pendant mille jours à -273,05 °C ! Jean-Michel Lamarre, l'un des promoteurs historiques de la mission, nous raconte la genèse* du projet.

Quand est née l'idée de la mission Planck ?

L'idée de base, faire une carte globale du ciel dans le domaine des ondes millimétriques ou micro-ondes, remonte à loin ! Je me souviens en avoir discuté dès 1976. A cette époque toutefois, c'était hors de portée* du point de vue technologique.

Planck n'a vraiment pris son envol qu'au début des années 1990. En 1992, les données du satellite américain Cobe sont tombées [elles montraient que l'univers, dès ses débuts, n'était pas strictement homogène et présentait des fluctuations de densité, NDLR], je travaillais sur ce qui allait devenir un autre satellite de l'ESA, Herschel. Nous cherchions une façon de tirer parti d'une avancée réalisée en cryogénie, à Grenoble, par le physicien Alain Benoît et son équipe. Ils étaient capables de refroidir des détecteurs jusqu'à la température de 0,1 degré au-dessus du zéro absolu ! C'était la clef pour pouvoir faire la carte « ultime » des fluctuations que Cobe avait mises en évidence. Mais pas seulement...

Vous aviez d'autres objectifs que la cosmologie ?

En effet, nous ne nous intéressions pas seulement à la cosmologie. Aux longueurs d'onde auxquelles Planck observe, nous avons accès au passé lointain* de l'univers, puisque le rayonnement cosmologique a été émis seulement 380 000 ans après le Big bang, mais aussi à des

---

ont été diffusé (diffuser) *were broadcast (to broadcast)* ; **atteint(e)** *achieved* ; **un soupçon** *un peu* ; **la genèse** *origine* ;
hors de portée *out of reach* ; **lointain** *long ago*

objets plus proches mais froids. Dès cette époque, il était clair pour moi que notre instrument, en faisant mille fois mieux que Cobe, pouvait non seulement faire progresser la cosmologie, mais aussi tout le reste : notre compréhension de la naissance* des galaxies, celle du milieu interstellaire de la Voie lactée, etc.

Si vous rapprochez la journée d'aujourd'hui avec vos rêves d'il y a 20 ans, qu'est-ce que cela vous inspire ?

Evidemment, on ne travaille pas vingt ans sur un projet sans être ému* le jour où tous nos efforts se concrétisent*... Mais au-delà de ça, je suis à la fois émerveillé* et étonné par les résultats de Planck. Emerveillé parce que ça marche ! Et croyez-moi, en tant qu'instrumentaliste, j'étais très prudent... Emerveillé aussi parce que l'univers est décidément d'une simplicité splendide. Il est « plat ». Il rayonne* comme un corps noir parfait. Et il peut être décrit dans un modèle qui ne possède que quelques paramètres, conçu* par l'esprit humain... Je suis enfin étonné parce que, au-delà d'une validation éblouissante de notre modèle du Big bang, Planck observe quelques petites anomalies ici et là. Il entrouvre* une porte sur un chemin dont nous nous demandons jusqu'où il va nous mener...

Source : CIEL & ESPACE. « Planck : le père de la mission témoigne ». 21 mars 2013. www.cieletespace.fr (21 mai 2013).

la naissance *birth* ; **ému(e)** *moved* ; **se concrétisent (se concrétiser)** *materialized (to materialize)* ; **émerveillé(e)** *filled with wonder* ; **rayonne (rayonner)** *radiates (to radiate)* ; **conçu(e)** *conceived* ; **entrouvre (entrouvrir)** *half opens (to half open)*

13 La mission Planck

Répondez aux questions.

A. *Lisez le début de l'article.*
1. A quelle occasion a-t-il paru ?
2. Planck apporte des informations sur trois points. Lesquels ?
3. Quelle prouesse technique est, entre autres, à l'origine du succès de cette mission ?

B. *Lisez l'interview de Jean-Michel Lamarre.*
4. Il rappelle ce qui a permis la naissance de Planck : les apports d'un projet précédent. Quel projet ? des travaux dans un autre domaine. Quels travaux ?
5. Quels progrès Planck va-t-il permettre de réaliser dans la connaissance de l'univers ? Notez-les.
6. Quels sont les différents sentiments exprimés par le chercheur ?
7. Comment interprétez-vous la dernière phrase ?

Ensemble des documents

1. La première narrative est liée au premier article culturel. Comment ?
2. Les deux derniers articles nous emmènent dans deux univers différents. Lesquels ?
   A quelles réflexions, à quelles interrogations fondamentales conduisent-ils ?

La culture de tous les jours

Lisez la bande dessinée. Ensuite, répondez aux questions.

14   Le Minitel

Répondez aux questions.

1. Le père se servait de quelle machine avant l'invention de l'ordinateur ?
2. Pourquoi la fille est-elle choquée par la réponse de son père ?
3. Qu'est-ce que l'ordinateur a remplacé en France en 1982 ?
4. Le Minitel a offert combien de services ?
5. Comment a-t-on pu communiquer avec le Minitel ?

Structure de la langue

emcl.com
WB 14

Le discours direct

On peut rapporter les paroles de quelqu'un de manière soit directe soit indirect.

En rapportant les paroles directement, on utilise des guillemets :

« *J'ai cette chance énorme de faire partie des privilégiés qui ont pu regarder la terre en orbite* », **dit**

Claudie Haigneré.

15 Des reformulations

Reformulez ces phrases au discours direct.

1. Marie-Alix a dit qu'elle avait inventé des applications.
2. Je voudrais savoir ce que vous recherchez.
3. Dites-moi pourquoi vous allez à la conférence scientifique.
4. Les chercheurs ont admis qu'ils avaient trouvé la solution.
5. Tu nous dis avec qui tu travailles au labo.

Le discours indirect

emcl.com
WB 15–18

Notez la différence dans les deux paires d'expression ci-dessous :

Discours direct	Discours indirect
Elle invente des robots.	*Elle dit qu'*elle invente des robots.
Qu'est-ce que vous inventez ?	*Je voudrais savoir* ce que vous inventez.
As-tu vendu ton invention ?	*Dis-moi si* tu as vendu ton invention.

A. FORMER LE DISCOURS INDIRECT
1. D'une phrase déclarative

On peut aussi rapporter les paroles au discours indirect. S'il s'agit d'une phrase déclarative, on utilise souvent un verbe introducteur suivi de « que » :

Claudie Haigneré dit qu'elle a la chance énorme...

2. D'une question

S'il s'agit d'une question, le verbe *demander* peut être suivi :

- **de « si », dans le cas d'une interrogation totale**

  Le journaliste demande à Jean-Louis Etienne s'il se sent investi d'une mission.

- **d'un mot interrogatif :** *quand, où, pourquoi...*

Il lui demande comment il tient dans des conditions aussi difficiles.

- **de « ce que », « ce qui », si la question était « qu'est-ce que » ? ou « qu'est-ce-qui ? »**

   Le journaliste demande à Jean-Michel Lamarre ce que lui inspirent ces premiers résultats.

3. D'un ordre ou d'une prière

S'il s'agit de rapporter un ordre, une prière formulée à l'impératif ou d'une autre manière, on utilise « dire de » ou « demander de » **+ infinitif** :

   Pouvez-vous préciser cette notion ? → *On lui demande de préciser...*

B. TRANSPOSITIONS AU DISCOURS INDIRECT

1. De personne

Le passage au discours indirect implique des transpositions **de personne** :

   « J'ai eu la chance ». → *Claudie Haigneré dit qu'elle a eu la chance.*

   « Vous sentez-vous investi... ? » → *Le journaliste demande à Jean-Louis Etienne s'il se sent...*

2. De temps

Le passage au discours indirect implique aussi, quand le verbe qui introduit les paroles est au passé, une transposition **de temps** : c'est ce qu'on appelle **la concordance des temps.**

Observez :
- « cette mission est un succès »

   Il dit que cette mission est un succès. → *Il a dit que cette mission était un succès.*

- « j'ai traversé des moments très difficiles »

   Il dit qu'il a traversé des moments très difficiles. → *Il a dit qu'il avait traversé des moments très difficiles.*

- « notre expédition débutera dans un an »

   Il dit que leur expédition débutera dans un an. → *Il a dit que leur expédition débuterait dans un an.*

Formulez vous-même la règle de la concordance des temps !

Quand le verbe qui introduit le discours rapporté est au passé...

- le verbe qui était au présent dans le discours direct passe à...

- le verbe qui était au passé composé dans le discours direct passe à...

- le verbe qui était au futur dans le discours direct passe à...

Notez :
- que le futur proche (**aller** + infinitif) suit normalement la transposition.

   Je vais partir bientôt. → *Elle a dit qu'elle allait partir bientôt.*

- qu'il n'y a pas de transposition de temps si le verbe est déjà à l'imparfait ou au plus-que-parfait dans le discours direct :

> *Chaque fois que je partais en expédition, je passais dire au revoir à mes parents. à Il a dit que chaque fois qu'il partait, il passait...*

C. CHANGEMENTS DE MARQUEURS DE TEMPS ET DE LIEU

Le passage au discours indirect implique enfin des changements dans certains marqueurs de temps et de lieu.

J'écoute le 21 mars 2013 une conférence sur les premiers résultats de Planck :

> « *C'est un grand moment : Planck livre aujourd'hui ses première images* ».

Je parle de cette conférence deux semaines plus tard :

> « *Les chercheurs de l'ESA ont souligné que c'était un grand moment parce que Planck livrait ce jour-là ses premières images* ».

De même : *demain* → *le lendemain ; hier* → *la veille ; la semaine dernière* → *précédente*, etc.

D. VERBES POUR INTRODUIRE LE DISCOURS INDIRECT

Si « dire », « demander » et « répondre » sont très courants, il y a beaucoup d'autres verbes pour introduire le discours indirect. Ils varient suivant l'intention de communication qu'on attribue à l'auteur des paroles :

affirmer, déclarer, constater, indiquer, (faire) remarquer ; répéter, souligner, assurer ; confirmer, nier ; juger, estimer, considérer ; reconnaître, admettre ; prévenir, avertir ; prétendre (ce dernier verbe implique qu'on ne croit pas les paroles qu'on rapporte) ; *raconter ; révéler ; expliquer*...

Ces verbes peuvent tous être suivis de la construction « que ».

Notez :
Quand un discours, un texte est un peu long, ce serait très lourd de le rapporter en reprenant chaque fois cette construction et les paroles exactes de la personne, on préfère dans ce cas résumer et/ou reformuler.

16 Rédigez l'article

Reformulez au discours indirect ces extraits de l'interview de Claudie Haigneré. Faites attention à la concordance des temps.

1. C'est vrai, j'ai de la chance.	Elle a reconnu...
2. J'ai découvert une annonce du CNES alors que je travaillais à l'hôpital j'ai demandé un dossier.	Elle a expliqué...
3. J'ai préparé cette mission pendant 11 ans.	Elle a raconté...
4. Notre Terre vue de l'espace paraît très fragile.	Elle a souligné...
5. On fera plus d'efforts pour la préserver.	Elle a exprimé l'espoir...

17 Article

Le journaliste qui a interviewé Jean-Louis Etienne rédige son article. En voici le début.
Complétez-le en intégrant les citations suivantes en utilisant le discours indirect.

- « J'avais depuis toujours un goût pour le voyage, l'exploration ».
- « Je suis rentré avec deux outils importants : une confiance en moi pour mener des projets tels que celui-là, et une notoriété confortable pour en monter d'autres ».
- « Je suis devenu un passeur d'informations. J'ai une responsabilité de témoin ».

Jean-Louis Etienne nous a raconté son parcours qu'il a qualifié de « sinueux » puisqu'il avait d'abord été en échec scolaire, avant de trouver sa voie grâce à une bonne orientation et de faire des études de médecine. Il a noté... Etre médecin lui a permis de partir pour accompagner des explorations. Et c'est son expédition en solitaire au Pôle qui « l'a libéré ». Il a souligné que... Il est alors parti dans une nouvelle vie. Aujourd'hui il estime que...

18 Suite de l'article

Pour continuer l'article de l'activité précédente, résumez le passage ci-dessous en vous servant uniquement des phrases soulignées. Utilisez le discours indirect.

Dans les pires conditions naturelles, comment tenez-vous mentalement ?

Ce rêve de Pôle, je me le suis construit, pendant très longtemps, pour exister. Il s'agit déjà d'un moteur exceptionnel. Mais ce sont également des techniques personnelles qui m'ont aidé. Par exemple, chaque fois que je partais en expédition, je passais dans le Tarn dire au revoir à mes parents et emporter avec moi une image, comme les blés au mois de juin, sous le soleil. Il est facile d'y repenser et de revenir à l'émotion ressentie. La nature nous offre des opportunités exceptionnelles de pouvoir vivre en dehors du monde, d'entrer en soi, seul avec ces cathédrales que sont les montagnes ou l'océan. Ce sont des univers d'un mysticisme extrême.

Mystique au sens où vous avez approché une réalité d'ordre supérieur ?

Je n'aime pas les religions, c'est une invention de l'homme, mais je trouve qu'on aurait tort de se priver de l'idée de Dieu. Il y a une vraie magie dans le vivant, et j'aime cette idée d'un organisateur de cette magie. Au pôle Nord, j'avais un Dieu. J'étais extrêmement fragilisé par cet univers où il faisait -52°C, où j'étais entièrement seul, sans même une arme. Un jour, j'ai vu des traces fraîches d'ours et je me suis adressé au Dieu du Pôle pour qu'il intervienne et que l'ours comprenne que je n'étais que de passage, qu'il ne risquait rien. J'étais dans un moment de mysticisme intense, et c'était très apaisant parce que, tout à coup, je me suis remis dans les mains d'un ailleurs et cela m'a aidé.

19 **Bienvenue en transhumanie**

Interpretive Communication : Audio Texts

Introduction

Geneviève Férone, auteur avec Jean-Didier Vincent de « Bienvenue en transhumanie » est l'invitée d'*Info-sciences* sur France-Info. Elle répond aux questions de Marie-Odile Monchicourt.

Avant l'écoute

« Bienvenue en <u>transhumanie</u> » : où nous conduit ce voyage ?

Faites les activités.

A. *Ecoutez jusqu'à la première question de Marie-Odile Monchicourt.*
 1. Echangez votre définition de la transhumanie avec votre partenaire.

B. *Ecoutez la réponse.*
 2. Comparez votre réponse avec celle de Geneviève Férone.
 3. Reformulez sa définition avec vos mots.

C. *Poursuivez jusqu'à la question de Marie-Odile Monchicourt.*
 4. Geneviève Férone fait un constat inquiétant qui s'articule autour de ces trois points :
 « Au point » de départ, on…, mais on est incapables de… Donc, …

D. *Poursuivez jusqu'à l'intervention de la journaliste : « Alors à ce moment-là ».*
 5. Complétez la définition des biotechnologies :

 « C'est l'hybridation du… et de la… C'est de faire des… vivants, de… le mode d'emploi, si je puis dire, de vos… C'est d'utiliser le… vivant pour… la… vie que nous avons ». En plus, elle permettent de…

 6. Notez la phrase qui indique que l'homme est arrivé à un point extrême.

E. *Ecoutez la fin et répondez aux questions.*
 7. Sur quel monde, selon Geneviève Férone, la transhumanie risque-t-elle de déboucher ?
 8. Quelles seront alors les deux catégories d'humains ?
 9. Qu'est-ce qui annonce déjà cette division dans le monde d'aujourd'hui ?

Communiquez!

Presentational Writing : Scientific Dictionary

Faites un dico des termes scientifiques utilisés par Geneviève Férone. Avec quatre ou cinq de ces termes, écrivez des phrases originales qui montrent votre compréhension du contenu de l'interview du sens de ces termes et de l'interview.

Communiquez!

21 **Changements dans notre relation au texte, à l'écriture et à la lecture**

Presentational Writing : Persuasive Essay

Lisez les deux textes qui suivent. Ils offrent deux points de vue différents de la lecture numérique. Vous allez écrire un essai persuasif qui présente ces deux points de vue et qui indique aussi votre propre façon de penser. Utilisez les informations dans les textes pour développer votre argumentation votre essai. Quand vous faites référence aux extraits, identifiez-les de façon appropriée (discours indirect).

Texte 1

La lecture numérique maintient la lecture solitaire et silencieuse mais elle y allie aussi la lecture publique sous forme de podcasts, d'échange de fragments, de bribes et de citations, ou encore de communications d'hyperliens, d'images et de vidéos. Cette lecture multiple réécrit nos rapports avec le livre comme l'un des foyers privilégiés de la lecture.

L'usage d'outils numériques ouvre la porte à de nouvelles interactions avec le texte. Le texte peut s'animer, se transformer, se dédoubler, se colorer, s'imager. Le lecteur devient auteur non pas en éliminant la trace du créateur original, mais plutôt en déplaçant le morceau choisi, en lui trouvant un contexte inédit, en le faisant circuler dans un voisinage d'autres objets.

Source : COSTE, Christine. « Du papier à l'écran : les nouvelles modalités de lecture ». *Le français dans le monde*, 2012, n° 380, pp. 54–55.

Texte 2

Sur écran, nous avons les pupilles baladeuses. Elles courent d'un paragraphe à l'autre, s'avisent furtivement de la nature de la bannière de pub qui clignote en haut et de l'hyperlien en bas à droite. Elles reviennent au document initial et plongent dans un hypertexte, soit une autre page Web qui enrichit notre compréhension. Ou l'affaiblit... L'hypertexte est assurément une invention formidable, ce peut être aussi une chausse-trape ouvrant sur d'autres pages tapissées de liens qui, de fil en aiguille, nous font perdre de vue l'objet originel de notre lecture. C'est ce que les scientifiques appellent la « désorientation cognitive ». Sur la Toile, le cheminement de la pensée n'est pas contrôlé par l'auteur, mais par le lecteur.

Source : BELPOIS, Marc. « Mon cerveau a-t-il muté ? » *Télérama*, 2013, n° 3291, p. 21.

Communiquez!

Interpersonal Speaking : Conversation

Vous avez une conversation avec votre père. Cette conversation doit suivre le canevas qui vous est donné ci-dessous. Vous allez entendre les répliques de votre interlocuteur et vous réagirez comme le canevas l'indique.

–**Vous interrogez votre père sur l'invention qu'il trouve la plus importante dans sa vie.**

–Il vous répond.

–**Vous indiquez que vous ne comprenez pas son choix.**

–Il l'explique davantage et vous demande de partager votre avis sur la même question.

–**Vous parlez de l'invention la plus importante dans votre vie.**

–Il vous demande une justification.

–**Vous énumérez vos raisons.**

–Il vous suggère de poursuivre des études de sciences.

–**Vous répondez et vous indiquez si cela vous passionne ou pas.**

Communiquez!

Presentational Writing : Blog Entry

Lisez le texte ci-dessous, puis faites les activités qui le suivent.

A 66 ans, le médecin explorateur Jean-Louis Etienne va jouer sa dernière partition d'aventure en Antarctique. « J'ai commencé par l'Arctique, je termine par l'Antarctique avec ce projet novateur à caractère scientifique, environnemental et pédagogique », a-t-il expliqué à l'AFP. Le médecin explorateur est de retour en France après un long séjour de deux années en Californie. Il y a élaboré avec des chercheurs et techniciens américains, sa singulière plate-forme océanographique dérivante (POD), qu'il entend mener pendant au moins un an dans le puissant Courant Circumpolaire Antarctique. « Ce courant qui réunit les trois océans, Atlantique, Indien et Pacifique à l'extrême Sud du globe, est le plus important puits à carbone de la planète », explique-t-il. « Ses eaux froides absorbent un tiers du CO_2. Il est un acteur majeur du climat mondial soumis au réchauffement. Mais il demeure le plus mal connu de la planète, de par son éloignement, l'extrême rigueur de son climat et une mer déchaînée où les creux de 20 m ne sont pas rares ».

« Notre plate-forme dérivante verticale de 125 m en acier et aluminium, poussée par le puissant courant antarctique et les vents des « cinquantièmes hurlants », fonctionnera aux énergies renouvelables avec trois éoliennes et une hydrolienne (moulin à eau immergé). Son équipage sera limité à trois marins et quatre scientifiques. Son coût d'exploitation est sans commune mesure avec celui des navires classiques existants », précise-t-il. Les grands instituts de recherche scientifique et océanographique comme le CNRS, l'IFREMER ou, aux Etats-Unis, l'Université de Californie et le MIT ont apporté leur soutien au projet et au programme scientifique qu'ils jugent « nécessaire et novateur ».

Mesure en continu des échanges carbone/océan et de l'acidification des océans, recensement de la faune marine, validation en mer des observations spatiales... Jean-Louis Etienne jette toutes ses forces dans cette grande aventure antarctique qui débutera fin 2014; elle bouclera une longue carrière d'exploration.

Source : 20 MINUTES.FR. « L'explorateur Jean-Louis Etienne se prépare pour l'Antarctique ». 12 décembre 2012. www.20minutes.fr (24 mai 2013).

A. *Lisez l'article et établissez la fiche technique de l'expédition Polar Pod.*

Expédition *Polar Pod*
Localisation :
Raisons de ce choix :
Description de la plate-forme :
Equipage :
Partenaires scientifiques :
Objectifs de l'expédition :
Date :

B. *Imaginez que vous allez sur le site Internet de Jean-Louis Etienne et vous déposez un message. Vous exprimez votre intérêt/admiration pour ce qu'il fait. Vous voulez en savoir plus sur sa préparation physique et psychologique ; vous l'interrogez sur un point qui vous intéresse plus particulièrement. Vous témoignez de l'impact éventuel de ce type de mission auprès des jeunes, de la prise de conscience qu'elle peut permettre.*

Lectures thématiques

Lecture 1

L'homme-songe*
Interpretive Communication : Print Texts

Rencontre avec l'auteur

En 2000 sort le premier album *Plateau Télé* du chanteur **Guillaume Aldebert** (1973–). Dans cet album il dresse le portrait de ses semblables. Son deuxième opus, publié en 2002, *Sur place ou à emporter,* est salué par la critique. Dans son quatrième album de 2006, *Les paradis disponibles,* l'écriture d'Aldebert a évolué et laisse percevoir l'influence de Brassens. Il y confirme son goût pour la chanson métaphorique et son obsession omniprésente pour le temps qui passe. Tonique et tendre à la fois, il est marqué par l'éclectisme musical. Vous pouvez trouver sa chanson « L'homme-songe » sur cet album. Selon Aldebert, d'où l'homme descend-il ? Trouve-t-il une réponse dans la science ou ailleurs ?

Guillaume Aldebert.

Pré-lecture

Connaissez-vous des mythes de l'origine de l'homme ou l'origine d'un peuple ? Partagez avec vos voisins.

« L'homme-songe » par Guillaume Aldebert et Matar Sall
Musique : Aldebert

D'où je viens je n'en sais rien
D'un sapiens ou d'un saurien[1]
Du grand big bang d'un petit rien
D'où vient ce gang de terriens[2]

5 De qui découle le sang neuf
Qui de la poule ou de l'œuf
Et si l'homme est le parent
De la pomme et du serpent

Ni toi ni moi les doyens*
10 Les papas des citoyens
Quelques mains et des dents
Avec le plein d'humain dedans

A trop rêver, le cœur comme une éponge*
La vérité* c'est que l'homme descend du songe[3]*

> **Rappel**
> La construction (et...) *et* ou (ou...) *ou* change au négatif à *ne... ni... ni...* Comment dit-on « Neither I nor you are the precursors » (l'idée complète de la chanson)?

Pendant la lecture
1. Quelle question le narrateur se pose-t-il ?

Pendant la lecture
2. Il s'agit du sang de qui ?

Pendant la lecture
3. Le narrateur fait référence à quelle histoire de la Bible ?

Pendant la lecture
4. Quelle est sa philosophie de l'origine de l'homme ?

---

le songe le rêve ; **un doyen, une doyenne** le/la plus âgé(e) d'un groupe ; **une éponge** *sponge* ; **La vérité** *Truth*

1. un sous-ordre de reptile
2. êtres qui habitent la planète Terre
3. Ceci est évidemment un jeu de mots sur l'acceptation selon Darwin que « L'homme descend du singe ».

15 *Nit ay gente le*[4]

L'homme descend du songe, l'homme
descend du songe, l'homme descend du songe

L'homme-songe
Mam yalla mo sake doomu adama
20 *Genne ci mom mame awa*
Mey len xei deffel len teranga[5]

Camarades compagnons
Néandertal et Cro-Magnon
Quelle est la bonne hypothèse ?
25 Ce n'est qu'une erreur de Genèse

Je délaisse* à la prose
La question qui rend fou
Les filles naissent dans les roses
Les garçons dans les choux*
30 J'aime à envisager
Que le chaînon manquant*
Dans les bras de Morphée
Repose évidemment

Sama mam daane wox nan
35 *Soo xamul foo jem dellul fige juge*
Lugnu bere bere ci mbedemi
Gemma ni gemma ni gemma ni ken melul ni man
Fege juge, fege juge, fege juge[6]

Trop écouté des tonnes de mensonges*
40 La vérité c'est que l'homme descend du songe
Nit ay gente le
L'homme descend du songe, l'homme descend du songe,
l'homme descend du songe
L'homme-songe
45 *Sayume yewoo de mey xalat*
Fume juge fan la juge
Sayume yewoo de may xalat
May kan yay kan[7]

D'où je viens ? D'où tu viens ? D'où il vient ?
50 Chaque jour qui passe, je me demande d'où je viens
Qui suis-je ? Suis-je un rêve ?

Pendant la lecture
5. Quelle est sa réponse à la question sur la création de l'homme ?

Pendant la lecture
6. Pense-t-il que le « chaînon manquant » soit toujours vivant ? Que fait-il ?

Pendant la lecture
7. Croit-il à la religion et aux mythes pour résoudre la question ?

Pendant la lecture
8. Est-il sûr que l'homme est un rêve ?

Source : « L'HOMME SONGE ». Paroles de Guillaume Aldebert et Moctar Haby Sall. Musique de Guillaume Aldebert. Arrangements de Christophe Darlot. © Warner Chappell Music France, Make Sense Music et Moctar Haby Sall- 2006.

délaisse (délaisser) abandonne (abaondonner) ; **les choux (m.)** *cabbages* ; **le chaînon manquant** *missing link* ;
un mensonge *lie*

4. En wolof, ça veut dire : « L'homme est un rêve ».
5. En wolof, ça veut dire : « Dieu a créé l'être humain/Il lui a donné le pouvoir de penser et de réfléchir/L'homme peut transformer le monde à sa guise ».
6. En wolof, ça veut dire : « La sagesse dit que si tu ne sais pas où tu vas/Retourne d'où tu viens/Que l'on soit des milliers ou des millions dans la rue/Chaque personne est unique dans sa manière de penser/Et de réagir ».
7. En Wolof, ça veut dire : « Chaque fois que je me réveille, je réfléchis : D'où est-ce que je viens ? Chaque fois que je me réveille, je réfléchis : Qui suis-je ? Qui es-tu ? »

Post-lecture

Répondez aux deux dernières questions de la chanson.

24 A l'écoute

Ecoutez la chanson une première fois et répondez aux questions.

1. Comment caractériseriez-vous la musique ?
2. Quels instruments reconnaissez-vous ?
3. Quelle question fondamentale pose la chanson ?
4. Quelle hypothèse Aldebert propose-t-il dans le refrain ? A quelle théorie fait-il un clin d'œil ? Que dit-on en général ?
5. La musique de cette chanson est dans le style du « highlife », une musique populaire africaine moderne, caractérisée par une instrumentation occidentale (guitare et basse électriques, souvent saxophone, ici accordéon) et une rythmique africaine (polyrythmie et tambour à main nue). Pourquoi Aldebert a-t-il choisi cette musique pour accompagner les paroles ?

25 Activités d'expansion

Faites les activités suivantes.

1. L'homme s'est depuis toujours interrogé sur ses origines. Plusieurs explications ont été avancées. La chanson fait allusion à quelques-unes d'entre elles. Retrouvez-les, puis classez-les selon qu'elles relèvent de la science, de la religion, de la philosophie ou de la croyance populaire. Finalement, expliquez le processus du narrateur pour trouver une réponse à la question « D'où l'homme est-il descendu ? »
2. Dans un essai, expliquez l'usage des allusions d'Aldebert.
3. Lisez l'extrait suivant. Puis, écrivez votre manifesto littéraire. Quelle est la force des paroles ? Comment la fiction est-elle liée à votre existence ? Y a-t-il une chanson ou un roman qui a changé votre vie ?

La fiction fait partie de nos vies. Son pouvoir, c'est celui de créer des objets et de former des projets, de nous permettre des expériences de pensée, d'émettre des hypothèses, mais aussi de nous faire découvrir le réel sous un nouvel angle (romans et films qui nous permettent d'expérimenter des situations nouvelles), de nous forger des modèles de conduites (c'est le rôle des mythes et épopées). Voilà pourquoi la fiction est organiquement liée à nos existences. Cette vie qui est la mienne est aussi le produit de mes rêves. Comme l'écrivain Antoine Blondin l'avait joliment dit : « L'homme descend du songe. »

Source : SCIENCES HUMAINES. « L'homme descend du songe ». 15 juin 2011. www.scienceshumaines.com (23 mai 2013).

T'es branché?

Faisons le point !

A. *Pour retrouver les principales idées développées au cours de la leçon, notez dans votre cahier un ou deux exemple(s) en face de chacun des points de repère qui vous sont proposés. Reportez-vous à tous les documents de la leçon (écrits journalistiques, articles ou émission de vulgarisation, témoignages, interviews, chanson).*

Question centrale

?

Comment les inventions changent-elles notre vision du monde ?

Les découvertes et les inventions	Notes
Inventer, découvrir, explorer :	
• motivations	
• hypothèses	
• démarches	
• conséquences	
Domaines d'action des explorateurs contemporains :	
• Jean-Louis Etienne	
• Jacques et Jean-Michel Cousteau	
• Claudie Haigneré	
Découvertes et innovations pour mieux comprendre :	
• l'univers	
• les pôles	
• les océans	
Moyens de diffuser le message	

B. *Discutez en groupes. Que répondriez-vous à la question posée au début de l'unité : Comment les inventions changent-elles notre vision du monde ?*

Vocabulaire actif

L'avenir de la technologie

Le progrès est l'action d'aller vers l'avant, de s'accroître, d'être meilleur.

Question centrale
Comment les progrès scientifiques et technologiques affectent-ils notre vie ?

Moi **je suis à la pointe du progrès** ! Je **contribue au progrès** car je suis **technologicien**. Ma femme **incarne le progrès**, et mes enfants **perfectionnent** leurs inventions.

Opposons-nous au progrès ! Il faut freiner la recherche scientifique qui nous désensibilise !

L'humanité est en régression.

Non à une société de science-fiction !

Etes-vous progressiste ou rétrograde ?	
Progressiste	**Rétrograde**
croire au progrès incarner le progrès (pour une personne, une chose) être à la pointe du progrès	nier le progrès s'opposer au progrès
être favorable au progrès	être hostile au progrès
collaborer, contribuer au progrès (de quelque chose)	arrêter le progrès empêcher, freiner le progrès
progresser / avancer faire des progrès accomplir, réaliser des progrès perfectionner une chose / se perfectionner enregistrer un certain progrès être en progrès	régresser / reculer ne pas faire de progrès dégénérer être en régression

Quand la science rattrape la science-fiction !

Notre société, dite de consommation, met à notre disposition des objets de plus en plus **futuristes**.

Par exemple, la traduction instantanée par ordinateur, la réalité augmentée, la construction de **robots** et **d'androïdes** de plus en plus **perfectionnés**.

Ces inventions et ces pratiques ont été créées il y a parfois bien longtemps par les auteurs de science-fiction. Ces « **prédictions** » ou « **visions du futur** » contiennent également une grande part d'imagination. C'est le cas des personnages ou de leurs pouvoirs.

On retrouve, par exemple, en plus des robots ou des androïdes, des **extraterrestres**, des **mutants**, des **surhommes**... Leurs pouvoirs sont **l'hyper accélération**, **la lévitation**, **la prescience**, **la télépathie** ou encore **la télé transportation**.

Pour la conversation

Ⱨow do I say that something is only for something or someone ?

> Ah non, ça **c'est réservé au** Japon...

  Oh, no, this happens only in Japan...

Ⱨow do I describe the attributes of something or someone ?

> J'habite un appartement ultra-moderne **doté de** nombreux gadgets électroniques.

  I live in an ultra-tech apartment which has many electronic gadgets.

Ⱨow do I say it is not the right time for something ?

> **Il ne s'agissait** donc **pas d'**évacuer l'immeuble.

  It was definitely not time to get out of the building.

---

1 | Expressions avec le mot *progrès*

Complétez les phrases avec une expression du vocabulaire de la liste.

1. ... au progrès ne signifie pas qu'un progrès a déjà eu lieu.
2. Le genre humain a toujours... au progrès.
3. Rien n'... le progrès !
4. La science a... de grands progrès dans tous les domaines.
5. ... au progrès, c'est lui faire confiance.
6. ... le progrès c'est penser qu'il n'existe pas.
7. Les derniers smartphones sont... en matière de téléphonie mobile.
8. Albert Einstein a... le progrès avec sa théorie de la relativité.

contribué
fait avancer
nier
croire
accompli
être favorable
arrête
perfectionnés

2 Les différents visages du progrès

Faites les activités.

Le progrès exprime toujours une évolution, mais celle-ci peut avoir une connotation positive ou négative en fonction du point de vue de celui qui s'exprime et du contexte.

Voici quelques synonymes du mot « progrès » :

évolution, épanouissement, décadence, amélioration, progression, changement, aggravation, perfectionnement, déclin, transformation, déchéance, cheminement

A. *Classez les mots de la liste proposée ci-dessus dans le tableau.*

Vision positive	Vision neutre	Vision négative
MODÈLE Epanouissement...	Cheminement	Aggravation

B. *Complétez les phrases suivantes avec des synonymes de « progrès ».*
  1. Cet enfant fait de nombreuses activités et semble très heureux. Tout cela va contribuer à l'... de sa personnalité.
  2. Félicitations, Franck ! Je note une réelle... dans vos travaux.
  3. Devenir adulte est un long... Ce parcours est parfois difficile.
  4. Plus tard, je pense que je serai semblable à aujourd'hui. Je déteste le...
  5. Demain me fait peur, les choses vont mal. Nous vivons une époque en pleine...
  6. Les médecins sont préoccupés par l'... de son état de santé.
  7. On parle de l'... de l'espèce car de l'Homme de Néandertal à aujourd'hui, nous sommes en perpétuel changement.

3 Entre fiction et réalité

A. *Reliez les pouvoirs cités à la page 441 à leur définition.*

1. Télétransportation	A. Don qu'un individu possède et qui lui permet de prévoir l'avenir.
2. Prescience	B. Pouvoir de voler ou de se soulever du sol par la seule force de sa volonté.
3. Télépathie	C. Capacité d'un être vivant à lire les pensées d'autres individus.
4. Lévitation	D. Pouvoir de se déplacer extrêmement rapidement.
5. Hyper accélération	E. Capacité d'un individu à se déplacer instantanément d'un point à un autre par la seule force de sa volonté.

B. *A votre avis, lesquels de ces pouvoirs seront possibles, grâce à la science, dans un futur proche ?*

C. *Quels autres pouvoirs posséderont les humains dans le futur ? A deux, imaginez des exemples.*

MODÈLE **Les humains du futur utiliseront 100% des possibilités de leur cerveau. Leurs sens seront hyper-développés. Ils pourront voir un objet miniature à plusieurs kilomètres de distance...**

Faites les activités suivantes.

A. *Ces dernières années les pays mondiaux ont conceptualisé les inventions suivantes. Pour chaque photo, donnez un titre à chaque produit futuriste et dites à quoi il peut servir. Faites des hypothèses. A deux.*

profitable	salutaire	pratique	précieux	bon	commode	efficace	superflu
	nécessaire	désavantageux	obligatoire	curieux	passionnant	amusant	
avantageux	désirable	abominable	séduisant	fascinant	dégoûtant	repoussant	

MODÈLE

Cette voiture s'appelle la *ghynt sun BX56*. Elle possède peut-être des armes invisibles qui la protègent des possibilités de détournement ou de prises d'otages.

1.

2.

3.

4.

5.

6.

7.

B. *Lisez la liste d'adjectifs. Associez au moins deux adjectifs à chaque invention.*

En vous servant du vocabulaire vu au début de cette leçon, dites ce qui, d'après vous, fait partie de la science, de la science-fiction ou est à la frontière entre les deux.

Communiquez!

6 **Jeu!**

Interpersonal/Presentational Communication

Faites l'activité suivante.

En petits groupes, vous allez imaginer des inventions que vous aimeriez voir apparaître.
1. Chaque membre des groupes écrit le nom d'un objet futuriste sur une carte.
2. Le groupe choisit le premier objet.

> **MODÈLE** **Le crayon qui écrit tout seul.**

3. Un autre membre du groupe répète le nom de l'objet et y ajoute un attribut.

> **MODÈLE** **Le crayon qui écrit tout seul est doté d'un mini-ordinateur qui reconnaît uniquement votre voix.**

4. Un autre membre ajoute une deuxième fonctionnalité.

> **MODÈLE** **Le crayon qui écrit tout seul est doté d'un mini-ordinateur qui reconnaît uniquement votre voix, et d'une mémoire visuelle pour imiter votre signature.**

5. Tous les joueurs font de nouvelles propositions, toujours plus novatrices les unes que les autres, jusqu'à ce que tous les membres du groupe aient participé. Ensuite, le groupe passe au deuxième objet, et ainsi de suite.
6. Choisissez la meilleure invention et présentez-la à votre classe, en donnant tous ses attributs, et peut-être une maquette ou un schéma.

7 Questions personnelles

Répondez aux questions.

1. En général, es-tu pour ou contre le progrès technologique ? Explique ta réponse.
2. Quelles inventions modernes bénéficient le plus ton mode de vie ? Explique.
3. Quelles inventions modernes te semblent être une mauvaise idée ? Pourquoi ?
4. Selon toi, quels progrès sont les plus encouragés dans ton pays et pourquoi : Technologiques, scientifiques ou médicaux ?
5. Connais-tu des gens qui sont totalement opposé au progrès ? Quel est leur raisonnement ?
6. Selon toi, quel est le but du progrès technologique ?
7. Si tu pouvais inventer un produit unique, qu'inventerais-tu ?

Narratives

La maison qui chante

Interpretive Communication : Print Texts

Introduction

Vous allez lire un blogue dans un forum sur Séoul, en Corée du Sud. L'auteur anonyme décrit le logement moderne de cette ville urbaine mondialisée. Que savez-vous de Séoul ?

Pré-lecture

Lisez le titre de l'article ci-dessus. Comment le comprenez-vous ? A votre avis, de quoi va-t-on parler ?

J'habite un appartement ultra-moderne doté de nombreux gadgets électroniques : se sentant sans doute incompris de cet étrange esprit qui a investi leur espace, ils tentent désespérément de communiquer avec moi.

Ça commence dès le sas d'entrée de l'immeuble : ouverture par reconnaissance de l'empreinte digitale. Bizarrement, il faut en plus un code secret personnel. En hiver, avec les doigts gelés, ça ne marche pas. Avec les gants non plus. La machine me remet fermement à ma place, celle d'un intrus qui tente une effraction... alors, comme tout le monde, j'utilise l'option de secours, une bonne vieille carte magnétique... ouf, je suis rentrée.

Dans l'ascenseur, une dame très polie informe les passagers de la direction [...] et du numéro de l'étage à chaque arrêt. C'est la même voix féminine qui semble officier[1] dans tous les ascenseurs de la ville. Etrange monopole... Devant chez moi : une clef magnétique rapprochée de son support génère une lumière de reconnaissance quasi inter-galactique. Oui, la porte s'ouvre... En se refermant derrière moi, celle-ci émet un gargouillis[2] de satisfaction. [...]

Pas d'interrupteur pour l'éclairage, mais des panneaux de contrôle sophistiqués. Pas de va-et-vient non plus, une télécommande doit permettre d'éteindre à distance. Une manipulation au petit bonheur la chance de ces outils peut entraîner des effets inattendus. Un réveil brutal en pleine nuit par exemple, toutes lumières allumées dans la chambre, un bip-bip strident en musique d'ambiance.

La machine à laver semble mieux disposée à mon égard. Il faut dire que toutes les instructions en coréen m'ont été traduites, la communication s'est donc dès le départ établie sur des bases saines : ainsi, à la fin de son cycle de travail, la machine chante pour moi une courte mélodie joyeuse et bucolique[3] qui sent bon la campagne et l'assouplissant à la lavande.

> **Rappel**
> The passive voice is formed with the direct object as subject of the auxiliary verb **être** in the tense of the sentence, followed by the past participle of the main verb. In this case the past participle acts as an adjective.

Donc, cette maison chante... et parfois me parle.

La première fois, un samedi matin à 9 heures : au milieu de mon petit déjeuner, encore embrumée* des

---

1. Officier : travailler, remplir une tâche de manière solennelle.
2. Gargouillis : petits bruits que fait un gaz ou un liquide dans l'estomac.
3. Bucolique : campagnard, rustique.

vapeurs du sommeil, je suis définitivement réveillée en sursaut par une voix masculine au milieu de ma cuisine ! Quelques secondes de frayeur, et puis...

Ça vient de là ! Il y a un haut-parleur dans mon salon !!! Et le monsieur continue son speech en coréen : est-ce qu'on me demande d'urgence au Management Office pour régler une facture impayée ? Est-ce une alerte incendie*? Un tremblement de terre ? Ah non, ça c'est réservé au Japon... alors ? Une attaque des Nord-Coréens ???

Le monsieur termine calmement son discours par un « Gamsahamnida » très poli. Le silence retombe. Pas d'affolement dans l'escalier... il ne s'agissait donc pas d'évacuer* l'immeuble.

Renseignements pris, ces annonces assez régulières concernent la visite de la dame du gaz, ou bien la possibilité de faire ausculter ses murs pour constater des mouvements éventuels dus au chantier*, ou encore, la présence du poissonnier ambulant au pied de l'immeuble tel jour à telle heure.

Des marchands ambulants dans cette ville ultra-moderne ? Eh oui, mais ceci est une autre histoire...

Source : LEMONDE.fr, *Chantier*. « Clins d'œil de Séoul ». 2006. http://agnesseoul.blog.lemonde.fr (29 mai 2013).

 Search words : maison qui chante, carte postale chantier

Langue vivante

A. A qui se réfère la narratrice quand elle évoque « cet étrange esprit » dans le premier paragraphe ?

B. Comment expliquez-vous l'expression « Etrange monopole... » dans le troisième paragraphe ?

C. D'après le contexte, comment comprenez-vous l'expression « Une manipulation au petit bonheur la chance de ces outils », dans le quatrième paragraphe ?
- Une manipulation peu fiable, au hasard.
- Une manipulation agréable.
- Une manipulation inutile.

D. « la possibilité de faire ausculter ses murs... » Que signifie cette phrase ? Normalement, quand et dans quel domaine emploie-t-on le verbe *ausculter* ?

---

8 Première partie

Lisez jusqu'à : « ...qui sent bon la campagne et l'assouplissant à la lavande ». Puis, répondez aux questions.

1. Lisez le premier paragraphe. Qu'apprend-on sur la narratrice ? Où vit-elle ?
2. Notez toutes les particularités technologiques de cette maison. Quelles sont-elles ?
3. Quelle est la fonction de deux des gadgets cités ?
4. Quels inconvénients semblent causer ces gadgets dans la vie quotidienne de la narratrice ? Justifier votre réponse par des exemples.
5. Quel objet semble satisfaire la narratrice ? Pourquoi ?
6. Quel titre proposez-vous pour cette première partie ?

9   Deuxième partie

Répondez aux questions de la deuxième partie.

1. Quel incident raconte la narratrice ? Quelle est sa première réaction ?
2. Comprend-elle ce qui se passe ? Quelles hypothèses fait-elle ? En réalité de quoi s'agit-il ?
3. Comment comprenez-vous la dernière question de la narratrice : « Des marchands ambulants dans cette ville ultra-moderne ? »
4. Quel titre proposeriez-vous pour cette deuxième partie ?

10   La personnification et le ton

Faites les activités suivantes.

A. Dans son texte, la narratrice personnifie les objets. Trouvez-en des exemples et faites correspondre la phrase à l'attitude d'une personne.

MODÈLE   **La porte s'ouvre... En se refermant derrière moi, celle-ci émet un gargouillis de satisfaction . / Une personne contente d'elle-même, heureuse d'avoir réalisé un bon travail...**

B. Quels tons sont employés dans ce document ? Faites correspondre un extrait du texte à chaque ton indiqué.

mélancolique	dramatique	alarmiste	ironique	joyeux
décontracté	horrifié	sarcastique	apeuré	moqueur

MODÈLE   **Apeuré : « Je suis définitivement réveillée en sursaut par une voix masculine au milieu de ma cuisine ! »**

C. Après la lecture de l'article, expliquez ce qui fait dire à la narratrice que sa *maison chante*.

COMPARAISONS

Dans votre pays, y a-t-il des maisons ou des appartements de ce type ? Quels éléments comportent-ils ? A quoi servent-ils ?

Comment l'Internet a changé ma vie…

Interpretive Communication : Print Texts

Introduction

Vous allez lire un blogue d'une jeune femme expatriée en France. Elle raconte comment l'Internet l'a aidée. Pouvez-vous imaginer les bienfaits de l'Internet dans un pays étranger ?

Pré-lecture

Comment l'Internet a-t-il changé la vie de l'auteur ?

Depuis que je suis en France, j'utilise beaucoup l'Internet, on va dire plus que jamais. Au départ, c'était pour la mode des e-mails, le chat room et la messagerie instantanée, puis j'ai découvert que je pouvais voir et parler avec ma famille en direct sans rien payer que l'abonnement ; ceci a changé ma vie et celle de mes parents, que par moments ne croyaient pas que la technologie pouvait faire ça. Mes parents étaient vraiment « nuls » en tout ce qui concerne l'ordinateur, mais je suis tombé enceinte de leur premier petit enfant et leur besoins, de voir mon ventre grandir et l'espoir de pouvoir suivre ma petite fille après l'accouchement a fait d'eux de vrais experts. Maintenant depuis plus de quatre ans, on se voit deux ou trois fois par semaine pour le bonheur de tous ; on a pris cette habitude pour ne pas priver mes parents de voir grandir ma petite fille. Elle est toujours ravie* de voir ses « papis » dans l'ordinateur même si elle sait qu'ils sont très loin. Pour moi aussi, c'est bien car j'ai moins le mal du pays et ça me rassure de voir qu'ils vont bien. A chaque fois que je suis sur le net, je réfléchis à l'impact de l'Internet sur la vie de tout le monde, car même si je sais que quelquefois il y a des choses très mauvaises comme la pornographie et l'information malhonnête, il y a aussi la possibilité de payer les factures, faire les courses et faire toute sorte de démarches sans sortir de chez soi. Est-ce que l'Internet a changé votre vie depuis que vous êtes en France ?
–Yeni

Source : LEMONDE.fr. *Tranches de vie Toulouse Ecoute*. « Comment Internet a changé ma vie… ». 2007. http://bioblogfle.blog.lemonde.fr (29 mai 2013).

 Search words : le monde blog

Langue vivante

A votre avis, que veulent dire les expressions suivantes ?

- « …j'ai moins le mal du pays »
- « Mes parents étaient vraiment ‹ nuls › ».

11 Ai-je compris ?

Répondez aux questions.

1. Quelles fonctionnalités d'Internet sont citées par l'auteur ?
2. Quelle fonctionnalité a particulièrement changé sa vie ?
3. Pourquoi l'auteur avait besoin d'Internet en France ?
4. Quelle est la fréquence de ses contacts avec sa famille ?
5. Est-ce que ses parents savaient bien se servir de la technologie ?
6. L'auteur parle des bénéfices de l'Internet, mentionne-t-elle des désavantages ? Si oui, lesquels ?

12 Pour aller plus loin

Répondez aux questions suivantes en citant le texte précisément.

1. Quel mot de vocabulaire l'auteur du blog utilise-t-elle pour qualifier les gens qui ne connaissent pas bien quelque chose ?
2. Comment l'Internet a-t-il particulièrement changé la vie de l'auteur ?
3. Comment l'auteur rend-elle visite à ses parents deux ou trois fois par semaine ?
4. Quelles sont les autres démarches qu'elle mentionne pouvoir faire de chez elle, sur l'Internet ?
5. Quel est un synonyme du mot « Internet » ?

Le Concours Lépine à la Foire de Paris

Interpretive Communication : Audio Texts

Introduction

Vous allez entendre une interview d'inventeurs amateurs de différents projets scientifiques qui se réunissent à la Foire de Paris une fois par an. Regardez le titre ; comment s'appelle cet événement ?

13 Question générale

Ecoutez une première fois le document. Cette année, les inventions scientifiques du concours Lépine se focalisent sur quoi ?

- l'énergie nucléaire et les médias audiovisuels
- les énergies vertes et l'écologie
- les transports et la recherche médicale

14   Les bons éléments

Faites les activités suivantes.

A. *Ecoutez une deuxième fois le document et mettez les éléments ci-dessous dans la case correcte du tableau. Attention, les réponses de la dernière colonne ne figurent pas dans la banque de mots, c'est à vous d'expliquer selon votre compréhension.*

Olivier Conan   un kit pour transformer des vélos basiques en vélos électriques
Eric Brodau   Ahmed Benherref   un économiseur d'eau intelligent   l'imprimante mojo

Nom de l'inventeur	Nom de l'invention	A quoi sert l'invention ?

B. *Répondez aux questions d'après l'enregistrement.*
1. La première invention, l'économiseur d'eau intelligent, permet d'économiser quel pourcentage d'eau ?
2. Quelle partie du corps peut-on utiliser pour la faire fonctionner ?
3. Pour la deuxième invention, le vélo électrique, quel élément fait fonctionner la fonction électrique ?
   A. un système de résine
   B. une assistance du pédalier
   C. un système de plateau à embrayage
4. Quels sont les inconvénients de l'imprimante mojo ?

Ensemble des documents

D'après les textes que vous avez lus et entendus, quelles inventions vout durer ?

?

Comment les progrès scientifiques et technologiques affectent-ils notre vies ?

La Francophonie : La maison du futur

En Belgique

Interpretive Communication : Print Texts

Introduction

Living Tomorrow est une exposition à Bruxelles, en Belgique, de maisons du futur. Elle présente des prototypes et des concepts futuristiques d'habitations high tech, pour développer au maximum le confort de l'habitant dans notre société moderne. Ce site web regroupe des informations sur l'exposition, ainsi que des sites qui décrivent les inventions performantes liées à l'habitation du futur. Parcourez le texte et cherchez quels attributs une maison futuriste pourrait avoir.

La maison du futur à Bruxelles.

Quel rôle l'électronique, les télécoms et la domotique* joueront-ils dans la maison, la vie quotidienne et le travail de demain ? *Living Tomorrow* à Vilvoorde, au nord de Bruxelles est une habitation en forme d'expo se veut un site exemplaire aux yeux des entrepreneurs innovants, ouvert au grand-public, pour à la fois permettre aux visiteurs d'éprouver* et de se projeter dans l'avenir avec une nouvelle qualité de vie dans l'habitat. *Living Tomorrow* présente notamment une cuisine avec tri* automatique des déchets, un système de récupération des eaux de pluie (déjà familier en Belgique). Au programme des curiosités de cette Digital Decade, 4 visites guidés thématiques dont le magasin du futur, la banque du futur et la maison du futur de plus en plus proche. La nouvelle expo durera jusqu'en 2012.

Living Tomorrow est un site interactif où les différentes évolutions sociales, économiques et technologiques sont attentivement observées avant d'être traduites dans ce complexe sous la forme d'applications à la fois réalistes et identifiables (80% des solutions présentées sont prêtes à être commercialisées, alors que 20% sont des visions de l'avenir).

La maison communicante par François-Xavier JEULAND
Confort, sécurité et loisirs numériques
« Que votre projet concerne une construction neuve* ou une rénovation, une maison ou un appartement, une habitation principale ou secondaire, cet ouvrage vous permettra de mettre en place des solutions innovantes pour centraliser les commandes

---

la domotique *home automation* ; **éprouver** *to feel* ; **le tri** *sélection* ; **neuf, neuve** *nouveau, nouvelle*

d'éclairage*, de chauffage*, d'automatisme, d'électroménager* ou de sécurité, assurer la gestion de l'installation à distance par téléphone ou par Internet et, en cas d'absence, être prévenu* de tout événement anormal. Vous pourrez également interconnecter télévision, home cinéma, vidéophone, chaînes hi-fi, caméras ou ordinateurs et déplacer à volonté* ces appareils* d'une pièce à l'autre sans le moindre souci de câblage. Au final, toutes ces solutions vous permettront de gagner en confort, en sécurité, de faire des économies d'énergie, de travailler plus efficacement à la maison et de bénéficier pleinement des loisirs numériques.

Si vous suivez la méthodologie proposée et respectez le type d'infrastructure préconisé dans l'ouvrage, votre habitation sera assurément plus confortable et plus facile à vivre. Vous disposerez* alors d'un habitat contemporain prêt à s'adapter à vos envies et aux besoins de demain. »

Habiter et vivre demain

Tout a commencé par l'inauguration de la première « Maison du futur » en 1995, le fruit d'une initiative privée qui a vu le jour* en 1991 sous le nom de « Living Tomorrow » et dont l'objectif était de mener une étude sur la façon dont on vivrait, habiterait et travaillerait demain. Les résultats de l'étude ont été complétés par une vision de l'avenir qui s'est traduite par un concept concret présenté au grand public sous le nom de « Maison et bureau du futur ».

La construction de la première « Maison du futur » a coûté 6 millions d'euros. Le projet couvrait 1.000 m² et a attiré, en cinq ans, 627.000 visiteurs. En 2000, la présentation a été suivie d'un second projet « Living Tomorrow » d'une superficie de 3.700 m² pour un coût de 14,5 millions d'euros, soit un investissement nettement* supérieur au premier. Baptisé « Maison et bureau du futur », ce projet a attiré vers l'Indringingsweg à Vilvoorde un million de visiteurs au cours de* la période de 2000 à 2005.

Dans le cadre de* « Living Tomorrow 3 », le troisième et dernier projet en date dans notre pays, les initiateurs ont misé* sur la rénovation de la deuxième « Maison du futur » et du deuxième « bureau du futur », qu'ils ont complétés par une nouvelle construction de façon à s'étendre* sur une surface totale de 4.500 m². La moitié de l'actuelle structure de « Living Tomorrow 2 » subit une rénovation approfondie. Un investissement total de 20 millions d'euros !

Source : HABITER AUTREMENT, « La maison du futur-Living Tomorrow ». 2013. www.habiter-autrement.org/ (29 mai 2013).

 Search words : maison du futur bruxelles, exposition living tomorrow

---

l'éclairage (m.) *lighting* ; **le chauffage** *heating* ; **l'électroménager (m.)** *household appliances* ; **prévenu (e) (prévenir)** *warned (to warn)* ; **à volonté** *as much as one wants* ; **un appareil** *apparatus* ; **disposerez de (disposer de)** aurez (avoir) ; **qui a vu le jour (voir le jour)** qui a commencé (commencer) ; **nettement** tout à fait ; **au cours de** pendant ; **dans le cadre de** à l'occasion de ; **ont misé (miser)** *bet (to bet)* ; **s'étendre** grandir

Lisez l'article et faites les activités.

A. *Répondez aux questions du premier paragraphe :*
 1. Où se situe l'exposition *Living Tomorrow* ?
 2. En quoi est-ce une exposition particulière ?
 3. Quelles innovations pratiques sont mentionnées dans ce paragraphe ?
 4. Est-ce que les projets présentés dans cette expo sont vendus sur le marché ?

B. *Lisez le deuxième paragraphe, puis faites une liste de toutes les choses qui sont innovatrices dans une telle habitation. Ensuite, avec un partenaire, donnez votre opinion sur chaque élément de votre liste.*

MODÈLE « On peut centraliser les conditions d'éclairage ».

Elève 1: C'est un progrès utile parce qu'on peut freiner les risques d'incendie causés par l'électricité.

Elève 2: Ce n'est pas très séduisant car on perd l'autonomie de régler les lumières soi-même.

C. *Lisez le troisième paragraphe.*
Relevez les années et les chiffres en euros pour déterminer le coût de ces expositions, puis discutez en groupes. A votre avis, combien de telles maisons coûteraient-elles aux particuliers ? Combien coûteraient-elles aux Etats ? Pensez-vous qu'il vaille la peine d'investir tant d'argent dans ces habitations futuristes ? Donnez des arguments convaincants.

Internet participe au bien-être du citoyen

Interpretive Communication : Print Texts

Introduction

Le texte suivant est une étude sur les bénéfices d'Internet dans la vie quotidienne des individus. Parcourez rapidement le texte. L'Internet accorde un bien-être aux gens dans quels domaines de la vie ?

En matière de performance et de développement, il existe des dimensions que les indicateurs économiques traditionnels peinent* à appréhender. Parmi ces bénéfices difficilement mesurables, certains sont pourtant favorisés par Internet. Notre analyse l'illustre à travers quelques exemples et faits.

En 2009, la Commission sur la mesure de la performance économique et du progrès social, [...]

---

peinent (peiner) ont (avoir) des difficultés

avait développé une réflexion sur « les moyens d'échapper à une approche trop quantitative, trop comptable de la mesure de nos performances collectives » et répertorié* notamment huit dimensions à prendre en considération pour évaluer le bien-être* de chacun : les conditions de vie matérielles, la santé, l'éducation, les activités personnelles, la participation à la vie politique, les liens et rapports sociaux, l'environnement et la sécurité. Par définition, ces dimensions sont difficilement quantifiables mais, en observant l'impact d'Internet sur quelques-unes d'entre-elles, on perçoit* aisément* comment, au quotidien, Internet a pu apporter une contribution positive au bien-être des individus.

Conditions de vie matérielles : Il s'est avéré* qu'Internet facilite, par exemple, la recherche d'un emploi. Selon une enquête réalisée en 2007, Internet s'est imposé comme l'outil privilégié pour trouver un emploi, près de 96% des personnes interrogées considérant Internet comme le moyen de recherche le plus efficace*. (...) Autre avantage : les employeurs bénéficient avec Internet de services performant pour mieux gérer leurs recrutements*, avec pour résultat de diviser par trois la durée moyenne d'un recrutement. Une plus grande fluidité dans la rencontre entre l'offre et la demande d'emploi constitue un exemple patent de la manière dont Internet peut améliorer les conditions de vie matérielles.

Santé : Internet facilite l'accès à l'information sur la santé par les patients, permet de gagner en efficacité dans le partage d'informations entre professionnels de santé, et de développer de nouveaux types de soins et de surveillance comme, par exemple, le suivi* de patients cardiaques à distance.

Education : La diffusion du savoir et de la performance des élèves peuvent être améliorées* grâce aux nouveaux modes d'enseignement autorisés par Internet, au niveau scolaire (création d'espaces numériques de travail destinés à l'ensemble des intervenants*, introduction de nouveaux outils de validation des acquis*) comme universitaire (nouveaux outils numériques de diffusion des connaissances pour en faciliter l'accès et développer l'enseignement à distance).

Vie quotidienne : La croissance rapide du nombre de smartphones permet de simplifier le quotidien de nombreux Français, par exemple via des applications de géo-localisation. Ainsi, 44% des utilisateurs de smartphones se connectent chaque jour et 55% d'entre eux utilisent des services de géo-localisation.

Liens et rapports sociaux : La forte augmentation du nombre de blogs et le développement exponentiel des réseaux sociaux permettent aux internautes aussi bien de participer davantage au débat politique que de rester connectés entre eux. Ainsi, 78% des internautes français se déclarent membre d'au moins un réseau social ; ceux-ci sont en moyenne membres de 2,9 réseaux, selon « l'Observatoire des réseaux sociaux » de l'Ifop[1].

Source : MCKINSEY&COMPANY. « Impact d'Internet sur l'économie française. Comment Internet transforme notre pays ». 2011, www.economie.gouv.fr (13 février 2013).

 Search words : internet et progrès social, observatoire du numérique, internet au quotidien

répertorié(e) *identified* ; **le bien-être** *well-being* ; **perçoit (percevoir)** reconnaît (reconnaître) ; **aisément** facilement ; **Il que (s'avérer)** *It turne turn out)* ; **efficace** *efficient* ; **un recrutement** *hire* ; **le suivi** *follow-up* ; **amélioré(e)** *improved* ; **un(e) intervenant(e)** un(e) participant(e) ; **acquis** *knowledge*

1. L'institut Français d'Opinion Publique (IFOP) est le premier et l'un des principaux instituts de sondages et d'études marketing en France et dans le monde.

Langue vivante

Retrouvez dans chaque paragraphe les verbes et les adjectifs qui mettent en valeur l'Internet.

> **MODÈLE** **Paragraphe 1: verbes : facilite / adjectif : efficace...**

16 Mesure de la performance économique et du progrès social

Lisez les deux premiers paragraphes et répondez aux questions.

1. Quelles dimensions la Commission sur la mesure de la performance économique et du progrès social a-t-elle choisies pour évaluer le bien-être des individus ?
2. Qu'est-ce que la Commission a constaté grâce à son étude ?

17 Internet et moi

Etes-vous d'accord avec ce qui est dit sur ce qu'Internet offre ? Comment utilisez-vous Internet dans vos études ? Ecrivez un paragraphe.

18 Répondez aux questions !

Troisième paragraphe
1. Quels sont les bénéfices d'Internet pour la recherche d'un emploi ?
2. Quels avantages les employeurs trouvent-ils avec Internet pour gérer leurs recrutements ?

Quatrième et cinquième paragraphes
3. Quels avantages peut-on trouver avec Internet dans le domaine de la santé ?
4. Quelles possibilités offre Internet pour... ?
   - les élèves des colleges / lycées
   - les étudiants universitaires

Sixième et septième paragraphes
5. D'après le texte, quel service les Français utilisent-ils sur leur smartphone pour faciliter leur vie quotidienne ?
6. Quels autres services utiliseraient les Français ?

> **MODÈLE** **Services météorologiques...**

L'ensemble du texte
7. Dans quels secteurs Internet a eu un effet positif ?

Communiquez !

Interpersonal Speaking : Discussion

L'Internet participe-t-il à votre bien-être ? Dans quels domaines vous facilite-t-il la vie ? A discuter en groupe !

COMPARAISONS

Une étude similaire à celle que vous venez de lire aurait-elle les mêmes résultats dans votre pays ? Justifiez votre réponse.

Discuter l'idée « La science fait progresser l'humanité »

Interpretive Communication : Print Texts

Introduction

Le texte suivant, qui commence par une citation d'Edgar Morin, est une réflexion sur les progrès scientifiques et technologiques, leur impact sur la vie quotidienne, et leur implication sur l'avenir. En parcourant l'article, quelle semble être l'opinion générale de l'auteur face aux progrès de la science ?

« Depuis trois siècles, la connaissance scientifique ne fait que prouver ses vertus de vérification et de découverte par rapport à tous autres modes de connaissance. [...] Et pourtant, cette science élucidante*, enrichissante, conquérante, triomphante, nous pose de plus en plus de graves* problèmes qui ont trait à* la connaissance qu'elle produit, à l'action qu'elle détermine, à la société qu'elle transforme ».

MORIN, Edgar. *Science avec conscience*, 1982.

« L'aventure scientifique, c'est fascinant ! Que de progrès techniques, quelle amélioration de notre niveau de vie ! La science, en augmentant les connaissances dont l'homme dispose*, accroît* sans cesse sa maîtrise sur son environnement, lui permettant d'utiliser son imagination pour améliorer sa condition, pour faciliter son quotidien ».

Pourquoi ce discours n'emporte-t-il pas une adhésion* unanime et ne convainc-t-il pas toujours ? Oui, la science, immédiatement ou à long terme, ouvre la porte vers de nombreuses applications intéressantes, dont nous imaginerions difficilement nous passer une fois qu'elles sont advenues* et qui sont donc, en un sens, facteur de progrès. Ainsi, les conditions de travail, la santé et l'hygiène, l'alimentation, etc. sont autant de domaines où les connaissances scientifiques peuvent permettre des améliorations de nos conditions de vie. [...]

élucidant(e) qui explique ; **grave** *serious* ; **ont trait (avoir trait) à** concernent (concerner) ; **dispose (disposer)** a (avoir) ; **accroît (accroître)** agrandit (agrandir) ; **une adhésion** *agreement* ; **advenu(e) (advenir)** créé(e) (créer)

Dans le cas particulier des sociétés occidentales* et européennes, de quoi parle-t-on plus particulièrement lorsque nous parlons de progrès scientifique ? Nous pouvons par exemple penser au progrès matériel, et en particulier à l'augmentation du bien-être de l'individu par une amélioration des possibilités techniques et industrielles. Nous avons aussi la possibilité de considérer le progrès des connaissances et le perfectionnement de la compréhension par l'homme de son environnement. Mais peut-on considérer l'un et l'autre séparément ?

Si l'on pense que la science est « une quête* désintéressée de connaissances, alors rien ne s'oppose *a priori* à son développement, puisque les savoirs seraient des facteurs d'émancipation, de meilleure compréhension de l'environnement, qui nous permettrait par exemple de mieux nous protéger de ses aléas*, ou de s'y adapter en les anticipant.

[...] Les sciences et les techniques actuelles ouvrent des perspectives particulièrement difficiles à prévoir ou à encadrer* comme c'est le cas des problèmes climatiques, du clonage, des xénogreffes, des nanotechnologies, de la manipulation du vivant.

[...] Il ne s'agit pas de s'opposer par principe au développement des technosciences, mais bien d'en mesurer les risques, avérés* ou probables, ainsi que toutes les implications, au cas par cas. La législation reste cependant nécessaire afin de partager des critères généraux pour décider de ce que l'on accepte ou non de développer, de produire, de commercialiser, mais aussi pour contrôler les avancées scientifiques et techniques. [...]

Nous serions ainsi actuellement dans une « société du risque », pour reprendre les mots d'Ulrich Beck, où l'on tente « de rendre prévisibles et contrôlables les effets imprévisibles de nos décisions sociétales ». Par conséquent, au-delà de la prise de conscience, il s'agit se donner les moyens de maîtriser et encadrer, en amont et en aval*, les potentialités offertes par les sciences et les techniques.

Dans ce contexte, les scientifiques, dont les moteurs intellectuels restent la compréhension et l'explication des phénomènes du monde qui les entoure ainsi que l'amélioration de notre quotidien, se trouvent confrontés à des responsabilités personnelles et collectives, qui émergent* au fil des* connaissances produites. Cette société du risque implique « une place nouvelle pour la responsabilité individuelle et collective, et vis-à-vis des générations futures, et une attention devenue vitale pour les questions environnementales et sanitaires ». Les scientifiques se doivent de les endosser* dès maintenant dans leur métier et de réinventer leur pratique pour que les résultats de leurs recherches puissent contribuer effectivement à un progrès de l'humanité.

—Mélodie Faury

Source : FAURY, Mélodie. « Discuter l'idée. La science fait progresser l'humanité ». 2011. http://infusoir.hypotheses.org (13 février 2013).

 Search words : science et technologie opinions

---

occidental(e) de l'Ouest ; **une quête** une recherche ; **les aléas (m.)** les problèmes ; **encadrer** contrôler ; **avéré(e)** révélé(e) ; **en amont et en aval** de haut en bas ; **émergent (émerger)** sortent (sortir) ; **au fil de** progressivement ; **endosser** prendre en charge

Langue vivante

Associez les définitions aux adjectifs dans le texte.

1. fait apprendre de nouvelles choses   A. triomphant(e)

2. rend clair   B. conquérant(e)

3. remporte une grande victoire   C. élucidant(e)

4. gagne, domine   D. enrichissant(e)

Sa perspective

Qu'est-que l'auteur suggère qu'on fasse pour gérer... les risques des avancées scientifiques dans notre société ?

Ma perspective

Etes-vous d'accord que les avancées technologiques demandent une plus grande responsabilité individuelle et collective ?

20   Une entrée en matière

Lisez la citation d'Edgar Morin. Dans cette phrase, deux idées semblent s'opposer. Lesquelles ? Relevez le mot qui marque cette opposition. Etes-vous d'accord avec ce que dit Edgar Morin ?

21 Ai-je compris ?

Répondez aux questions.

A. *Lisez le premier et le deuxième paragraphe.*
1. Qu'est-ce que la science peut promettre à l'homme de faire ?
2. Dans quels domaines la science a-t-elle amélioré le quotidien ?

MODÈLE **Les conditions de travail...**

3. Quel exemple pouvez-vous donner pour chaque secteur cité ?
B. *Lisez le troisième paragraphe.*
4. Quelles formes le progrès scientifique prend-il habituellement dans les sociétés occidentales ?
5. A votre avis, que veut dire l'auteur quand elle pose la question : « Mais peut-on considérer l'un et l'autre séparément ?»

22 Une question d'éthique

Lisez jusqu'à « mais aussi pour contrôler les avancées scientifiques et techniques » et répondez aux questions.

1. L'auteur est-elle tout à fait convaincue que la science fait progresser l'humanité ? Quel est son point de vue ? Quel temps grammatical utilisé nous permet de le comprendre ?
2. Pour l'auteur, certaines avancées de la science pourraient poser des problèmes dans le futur. Quels exemples donne-t-elle ?
3. Pour Mélodie Faury, à quoi doit-on avoir recours pour que les découvertes scientifiques soient réellement bénéfiques pour l'homme ? Partagez-vous son point de vue ? Justifiez votre réponse en donnant un exemple.

Ensemble des documents

Quels liens établissez-vous entre les différents documents que vous venez d'étudier ? Certains ont une vision plus positive sur le progrès que d'autres. De laquelle vous sentez-vous plus proche ?

23 Conclusion

Lisez les deux derniers paragraphes et répondez aux questions.
Comme Ulrich Beck, l'auteur affirme que nous sommes dans une « société du risque ».

1. Que faut-il faire, d'après l'auteur, pour éviter les risques ?
2. Quel message l'auteur donne-t-elle aux scientifiques ?

La culture de tous les jours

Lisez la bande dessinée. Ensuite, répondez aux questions.

24 Chris prendra-t-il le TGV ?

Regardez l'illustration, puis répondez aux questions.

1. Où sont Momo et Chris ?
2. Que fait Chris cette année ?
3. Qu'est-ce qu'il voudrait faire ce weekend ?

4. S'il prenait le TGV, où pourrait-il aller ?
5. A-t-il pris une décision sur sa destination ?

Structure de la langue

emcl.com
WB 14–16

Révision : Le futur

Formation

Le futur simple se construit sur la base de l'infinitif à laquelle on ajoute les terminaisons : **–ai, –as, –a, –ons, –ez, –ont.**

Pour les verbes dont l'infinitif se termine par « e », ce dernier disparaît.

> *Descendre : nous descendrons*
> *Rire : tu riras*

Le futur de certains verbes (irréguliers) comme *être, avoir, voir, faire, aller, pouvoir, savoir, devoir,* etc. ne se forme pas sur l'infinitif mais les terminaisons ne changent pas.

> *Etre : je **ser**ai*
> *Avoir : j'**aur**ai*
> *Voir : je **verr**ai*
> *Faire : je **fer**ai*
> *Aller : j'**ir**ai*
> *Pouvoir : je **pourr**ai*
> *Savoir : je **saur**ai*
> *Devoir : je **devr**ai*

Attention ! Ne confondez pas le futur et le conditionnel ! L'erreur se produit souvent pour la première personne du singulier :

> **Futur :** *je voyager**ai***   **Conditionnel :** *je voyager**ais***

Pour les différencier, voici une petite astuce : changez de sujet et vous saurez s'il s'agit d'un futur ou d'un conditionnel.

Exemple : Vous ne savez pas s'il faut mettre un « s » à « partirai » dans la phrase : « Demain, je partirai tôt ». Changer le sujet pour la 1ère personne du pluriel : « Demain, nous **partirons** tôt », il s'agit donc d'un futur !

Emploi

Le futur simple situe l'action après le moment où le locuteur parle.
Il est souvent accompagné d'une marque temporelle (*l'année prochaine, dans dix ans, en 2025…*).

> *L'année prochaine, j'**irai** passer mes vacances en Allemagne.*

Il s'emploie pour :
- **parler d'une action future :** *Le week-end prochain, nous irons à la plage.*
- **faire une prévision :** *En 2036, les robots remplaceront les professeurs.*
- **donner un ordre, des directives :** *Vous terminerez cet exercice pour lundi prochain.*

A savoir

Le futur proche, en comparaison avec le futur simple, indique une action imminente.
Parfois les deux temps sont employés dans une même phrase. Le futur simple est alors une conséquence du futur proche.

> *Tu vas prendre un bon bain et tu te sentiras beaucoup mieux.*

25 Prophéties

Lisez cette citation de Nostradamus et conjuguez les verbes au futur simple.

« Et les hommes qui (venir)... après moi (reconnaître)... le caractère véridique de ce que je dis, parce qu'ils (avoir)... vu que les différents événements prédits par moi se seront réalisés infailliblement.

Ils (savoir)... aussi ceux qui restent à accomplir, puisque je les ai indiqués avec clarté. Alors les intelligences (comprendre)... sous le ciel : mais seulement quand (approcher)... le temps où l'ignorance se dissipera, le sens de mes prédictions (être)... chaque fois plus clair ».

—Nosotradamus, 1555

26 Je me projette...

Complétez librement les phrases. Utilisez le futur simple ou le futur proche en fonction du contexte.

> **MODÈLE**   L'année prochaine je **partirai en France et j'étudierai à la Sorbonne.**
> Ne joue pas avec les allumettes, tu **vas te brûler.**

1. Aujourd'hui, je suis au lycée mais l'année prochaine, je...
2. Dans dix ans, je...
3. C'est décidé, aujourd'hui nous...
4. Ce soir, je reste chez moi car je suis trop fatigué mais demain, je...
5. En ce moment, je n'ai pas beaucoup d'amis mais quand je serai à l'université, je...
6. J'attendais ce moment depuis si longtemps ! Dans 10 minutes, je...
7. Actuellement je n'étudie que le français mais un jour, je...
8. Attention ! Si tu marches sur ce sol glissant, tu....

27 Futur simple, proche ou conditionnel ?

Choisissez entre le futur simple, le futur proche et le conditionnel.

1. Je (venir) sûrement demain. Cela dépend de mes parents. S'ils m'autorisent à venir chez toi, alors j'y (être) vers 18 h.
2. Demain, ne sors pas en mer ! La météo dit qu'il (y avoir) beaucoup de vent. Je pense qu'il (pouvoir) même y avoir une tempête. Promets-moi de ne pas y aller !
3. D'après nos sources, le tremblement de terre enregistré à Lima (être) de forte magnitude. Dans quelques instants, nos équipes (se rendre) sur place. En attendant, restez avec nous sur *Canal 1* et vous (savoir) tout sur l'actualité internationale.
4. Je (étudier) tous les jours pour mon baccalauréat et je (obtenir) une bonne note.
5. Bonjour à tous, je vous (présenter) mes idées sur les prochaines inventions : dans le futur, les hommes (pouvoir) se comprendre dans toutes les langues, grâce à un casque traducteur. Nous (se déplacer) d'un coin à l'autre de la Terre sans polluer et les ordinateurs (avoir) la taille d'une pièce de monnaie !

Le futur antérieur

emcl.com
WB 17–18

Formation

Le futur antérieur est un temps composé. Il se construit de la manière suivante : **auxiliaire « être »
ou « avoir »** <u>au futur simple</u> + **participe passé**.

> *J'aurai fini* mes devoirs avant de sortir.
> Quand nous **serons rentrés**, je regarderai un film.

Au futur antérieur, comme dans les autres temps composés (passé composé et plus-que-parfait), le
participe passé s'accorde en genre et en nombre avec le sujet lorsque l'auxiliaire est le verbe *être*.

> *Elles* **seront épuisées** avant d'arriver au troisième kilomètre !

Emploi

Le futur antérieur indique qu'une action aura lieu avant une autre action dans le futur.

> *Quand tu* **auras terminé** *ta conversation téléphonique, j'appellerai grand-mère* (tu termines
> d'abord ta conversation et puis j'appelle grand-mère).

---

28 Quand j'aurai... je serai !

Complétez les phrases en conjuguant les verbes au futur antérieur.

MODÈLE Quand la pluie (cesser) **aura cessé**, nous ferons une promenade.

1. Quand je (terminer) mes études, je partirai un an en France.
2. Quand tu (rentrer), je te préparerai à manger.
3. Quand tu (arriver), appelle-moi.
4. Quand nous (finir), nous serons en vacances.
5. Quand les richesses naturelles (disparaître), la Terre deviendra un désert.
6. Quand tu (réussir) ton baccalauréat, nous ferons un grand voyage en Europe.
7. Quand les astronautes (aller) sur Uranus, notre système solaire n'aura plus de secrets
   pour eux.
8. Quand les sœurs jumelles (se reconnaître), ce sera la fin de la série.

---

29 Chaque chose en son temps...

Transformez les phrases comme dans l'exemple.

MODÈLE A. Je vais <u>regarder</u> ce film. / B. Je vais <u>me coucher</u>.
Je me coucherai quand j'aurai regardé ce film.

1A. Je vais <u>réviser</u> mon contrôle. / 1B. Je vais <u>sortir</u> avec mes amis.
2A. Nous allons <u>sortir</u> du lycée. / 2B. Nous allons <u>aller</u> à la plage.
3A. Vous allez <u>perdre</u> du poids. / 3B. Vous allez <u>manger</u> une glace.
4A. Je vais <u>ranger</u> ma chambre. / 4B. Mes amis vont <u>venir</u> chez moi.
5A. Natacha va <u>quitter</u> son petit ami. / 5B. Natacha va <u>sortir</u> avec moi.
6A. Vous allez <u>faire</u> l'inscription à la bibliothèque. / 6B. Vous allez <u>pouvoir</u> emprunter des livres.

30 Dans le futur...

Transformez les phrases comme dans l'exemple.

MODÈLE On découvrira une nouvelle énergie. / On voyagera à la vitesse de la lumière.
Quand on aura découvert une nouvelle énergie, on voyagera à la vitesse de la lumière.

1. Les hommes prendront conscience de leur responsabilité. / La pollution diminuera.
2. On s'éloignera de la technologie. / On vivra d'une façon plus naturelle.
3. Les réserves de pétrole s'épuiseront. / On utilisera uniquement les énergies renouvelables.
4. Les satellites se multiplieront. / Il y aura plus de risques d'accidents.
5. On découvrira de nouvelles galaxies. / On rencontrera des extraterrestres.
6. Le niveau de la mer montera. / Les îles disparaîtront.
7. Le tourisme spatial se développera. / Nous passerons nos vacances sur Jupiter.
8. Le soleil s'éteindra. / Ce sera la fin du monde.

A vous la parole

Comment les progrès scientifiques et technologiques affectent-ils notre vie ?

31 **Vivre sans Internet**

Interpretive Communication : Print Texts

Des jeunes francophones ont répondu à la question : « Pourriez-vous vivre sans Internet ? »
Lisez leurs témoignages suivants et faites les activités.

1. *Johan (France):* On devrait tous apprendre à vivre deux semaines sans aucune technologie. Pas de téléphone, pas d'ordinateur, pas de télévision. Ça serait dur, mais ça permettrait de revenir aux choses essentielles.

2. *Léa (Québec):* Moi, sans Internet, je ne pourrais pas vivre ! L'hiver dernier, il y a eu une tempête dans mon village. On n'a pas eu l'électricité pendant 2 jours. Je n'avais pas Internet, j'étais seule, coupée du monde, c'était horrible !

3. *Keshia (Sénégal):* On serait habitués à vivre sans si ça n'existait pas. Par contre, maintenant qu'on y a goûté, on peut plus s'en passer. L'Internet est une drogue.

4. *Camille (La Réunion):* On lirait pour se cultiver, on irait voir des gens, on ferait travailler notre imagination. Je suis sûre qu'on trouverait beaucoup plus d'informations si on éteignait les écrans !

5. *Stéphane (Belgique):* Maintenant que j'ai connu Internet, je ne peux plus vivre sans. Je trouve ça dommage que ça ne soit pas un thème plus abordé dans les films, la musique ou l'art, car c'est pour moi la plus belle des inventions.

6. *Hugo (Suisse):* Vivre sans Internet ? On s'y fait probablement en une semaine (ou moins). Les êtres humains, on s'est toujours adaptés, non ?

7. *Amélie (France):* J'entends beaucoup de gens critiquer l'Internet. Moi, je trouve que c'est une invention vraiment géniale ! Grâce à l'Internet, j'ai rencontré de nouvelles personnes, je communique tous les jours avec mes amis, même s'ils sont loin, je m'amuse, je m'instruis…

8. *Thomas (Monaco):* Je n'ai jamais vécu sans Internet, c'est difficile d'imaginer que ça n'a pas existé ! Franchement, je ne sais pas comment faisaient mes parents…

A. *Classez les interventions dans le tableau par prénom.*

Vision positive	Vision négative	Ni l'un, ni l'autre

B. *Résumez l'avis de chaque intervenant en une phrase.*

MODÈLE   **1. Johan : Il serait positif d'apprendre à vivre sans les technologies.**

C. *En groupe, répondez à la question posée dans le dernier témoignage : « Comment mes parents faisaient... ». Avant l'Internet comment faisait-on pour...*
- avoir des nouvelles de ses amis ?
- faire des recherches pour un exposé ?
- planifier un voyage ?

D. *Et vous ? Dites comment imaginez-vous votre vie sans Internet . Comment combleriez-vous vos soirées ? Vos moments libres ?*

Communiquez !

32 Comment la technologie peut sauver la planète ?

Presentational Speaking : Oral Presentation

*Par groupe de trois ou quatre, vous préparez pour la classe exposé sur le thème :
« Comment la technologie peut-elle sauver notre planète ? »*

Outils

Pour réaliser votre exposé, vous pouvez :
- vous renseigner sur les inventions technologiques et scientifiques utiles pour l'écologie ;
- réaliser une présentation sur ordinateur ;
- ajouter à votre présentation des documents (textes, graphiques, images, vidéo, etc.) ainsi que des exemples concrets et pertinents.

Devant la classe, défendez les projets technologiques et scientifiques que vous avez choisis. Soyez clairs et convaincants pour captiver votre auditoire !

Communiquez !

33 Dialogue guidé

Interpersonal Speaking : Conversation

Vous discutez avec une amie l'intérêt des technologies dans notre quotidien. Votre conversation doit suivre le canevas qui vous est donné ci-dessous. Vous allez entendre les répliques de votre amie et vous réagirez comme le canevas l'indique.

–**Vous souhaitez vivre loin de toute technologie pendant quelque temps.**

–Votre amie est choquée.

–**Vous donnez les raisons principales.**

–Elle émet une réserve sur la possibilité de réaliser votre souhait au quotidien.

–**Vous expliquez point par point comment vous allez procéder à ce changement.**

–Elle vous demande si vous connaissez quelqu'un qui a déjà fait cette expérience.

–**Vous donnez l'exemple d'un ami pour prouver que ce mode de vie est possible.**

 **Communiquez!**

34 Conséquences positives et négatives d'une invention

Presentational Writing : Persuasive Essay

Choisissez une des inventions suivantes et dites les conséquences positives ou négatives qu'elle engendre dans notre société.

- Lunettes *Google* à réalité augmentée
- La dent téléphonique
- Les vêtements en spray
- Les voitures à énergie solaire
- Les autoroutes automatiques
- La machine à voyager dans le temps
- L'intelligence artificielle

A. *Faites d'abord une liste des points positifs et négatifs d'une option.*

MODÈLE

Les lunettes Google à réalité augmentée	Conséquences positives :
	• informations utiles en permanence ; • être toujours connecté ; • aide à anticiper les imprévus.
	Conséquences négatives :
	• rend dépendant ; • détourne l'attention, empêche la concentration ; • manipulation en permanence (publicité etc.) ; • pollution visuelle

B. *Faites des recherches en ligne sur l'option que vous avez choisie.*

C. *Rédigez votre essai. N'oubliez pas d'introduire votre thème ; d'inclure des chiffres, statistiques ou citations ; et de faire une conclusion.*

Lectures thématiques

Lecture
1

Ravage
Interpretive Communication : Print Texts

Rencontre avec l'auteur

René Barjavel (1911–1985), écrivain et journaliste français, est principalement connu pour ses romans d'anticipation où science-fiction et fantastique expriment l'angoisse ressentie devant une technologie que l'homme ne maîtrise plus. Certains thèmes y reviennent fréquemment : chute de la civilisation causée par les excès de la science et la folie de la guerre, caractère éternel et indestructible de l'amour. Quelle est sa vision de l'avenir ?

René Barjavel.

Pré-lecture

Le livre s'intitule *Ravage*. Qu'est-ce que ce titre vous suggère ? Le livre va parler de quelque chose de positif ou de négatif ? Sur quel sujet ? Faites des hypothèses.

Ravage par René Barjavel

François Deschamps soupira* d'aise et déplia* ses longues jambes sous la table.

Pour franchir* les deux cents kilomètres qui le séparaient de Marseille, il avait traîné* plus d'une heure sur une voie* secondaire et supporté l'ardeur du soleil dans le wagon tout acier* d'un antique convoi* rampant*. Il goûtait maintenant la fraîcheur de la buvette[1] de la gare Saint-Charles. Le long des murs, derrière des parois* transparentes, coulaient des rideaux d'eau sombre et glacée. Des vibreurs corpusculaires* entretenaient dans la salle des parfums alternés de la menthe et du citron. Aux fenêtres, des nappes d'ondes filtrantes* retenaient une partie de la lumière du jour. Dans la pénombre*, les consommateurs parlaient peu, parlaient bas, engourdis* par un bien-être que toute phrase prononcée trop fort eût troublé.

Au plafond, le tableau lumineux indiquait, en teintes discrètes, les heures des départs. Pour Paris, des automotrices* partaient toutes les cinq minutes. François savait qu'il lui faudrait à peine plus d'une

> **Rappel**
> Le passé simple est un temps littéraire. Les verbes en **–er** se terminent en : **–ai, –as, –a, –âmes, –âtes, –èrent**. Connaissez-vous les terminaisons du passé simple pour les verbes en **–ir** et **–re** ?

> **Pendant la lecture**
> 1. Où se trouve le protagoniste ?

> **Pendant la lecture**
> 2. Comment est l'atmosphère de cet endroit ?

> **Pendant la lecture**
> 3. Quel moyen de transport utilisent les voyageurs ? Sont-ils rapides ?

---

soupira (soupirer) *sighed (to sigh)* ; **déplia (déplier)** *unfolded (to unfold)* ; **franchir** *to cross* ; **avait traîné** *had dragged himself* ; **une voie** *track* ; **l'acier (m.)** *steel* ; **un convoi** plusieurs trains ; **rampant(e)** qui va lentement ; **la paroi** *partition* ; **des vibreurs (m.) corpusculaires** *vibrators emitting particules* ; **des ondes (f.) filtrantes** *filtering waves* ; **la pénombre** *shadow* ; **engourdi(e)** faible de fatigue ; **une automotrice** un train

1. Buvette : petit bar.

heure pour atteindre la capitale. Il avait bien le temps. En face de lui, la caissière, les yeux mi-clos, poursuivait son rêve. Sur chaque table, un robinet, un cadran* semblable à celui de l'ancien téléphone automatique, une fente pour recevoir la monnaie, un distributeur de gobelets* de plastec[2], et un orifice pneumatique qui les absorbait après usage, remplaçaient les anciens « garçons ». Personne ne troublait la quiétude[3] des consommateurs et ne mettait de doigt dans leur verre.

Cependant, pour éviter que les salles de café ne prissent* un air de maisons abandonnées, pour leur conserver une âme, les limonadiers[4] avaient gardé les caissières. Juchées* sur leurs hautes caisses vides, elles n'encaissaient* plus rien. Elles ne parlaient pas. Elles bougeaient peu. Elles n'avaient rien à faire. Elles étaient présentes. Elles engraissaient*. Celle que regardait François Deschamps était blonde et rose. Elle avait ces traits reposés et cet âge indéfini des femmes à qui les satisfactions de l'amour conservent longtemps la trentaine. Elle dormait presque et souriait. D'un cache-pot* de cuivre posé sur la caisse sortait une plante verte ornée d'un ruban grenat[5] éteint. Les feuilles luisantes* encadraient*, de leur propre immobilité, l'immobilité de son visage. Au-dessus d'elle, au bout d'un fil*, se balançait imperceptiblement le cadran d'une horloge perpétuelle. Les chiffres lumineux touchaient ses cheveux d'un reflet vert d'eau, et rappelaient aux voyageurs distraits que cette journée du 3 juin 2052 approchait de sept heures du soir, et que la lune allait changer.

Pendant la lecture
4. Qu'est-ce que la technologie a remplacé ?

Pendant la lecture
5. A quoi ressemblent les caissières ?

Pendant la lecture
6. Quelle interaction François a-t-il avec la caissière ?

Pendant la lecture
7. Comment sont les plantes ?

Pendant la lecture
8. Quelle est la date ?

Source : BARJAVEL, René. *Ravage*. Paris : Edition Libre et Universelle-Epinac, 2013.

---

un gobelet un verre ; **juché(e)** assis(e) ; **encaissaient (encaisser)** *cashed out (to cash out)* ; **engraissaient (engraisser)** *got fat (to get fat)* ; **un cache-pot** *pot holder* ; **luisant(e)** *shiny* ; **encadraient(encadrer)** *framed (to frame)* ; **un fil** *thread*

2. Plastec : nom imaginé par Barjavel pour définir le plastique du futur.
3. Quiétude : bien-être, sérénité.
4. Limonadiers : gérant des cafétérias.
5. Grenat : de couleur rouge sombre.

Langue vivante

Dans la phrase suivante : « pour éviter que les salles de café ne prissent un air de maisons... », le verbe est au passé simple du subjonctif, introduite par l'expression **pour que**. Pouvez-vous retrouver l'infinitif de ce verbe ?

Savez-vous...?
Aujourd'hui, le TGV va jusqu'à 320 km/h et met trois heures pour aller de Paris à Marseille.

35 Compréhension du texte

A. *Lisez le premier paragraphe.*

1. Quels mots et expressions donnent une impression de bien-être tout au long de ce paragraphe ?

> **MODÈLE** **Soupira d'aise...**

2. Relevez quelle durée est nécessaire pour aller de Marseille à Paris. Cela vous semble-t-il long ? A votre avis, en 1943, combien de temps fallait-il pour faire ce trajet ? Et aujourd'hui en TGV ?

3. Quelles sont les inventions technologiques citées et leurs éventuelles utilités ?

> **MODÈLE** **Des vibreurs corpusculaires / Action : parfumer l'atmosphère...**

B. *Lisez le deuxième paragraphe.*

4. Quel(s) adjectif(s) donneriez-vous pour décrire ce lieu ?

5. De quelle invention parle-t-on dans cette partie ? Qu'est-ce qu'elle apporte aux consommateurs ?

C. *Lisez la fin du texte.*

6 Pour quelle raison les caissières n'ont pas été remplacées par des machines ?

7. Comment semblent-elles vivre leur quotidien ?

8. Quelle métaphore est faite entre la plante et la caissière ? Quelle impression cela donne-t-il ?

9. Quelle information révèle la dernière phrase ? Quel rapport pouvez-vous faire entre cette information et le titre du chapitre ? Faites des hypothèses.

36 Activités d'expansion

Faites les activités suivantes.

1. Imaginez que vous êtes illustrateur de romans. Dessinez une scène basée sur une description de Barjavel.

2. En groupes, écrivez un paragraphe pour décrire le monde tel que vous l'imaginez en l'an 2095. Choisissez un endroit public et utilisez votre imagination. Essayez d'utiliser beaucoup d'adjectifs, d'images et de métaphores, comme Barjavel.

Faisons le point !

A. *Pour retrouver les principales idées développées au cours de la leçon,
notez dans votre cahier un ou deux exemple(s) en face de chacun
des points de repère qui vous sont proposés. Reportez-vous à tous les
documents de la leçon (écrits journalistiques, témoignages, analyses,
textes littéraires).*

Question centrale

?

Comment les progrès
scientifiques et
technologiques
affectent-ils
notre
vie ?

L'avenir de la technologie	Notes
Les inventions scientifiques et technologiques	
Le rapport que l'Homme entretient avec la technologie	
• L'impact d'Internet dans notre quotidien	
• Le bien-être de l'homme	
La projection vers l'avenir	
• La maison du futur	
• Les inventions	

B. *Discutez en groupes. Que répondriez-vous à la question posée au début
de l'unité : En quoi les changements scientifiques et technologiques
affectent-ils nos vies ? Sont-ils toujours facteurs de progrès ?*

Vocabulaire actif

emcl.com
WB 1–8

Les choix moraux

Question centrale

?

Quels débats les progrès scientifiques suscitent-ils dans les sociétés d'aujourd'hui ?

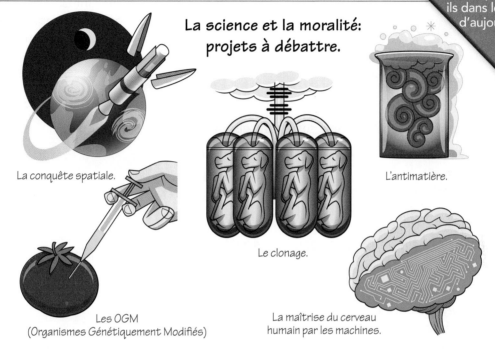

La science et la moralité: projets à débattre.

La conquête spatiale.

L'antimatière.

Le clonage.

Les OGM
(Organismes Génétiquement Modifiés)

La maîtrise du cerveau humain par les machines.

Définition

La science peut se définir comme une activité qui consiste à étudier et analyser les lois qui régissent des phénomènes naturels. La science peut également être un ensemble de connaissances acquises. On retrouvera dans ce sens les synonymes : **bagage**, **compétence**, **connaissance**, **expérience**, **instruction**, **savoir**.

Métiers et secteurs scientifiques

Les sciences sont présentes dans de nombreux secteurs qu'ils soient industriels, technologiques, médicaux, éducatifs. Les métiers scientifiques sont, par exemple, **mathématicien**, **physicien**, **chimiste**, **biologiste**, **océanologue**, **volcanologue**, **astronome**, mais aussi **chercheur**, **ingénieur graphiste**, **informaticien**, **technicien de laboratoire**, **enseignant scientifique**, **journaliste spécialisé**, etc.

Des espérances aux résultats

Les progrès scientifiques peuvent être : **prometteurs**, **inespérés**, **insolites**…
Ils exigent souvent des coûts **colossaux**, **extravagants**, **pharamineux**…
Les résultats de ces recherches peuvent être : **surprenants**, **remarquables**, **fabuleux**, **épouvantables**, **décevants**, **banals**, **abracadabrants**, **prodigieux**, **surnaturels**, **terribles**, **ordinaires**…

Ethique

Les progrès de la science soulèvent des questions **éthiques** et morales : **la déontologie** dans les métiers scientifiques aborde la question de **l'honnêteté**, de **la loyauté**, de **la moralité**, de **la probité**, de **la décence**, de **l'intégrité** et de **la droiture** dans les pratiques.

Ces questions font l'objet de nombreux débats et controverses, causant souvent de la contestation, de **l'effarement**, **des querelles**, de **la colère**, de **l'angoisse** ou encore de **la consternation**.

Pour la conversation

How do I say what I resorted to ?

> **J'ai fait appel à** une mère porteuse.

  I resorted to a surrogate.

How do I express what happened while something else was going on ?

> Le 30 mai, **alors que j'étais** hospitalisée, j'ai reçu une lettre...

  On May 30th, while I was hospitalized, I received a letter...

How do I indicate I have an opposite point of view ?

> Les OGM ne sont pas une solution au problème de la faim...
> **Au contraire...**

  Genetically modified crops aren't the solution to hunger...
  On the contrary...

COMPARAISONS

En français on dit « avoir la science infuse » pour parler de quelqu'un qui connaît beaucoup de choses sans avoir étudié. Comment diriez-vous cele dans votre langue ?

---

1 Du savoir au savoir-faire

Complétez les phrases avec les mots de la liste.

bagage	compétences	connaissances	expériences	instruction	savoir

1. J'ai reçu une... purement scientifique à l'Ecole Supérieure de Mathématiques Appliquées.
2. Ces études m'ont donné un solide... intellectuel.
3. Dans ma carrière, j'ai réalisé de nombreuses... scientifiques.
4. Grâce à ces expériences, je sais faire plus de choses aujourd'hui ; elles m'ont permis de développer de nouvelles....
5. Mes... en mathématiques me sont utiles tous les jours.
6. Mais le... n'est pas définitivement acquis, il faut toujours s'informer et chercher à en apprendre davantage.

Science, où es-tu ?

La science est partout à des degrés différents. On est en droit de penser, par exemple, qu'un cuisinier devient scientifique quand il fait des expérimentations, qu'un garagiste est avant tout un technicien mais qu'il utilise en permanence des procédés scientifiques pour faire fonctionner les moteurs, les bougies, les batteries, etc. Dites si ces métiers sont ou ne sont pas scientifiques. Donnez votre opinion et justifiez votre réponse.

MODÈLE **Astrologue : Ce n'est pas un métier scientifique car l'astrologie n'est pas une vraie science.**

> sage-femme   pianiste   banquier   garagiste   serveur
> cuisinier   comptable   ouvrier   agricole

3 **Progrès scientifiques**

Faites les activités.

A. *Placez librement un ou plusieurs adjectifs de la liste suivante pour caractériser chaque projet scientifique : la conquête spatiale, l'antimatière, le clonage, les OGM et la maîtrise du cerveau humain par les machines.*

> surprenant   remarquable   fabuleux   épouvantable   décevant   banal
> abracadabrant   prodigieux   surnaturel   terrible   ordinaire

B. *Lisez ces commentaires. Reliez-les à un des projets scientifiques présentés dans la leçon. Puis, indiquez le ton de chaque commentaire en vous servant d'un adjectif.*

Quelle horreur ! Notre liberté de penser est ce que nous possédons de plus cher. Mais où va le monde ? J'ai peur pour les générations futures.
    –Françoise (France)

Je refuse de consommer ces produits. Leur production massive constitue une menace pour notre santé et pour l'environnement.
    –Rémi (France)

Ces recherches sont dangereuses pour l'avenir de l'humanité. Imaginez que l'on transforme cette énergie en arme de destruction massive. Je suis effarée de constater à quel point l'Homme re-produit constamment les mêmes erreurs !
    –Chloé (Guadeloupe)

Je peux comprendre ce désir de découvrir de nouveaux horizons, mais quand je vois les sommes pharamineuses qui sont dépensées dans ces projets alors que tellement de gens meurent de faim dans le monde, ça me met hors de moi !
    –Marc (Belgique)

Je n'arrive pas à y croire... on se croirait dans un livre de science-fiction ! En tout cas, le jour où ça sera possible avec des humains, ce sera un grand pas pour la médecine.
    –Amélie (Québec)

4 Choix moraux

Dites quels problèmes éthiques soulèvent chacun des projets illustrés en haut de la page 473. Comparez vos réponses et faites une liste en groupe.

MODÈLE **La maîtrise du cerveau humain soulève des questions éthiques concernant notre liberté de penser et notre dépendance aux nouvelles technologies.**

5 Jeu de l'éthique

Participez à ce jeu en suivant les étapes suivantes.

A. *Vous créez deux équipes et vous choisissez dans chacune d'elle un projet scientifique.*

MODÈLE **Une lotion pour la jeunesse éternelle.**

B. *Le match commence ! Vous présentez votre projet à l'équipe adverse.*

MODÈLE **L'équipe A : Nous avons trouvé une lotion pour la jeunesse éternelle.**

L'équipe B : C'est épouvantable ! Vous imaginez les conséquences de votre invention pour la surpopulation ?

L'équipe A se défend : Ce n'est pas un problème, nous irons bientôt vivre sur une autre planète.

C. *Deuxième tour. L'équipe B explique son projet et l'équipe A réagit.*
D. *Les deux équipes font la liste des conséquences positives et négatives de leur projet.*

6 Au contraire !

Réfutez les opinions ci-dessous. Suivez le modèle.

MODÈLE Les OGM sont une solution au problème de la faim dans le monde.
Au contraire, les OGM maintiennent les paysans dans une dépendance économique, en les obligeant à racheter chaque année les semences.

1. Les robots améliorent nos conditions de vie.
2. La maîtrise du cerveau humain par les machines représente de vrais progrès scientifiques.
3. Le clonage sera une réponse à l'infertilité.
4. La conquête spatiale nous donnera une solution pour la surpopulation.
5. L'antimatière sera une ressource sans danger pour l'avenir de l'humanité.

7 **Questions personnelles**

Répondez aux questions.

1. As-tu des connaissances scientifiques ? Si oui, dans quelles matières ?
2. Que penses-tu d'une carrière comme océanologue ? physicien ? ingénieur ?
3. Quelle découverte scientifique a aidé quelqu'un de malade dans ta famille ou parmi tes connaissances ?
4. Les coûts de ce traitement étaient-ils colossaux ?
5. Pour quelles recherches médicales voudrais-tu que le gouvernement dépense plus d'argent ?
6. Crois-tu que la théorie de l'évolution soit toujours un sujet à controverse ? Pourquoi ?

Narratives

Témoignage : Mes enfants sont nés d'une mère porteuse.

Quels débats les progrès scientifiques suscitent-ils dans les sociétés d'aujourd'hui ?

Narrative 1

Interpretive Communication : Print Texts

Introduction

Une femme française ne pouvait pas concevoir, et elle voulait être maman. Avec l'aide d'une mère porteuse, ses enfants sont nés, avec des résultats inattendus. Qu'est-ce que la France n'accepte pas en ce qui concerne la conception ?

Pré-lecture

Anticipez-vous un article abstrait ou personnel ? Pourquoi ?

Suite à une longue période de souffrance et de craintes due à un cancer de l'utérus qui l'a laissée infertile, ma femme ne voulait perdre son rêve d'avoir un enfant. Nous avons fait appel aux services d'une mère porteuse (gestationnelle) aux Etats-Unis. Maintenant nous sommes parents de Gaëlle et Alec, des jumeaux dzigotes (faux jumeaux), qui nous ressemblent physiquement et de caractère. Pourtant, notre retour en France nous a valu plusieurs embuches avec le système judiciaire. Nous avons été poursuivis dans un vrai parcours du combattant. Enfin, nous avons obtenu un « non-lieu » en 2008, ce qui nous a permis de respirer un peu.

Depuis cinq années, nous somme entre ciel et terre, comblés par la joie d'être parents, protecteurs et responsables d'êtres purs et qui se tournent à nous pour découvrir la vie, et malheureux aussi par la réalité d'un système judiciaire qui complique la vie. Nous craignons que la France qui refuse d'accepter Gaëlle et Alec comme nos enfants légitimes leur créent des difficultés d'identité. Aussi, nous avons décidé de monter une association.

De nombreux couples font appel à des mères gestatrices, ce mode de procréation est un système que beaucoup de personnes jugent éthique, et dans notre cas il nous a donné une nouvelle vie après avoir vécu l'enfer de la maladie. Toutefois la Justice française est trop archaïque, aussi nous militons pour la légalisation de la gestation pour autrui. Nous nous battons pour d'autres couples qui pourraient subir les mêmes difficultés, et pour nos enfants afin qu'ils ne souffrent pas des erreurs du système.

–Jean-Luc

> **Rappel**
>
> Vous savez que *monter* veut dire « to go up » et que le verbe prend « être » dans ce sens au passé composé. Mais ici *monter* veut dire plutôt « to launch » et dans ce sens il prend « avoir » au passé composé. Comment diriez-vous : « I launched a new scientific project ? »

Citation

Jean-Luc dit : « ce mode de procréation est un système que beaucoup de personnes jugent éthique ». C'est légal dans votre pays ? Pourquoi, ou pourquoi pas ?

Langue vivante

A. Que signifie un « parcours du combattant » ?
- Un stage obligatoire pour les mères porteuses.
- Un parcours avec beaucoup de difficultés à surmonter.
- Un programme pour apprendre à se défendre.

B. Relisez la première phrase du deuxième paragraphe et expliquez l'expression « entre ciel et terre ».

8 Malheur et détermination

Répondez aux questions.

A. *Lisez le premier paragraphe.*
  1. Le narrateur exprime deux sentiments contradictoires. Lesquels ?
  2. Pourquoi leur bonheur a-t-il été de courte durée ?

B. *Lisez le deuxième paragraphe.*
  3. Pourquoi le narrateur est-il malheureux ? Que craint-il pour ses enfants ?
  4. Quelle action a-t-il menée pour faire face à ce problème ?

C. *Lisez la fin du témoignage.*
  5. Quels sentiments sont exprimés dans ce paragraphe ? Citez des passages du texte pour justifier vos réponses.

9 Une question de moralité : jusqu'où la maternité et la paternité ?

Interpersonal Speaking : Debate

Avoir un enfant est-il une question de droit humain ? Partagez votre point de vue en présentant des arguments pour le soutenir.

Témoignage : « Bébés éprouvettes »

Interpretive Communication : Print Texts

Introduction

Vous allez lire l'histoire d'une jeune fille qui apprend que l'homme qu'elle connaît comme son père n'est pas son père biologique. Quelles questions se pose-t-elle ?

Pré-lecture

Ce texte est-il abstrait ou personnel ?

Il y a 3 mois et 5 jours je ne savais pas ce que voulait dire IAD. Le mot « donneur » ne m'évoquait rien. Et je pensais ressembler à mon père. Le 30 mai, alors que j'étais hospitalisée, j'ai reçu une lettre avec une partie écrite par ma mère et l'autre par mon père. Ils m'ont envoyé une lettre car j'étais sur Paris et eux habitent loin. Je me souviens... l'infirmière est entrée en me disant « Camille, vous avez reçu une lettre, elle contient des choses très importantes, je vais rester avec vous pendant que vous la lisez ». J'ai pas pu la lire jusqu'au bout. C'est l'infirmière qui m'a aidée à prendre conscience de la nouvelle et m'a lu le reste de la lettre.

> **Rappel**
> Dans le passé composé, un objet direct placé devant le participe passé exige l'accord. Dans cet exemple, parce que le pronom se réfère à une fille, il faut ajouter un **-e** au participe. Répondez à cette question : « Vos amis et vous, avez-vous suivi les événements actuels en France ? »

Une de mes premières pensées a été « je veux rencontrer le donneur ». Naïve, je m'imaginais que ça marchait comme dans les films américains. Sauf qu'on n'est pas aux USA. Et sauf qu'en France on ne peut pas rencontrer son père biologique. On m'a vite remise à ma place : tu ne connaîtras jamais rien de cet homme, et c'est mieux comme ça.

Mon père reste mon père. Dès les premiers jours je l'ai intégré. C'est lui qui m'a élevée et m'a aimée. Et puis « la génétique c'est moins fort que l'amour »... je suis d'accord. Sauf quand je me regarde dans la glace et que mon visage me brûle tellement je ne me reconnais plus en mes parents. Sauf quand je n'arrive pas à avancer en m'disant que la moitié de ma personne vient d'un inconnu. Sauf quand je ressens ce vide, comme un trou béant qu'ont laissé des questions en suspens : Qui est-il ? A quoi ressemble-t-il ? Est-ce que je lui ressemble ? Est-ce qu'il a oublié son don ? Est-ce qu'il s'en fout ? Et les autres enfants ? Savent-ils ? Sont-ils heureux ? QUI SONT TOUS CES GENS ?

Je ne recherche pas un père — je l'ai déjà et il me comble d'amour — je recherche des réponses à toutes ces questions.

–Camille, née en 1992

Source : EPHATE - FORUM. « Les témoignages de "bébés d'éprouvettes" - Qui suis-je ? » http://ephata.actifforum.com (16 mai 2013).

Langue vivante

Le texte est écrit comme un témoignage oral. Relevez les formulations qui permettent de faire cette constatation.

10 La fille qui ne connaît pas son père biologique

Répondez aux questions.

A. *Lisez le premier paragraphe.*
1. Quelle nouvelle Camille a-t-elle reçue ? Dans quelles circonstances ?
2. Quelle réaction a-t-elle eue ?
3. En quoi cette phrase de Camille « je pensais ressembler à mon père » est-elle importante ? A votre avis, qu'est-ce qu'elle sous-entend ?
4. Quel est le vrai message de la lettre ?

B. *Lisez le deuxième paragraphe.*
5. A qui Camille fait-elle référence dans la phrase « je veux rencontrer le donneur ? »
6. Pourquoi se dit-elle naïve ? Quelle comparaison fait-on avec les Etats-Unis ?

C. *Lisez le troisième paragraphe.*
7. Ce paragraphe montre deux réactions différentes et même contradictoires. Lesquelles ?
8. Pour Camille *son père reste son père* ? Que veut-elle dire ? Qu'est-ce que cet homme lui a donné depuis son enfance ?
9. Quel ton est utilisé dans ce témoignage ? Quelles émotions ressentez-vous en lisant ce texte ?

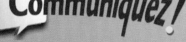

Communiquez !

11 La génétique, c'est moins fort / plus fort que l'amour.

Interpersonal Speaking : Debate

En groupe, échangez vos opinions sur la question. Préparez des arguments pour soutenir votre opinion.

Ensemble des documents

Comment la génétique a-t-elle desservi la vie personnelle de Fiorina et Camille ?

12

Le système de brevetage des semences maintient les paysans dans une dépendance économique.

Les Plantes OGM appauvrissent la biodiversité, favorisent l'apparition de plantes et d'insectes résistants aux pesticides et polluent les sols et l'eau.

Elles contribuent à la contamination génétique et la pollution des sol.

Le peu d'études effectuées pose des risques potentiels sur la santé.

Research will vary.

Reference Desk

1. **Les Verts** are the ecological party in France. One of the charismatic leaders of this party is José Bové, a farmer who ran for president in the last election and who has long agitated against globalization, GMOs, and fast-food diets. He has sometimes taken his rhetoric into action, for example, by demolishing a McDonald's under construction in the French commune of Millau.

2. The rest of the title (see "Source") of Nicolas Pénal's article is "La fin de l'Omerta." **L'Omerta** refers to **la loi du silence**, traditionally upheld by Sicily's Mafiosi. Pénal is using the term to refer to the institutional silence surrounding GMOs and their dangers.

Instruction Tip

Ask students to list all the words associated with **semence: semer, le semeur, la semeuse, les semailles, le sperme, la graine;** **les industries semencières** are those that control seed quality. **La Semeuse** is the representation of a young woman scattering grain that symbolizes feeding the nation. The image has appeared for many years on French coins and stamps.

« Ma position sur les OGM » par Nicolas Pénel

Narrative **Interpretive Communication : Print Texts**

3 Introduction

Vous allez lire l'opinion d'un Vert sur le sujet des OGM. Pourquoi s'oppose-t-[il au] progrès génétique ?

Pré-lecture

Ce texte présente les opinions de qui ?

 1.2

Les OGM ne sont pas une solution au problème de la faim dans le monde, comme voudrait croire les industries semencières. Au contraire, par le système de brevetage des semences, tiennent les paysans dans une dépendance économique, en les obligeant à racheter chaqu[e] les semences. D'un point de vue environnemental, les Plantes OGM résistantes aux pestici[des] produisant des pesticides tendent à l'appauvrissement de la biodiversité, favorisent l'appa[rition de] plantes indésirables et d'insectes ravageurs résistants aux pesticides et polluent les sols et [rejettent] de formidables quantités de produits toxiques produits en continu.

Les conséquences sur l'environnement (la contamination génétique et la pollution des so[ls) et les] risques potentiels sur la santé (du fait de la dissimulation des résultats du peu d'études ré[alisées] sous couvert de « secret industriel ») sont trop sérieux pour qu'on laisse les industries ser[...] s'approprier notre environnement, notre agriculture et le futur de notre alimentation.

Source : PENEL, Nicolas. « Ma position sur les OGM : la fin de l'Omerta ». 6 juin 2007. nicolaspenel.blogspot.com (26 mai 2013).

12 **Deux points de vue** 1.3

Faites une liste de raisons soulevées par Nicolas Pénel qui ne soutient pas l'usage des industries semencières. Ensuite, recherchez les raisons pour lesquelles les industries s[e] produisent des OGM.

Focus on AP®

To practice a **Courriel**, you or students could write an originating e-mail about a **vert** club that wants to mobilize the student body about the dangers of GMOs and additives in foods. Students would respond to that e-mail, answering the two questions and writing one of their own. A **Conversation dirigée** could be about two friends planning a party and one fretting that all the food isn't from an organic co-op. For an **Essai persuasif**, the topic could be: "**Est-ce que les aliments modernes sont**

plus sains maintenant qu'il y a 10 students to find the three sources.

Question centrale
?
Quels débats les progrès scientifiques suscitent-ils dans les sociétés d'aujourd'hui ?

L'homme face aux avancées scientifiques et techniques : enthousiasmes et interrogations

Interpretive Communication : Print Texts

Introduction

Un savant donne des perspectives sur les progrès scientifiques. Pense-t-il qu'il y ait des dangers réels ?

La science ouvre des perspectives à de nouveaux développements, par exemple dans les domaines de la génétique, de l'espace, de l'énergie, de l'informatique, etc. Chacun est à même, dans sa vie quotidienne, de mesurer les progrès réalisés dans l'habitat, l'urbanisme, l'environnement culturel et artistique.

Les découvertes scientifiques et les avancées techniques qui en découlent* dépassent et souvent transcendent leurs objectifs initiaux. Les perspectives ouvertes sont immenses, elles donnent l'espoir d'une vie meilleure : télédiagnostic* en médecine, apparition de nouveaux matériaux (vêtements techniques, revêtement antiadhésif...), destruction des déchets, nourriture pour certains malades, spécifiquement étudiée pour les spationautes... Mais elles peuvent aussi générer des dangers : utilisation néfaste* de la science, recherche du progrès sans prise de recul* nécessaire, crise économique, sociale, négation de l'individu.

Face à certaines dérives*, des précautions sont à prendre, des limites sont à poser, une éthique est à construire ou à faire évoluer afin d'éviter que science et techniques ne se développent sans tenir compte de l'homme. Confrontés à ces avancées, nous effectuons des choix individuels et participons à des choix de société qu'il s'agit de faire en toute connaissance de cause.

Enthousiasmes et interrogations : Comment accompagner les progrès scientifiques et techniques en évitant le catastrophisme élémentaire, le repli frileux* vers un passé mythifié, tout autant que l'admiration béate devant la notion de progrès ?

En quoi les avancées scientifiques et techniques nécessitent-elles une réflexion individuelle et collective ?
Devant les découvertes, leurs évolutions et leurs applications, chaque société se construit une éthique et se forge une législation afin de se protéger et de protéger ses membres. Dans cette société, l'individu possède une part importante de liberté : il adhère à certains choix de société ou les refuse ; il peut rester passif ou agir. Toutes ces prises de position se font au nom de valeurs sur lesquelles il convient de s'interroger en toute connaissance de cause.

---

découlent (découler) *ensue (to ensue)* **;** **le télédiagnostic** *distance medical exam by computer* **; néfaste** *harmful* **; la prise de recul** *stepping back* **; une dérive (f.)** un mouvement qui va dans un sens contraire **; le repli frileux** le retour effrayant

Le dépassement des limites de l'être humain peut-il faire craindre une perte d'hum

Cette question permet d'envisager toutes les possibilités qui découlent de l'amélioratio
possible des capacités physiques et intellectuelles de l'homme. Il s'agit de prendre la m
des perspectives positives et des dangers réels ou potentiels liés aux avancées scientifi
et techniques qui envisagent de transformer la nature même de l'être humain. On peu
prendre en compte l'amélioration continue des performances sportives, le dépassemen
humaines et les opposer aux conséquences négatives des prises de drogues, d'EPO*... l
scientifiques et techniques actuelles et plus particulièrement la nanotechnologie perm
également d'envisager l'extension des capacités physiques, l'amélioration des soins au
handicapés et l'augmentation de la durée de la vie [et de sa qualité ?] voire l'augment
capacités intellectuelles mais aussi la transformation de l'humain en cyborg, voire dan
cas la quête effrénée et dangereuse de la jeunesse éternelle.

Toutes les questions liées au clonage et à l'eugénisme* peuvent être traitées comme la
des embryons, le tri* de leurs gênes, la création de clones, d'enfants-chimères, d'êtres
Enfin, ces avancées médicales et ces expérimentations posent la question de l'utilisati
humain comme un cobaye* ainsi que le risque d'uniformisation et d'appauvrissement* d
richesse due à la diversité. [...]

Source : EDUSCOL. « Ressources pour la classe de première préparatoire au baccalauréat professionnel ». Août
http://media.eduscol.education.fr. © eduscol.education.fr – MENESR – droits réservés (30 mai 2013).

 Search words : epo, cyborgs, eugénisme, clonage, enfants-chimères

l'EPO (f.) érythropoïétine hormone ; **l'eugénisme (m.)** *eugenics* ; **le tri** la sélection ; **le cobaye** *guinea pig* ;
l'appauvrissement (m.) *impoverishment*

Langue vivante **1.2, 1.3**

Dans le quatrième paragraphe, l'auteur caractérise trois réactions face au progrès scien
l'admiration béate devant la notion de progrès, le repli frileux vers un passé mythifié e
catastrophisme élémentaire. Donnez un exemple pour illustrer chacune de ces réaction

Sa perspective **1.3**

« Mais [les découvertes scientifiques] peuvent aussi générer
des dangers ». Quels sont ces dangers, selon ce savant ?

Ma perspective **1.3**

Concevez-vous des dangers dans l'application des
découvertes scientifiques ?

COMPARAISO

Dans l'énumératio
sixième paragraphe,
indique qu'une chose
hypothétique qu'une au
formulation utiliseriez-
votre langue pour do
même effet ?

13 Les grands axes

Lisez les trois premiers paragraphes, puis répondez aux questions.

1. Quel est le thème principal de chaque paragraphe ?
2. Dans quels domaines la science ouvre-t-elle de nouvelles perspectives ?
3. L'auteur affirme que la science a permis d'améliorer notre quotidien. Quel est un exemple confirmant cette affirmation ?
4. Dans le deuxième paragraphe, quelles perspectives positives de la science médicale sont citées ?

14 Les dangers de la science

A la fin du deuxième paragraphe, l'auteur décrit ainsi les dangers de la science : « utilisation néfaste de la science, recherche du progrès sans prise de recul nécessaire, crise économique, sociale, négation de l'individu ». Expliquez ces dangers avec vos propres mots et donnez un exemple.

> **MODÈLE**   ***Utilisation néfaste de la science :* Il existe toujours le risque que les découvertes scientifiques soient utilisées par des personnes dangereuses, comme des dictateurs. Par exemple, la découverte d'une nouvelle bactérie pourrait servir à la création d'une arme chimique.**

15 Hypothèses

Lisez le sixième paragraphe et répondez aux questions.

1. Quelles sont les hypothèses sur les pouvoirs de la nanotechnologie ?
2. Quel sont des exemples concrets de ces « pouvoirs » dans la vie quotidienne ?

> **MODÈLE**   **L'extension des capacités physiques : on pourrait courir plus vite...**

16 Conclusion

Par écrit, reformulez le dernier paragraphe avec vos propres mots.

17 « Dépassement des limites humaines »

Interpersonal Speaking : Discussion

Doit-on rechercher un « dépassement des limites humaines »? Discutez-en avec vos voisins, à partir des exemples cités dans le dernier paragraphe et comparez vos opinions.

Les OGM : de vrais progrès ?

Interpretive Communication : Audio Texts

Introduction

Jacques Testart est un biologiste français connu pour ses travaux sur la génétique. Il participe dans une émission de Radio France International sur le thème des OGM.

Ecoutez l'interview de Jacques Testart et faites les activités suivantes.

A. *Première partie : l'invité. Répondez aux questions.*
   1. Quelle expérience l'a rendu célèbre ?
   2. Quelles critiques fait-il au sujet des recherches en génétique ?
   3. Quel est le sujet de son dernier livre ?

B. *Deuxième partie : la problématique. Répondez aux questions.*
   4. Jacques Testart fait une comparaison entre le comportement des industriels et celui du professeur Tournesol dans les *Oranges Bleues de Tintin*. Pourquoi prend-il cet exemple ? Quel message souhaite-t-il faire passer ?
   5. Quelles sont les promesses des industriels à propos des OGM ?
   6. Les industriels sont-ils les seuls à tenir ce discours ? Que semble en penser Jacques Testart ?

C. *Conclusion. Faites les activités suivantes.*
   7. Expliquez, avec vos propres mots, pourquoi Jacques Testart affirme qu'on ne peut plus rien faire quand ces plantes ont été cultivées.
   8. Résumez en une phrase le message principal du scientifique.

Langue vivante

Expliquer la phrase « on nous promettait presque la lune et on n'a pas trouvé la lune dans nos assiettes ».

COMPARAISONS

La consommation d'OGM est-elle plus importante aux Etats-Unis que dans d'autres pays ?

Ensemble des documents

- Quels liens établissez-vous entre les deux textes que vous venez d'étudier ?
- Quels sont les débats qui vous préoccupent le plus et pourquoi ?

La culture de tous les jours

Lisez la bande dessinée. Ensuite, répondez aux questions.

> Elle a fait un testament. Elle ne voulait pas qu'on la réanime.

> CRYO-REPOS

> Papy croyait à la cryogénisation. Pour lui, c'est une science prometteuse.

18 **Le progrès va-t-il trop loin ?**

Regardez les deux illustrations, puis répondez aux questions.

1. Que se passe-t-il dans la première illustration ?
2. Que se passe-t-il dans la deuxième illustration ?
3. Quelles étaient les valeurs morales de la défunte dans la première illustration ?
4. Quelles étaient les valeurs morales du défunt dans la deuxième illustration ?
5. Est-ce que l'une ou les deux situations sont paisibles ou effrayantes ? Explicitez.

Le passif et comment l'éviter

Utilisation

• **On utilise la forme passive pour mettre en valeur l'objet du verbe.** Le nom qui était sujet à la forme active se place en fin de phrase à la forme passive et subit l'action.

Forme active : Les chercheurs réalisent **des expériences scientifiques.**
Forme passive : Des expériences scientifiques sont réalisées par **les chercheurs.**

• **Pour remplacer le pronom « on » quand on ne connaît pas l'auteur de l'action.**

> *Un célèbre tableau a été volé au musée du Louvre.* (La forme active : *On a volé un célèbre tableau au musée du Louvre.*)

Avec complément

• A la forme passive, le complément est introduit par la préposition *par* :

> *Le jour de l'examen, les étudiants seront appelés par l'examinateur.*

Mais « par » est remplacé par « de » avec certains verbes :

- verbes qui expriment un sentiment ou une attitude : *aimer, détester, adorer, préférer, admirer, haïr, respecter, estimer…*

> *Ce garçon est aimé de toutes les filles.*

- avec les verbes *connaître, oublier, ignorer* :

> *Il est connu de tous au lycée.*

Sans complément

• Dans la presse et dans le langage administratif, on utilise souvent la forme passive sans complément.

> *Les touristes ont été évacués immédiatement.*
> *La réforme des retraites à été votée.*

Formation

La forme passive se construit avec :

> **le verbe *être*** + le participe passé + *par* (ou *de*)

L'agent peut être omis :

> *Mon chat a été retrouvé quelques jours plus tard.*

Dans cette phrase, le verbe *être* est conjugué au passé composé (*a été*) mais il est possible de le conjuguer à un autre temps.
> Exemples :
> - Au futur : *Mon chat sera retrouvé trois jours plus tard.*

- Au conditionnel passé : *Mon chat aurait été retrouvé dans un jardin.*

Le participe passé s'accorde toujours avec le sujet :

Mes copines ont été appelées pour passer un casting.

Dans certains cas, la forme passive n'est pas possible :

Quand le verbe de la phrase est « avoir ».

Maxime a un téléphone ultramoderne.

On ne peut pas mettre cette phrase à la forme passive.

Avec certains verbes d'état. On appelle verbes d'état les verbes qui caractérisent quelqu'un ou quelque chose : être, devenir, sembler, paraître, rester...

Quand le verbe de la phrase est construit avec un COI (complément d'objet indirect).

Il a pensé à son examen toute la matinée.

Avec les verbes intransitifs.

Les élèves jouent dans la cour.

Cette phrase ne peut pas être mise à la forme passive.

Notez :

Avec les verbes **pouvoir** et **devoir** le verbe *être* apparaît à l'infinitif.
Le candidat pourra gagner un voyage à Paris. → *Un voyage à Paris pourra être gagné (par le candidat).*

---

19 Découvertes des grands scientifiques

Transformez les phrases à la forme passive comme dans le modèle.

> **MODÈLE**   Einstein a découvert la loi de la relativité.
> **La loi de la relativité a été découverte par Einstein.**

1. Nicolas Copernic remet en cause la vision de la Terre au centre de l'Univers.
2. Galilée avait déjà imaginé la lunette astronomique en 1609.
3. Isaac Newton a découvert la loi de la gravitation.
4. Louis Pasteur a découvert le vaccin contre la rage.
5. Darwin est le fondateur de l'évolutionnisme.
6. Théodore Maiman a inventé le laser en 1960.
7. John Hopps a conçu une pile qui stimule le cœur.

20 Pouvoir et devoir

Transformez les phrases à la forme passive comme dans le modèle.

> **MODÈLE**   On peut inventer toutes sortes de choses de nos jours.
> **De nos jours, toutes sortes de choses peuvent être inventées.**

1. On doit mesurer les risques avant de commercialiser une invention.
2. Le savant italien devrait bientôt rendre public ses recherches.
3. Cet étudiant en médecine devra faire un stage dans un hôpital.
4. Suite à l'accident, la firme pharmaceutique devra présenter des excuses aux victimes.
5. Les résultats de cette invention peuvent provoquer une catastrophe écologique.
6. Des scientifiques fous pourraient créer des armes de destruction effroyables.
7. Les commissions scientifiques doivent débattre de ces questions.

21 Brève

Transformez ce texte à la forme passive.

On a cambriolé hier soir le laboratoire de Bernard Duchamps. Le scientifique avait inventé une nouvelle matière. Il devait dévoiler sa découverte au grand public dans quelques jours. Malheureusement on n'a pas retrouvé les flacons contenant la matière. Les enquêteurs interrogeront les collègues du scientifique dans la soirée. Les conséquences de ce vol pourraient déclencher prochainement une importante alerte sanitaire.

22 Prépositions

Transformez le paragraphe en italique à la forme passive et ajoutez les prépositions « par » ou « de » quand cela est nécessaire.

> **MODÈLE**   Tous les élèves connaissent ce mathématicien.
> **Ce mathématicien est connu de tous les élèves.**
>
> Les élèves étudient ces calculs dès le collège.
> **Ces calculs sont étudiés par les élèves dès le collège.**

A l'école, Albert Einstein n'était pas un bon élève en biologie. Ses professeurs n'avaient pas reconnu son génie. Aujourd'hui tout le monde admire cet homme. Ses travaux ont rendu une nouvelle énergie possible. Des chercheurs américains ont ensuite créé une bombe atomique, sous la demande de Franklin Roosevelt. Albert Einstein a écrit une lettre visant à prévenir le président des dangers de l'énergie nucléaire. En 1954, il fait une déclaration : « Si c'était à refaire, je me ferais plombier ! »

emcl.com
WB 17

23 Exceptions

Dites si la transformation à la forme passive est possible.

MODÈLE Les androïdes feront bientôt le ménage chez nous.
Possible : Le ménage sera bientôt fait chez nous par les androïdes.

Les androïdes téléphoneront aussi à nos amis.
Impossible : Il n'y a pas d'objet direct.

1. Ce chercheur a obtenu une bourse.
2. A force de chercher, ce chercheur trouvera !
3. Ce chercheur n'a aucun talent.
4. On attend impatiemment les résultats de ses recherches.
5. Le CNRS de Paris emploiera bientôt de nouveaux chercheurs.
6. Les candidats devront prouver leur conscience morale.
7. L'avenir de l'homme est entre les mains des scientifiques.

Revision : Les verbes irréguliers « plaire » et « déplaire »

Seules ces deux formes sont utilisées régulièrement au présent :
(sing.) **plaît** **déplaît**
(pl.) **plaisent** **déplaisent**
Le participe passé : **plu / déplu**

24 Inventions technologiques

Dites si les inventions suivantes plaisent aux personnes mentionnées.

MODÈLE toi/la clé USB
La clé USB me plaît. / La clé USB ne me plaît pas.

1. vos parents/les SMS
2. ton, ta meilleur(e) ami(e)/le smartphone
3. vos grands-parents/les réseaux sociaux
4. ton frère ou ta sœur/l'e-reader
5. ta prof de français/le dico électronique

A vous la parole

emcl.com
WB 18–21

Question centrale

? Quels débats les progrès scientifiques suscitent-ils dans les sociétés d'aujourd'hui ?

Interpretive Communication : Print Texts

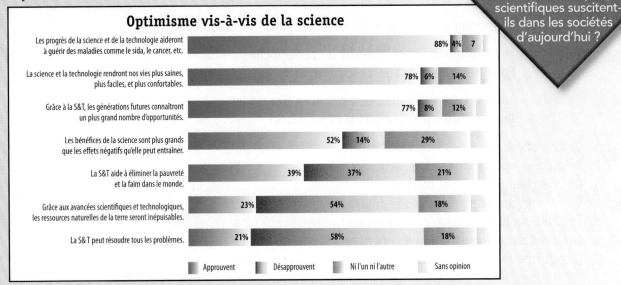

Optimisme vis-à-vis de la science

Question	Approuvent	Désapprouvent	Ni l'un ni l'autre
Les progrès de la science et de la technologie aideront à guérir des maladies comme le sida, le cancer, etc.	88%	4%	7
La science et la technologie rendront nos vies plus saines, plus faciles, et plus confortables.	78%	6%	14%
Grâce à la S&T, les générations futures connaîtront un plus grand nombre d'opportunités.	77%	8%	12%
Les bénéfices de la science sont plus grands que les effets négatifs qu'elle peut entraîner.	52%	14%	29%
La S&T aide à éliminer la pauvreté et la faim dans le monde.	39%	37%	21%
Grâce aux avancées scientifiques et technologiques, les ressources naturelles de la terre seront inépuisables.	23%	54%	18%
La S&T peut résoudre tous les problèmes.	21%	58%	18%

■ Approuvent   ■ Désapprouvent   ■ Ni l'un ni l'autre   ☐ Sans opinion

Source : EUROPA. « Optimisme vis-à-vis de la science ». http://ec.europa.eu (28 mai 2013).

25 Compréhension du sondage

Lisez le graphique et faites les activités.

A. *Lisez les questions du sondage et classez-les par thème.*

MODÈLE **Question 1: santé**

B. *Observez les pourcentages. Expliquez le changement de pourcentages à partir de la quatrième question.*

C. *Répondez au sondage et comparez vos réponses avec les données du graphique. Dans quelle catégorie vous placez-vous ?*

- optimiste
- confiant
- utopiste
- pessimiste
- inquiet
- alarmiste

Communiquez !

26 Un débat sur la science

Interpretive Speaking : Debate

Débattez maintenant de la question avec votre partenaire : *« Faut-il être optimiste ou pessimiste face à la science ? »* Vous jouez les rôles d'un savant et d'un directeur d'association contre le progrès scientifique.

 **Communiquez!**

Interpretive Communication : Audio Texts

Répondez aux questions.

A. *Ecoutez une première fois le document.*
1. Quel est le thème du document ?
2. Quelle grande nouveauté est annoncée ?

B. *Première partie : Les différences*
3. Pourquoi le journaliste cite-t-il Pablo Picasso ?
4. Quelle opinion le peintre avait-il sur les ordinateurs ?
5. En quoi notre cerveau est-il différent d'une machine ?

C. *Deuxième partie : Comment fait-on ?*
6. Quelles actions sont nécessaires à la création d'un cerveau électronique ?

D. *Troisième partie : A quoi ça sert ?*
7. Quelles sont les finalités de ces recherches ?

E. *Quatrième partie : Des questions préoccupantes*
8. Quelles questions le journaliste soulève-t-il à la fin du document ?

Témoignage du Professeur Axel Kahn, généticien français de renommée internationale

Interpretive Communication : Print Texts

Un des éléments qui est fondamental [sont] les questions existentielles, comme on dit. C'est : d'où viens-je ? Qui suis-je ? Où vais-je ? Mais savoir qui je suis sans savoir d'où je viens, c'est très difficile. Donc,

Les chiffres : bébés éprouvettes
1978 naissance de la 1ère bébé éprouvette
55 sont nés chaque jour
20.000 sont nés chaque année
Il y a plus de 1,4 millions de ces bébés dans le monde.
La France a 20.000 bébés éprouvettes.

chaque enfant, et chaque adulte d'ailleurs, a besoin, dans sa tête, de se reconstruire la linéarité d'un lignage. Il a besoin de se savoir ou de se croire fils de « ma mère », « mon père »... « c'était cela ». Et ainsi, c'est quelque chose qui passe à travers lui et qu'il se prépare à transmettre à ses enfants. Quand ce fil est interrompu, il y a beaucoup de difficultés à se construire. Je crois qu'il y a de vraies détresses. On en a tous rencontré, nous qui avons à traiter ces cas-là.

Quand un enfant sait que ses parents — avec qui il vit — ne sont pas ses parents biologiques, alors, il faut arriver à lui donner des renseignements pour répondre à sa détresse. On ne peut pas le laisser dans sa détresse. Personnellement, j'étais assez favorable à la situation des temps anciens où, lorsqu'une femme faisait appel à une fécondation par un sperme de donneur, le conjoint n'étant pas fertile, on considérait que c'était un enfant du couple, comme les autres. La plupart du temps, il ne le savait pas et donc, cela ne posait aucun problème. Mais aujourd'hui, on va dire que la mode est de lui dire : « Tu sais, ton papa, ce n'est pas ton papa biologique ». Alors, il se pose des questions, il y a à peu près 200 enfants qui sont en quête d'une histoire de leurs antécédents. Et là, il faut savoir leur donner une réponse.

Source : FRANCE5.fr. « C à dire ? ! ». 20 septembre 2012. www.france5.fr (26 mai 2013).

28   Bébés éprouvettes, oui ou non ?

Presentational Writing : Persuasive Essay

Ecrivez un essai en suivant les directives.

Relisez la narrative de la jeune fille qui ne connaît pas son père biologique (p. 480). Après avoir lu le témoignage d'Axel Kahn et les chiffres sur ce sujet, écrivez un essai persuasif en vous servant de ces trois textes. Vous devez d'abord présenter les points de vue différents de ces sources sur le sujet. Ensuite, répondez à la question suivante : La science va-t-elle trop loin, ou est-ce moralement une bonne décision à prendre ? Enfin, argumentez clairement votre propre point de vue sur les bébés éprouvettes. Soutenez votre essai avec tous les renseignements fournis. N'oubliez pas d'identifier les sources auxquelles vous faites référence.

Communiquez!

29   Forum : Peurs face aux progrès scientifiques

Presentational Writing : Forum Posting

Lisez les témoignages. Puis, écrivez votre réponse aux deux questions du forum. Vous pouvez mentionner les points de vue de Monique, Anthony et Krystel.

L'homme est un apprenti.

Monique Land, Mons :

Quelle est votre plus grande peur par rapport aux progrès en sciences ? Pourquoi ?
Le progrès, s'il va à l'encontre de la nature, sera tôt ou tard démoli par cette nature... Mais ce qu'il y a de bien, restera.
Que préconisez-vous pour éviter que cette crainte ne se réalise ?
Ah ! L'homme est un apprenti ! Ne comprend-il que quand il est brûlé par la flamme qu'il ne pouvait toucher ? Sagesse, loin du capitalisme, où trop de gains empêchent d'être clairvoyant ! Regardons l'histoire et ses erreurs. En toute chose, adaptons-nous à la nature et non : dominer la nature pour notre bien-être. Notre trop grand bien-être actuel peut être la perte du futur... Alors, prudence, prudence... Et humilité.

L'homme a besoin d'un groupe surveillant indépendant.

Anthony, Guadeloupe :

Quelle est votre plus grande peur par rapport aux progrès en sciences ? Pourquoi ?
Je n'ai à proprement pas peur du progrès, le progrès est normal et bénéfique pour l'humanité en règle générale, mais l'utilisation que l'être humain ou certains êtres humains (dictateurs, scientifiques en mal de reconnaissance, etc.) peuvent faire du progrès peut prêter à controverse et agir à contre-sens de ce pourquoi le progrès doit être, ce peut être les nanotechnologies

(anti-liberté) ou le clonage (à mauvais escient, futurs militaires surdopés par exemple).
Que préconisez-vous pour éviter que cette crainte ne se réalise ?
Un groupe indépendant (style Commission de sécurité) dans chaque pays et au sein de l'ONU pour mettre en place des règles et limites (les mêmes pour tout le monde) au niveau mondial. Et des sanctions de grande ampleur pour les pays qui outrepassent les préconisations de ses commissions (coupure de toutes relations avec ledit pays est un exemple).

La folie génétique mène à la peur.

Krystel Gasne, Chalon-sur-Saône :

Quelle est votre plus grande peur par rapport aux progrès en sciences ? Pourquoi ?
Ma plus grande peur serait sans doute la folie génétique, en ce sens où l'homme est désormais capable de cloner des individus, dont il risquerait de faire n'importe quoi...
Que préconisez-vous pour éviter que cette crainte ne se réalise ?
Que ces merveilleuses découvertes restent dans des mains fiables, mais cela est hélas bien hypothétique... De plus, ces mains éthiques étant mortelles, tout est à craindre.

Source : JDN.JOURNAL DU NET. « Votre plus grande peur face au progrès ». 9 novembre 2010. www.journaldunet.com (28 mai 2013).

Communiquez !

30 Utopies

Presentational Speaking : Oral Presentation

Avec un partenaire, vous allez définir un monde imaginaire idéal où la science a permis à l'homme de vivre en harmonie avec la nature. Vous présenterez ensuite votre monde imaginaire à la classe. Faites les activités A, B et C pour préparer votre présentation.

- *Références : films ou romans de science-fiction que vous connaissez pour appuyer vos arguments.*
- *Visuel : photos, illustrations ou schémas pour mieux visualiser votre présentation.*

A. *Commencez par faire une liste des progrès scientifiques bénéfiques de votre monde imaginaire.*

MODÈLE **Des machines permettront aux hommes de ne plus travailler et de se consacrer uniquement aux loisirs et au bénévolat.**

B. *Décrivez physiquement et psychologiquement l'homme du futur.*

MODÈLE **Les capacités physiques de l'homme du futur sont cinq fois plus importantes qu'à notre époque...**

C. *Décrivez le mode de vie de votre monde imaginaire.*

MODÈLE **Les humains habitent dans des tours de plusieurs kilomètres de haut...**

Communiquez!

Interpersonal Speaking : Conversation

Vous discutez avec une amie des questions éthiques de la technologie. Votre conversation doit suivre le canevas qui vous est donné ci-dessous. Vous allez entendre les répliques de votre amie et vous réagirez comme le canevas l'indique.

–**Vous demandez à votre amie quel serait son plus cher désir si tout était possible grâce à la science.**

–Elle vous répond en construisant une hypothèse pour un futur monde idéal.

–**Vous lui exposez les points négatifs de ce mode de vie.**

–Votre amie vous donne un autre argument pour soutenir son opinion.

–**Vous avancez l'idée que ce type de pratique sera limité à certaines gens ou sociétés, et vous donnez des exemples.**

–Elle critique votre idée.

–**Vous exprimez vos doutes finaux à ce sujet.**

–Votre amie (A.) continue à s'attacher à son point de vue ou vous (B.) avez été convaincu(e).

Troisième humanité
Interpretive Communication : Print Texts

Rencontre avec l'auteur

Bernard Werber (1961–) est d'abord journaliste scientifique avant de devenir écrivain. A 30 ans, il connaît un énorme succès avec son premier roman *Les Fourmis*. Bernard Werber propose un nouveau genre littéraire qu'il nomme « philosophie fiction », mélange de science-fiction, de philosophie et de spiritualité. Le texte est extrait de son livre *Troisième humanité*. Quelles idées pour les progrès scientifiques sont soulevées dans ce concours ?

Bernard Werber.

Pré-lecture

Vous accepteriez quelles sortes de robots pour vous aider ?

Extrait 1
Troisième humanité par Bernard Werber

• Suivant ! lance Christine Mercier. Candidat 67. Docteur Francis Frydman. « Projet Androïde : pour une conscience artificielle des robots ».

Discrètement, David Wells rejoint les trois candidats à l'écart* et s'assied, attentif.

Francis Frydman est un jeune homme pâle et boutonneux* avec d'épaisses lunettes et des chaussures à semelles* de crêpe. Il explique succinctement qu'il vient de la faculté de robotique de Montpellier. S'il est sélectionné, il pense pouvoir faire franchir* une étape déterminante aux machines : la perception de la notion de « Moi ».

Ce serait, selon lui, le passage de « l'intelligence artificielle » qui n'est qu'une capacité de calcul, vers la « conscience artificielle », qui est une aptitude à différencier son individualité du reste du monde.

Pendant la lecture
1. De quelle sorte de concours s'agit-il ?

Pendant la lecture
2. Qu'est-ce que Frydman voudrait créer ?

à l'écart *on the side* ; **boutonneux, boutonneuse** *pimply* ; **une semelle** *sole (of a shoe)* ; **franchir** *to reach*

- Quand les robots androïdes auront conscience d'eux-mêmes, ils pourront devenir des ouvriers capables d'initiatives personnelles, des serviteurs parfaits. Ils pourraient alors former un prolétariat nombreux et peu cher, ce qui aiderait à résoudre* un certain nombre de problèmes économiques et sociaux. On pourrait les programmer pour leur enlever toute velléité* de rébellions ou de grève. Grâce à leur conscience du Moi, ils seraient créatifs et pourraient même développer des idées personnelles, sans avoir pour autant de revendications*. Les avantages sans les inconvénients*.

- Et s'ils délirent*? questionne un juré*.

- Il faudrait inventer une psychologie, une psychiatrie et une psychanalyse spécialement adaptées pour contenir* leur nouvelle conscience d'eux-mêmes et les questions qu'ils risquent de se poser. Pour mon mémoire, je comptais aller au centre de haute technologie de Séoul, en Corée du Sud, pour travailler sur les premières populations de robots intelligents et leur faire franchir le cap de la conscience.

[...] Les chercheurs ayant présenté leurs projets attendent le verdict. Christine Mercier 7 consulte ses huit collègues puis se lève et fait face aux candidats [...].

- Vous êtes tous des diplômés de haut niveau, vous venez tous de grandes écoles ou d'université reconnues, et vous avez tous suivi des cursus* différents, mais tous, vous partagez l'envie fondamentale de comprendre « où l'on va ». [...] Mais tout d'abord, je tiens à vous rappeler certaines règles. Ici à la Sorbonne, nous sommes une maison de tradition. Derrière cette université, ô combien chargée de souvenirs, mille ans d'histoire de la science nous regardent. Ce lieu est le temple du savoir et de la connaissance. Aussi, notre principal critère de choix des trois finalistes sera : ce qui pourra améliorer la vie des générations futures. A présent, je vous demande d'attendre ici. Dans une heure, nous aurons fini de délibérer et nous vous annoncerons le nom des trois lauréats* de cette première promotion « Evolution ».

David Wells observe ses concurrents*. A sa droite un chercheur

---

Pendant la lecture
3. Qu'est-ce que les robots androïdes pourront devenir ?

Pendant la lecture
4. Quels sortes de problèmes pourront-ils résoudre ?

Pendant la lecture
5. Qu'est-ce qu'il faudra inventer pour eux ?

Pendant la lecture
6. Pourquoi Frydman compte-t-il aller à Séoul ?

Pendant la lecture
7. Qu'est-ce que les chercheurs attendent ?

Pendant la lecture
8. Quelle formation les chercheurs ont-ils fait ?

Pendant la lecture
9. Où a lieu le concours ?

Pendant la lecture
10. Quel est le principal critère de sélection ?

Pendant la lecture
11. Il y aura combien de lauréats ?

---

résoudre to resolve ; **la velléité** envie, volonté ; **la revendication** claim, demand ; **un inconvénient** disadvantage ; **délirent (délirer)** are raving (to rave) ; **un juré** juror ; **contenir** to contain ; **le cursus** college major or career path ; **un lauréat** un gagnant ; **un concurrent** competitor

ouvre une chemise cartonnée sur laquelle est écrit : CANDIDAT 21. Docteur Gérard Saldmain. Projet : « Fontaine de jouvence* », sous-titré « Pour que les humains vivent plus de 200 ans ». Pour illustrer la jaquette, un vieillard lance sa canne en l'air en riant. Plus loin, un autre chercheur tient une chemise où est inscrit CANDIDAT 03. Docteur Denis Ledélezir. Projet « Clonage sans peur », sous-titré « Pour choisir ses enfants et reproduire à l'infini les meilleurs ». En illustration : une photo du même fœtus souriant reproduit douze fois.

Pendant la lecture
12. Quel est le projet du Docteur Saldmain ?

Pendant la lecture
13. Quel est le projet du Docteur Ledélezir ?

Source : WERBER, Bernard. *Troisième humanité*. Albin Michel. Paris : 2012.

Fontaine de jouvence *Fountain of Youth*

Post-lecture

Quel projet va gagner, selon vous ? Pourquoi ?

COMPARAISONS

Quelle description est faite de la Sorbonne ? Quelle université dans votre pays pourrait en être l'équivalent ?

32 Compréhension du texte

Répondez aux questions.

A. *Lisez le texte de « Suivant » à « reste du monde ».*
  1. En quoi la description de Francis Frydman est-elle un stéréotype ?
  2. Qu'est-ce que son projet apporte de nouveau dans le domaine de la robotique ?
B. *Lisez la suite du texte de « Quand les robots » à « le cap de la conscience ».*
  3. Quelles sont les qualités des androïdes dans le discours de Francis Frydman ?
  4. Quel effet donne l'utilisation répétée du conditionnel dans le discours du chercheur ?
  5. Qu'est-ce que le chercheur préconise pour mieux comprendre les machines ?
C. *Lisez la fin du texte de « Les chercheurs ayant présenté leurs projets » à « souriant reproduit douze fois ».*
  6. Ces chercheurs participent à un concours. Qu'ont-ils en commun ?

33 Activités d'expansion

Faites les activités suivantes.

1. Imaginez que vous êtes un juré à ce concours. Posez une question à chaque concurrent sur un problème éthique qui vous trouble.
2. Imaginez que vous êtes un concurrent. Présentez votre projet pour une invention qui « pourra améliorer la vie des générations futures ».

Œuvre collective sur le site interactif de Bernard Werber

Interpretive Communication : Print Texts

Pré-lecture

Lisez les informations sous « Source ». Quelle question Werber a-t-il posée à ses lecteurs ?

Extrait 2

« Si la planète Terre pouvait s'exprimer, que dirait-elle » ? par les lecteurs de Werber

Marsia Primus

Protégez-moi le plus longtemps possible, afin de léguer* une flore et une faune intactes à vos enfants ; car je suis un être au cœur immense, mais fragile, qui aime la vie et les êtres vivants sur son sol ! Surtout : laissez la douce lumière bleue, entre le ciel et l'océan, qui brille en mon âme*...

> **Pendant la lecture**
> 1. Marsia Primus parle comme si elle était qui ?

> **Pendant la lecture**
> 2. Pourquoi s'attache-t-elle à la photosynthèse ?

Ec

Je suis jeune et inconsciente. Je ne maîtrise rien moi-même, comment pourrais-je vous dire ce qu'il faut faire ou ne pas faire ? Vous êtes là, tout comme moi au milieu de cette immensité, nous voyageons ensemble depuis des millions d'années. Vous humains n'êtes rien. Que vous disparaissiez ou non ça ne changera rien. Il y a eu un début sans vous et il y aura une fin sans vous. A vous de voir... Le visage que vous êtes en train de me dessiner... J'en ai eu de plus laids. Je n'ai pas peur de vous, mais vous vous avez peur de nous !

> **Pendant la lecture**
> 3. A qui s'adresse EC ?

> **Pendant la lecture**
> 4. La Terre pense avoir quels avantages sur les êtres humains ?

Cahuete

Continuez de croire en moi malgré tout. L'homme mauvais ne gagnera pas le combat. Il est un virus qui fait beaucoup de dégâts* d'accord mais il n'est pas assez intelligent pour moi et je suis en train de préparer le virus du virus.

> **Pendant la lecture**
> 5. Cahuete fait référence à quels dégâts ? (Imaginez !)

Sandie

Je suis vieille et sage, j'ai su faire preuve de patience envers vous, mes enfants. Mais vous m'avez trop abîmée*, maintenant ça suffit ! Je me fâche !

> **Pendant la lecture**
> 6. Dans la voix de Sandie, la Terre a quelles émotions ?

---

léguer *to pass down as in an inheritance* ; **l'âme (f.)** *soul* ; **le dégât** *damage* ;
abîmé(e) *ruined, spoiled, damaged*

Alfred Lepingouin

Vous êtes trop pressé. Tout est trop rapide. Et en allant trop vite, vous mourrez trop tôt. C'est dommage pour vous, moi j'ai le temps, tout comme mes camarades. Nous ne sommes plus à un million d'années près, mais vous si.

Pendant la lecture
7. Quels sont les conseils d'Alfred aux êtres humains ?

Source : DE VOUS A MOI. « Si la planète Terre pouvait s'exprimer, que dirait-elle ? » www.bernardwerber.com (28 mai 2013).

Post-lecture

Est-ce que les lecteurs de werber s'inquiètent pour notre planète ? Si oui, comment ?

34 Compréhension du texte

Répondez aux questions.

1. Qui est le destinataire de ces messages ?
2. Quelle question pose Bernard Werber sur son site web ?
3. Vous vous sentez le plus proche de quel message ? Pourquoi ?

35 Activités d'expansion

Faites les activités suivantes.

1. Ecrivez une réponse à la question posée par Werber sur son site web.
2. Allez au site web de Werber. A-t-il une nouvelle question pour ses lecteurs ? Répondez-y. Si non, résumez ce que vous apprenez sur Werber en visitant son site web.

Synthèse

Quel est le but de chaque lecture ?

Faisons le point !

A. *Pour retrouver les principales idées développées au cours de la leçon, notez dans votre cahier un ou deux exemple(s) en face de chacun des points de repère qui vous sont proposés. Reportez-vous à tous les documents de la leçon (écrits journalistiques, témoignages, analyses, textes littéraires).*

Quels débats les progrès scientifiques suscitent-ils dans les sociétés d'aujourd'hui ?

Les choix moraux	Notes
La bio-éthique	
• génétique / clonage	
• mères porteuses	
• bébés éprouvettes	
• cerveau artificiel	
Les dangers :	
• les OGM	
• la robotique	
La protection de la vie privée :	
• pistage biométrique / génétique	
• la manipulation du cerveau	

B. *Discutez en groupes. Que répondriez-vous à la question posée au début de l'unité : Quels débats les progrès scientifiques suscitent-ils dans les sociétés d'aujourd'hui ?*

Vocabulaire de l'Unité 5

abracadabrant(e) ludicrous *C*
accomplir to complete *B*
s' **accroître** to increase *B*
s' **agir : il ne s'agit pas de** it is not about *B*
aller : aller vers l'avant to move forward *B*
alors : alors que while *C*
analyser to analyze *C*
un **androïde** android *B*
l' **angoisse (f.)** anxiety *C*
une **anomalie** anomaly *A*
l' **antimatière (f.)** antimatter *C*
apporter : apporter la preuve to prove *A*
un(e) **astronome** astronomer *C*
s' **attirer : s'attirer les foudres** to attract opposition *A*
avancer to move forward *B*
avoir : avoir l'intuition de to have inspiration *A*
un **bagage** education *C*
un(e) **biologiste** biologist *C*
bouleverser to devastate *A*
c'est : c'est réservé à this happens only in *B*
causer : causer à quelqu'un des ennuis to cause problems for someone *A* ; **causer à quelqu'un des problèmes** to cause problems for someone *A*
certain(e) some *B*
chambouler [inform.] to shake up *A*
un(e) **chimiste** chemist *C*
le **clonage** cloning *C*
collaborer (à) to take part (in) *B*
colossal(e) colossal *C*
des **conceptions (f.)** concepts, ideas *A*
confirmer to confirm *A*
connaître : connaître la gloire to become famous *A* ; **connaître le succès** to be successful *A*
la **conquête** conquest *C*
les **conséquences (f.)** results *A*
consister (à) to consist (in) *C*
la **consternation** consternation *C*
la **construction** construction *B*
contenir to include *B*
la **contestation** contesting *C*
contester to contest *A*
contribuer to contribute *B*
une **controverse** controversy *C*
un **coût** cost *C*
déboucher sur [inform.] to lead to *A*
la **décence** decency *C*
décevant(e) disappointing *C*
le **déclic** trigger *A*
déduire to deduce *A*
se **définir** to be defined as *C*
une **définition** definition *C*
dégénérer to degenerate *B*
la **démarche** approach *A*
démontrer to demonstrate *A*

la **déontologie** moral code *C*
un **détracteur** critic *A*
se **diffuser** to spread *A*
dit(e) de called *B*
un **dossier** application *A*
doté(e) de equipped with *B*
la **droiture** righteousness *C*
éducatif, éducative educational *C*
l' **effarement (m.)** alarm *C*
également equally *B*
émettre to put forward *A*
empêcher to prevent *B*
en : en commençant par beginning with *A*
enregistrer to observe *B*
un(e) **enseignant(e)** teacher *C* ; **enseignant(e) scientifique** science teacher *C*
un **ensemble** set *C*
l' **enthousiasme (m.)** enthusiasm *A*
épouvantable terrible *C*
des **espérances (f.)** expectations *C*
l' **éthique (f.)** ethics *C*
être : être à la pointe (de) to be at the cutting edge (of) *B* ; **être couronné(e) de succès** to be fruitful *A* ; **être détrôné(e) par** to be edged out by *A* ; **être en progrès** to make progress *B* ; **être en regression** to be in decline *B* ; **être issu(e) de** to be born of *A* ; **être jugé(e) sans intérêt** to be dismissed *A* ; **être porté(e) aux nues** to be idolized *A*
évacuer to evacuate *B*
expérimenter to experiment *A*
explorer to explore *A*
un(e) **extraterrestre** alien *B*
extravagant(e) extravagant *C*
faire : faire appel à to resort to *C* ; **faire des adeptes** to gain popularity *A* ; **faire des essais** to test *A* ; **faire des expériences** to experiment *A*
se **faire : se faire des ennemis** to make enemies (for yourself) *A*
favorable (à) in favor (of) *B*
freiner to slow down *B*
le **futur** future *B*
futuriste futuristic *B*
un **gadget** gadget, widget *B*
l' **honnêteté (f.)** honesty *C*
hospitalisé(e) hospitalized *C*
hostile hostile *B*
l' **hyper accélération (f.)** hyper acceleration *B*
une **hypothèse** hypothesis *A*
ignoré(e) ignored *A*
incarner to embody *B*
industriel, industrielle industrial *C*
inespéré(e) undreamt of *C*
un(e) **informaticien(ne)** computer engineer *C*
un **ingénieur : ingénieur graphiste** design engineer *C*
insolite unusual *C*

instantané(e) instantaneous *B*
une **instruction** education *C*
l' **intégrité (f.)** integrity *C*
inventer to invent *A*
un **inventeur, une inventrice** inventor *A*
les **inventions (f.)** inventions *A*
un(e) **journaliste** journalist *C*
la **lévitation** levitation *B*
une **loi** law *C*
la **loyauté** loyalty *C*
un(e) **mathématicien(ne)** mathematician *C*
méprisé(e) despised *A*
une **mère : mère porteuse** surrogate *C*
mettre : mettre à disposition to make available *B* ; **mettre au point** to develop *A* ; **mettre en doute** to doubt *A* ; **mettre en évidence** to highlight *A* ; **mettre en question** to question *A*
un **modèle** model *A*
modifier to modify *A*
moral(e) moral *C*
la **moralité** morality *C*
un **mutant** mutant *B*
naturel, naturelle natural *C*
nier to deny *B*
nombreux, nombreuse many, numerous *B*
un(e) **océanologue** oceanographer *C*
les **OGM (m.)** GMO *C*
s' **opposer (à)** to be opposed (to) *B*
ordinaire ordinary *C*
ouvrir : ouvrir de nouvelles perspectives to open up new perspectives *A* ; **ouvrir la voie (à)** to open the way (to) *A*
une **part** piece *B*
passer : passer à la trappe *[inform.]* to be forgotten *A* ; **passer inaperçu(e)** to go unnoticed *A*
la **pasteurisation** pasteurization *A*
perfectionné(e) sophisticated *B*
perfectionner to improve *B*
se **perfectionner** to improve (itself) *B*
un **personnage** person *B*
pharamineux, pharamineuse enormous *C*
un **phénomène** phenomenon *A*
un(e) **physicien(ne)** physicist *C*
un **pouvoir** ability *B*
une **prédiction** prediction *B*
la **prescience** foreknowledge *B*
présent(e) present *C*
la **probité** integrity *C*
le **processus** process *A*
prodigieux, prodigieuse prodigious *C*
se **produire** to occur *A*
progresser to advance *B*
progressiste progressive *B*
prometteur, prometteuse promising *C*
prouver to prove *A*
une **querelle** quarrel *C*

rattraper to catch up with *B*
réaliser to make *B*
la **réalité : réalité augmentée** Augmented Reality *B*
reculer to move back(wards) *B*
réfuter to refute *A*
régir to govern *C*
régresser to regress *B*
remettre : remettre en question to call into question *A*
remporter to achieve *A*
une **répercussion** repercussion *A*
un **résultat** result *A*
un **retentissement** impact *A*
rétrograde regressive *B*
révolutionner to revolutionize *A*
un **robot** robot *B*
le **savoir** knowledge *C*
scientifique scientific *C*
sortir : sortir de l'ombre to step into the limelight *A*
spatial(e) space *C*
spécialisé(e) en specialized (in) *C*
subaquatique subaquatic *A*
un **succès** success *A*
supposer to suppose *A*
un **surhomme** superman *B*
surnaturel, surnaturelle supernatural *C*
susciter to arouse, to inspire *A* ; to set off *C* ; **susciter des vocations** to inspire new vocations *A* ; **susciter l'intérêt** to arouse interest *A*
un **synonyme** synonym *C*
un(e) **technicien(ne): technicien(ne) de laboratoire** laboratory technician *C*
la **technologie** technology *A*
technologique technological *C*
la **télépathie** telepathy *B*
la **télé transportation** teleportation *B*
terrible terrible *C*
tester to test *A*
tomber : tomber dans l'oubli to fade from memory *A*
la **traduction** translation *B*
transformer to transform *A*
ultra-moderne state-of-the-art *B*
valider to validate *A*
valoir : valoir à quelqu'un des ennuis to cause problems for someone *A* ; **valoir à quelqu'un des problèmes** to cause problems for someone *A* ; **valoir à quelqu'un l'admiration** to acknowledge someone with admiration *A* ; **valoir à quelqu'un le respect** to acknowledge someone with respect *A* ; **valoir à quelqu'un un prix** to give someone an award *A*
vérifier to verify *A*
une **vision** vision *A*
un **volcanologue** vulcanologist *C*

Unité

6 L'esthétique

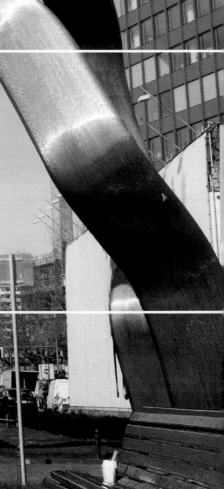

Unité 6

L'esthétique

Question centrale

Comment les canons de la beauté évoluent-ils ?

Qui est cette actrice française ?

Question centrale

Comment les expériences personnelles nourrissent-elles l'art ?

Qu'à fait cet homme dans le domaine de l'esthétique ?

Question centrale

En quoi l'architecture reflète et modifie l'environnement culturel ?

Contrat de l'élève

Leçon A Je pourrai...

>> utiliser les expressions « du premier coup et « C'est à l'autre de... »

>> découvrir les différentes facettes de la beauté féminine.

>> comprendre le passé simple et le reconnaître.

Leçon B Je pourrai...

>> parler des genres et formules d'art littéraire et utiliser « dès » et « avoir de la facilité » dans la langue parlée et écrite.

>> apprendre les bénéfices de l'art dans la philosophie et connaître l'œuvre de Dai Sijie.

>> utiliser les articles correctement et les omettre quand ils ne sont pas nécessaires.

Leçon C Je pourrai...

>> utiliser les expressions « de toutes… forces » et « à sa façon ».

>> connaître l'œuvre de Kazuyo Sejima et L'Exposition universelle de Montréal, apprendre des critiques de la tour Eiffel.

>> me servir des prépositions et bien placer les adjectifs.

cinq cent sept 507

Vocabulaire actif

emcl.com
WB 2–7

Le beau

Question centrale

?

Comment les canons de la beauté d'une personne évoluent-ils ?

Cet homme a le nez **aquilin** et les lèvres minces. Ce n'est pas un canon de beauté, mais il est **charismatique**.

Cette femme a les yeux **bridés** et le nez **épaté**. Elle est jolie et **coquette**. Elle a **une beauté naturelle**.

La beauté et ses critères

La beauté extérieure

la beauté physique/du corps
bien fait(e), bien bâti(e), joli(e)
coquet/coquette

laid(e), vilain(e)

prendre soin de soi
se maquiller, se pomponner
se faire beau/belle

Les traits physiques

le nez aquilin/épaté
les sourcils fins/épais
les yeux globuleux/enfoncés, bridés/
ronds
les lèvres minces/pulpeuses
le visage long/rond
les jambes droites/arquées
le ventre plat/rembourré

La beauté intérieure

la beauté de cœur/la beauté de
l'âme/la
beauté morale
charitable, compatissant(e), sage,
vertueux/vertueuse

méchant(e), égocentrique,
vaniteux/vaniteuse

avoir le cœur sur la main
faire le bien
être bien dans sa peau

Un « **canon de beauté** » définit une norme de beauté qui est admise de tous dans une culture ou une époque en particulier.

Dans le langage familier, on utilise encore aujourd'hui l'expression « cet homme ou cette femme est *canon* » pour dire qu'une personne est très belle.

La beauté plastique est en rapport avec **l'apparence physique.** Si on dit d'une femme ou d'un homme qu'elle/il a une jolie plastique, c'est qu'elle/il est joli(e) physiquement, que son corps correspond au canon de beauté. On dira qu'elle/il a un physique **agréable**, qu'elle/il est **sexy**, **bien fait(e)**, **mignon(ne)**, **ravissant(e)**, **splendide** ou encore **superbe**. En Europe, le canon de beauté actuel est une femme mince et plutôt grande. Pour un homme, un corps grand et musclé.

On dit d'une femme qui n'a pas besoin d'artifices pour montrer sa beauté qu'elle est **naturelle**. Par contre, une femme qui veut ressembler aux canons établis, sans en avoir le physique, peut avoir recours à **des artifices** : maquillage, coloration, coiffure, habillement, talons hauts, etc. On caractérisera sa beauté comme étant **artificielle**. Pour un homme qui passe beaucoup de temps à s'occuper de son apparence, on a tendance à plutôt le complimenter.

La beauté intérieure ne se base pas sur l'apparence physique mais sur **l'âme** de la personne. C'est une beauté que l'on ne voit pas immédiatement mais que l'on découvre petit à petit, au fur et à mesure que l'on fréquente la personne.

Le concept de beauté doit également prendre en compte le **charme**, le **charisme**, qui n'a pas toujours à voir avec le physique. Ainsi une femme/un homme **gracieuse/gracieux** ou **charismatique** peut devenir **ensorcelant(e)**, **envoûtant(e)** ou **fascinant(e)** sans correspondre nullement aux canons de beauté.

Pour la conversation

How do I express that something happens the first time ?

> ...qui n'arrivaient jamais à faire le travail **du premier coup**,...

... which would never work the first time ...

How do I say that it is up to others to do something ?

> **C'est à l'autre de** décider si oui ou non je suis belle.

It's up to others to decide if I am beautiful or not.

---

1 **Définitions**

Faites les activités.

A. *Reliez les adjectifs à leur définition.*

A. sexy	1. Joli, agréable à regarder.
B. mignon	2. Somptueux, plein d'éclat.
C. ravissant	3. Qui exerce une forte influence sur une personne ou un public.
D. splendide	4. Qui provoque du désir.
E. charismatique	5. Qui ravit l'œil, qui plaît beaucoup par sa beauté.

B. *Associez ces adjectifs à une personnalité de votre choix.*

MODÈLE   **Angelina Jolie est charismatique.**

2 Descriptions

Complétez les phrases en utilisant le vocabulaire de la liste à la page 508.

1. Cet homme n'est pas très beau mais il a beaucoup de...
2. Sa manière d'être et ses nombreuses qualités démontrent qu'elle a une grande...
3. Son corps est... , il a une démarche élégante.
4. J'aime son côté..., elle n'a pas besoin de se maquiller pour être belle.
5. Son regard est... Je ne peux pas cesser de le regarder.

3 Mots de la même famille

Cherchez des mots pour compléter les familles.

nom		charme		
adjectif	ençorceleur	**MODÈLE** **charmant**	envoûtant	
verbe				fasciner

4 Points de vue

Faites les activités en travaillant avec un partenaire.

A. *Donnez votre opinion sur la beauté physique et/ou morale des personnes suivantes.*

MODÈLE Marion Cotillard
Je trouve que Marion Cotillard est mignonne et qu'elle a beaucoup de charme.

1. Gérard Depardieu
2. Mélissa M.
3. Stéphanie de Monaco
4. Caroline de Monaco

5. Corneille
6. Vanessa Paradis
7. Carla Bruni-Sarkozy

B. *Classez ces célébrités en deux catégories : beauté plastique ou beauté naturelle (ou aucune des deux).*

MODÈLE **Carla Bruni-Sarkozy : beauté plastique**
Gérard Depardieu : beauté naturelle

C. *A deux, comparez vos réponses et échangez vos visions de la beauté.*

5 Les parties du corps

Faites les activités.

A. *Trouvez le contraire des descriptions ci-dessous.*

MODÈLE	les cheveux fins
	les cheveux épais

1. les sourcils fins
2. les lèvres pulpeuses
3. les jambes fines
4. le ventre rembourré
5. le nez arqué
6. les lèvres épaisses
7. le dos arqué

B. *Décrivez les personnes suivantes. Décrivez les parties de leurs visages et leur corps en général. Utilisez les adjectifs de la leçon.*

MODÈLE  **Elle a les les yeux bridés et le nez droit, la bouche épaisse. Elle est mince.**

1.

2.

3.

4.

*Les personnes suivantes demandent des conseils de beauté sur le Forum Doctossimo. Donnez-leurs des conseils en utilisant l'expression **du premier coup**.*

MODÈLE J'ai les sourcils épais et je n'arrive pas à les garder fins.

Allez au salon de beauté et demandez une épilation des sourcils, ou utilisez vous-même de la cire, ça marche du premier coup et il ne faut pas le refaire avant trois semaines !

1. Mon fils a beaucoup de charme mais il n'est pas gracieux.
2. Ma voisine est une vraie beauté plastique, mais elle n'a aucune beauté d'âme. Elle ne dit jamais bonjour le matin.
3. J'ai les cheveux très fins et je les voudrais plus épais.
4. Je voudrais être plus charitable, mais souvent j'ai des pensées égoïstes.
5. Ma sœur est la fille la plus vaniteuse que je connaisse. Elle se croit la plus belle au monde. Comment lui faire comprendre qu'il faut être plus compatissant envers les gens ?

7 **Questions personnelles**

Répondez aux questions.

1. Selon toi, qu'est-ce qui nous influence le plus pour déterminer nos critères de beauté physique ?
2. Comment est la femme idéale ? L'homme idéal ?
3. Penses-tu qu'il soit nécessaire qu'une femme se pomponne tous les jours ? Et pour un homme ?
4. Comment est ton visage ? Décris-le.
5. Penses-tu que la beauté morale soit autant encouragée dans notre société que la beauté physique ? Justifie ta réponse.
6. Toutes les cultures ont des critères de beauté physique différents. Quels sont ceux de ta culture ?
7. A ton avis, comment une catastrophe économique ou naturelle transformerait les critères actuels de beauté ?

Narratives

Souffrir pour être belle

Interpretive Communication : Print Texts

Introduction

Une blogueuse partage ses impressions sur les excès qu'une femme doit faire pour s'occuper de son apparence physique. Qu'est-ce qu'une femme fait routinièrement pour être belle ?

Question centrale

?

Comment les canons de la beauté évoluent-ils ?

Pré-lecture

Lisez le titre. Parcourez le texte et dites si l'auteur confirme cette philosophie, ou s'y oppose.

Il faut souffrir pour être belle ?

Il faut souffrir pour être belle, une phrase toute faite, dite probablement la première fois par une femme hirsute[1] qui se faisait épiler à la cire le bikini, c'est probablement elle qui a aussi inventé le wet suit, la peur de l'eau, les manches longues, les collets roulés, la cagoule et les bas support opaques, tout ça pour avoir à éviter de se refaire le bikini et le reste...

Non sérieusement...

Dès la prime enfance, les femmes doivent souffrir pour être belles ; je me souviens de ma tignasse[2] emmêlée qu'on devait démêler avec la grosse brosse, à chaque coup, pour amoindrir le choc, j'entendais, tu vas voir, tu vas être belle, belle, belle, ça donnait tellement mal à la tête...Et malgré ça, je ne me trouvais pas belle...

Puis, l'étape des broches[3] est arrivée, à chaque visite chez l'ortho[4], j'en avais pour une semaine à baver dans ma soupe[5], pour être plus belle ? pas encore, et en plus, pas sortable au restaurant...

Quand la pilosité adolescente est arrivée, j'étais sûre d'atteindre la vraie beauté, tellement je me suis brûlée avec la cire chaude, j'ai souffert en tirant sur ces bandes de coton qui n'arrivaient jamais à faire le travail du premier coup, j'ai éternué et pleuré des yeux à chaque poil de sourcil sacrifié, et je ne parle même pas de toutes ces douleurs que les adolescentes s'infligent délibérément selon les époques pour s'embellir... Je ne me trouvais toujours pas belle...

> **Rappel**
> L'adjectif indéfini **tout** s'accorde devant le nom auquel il se réfère, comme tous les adjectifs. Ainsi, en regardant sa forme dans le texte, dites quel est le genre du mot « douleur ».

Quand l'adulte en moi s'est révélée, l'habitude était prise, l'habitude d'avoir mal, le seuil de douleur qui recule, l'acceptation de la douleur féminine dans toute sa composition, pour avoir les jambes douces, la peau soyeuse[6], un beau sourire, bref l'acceptation de cette expression, il faut souffrir pour être belle, en souhaitant secrètement être belle... Il fallait vivre avec tout ce poids et je n'ai pas encore parlé de régime...

1. hirsute : ici, qui a beaucoup de poils.
2. la tignasse : mot familier, chevelure abondante et mal peignée.
3. broches : braces.
4. l'ortho : l'orthodontiste.
5. baver dans ma soupe : supporter.
6. soyeuse : qui est douce comme de la soie.

Lorsque j'ai connu mon premier amour, j'ai compris que la beauté est dans l'œil qui regarde... mais lorsque mon cœur s'est brisé, j'en ai tellement souffert que la beauté aurait dû m'être acquise.

Et un jour, avec l'apparition de mes premières rides[7] d'expression, je me suis fait complimenter pour mon énergie et mon humour, pour mon rire franc et mon bon cœur... Alors j'ai compris...

Finalement, j'ai rayé cette expression, il faut souffrir pour être belle et je l'ai remplacée par : il faut s'accepter pour être belle... belle pour soi !

(Avec des jambes douces, un beau sourire et une peau soyeuse quand même 🙂)

Source : MARIE, Frédérique. « Il faut souffrir pour être belle ». Juin 2009. (3 juin 2013).

 Search words : trucs de beauté, astuces beauté

7. les rides (f.) : marques de vieillissement sur le visage.

Langue vivante

A. Expliquez les deux sens du mot « poids » dans cette phrase :
« Il fallait vivre avec tout ce poids et je n'ai pas encore parlé de régime... ».

B. Une injustice est exprimée dans le texte par un verbe conjugué au conditionnel passé. Retrouvez le passage dans le texte.

---

8 Les souffrances physiques

A. *Lisez le premier paragraphe.*
   1. Les informations de ce paragraphe confirment-elles vos hypothèses dans la Pré-lecture ?
   2. D'après la narratrice, dans quelle circonstance la phrase « Il faut souffrir pour être belle » a-t-elle pu être dite pour la première fois ?
   3. Quelles sont les différentes façons de cacher sa pilosité ?

   MODÈLE   **Avec des bas support opaques**

B. *Lisez de « Non sérieusement » à « pas sortable au restaurant ».*
   4. La narratrice parle de quelles époques de sa vie ?
   5. Quelles parties du corps sont citées et en quoi sont-elles problématiques ?

   MODÈLE   **Ses cheveux sont difficiles à démêler**

   6. La narratrice parle de sa souffrance physique, mais au fond quel est son réel problème ?
C. *Lisez le texte jusqu'à la fin.*
   7. La narratrice parle de deux nouvelles époques de sa vie. Lesquelles ?
   8. Qu'est-ce que la narratrice a fini par accepter en devenant adulte ?
   9. Qu'a-t-elle découvert en tombant amoureuse pour la première fois ?

COMPARAISONS

« Il faut souffrir pour être belle ».

Pensez-vous que cette fatalité face à la douleur soit particulière aux Françaises ? Existe-t-il le même dicton dans votre pays ?

La beauté des mannequins

Interpretive Communication : Audio Texts

Avant l'écoute

Que savez-vous de la profession de mannequin ?

Introduction

Emanuelle Bastille de Radio France Internationale interviewe Lionel Dejean de L'agence YSE Models Paris, sur l'évolution des critères de la beauté des mannequins. Retrouvez les raisons derrière les critères de sélection des mannequins.

Mon idéal de beauté

Interpretive Communication : Print Texts

Introduction

Olga Kurylenko est une actrice française. Dans le témoignage ci-dessous, elle explique comment se défaire du regard d'autrui pour trouver sa beauté. Et vous, quelle importance attachez-vous au jugement des autres ? Avez-vous besoin de leur approbation pour vous sentir bien dans votre peau ?

Pré-lecture

Lisez le titre. D'après vous, quel sera le principal message du témoignage d'Olga Kurylenko ?

On considère généralement que la beauté dépend purement et simplement du jugement de goût, autrement dit qu'elle est fixée par le regard d'autrui. C'est à l'autre de décider si oui ou non je suis belle. Soumis à cette impitoyable évaluation, nous recherchons craintivement les signes d'un assentiment, d'une approbation. Un sourire, un regard admiratif, en nous rassurant sur notre pouvoir de séduction, nous enchantent et embellissent notre journée. En revanche, une indifférence marquée, voire une expression de dégoût, peuvent nous déstabiliser durablement.

Cette dépendance vis-à-vis du regard d'autrui constitue un véritable esclavage : un regard nous renvoie forcément une image relative de nous-mêmes, et les jugements diffèrent tellement d'un individu à l'autre que nous ne pouvons guère acquérir la certitude pleine et entière de notre beauté en nous en remettant à eux. Vénus elle-même, si elle avait réellement vécu, n'aurait pas fait l'unanimité, car la plupart des gens ne nous jugent pas en fonction de notre beauté (ils en sont trop peu préoccupés pour en être capables) mais en fonction de leur attirance envers nous.

[...] J'ai longtemps cru que me faire siffler par un groupe d'adolescents en furie était une garantie de beauté. Du jour où je jouais dans un film pour adolescents le rôle d'une jolie fille un peu coucheuse[1], je crus ma beauté portée à son comble[2] et enfin reconnue comme telle. Il me fallut peu de temps pour réaliser ma méprise, car en recherchant l'approbation des autres, en assujettissant ma beauté à leur incompétence sans fin, je me remis bien vite à douter de moi-même. Il m'apparut comme une évidence qu'il ne fallait pas mesurer ma beauté (réelle ou supposée) aux compliments que l'on me faisait. [...]

En fait, plutôt que dans un regard extérieur, c'est en chacune de nous que nous devons trouver et cultiver la conviction de notre beauté. Je suis la seule à pouvoir décider de ma beauté, les autres ne me sont d'aucune utilité dans ce domaine. [...]

Répétons-le : la beauté, quelle qu'elle soit, ne fera jamais l'unanimité. Et cela n'a à vrai dire aucune importance, car du moment que je sens la beauté en moi et que je choisis d'être agie par elle, je suis belle.

—Olga Kurylenko

Source : KURYLENKO, Olga. « Ce n'est pas aux autres de décider si je suis belle ou non ». 2013. <http://culturebeaute.com (3 juin 2013).

 Search words : vénus (déesse de la beauté)

Savez-vous... ?
Olga Kurylenko a tourné avec Tom Cruise dans le film *Oblivion*.

1. Un peu coucheuse : libertine.
2. A son comble : à son maximum.

---

10 Olga Kurylenko

Répondez aux questions.

A. *Lisez les deux premiers paragraphes.*
   1. D'après le texte, de quoi semble dépendre la beauté ?
   2. Quels effets positifs ou négatifs le regard de l'autre peut-il avoir sur notre psychologie ?
B. *Lisez le troisième paragraphe.*
   3. Olga nous explique qu'elle croyait quelque chose puis qu'elle s'est rendu compte que c'était faux. De quoi s'agit-il ?
   4. D'après elle, peut-on avoir la garantie que l'on est beau ou belle ? Pourquoi ?
C. *Lisez le texte jusqu'à la fin.*
   5. Comment formuleriez-vous la conclusion d'Olga ?
   6. Est-ce que ses propos confirment votre hypothèse concernant le message d'Olga ?
   7. Selon cette philosophie de la beauté, quel pouvoir a la femme ?

Ensemble des documents

Retrouvez la problématique présente dans les trois témoignages
écrits face aux critères de beauté de notre monde.

emcl.com
WB 8–12

Question centrale

?

Comment les canons de la beauté d'une personne évoluent-ils ?

Les ultra-violets, ultra violents pour la peau et la rétine

Introduction

Vous allez lire le résultat d'une enquête de l'INPES (Institut National de Prévention et d'Education pour la santé). On explique les dangers du bronzage de la peau, mode de beauté des femmes occidentales. Vous-mêmes, qu'êtes-vous prêt(e) à faire pour changer votre apparence ?

Pré-lecture

Qu'est-ce que le titre de cet article suggère pour vous ? Ce titre vous encourage-t-il à « souffrir pour être belle » ?

En France, on l'aime dorée* comme la baguette. La peau s'expose au moindre rayon de soleil et le culte du bronzage* est bien présent dans la société. Mais il fait aussi courir à notre peau un danger qui peut lui être fatal. Chaque année, 1 620 patients décèdent* d'un mélanome cutané*. Les cancers de la peau sont ainsi en forte augmentation en France depuis trente ans. Les pouvoirs publics veulent frapper les esprits avec ces chiffres :

- 70 000 cas de carcinomes cutanés par an. Ils ont la forme d'un petit bouton ou d'une croûte blanche qui se soignent bien, mais peuvent laisser des cicatrices*.
- 10 000 cas de mélanomes cutanés répertoriés* tous les ans. Bien plus grave, le mélanome est une tumeur maligne qui le plus souvent ressemble à un grain de beauté* comme un autre (avec une forme irrégulière plusieurs couleurs mélangées) mais qui, si on l'enlève trop tard, peut évoluer en métastases (cancer généralisé).
- En 2011, on estime à 9 780 les nouveaux cas de mélanomes, cancers qui ont plus que triplés entre 1980 et 2005, en raison d'une exposition plus forte de la population au soleil (InVS).

L'ensemble des professionnels de la santé et la communauté scientifique sont d'accord pour établir un lien entre la progression de l'exposition aux UV (tant du soleil que des cabines de bronzage) et l'augmentation des cancers de la peau. Les installations de bronzage artificiel, apparues dans les années 70 se sont multipliées en France ces dernières années et leurs propriétaires font une publicité agressive de leurs activités en pleine expansion, contredisant* des vérités scientifiques établies. Ils font croire que les séances d'UV :

- ont un rôle protecteur pour les expositions solaires à venir
- sont bonnes contre la dépression saisonnière (alors que sa prise en charge demande exclusivement de la lumière visible et non invisible comme les ultra-violets)
- transforment la vitamine D inactive en forme active, bonne pour la santé, etc.

---

doré(e) *golden* ; **le bronzage** *tanning* ; **décèdent (décéder)** meurent (mourir) ; **cutané(e)** relatif à la peau ; **la cicatrice** *scar* ; **répertorié(e)** enregistré(e) ; **un grain de beauté** *mole* ; **contredisant (contredire)** *contradicting (to contradict)*

Des gestes de prévention connus mais trop peu appliqués

Si le *Baromètre cancer 2010 Inpes/INCa* confirme que les Français connaissent de mieux en mieux les risques d'une exposition au soleil (97 % d'entre eux savent que s'exposer sans protéger sa peau peut favoriser un cancer cutané), il montre aussi que cette connaissance des risques ne se traduit pas concrètement par une application suffisante des gestes de prévention et des mesures de protection. Ainsi, seuls 52 % des Français savent que le soleil estival* est plus dangereux entre 12h et 16h et qu'il est donc préférable de ne pas s'exposer sur cette plage* horaire. De même, l'usage des moyens de protection est loin d'être systématique :

- Près d'un tiers des personnes ne porte jamais ou rarement de lunettes de soleil.
- Un Français sur deux se couvre systématiquement ou souvent la tête avec un chapeau.
- 15 % des Français renouvellent l'application de crème solaire toutes les heures lors d'une journée ensoleillée d'été, ce qui est pourtant recommandé pour assurer l'efficacité de la protection solaire.

Enfin, un Français sur quatre examine régulièrement sa peau à la recherche d'anomalie (apparition ou changement de forme d'un grain de beauté notamment), les femmes effectuant cet examen plus fréquemment que les hommes (28,5 vs 17,2% des hommes)

Source : SANTE.FR. L'INPES. « Les ultra-violets, ultra violents pour la peau et la rétine ». 23 mai 2012. www.inpes.sante.fr/(3 juin 2013).

 Search words : bronzage de peau, cancer de la peau

---

estival(e) relatif à l'été ; **une plage (horaire)** une zone

> **Savez-vous… ?**
> Le reflet du soleil sur l'eau et la neige agrandit la force des rayons ultra-violets. Il faut donc faire particulièrement attention au soleil, pas seulement à la plage, mais aussi en classe de neige !

11 Canons de beauté

Répondez aux questions.

A. *Lisez la première partie du texte (jusqu'à la fin de la p. 517).*
   1. Quel constat fait l'enquête de l'INES ?
   2. Quels sont les mensonges du bronzage artificiel ?
   3. Quelles vérités sont relevées par les scientifiques ?
B. *Lisez la deuxième partie du texte.*
   4. Quelle est l'attitude des Français en général face aux risques de cancer de la peau ?
   5. Quelles fautes les Français commettent-ils lorsqu'ils pensent se protéger du soleil ?

Communiquez !

Interpersonal Speaking : Discussion

Discutez de la question suivante en petits groupes.

Pour les peuples à la peau blanche, avoir la peau bronzée est à la mode. Dans les sociétés mixtes comme la Martinique et le Brésil, se blanchir la peau est l'idéal des femmes. Que pensez-vous de ce phénomène ? Jusqu'à quel point seriez-vous prêt(e) à faire des sacrifices pour être plus clair de peau ou plus foncé ? Ou pour embellir votre physique ? Risqueriez-vous des problèmes de santé ?

La beauté féminine, un culte éternel et universel (Partie 2)

Interpretive Communication : Print Texts

Les critères de beauté n'évoluent pas seulement selon les époques, mais aussi selon les endroits du monde où l'on se trouve. Les anthropologues ont de nombreux arguments démontrant la relativité des critères de beauté féminins selon les sociétés. Les femmes africaines mursi, où les femmes portent encore des ornements labiaux* et auriculaires* en forme de disques plats, d'où leur nom de « femmes à plateau », n'ont rien pour charmer le regard des Occidentaux. En Chine, durant la dynastie des Qing, la femme idéale doit être maigre, avoir la peau très blanche et de petits pieds. Les Chinoises de l'époque doivent se bander* les pieds très jeunes pour les garder petits et ainsi gagner le désir des hommes. Pendant la Révolution culturelle chinoise (1966–1976), il n'est pas permis de ressembler à une femme car tout le monde doit revêtir l'uniforme traditionnel communiste ou maoïste[1]. Aujourd'hui par contre, les femmes chinoises aiment être grandes avec de grands yeux et un nez à l'occidental. Dans plusieurs pays africains, plus la femme a des rondeurs, plus elle est belle. La minceur n'est pas synonyme de beauté, elle accuse plutôt une maladie ou une malnutrition. En effet, dans la tradition africaine, des hanches fortes et une grosse poitrine sont des critères de féminité associés à la fécondité. En Mauritanie, on engraisse* même les jeunes filles à marier car l'obésité est un critère de beauté ultime. [...]

Or, fait nouveau, les chercheurs s'intéressent de plus à la mondialisation de la beauté, phénomène qui serait différent de ceux de l'universalisation ou de la relativité de la beauté.

---

labial(e) aux lèvres ; **auriculaire** à l'oreille ; **se bander (les pieds)** *to tie (one's feet)* ; **engraisse (engraisser)** fait prendre du poids (faire prendre du poids)

1. maoïste : de l'époque du maoïsme du chef communiste de la Chine, Mao Tzedong

Il est en effet facile de constater que les critères occidentaux de beauté s'imposent de plus en plus irrésistiblement au reste du monde. De Sao Paulo à Tokyo, en passant par Lagos ou Pékin, l'idée que l'on se fait d'une belle femme est, malgré quelques exceptions, plus ou moins partout la même. Récemment, l'élection de Miss Monde 2007 a couronné* pour la première fois une jeune femme chinoise. Or, cette Chinoise mesurait 1 mètre 82, pesait 49 kilos, avait des yeux non bridés, le teint pâle, le nez fin et de longues jambes. En effet, en Chine, les femmes grandes et longues sont de plus en plus appréciées. A titre d'exemple*, lorsque la compagnie aérienne China Southern a lancé une campagne télévisée pour recruter 180 hôtesses, les candidates devaient impérativement être jeunes (moins de 24 ans), minces, et plus grandes que la moyenne. Des milliers de jeunes femmes se sont présentées. La plupart des jeunes chinoises se soumettent* aujourd'hui à des régimes et se trouvent trop grosses, même avec un Indice de Masse Corporel (IMC) parfaitement normal. Le maquillage, jugé autrefois décadent et contre-révolutionnaire, est de plus en plus en grande vogue. Pour preuve, le portrait de Laeticia Casta, l'ambassadrice de L'Oréal, s'affiche un peu partout dans les centres commerciaux. A côté des cosmétiques, la chirurgie esthétique rencontre un succès impressionnant, en particulier le débridement des yeux et le rallongement du nez. Ces deux opérations représentaient 60 % des actes chirurgicaux enregistrés à l'Hôpital N° 9 de Shanghai au cours de l'été 2002. Dans cet hôpital, on opère chaque jour plus d'une centaine de jeunes gens à la chaîne* en moins d'une demi-heure.

Pareillement, six ans plus tôt, la nigériane Agbani Darego devenait la première Miss Monde d'Afrique noire. Elle non plus ne ressemblait guère aux femmes de la région. Du haut de son mètre 80 pour un peu plus de 50 kg, cette jeune femme passait presque pour squelettique en regard des standards traditionnels. Dans sa région natale, la côte de Calabar au Nigéria, il est d'usage que les jeunes filles à marier soient confiées à des « fermes d'engraissage », le temps nécessaire pour gagner dix à vingt kilos. Après quoi, elles sont portées en triomphe dans les rues du village et prêtes pour le mariage. C'est dire que les Nigérians, au moins ceux de plus de 40 ans, ont été quelque peu interloqués par l'élection d'une jeune compatriote aussi élancée. A l'inverse, les jeunes ont immédiatement vu dans Agbani un modèle à suivre, et, dans les villes au moins, la tendance est désormais au « Slim is beautiful ».

Source : DMOZ.FR. « La femme et sa beauté à travers les âges ». 19 octobre 2012. <http: //dmoz.fr/ (8 août 2014).

 Search words : **laeticia casta ambassadrice l'oréal, miss monde 2007, miss monde d'afrique noire agbani darego**

a **couronné (couronner)** *crowned (to crown)* ; **à titre de** comme ; **se soumettent (se soumettre)** *put themselves through (to put oneself through)* ; **à la chaîne** *mass produced as on an assembly line*

Langue vivante

Retrouvez dans le texte les mots qui se réfèrent au poids.

MODÈLE rondeurs

COMPARAISONS

Etes-vous choqué(e) ou étonné(e) par un ou plusieurs des codes culturels présentés dans ce texte ? Comment définiriez-vous les critères de beauté propres à votre pays ?

13 La beauté dans le monde

Répondez aux questions.

A. *Lisez le premier paragraphe.*

1. Quels sont les critères de beauté en Chine et en Afrique ?
2. Quelles différences notez-vous avec les critères de beauté occidentaux ?

MODÈLE   **Dans notre société occidentale, il faut être mince sans être maigre, être bronzé et la grandeur des pieds est un critère de moindre importance.**

3. En Mauritanie, que fait-on aux jeunes filles pour les rendre « plus belles » ? A votre avis, pourquoi ce critère est-il si important ?

B. *Lisez le deuxième paragraphe.*

4. Quel phénomène intéresse les chercheurs aujourd'hui ?
5. En quoi l'élection de Miss Monde 2007 est un exemple de ce phénomène ?
6. L'auteur met en avant une contradiction concernant le rapport que les Chinoises entretiennent avec leur corps. Laquelle ?
7. Qu'est-ce que ces Chinoises souhaitent changer dans leur physionomie ? En quoi cette décision pose un problème identitaire ?

C. *Lisez le troisième paragraphe.*

8. Pourquoi certains hommes nigériens ont-ils été choqués par l'élection d'Agbani Darego ?
9. Quelle a été la réaction des jeunes ?

Le regard, un miroir qui déforme

Interpretive Communication : Print Texts

Introduction

HandiMarseille est un magazine en ligne qui donne des conseils de santé, des actualités, des guides pratiques pour un public handicapé. Le texte que vous allez lire examine plus profondément les rapports entre l'apparence extérieure et le jugement des autres. Pouvez-vous dire honnêtement que vous regardez les personnes handicapées de la même manière que les autres ? Quelle est votre réaction première quand vous voyez une personne handicapée ?

Pré-lecture

Parcourez le texte et dites quelles personnes sont l'objet de discussion. A votre avis, comment le regard peut-il « déformer » ce groupe de personnes ?

« Ne pas se fier* aux apparences », « L'habit ne fait pas le moine* », nombre d'adages ont popularisé l'idée que la véritable identité, l'appréhension du vrai se situe sous le vernis et non à la surface des choses et des gens. Pourtant, l'image que nous renvoie notre miroir et le regard que nous portent les « autres », ce miroir social, ne sont pas anodins*, ils nous « définissent » car ils nous situent vis à vis de la norme. « *En effet, regarder et voir ne sont pas seulement des perceptions, mais des actes par lesquels se joue notre appartenance à la communauté humaine : être regardé, c'est être humanisé ou déshumanisé, et regarder, c'est être humain ou inhumain* ».

A ce titre, nombre d'hommes et de femmes atteints dans leur intégrité physique et psychique disent souffrir davantage aujourd'hui, du regard posé sur eux que de leurs propres limitations. L'histoire du regard social porté sur le handicap, fait de préjugés, de raccourcis* est l'histoire d'un rejet de personnes jugées hors* norme. Cette norme, à la croisée de l'individualisme et du consumérisme*, voit aujourd'hui la promotion et la valorisation quotidiennes du jeunisme*, de l'hédonisme, où l'apparence est reine, le corps une marchandise et le chirurgien plastique le nouveau curé du village.

L'image de soi, « *C'est l'image que l'on essaie de renvoyer de soi même vers l'extérieur* » nous dit Béatrice, une personne non-voyante* que nous avons rencontré. Mais quelle image véhicule le handicap encore aujourd'hui ? Quel regard notre société porte-t-elle sur la personne handicapée ? Quelle responsabilité individuelle et collective portons nous à travers le regard que nous posons sur le handicap ? La thématique « Handicap et image de soi » soulève bon nombre de questions ; Handimarseille vous apporte quelques éléments de réponse.

Quelle image véhicule le handicap ? Qu'est-ce que l'image de soi ?

Bien que les considérations esthétiques, de ce qui est beau ou ne l'est pas, reposent sur

---

se fier (à) faire confiance (à) ; **le moine** *monk* ; **anodins(e)** *harmless, insignficant* ; **un raccourci** *shortcut* ; **hors** en dehors de ; **le consumérisme** l'action de consommer ; **le jeunisme** l'exaltation de la jeunesse ; **non-voyant(e)** qui ne voit pas

des normes définies depuis les temps classiques, on semble assister aujourd'hui à une prise de conscience de l'importance de l'image dans les interactions sociales, et par conséquent du rôle de l'image de soi dans la possibilité ou non de « participer socialement » à la vie de la Cité. Le terme d'image sert à désigner l'image globale que chacun donne à voir à « l'autre ». « *L'image de soi est donc le résultant complexe d'une trajectoire, une interface historique entre soi et les autres, entre les tendances personnelles et les influences culturelles… Elle symbolise le dépassement* de notre état de nature, au sens ou l'image de soi n'est pas un résidu, un détail ou un accessoire, elle est notre mode le plus permanent de communication, notre carte de visite la plus immédiate et la plus personnelle* ». Notre apparence est élaborée sur la base des stratégies et d'objectifs sociaux : paraître crédible, sérieux, faire rire, séduire etc., et il existe un lien entre la vie relationnelle d'une personne, l'image qu'elle possède d'elle-même et l'apparence qu'elle donne à voir aux autres.

L'image de soi est donc intimement liée à l'image de soi que nous renvoient les autres et à ce titre, les personnes en situation de handicap disent souffrir d'un déficit d'image. Il nous est bien sûr impossible de rendre compte de la pluralité des situations de handicap et des mille et une facettes qu'elles renvoient, mais la généralité nous enseigne que le handicap est associé à une représentation, à une perception négative.

Source : HANDI MARSEILLE. « Le regard, un miroir qui déforme ». www.handimarseille.fr/(13 juin 2013).

 Search words : association handi marseilles

---

le dépassement le fait d'aller au-delà des limites

---

14 **Le miroir du regard**

Faites les activités.

A. **Première partie :** *Lisez le premier paragraphe. L'auteur explique l'importance du regard des autres.*
  1. Quelles sont les expressions que l'on dit couramment pour faire croire que l'apparence physique n'est pas importante ?
  2. Comment l'auteur prouve-t-il le contraire ?
  3. Pourquoi le regard des autres est-il si important, selon l'auteur ?
  4. Dans le deuxième paragraphe, quel vocabulaire souligne les émotions et valeurs attribuées au regard d'autrui sur les personnes handicapées ?

B. **Deuxième partie :** *Lisez jusqu'à la fin.*
  5. D'après le texte, quel rôle a l'image de soi ?
  6. Si la vraie image de soi ne vient pas du regard des autres, d'où vient-elle ? Relevez les mots du texte.
  7. Si l'image de soi ne vient pas du regard des autres, quelle part joue le regard des autres dans notre image de soi ?
  8. Qu'est-ce que les gens handicapés subissent automatiquement dans la société ? Etes-vous d'accord avec la conclusion de l'auteur ?

Communiquez!

15 **Ce qui influence notre regard**

Interpersonal Communication : Discussion

Avec un partenaire, réfléchissez à tout ce qui établit des normes et critères de beauté que l'on projette, consciemment ou inconsciemment, sur les autres. Pour les groupes de personnes suivants, quels sont les contextes sociaux qui apprennent à porter notre regard d'une certaine façon ? Quel est le danger d'intégrer et d'accepter ces normes ? A discuter.

> **MODÈLE**   les personnes âgées
>
> **Vivant dans une société centrée sur le progrès et la jeunesse, il est difficile pour les jeunes de voir les personnes âgées comme des gens utiles à la société. Le danger est que les jeunes deviennent de plus en plus égoïstes.**

1. les pauvres
2. les malades mentaux
3. les communautés ethniques
4. les gens qui n'ont pas la même couleur de peau que vous
5. les gens obèses

Sa perspective

L'auteur dit que l'apparence d'une personne doit être centrée sur une relation sociale avec l'autre, plutôt que sur son apparence physique. Retrouvez des phrases du texte qui montrent cela.

Ma perspective

Comme l'auteur, pensez-vous aussi qu'une personne handicapée doit oublier son apparence extérieure pour être bien dans sa peau ?

La culture de tous les jours

Lisez la bande dessinée. Ensuite, répondez aux questions.

---

16 **Les femmes dans l'Art nouveau**

Répondez aux questions.

1. Où sont les étudiants qui se spécialisent dans l'histoire de l'art ?
2. Que fait le professeur ?
3. Il introduit quel mouvement artistique ?
4. Quelles sont les qualités de la femme idéale de cette période ?
5. Comment décririez-vous les cheveux de la femme dans le tableau ?

Revision : Le passé simple

Formation

1. Les verbes du 1er groupe (-er)

* Les verbes du 1er groupe se construisent avec **le radical de l'infinitif + les terminaisons : –ai, –as, –a, –âmes, –âtes, –èrent.**

Exemples :

>   *Marcher → je march-ai*
>   *Regarder → elle regard-a*
>   *Se retrouver → ils se retrouv-èrent*

Notez : le verbe irrégulier « aller » se conjugue de la même façon.

>   *j'all-ai*
>   *tu all-as*
>   *nous all-âmes*

2. Les verbes du 2ème groupe (-ir)

* Les verbes du 2e groupe se construisent également avec **le radical de l'infinitif + les terminaisons : –is, –is, –it, –îmes, –îtes, –irent.**

Exemples :

>   *Franchir → il franch-it*
>   *Finir → elles finir-ent*

3. Les verbes du 3ème groupe (verbes irréguliers)

* Attention, pour les verbes du 3e groupe, le passé simple ne se forme pas toujours à partir du radical de l'infinitif. Par exemple,

Peindre : au passé simple « *il peignit* » alors que le radical de l'infinitif est « *peind–* ».
Naître : au passé simple « *il naquit* » alors que le radical de l'infinitif est « *naît–* ».

Notez : Parfois, le participe passé du verbe aide à trouver le radical.
Croire : participe passé « *cru* » donne le radical au passé simple : *il **crut***
Les verbes du 3e groupe se construisent avec l'une de ces trois terminaisons :

–is, –is, –it, –îmes, –îtes, –irent		*–ins, –ins, –int, –înmes, –întes, –inrent*
Exemples : *nous vendîmes/tu fis*	ou	Exemples : *ils revinrent/je tins*
–us, –us, –ut, –ûmes, –ûtes, –urent		
Exemples : *elle crut/nous courûmes*		

4. Les auxilaires

* **Les auxiliaires « être » et « avoir » se conjuguent de la manière suivante :**

>   *Etre : je fus, tu fus, il fut, nous fûmes, vous fûtes, ils furent.*
>   *Il **fut** heureux de la revoir.*
>   *Avoir : j'eus, tu eus, il eut, nous eûmes, vous eûtes, ils eurent.*
>   *Ils **eurent** beaucoup d'enfants.*

17 Terminaisons

Trouvez la terminaison des verbes proposés parmi la liste ci-dessous.

| –it | –înmes | –is | –us | –urent | –irent | –int | –ûmes |

1. venir : Nous v... à sa rencontre.
2. vivre : Nous véc... ensemble nos plus beaux instants.
3. devoir : Elles d... vendre toute leur garde-robe.
4. rendre : Ils nous rend...visite au château.
5. retenir : Elle ret... son souffle.
6. vendre : Je vend... ma plus belle bague.
7. croire : Je cr... un instant que tu m'aimais.
8. attendre : Il attend... toute la journée.

18 Etre et avoir

Mettez les verbes au passé simple.

1. Elles (avoir) beaucoup de succès.
2. Il (être) immédiatement sous le charme.
3. Les vêtements (être) importés d'Italie.
4. Nous (avoir) tort de ne pas venir à ce défilé.
5. Je (être) agréablement surpris par la douceur de ce tissu.
6. Vous (être) bien naïfs de croire en sa bonté.
7. Tu (avoir) de la chance de me rencontrer.

19 Conjuguez !

Mettez les verbes au passé simple.

1. Les deux sœurs (se disputer) au sujet de la robe de gala.
2. Elle (tenir) son chapeau au-dessus de sa tête pour se protéger du soleil.
3. Je (jeter) un regard rapide autour de moi et j' (apercevoir) cette charmante jeune femme.
4. Alice (enfiler) sa veste et (sortir).
5. Elle (croire) que sa beauté était fanée quand elle (se voir) dans le miroir.
6. Nous (voir) cette belle demoiselle au château.
7. Quand elle (se réveiller) elle (se précipiter) devant la fenêtre.
8. Quand elle lui (parler) pour la première fois, elle (rougir) tellement elle le trouvait beau.

Le passé simple : Code oral, Code écrit

emcl.com
WB 16–18

Code oral

Depuis le XIIeme siècle environ, le passé simple a connu un fort déclin, à tel point qu'il a disparu de la langue parlée au profit du passé composé. Par exemple, on ne dira pas : *nous arrivâmes à la maison à 20h00* mais : *nous sommes arrivés à la maison à 20h00.*

L'utilisation du passé simple, à l'oral, se résume actuellement aux proverbes ou expressions figées.

> *Jamais gourmand ne mangea bon hareng.*

> *J'ai connu votre père, un digne homme s'il en fut.* (Vigny)

Code écrit

A l'écrit, les principaux temps de la narration au passé sont l'imparfait, le passé simple et le passé composé.

L'imparfait pose le décor et le contexte dans lequel se déroule l'histoire.

> *C'était l'hiver. Il pleuvait ce jour-là...*

Dans le récit familier, le passé composé s'emploie pour décrire les actions qui font avancer l'histoire.

> *Maman, j'ai trouvé un travail à Nice, je déménage demain.*

Dans le récit littéraire, c'est le passé simple qui remplit ce rôle.

> *Le commissaire arriva sur les lieux du crime et interrogea les suspects.*

Le passé simple est souvent utilisé dans les contes de fées, les romans ou les biographies. Il crée une distance par rapport à la réalité. Il évoque une autre époque, un autre espace ou un lieu fictif. La plupart du temps, le style est soutenu.

> *L'ogre chaussa ses bottes et se lança à leur poursuite.*

Le passé simple s'utilise pour décrire des actions ou des faits qui font avancer l'histoire, comme le passé composé mais, contrairement au passé composé, il est détaché du présent.

> *Lisa est arrivée dans le village la semaine dernière.* (passé composé)

> *Lisa arriva dans le village.* (passé simple)

Dans la 1ère phrase, l'indication de temps se réfère au présent (la semaine dernière) et le passé composé sous-entend que *Lisa y est toujours* alors que dans la 2e phrase il est impossible de situer l'action par rapport au présent.

Particularités de la conjugaison du passé simple

Ce temps ayant quasiment disparu du code oral, le passé simple se conjugue principalement à la 3ème personne du singulier et du pluriel. Par exemple, dans un conte, on pourra lire :

«La princesse perdit son anneau. »

Mais on n'entend jamais dire *« Vous perdîtes votre anneau »*.

20 Une femme d'une beauté étincelante

Mettez le texte au passé simple.

En rentrant du village, nous avons croisé une femme d'une beauté étincelante. Je parlais avec mon ami Richard et soudain je me suis rendu compte qu'il ne m'écoutait plus. Il a tourné la tête dans sa direction. Elle a souri timidement. Il est devenu rouge écarlate. Elle est passée juste à côté de nous et leurs mains se sont frôlées.

21 Cendrillon

Complétez le texte en utilisant le passé simple ou l'imparfait du verbe entre parenthèses suivant le cas.

Le Fils du Roi, qu'on (aller) avertir qu'il (venir) d'arriver une grande Princesse qu'on ne (connaître)point, (courir) la recevoir ; il lui (donner) la main à la descente du carrosse, et la (mener) dans la salle où (être) la compagnie. Il se (faire) alors un grand silence ; on (cesser) de danser, et les violons ne (jouer) plus, tant on (être) attentif à contempler les grandes beautés de cette inconnue. On (n'entendre) qu'un bruit confus : « Ah, qu'elle est belle ! » Le Roi même, tout vieux qu'il (être) ne (se lasser) pas de la regarder, et de dire tout bas à la Reine qu'il y (avoir) longtemps qu'il n'avait vu une si belle et si aimable personne.

Le Fils du Roi la (mettre) à la place la plus honorable, et ensuite la (prendre) pour la mener danser.

Source : PERRAULT, Charles. *Cendrillon ou la petite pantoufle de verre*, 1697.

A vous la parole

emcl.com
WB 19–22

Question centrale

?
Comment les canons de la beauté d'une personne évoluent-ils ?

Communiquez!

22 **Se sentir belle**

Interpretive Communication and Presentational Speaking

Lisez le graphique et faites les activités en groupe.

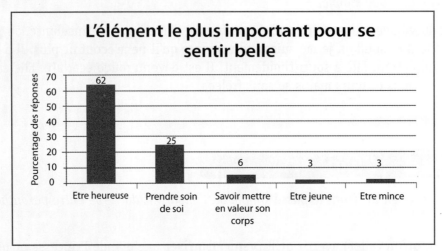

L'élément le plus important pour se sentir belle

Pourcentage des réponses

- Etre heureuse : 62
- Prendre soin de soi : 25
- Savoir mettre en valeur son corps : 6
- Etre jeune : 3
- Etre mince : 3

Source : WOMENOLOGY. http://www.womenology.fr/wp-content/uploads/2011/05/Im-beaut%C3%A9-graphique-1.jpg (3 juin 2013).

A. Observez les pourcentages.

B. Que remarquez-vous ? Classez les cinq critères en deux catégories. Quelle conclusion faites-vous ?

C. Répondez au sondage et comparez vos réponses avec les données du graphique. Dans quelle catégorie vous placez-vous ?

D. Faites deux groupes. Les garçons d'un côté et les filles de l'autre. Chaque groupe réfléchit aux différences entre les hommes et les femmes dans leurs rapports à la beauté. Les deux groupes s'expriment à tour de rôle.

MODÈLE **Les filles donnent une grande importance aux vêtements, alors que nous, les garçons, on s'habille avec ce que l'on trouve dans l'armoire ! Je ne comprends pas pourquoi elles mettent autant de temps à choisir leurs habits...**

Le groupe des filles réagit.

MODÈLE **C'est un stéréotype, toutes les filles ne passent pas une heure devant leur penderie ! Et puis les garçons aussi donnent de l'importance à leurs vêtements, par exemple en achetant des habits de marque.**

Communiquez !

23 | **Valeria Lukyanova... une femme poupée ?**

Presentational Speaking and Writing

Faites les activités suivantes.

Née en 1991, Valeria Lukyanova, jeune femme ukrainienne, a toujours été passionnée de sa collection de poupées Barbies. Obsédée par ses idoles plastiques, elle a subi une dizaine d'opérations de chirurgie esthétique afin de ressembler à une véritable poupée Barbie. Ses jambes fines, sa taille de guêpe, son buste prononcé, et surtout son visage taillé exactement à l'image de Barbie: pommettes relevées, grands yeux, nez affiné... sa transformation est incroyable. Valérie, diplômée de l'*Académie d'architecture et de construction* de l'Etat d'Odessa est devenue une véritable star du web par ses photos qui ont suscité beaucoup de réactions différentes. Elle se dit vouloir se perfectionner. Au quotidien, elle fait beaucoup de méditations, suit un régimen alimentaire drastique, et bien-sûr, passe de nombreuses heures au gymnase.

A. *Donnez vos impressions de la chirurgie plastique à votre partenaire. Discutez.*

B. *Lisez le texte, puis répondez aux questions en tandem.*
- Comment Valeria Lukyanova est-elle devenue célèbre ?
- Quel est le quotidien de Valeria ? Que révèle-t-il ?
- A votre avis, pourquoi certaines personnes pensent que Valeria a un problème ?

C. *De nombreuses personnes ont réagi aux photos de Valeria Lukyanova. Lisez ces commentaires, puis réagissez à chaque commentaire avec votre partenaire.*

Elle est sublime, une œuvre d'art !
–Tommy
C'est vraiment dommage d'en arriver à ce point, quel est son but finalement ? C'est sûr qu'elle a un corps magnifique, mais bon, son visage ne montre aucune expression ni la moindre émotion
–Elisa
Vraiment malsain plutôt que de payer une fortune en chirurgie, elle devrait consulter un psychanalyste.
–Kevin
Moi je la trouve magnifique ! C'est peut-être un rêve de petite fille mais j'aimerais bien être comme elle !
–Maeva
La tristesse est présente en cette personne. Pauvre jeune fille, ta tristesse disparaîtra quand tu cesseras de vouloir ressembler à ce que tu n'es pas, c'est-à-dire un être avec des émotions et des expressions, des sentiments bref tout ce qui compose physiquement un individu, mais est-ce que le retour en arrière est possible aujourd'hui ?
–Christine

Source : TUXBOARD.COM. « Valeria Lukyanova La Barbie russe ». www.tuxboard.com/(3 juin 2013).

D. Dites à votre partenaire si vous croyez que Valeria est allée trop loin.
E. Ecrivez un message sur son blog pour donner votre opinion.

 Search words : valeria lukyanova

Communiquez!

Interpersonal Speaking : Conversation

Vous discutez avec une amie de vos opinions sur la beauté. Votre conversation doit suivre le canevas qui vous est donné ci-dessous. Vous allez entendre les répliques de votre un amie et vous réagirez comme le canevas l'indique.

–Votre amie est déprimée car elle ne se trouve pas belle.

–Vous la rassurez et lui donnez des conseils pour se mettre plus en valeur.

–Elle pense qu'elle ne sera belle que si elle fait de la chirurgie esthétique.

–Vous lui expliquez qu'elle doit se sentir bien dans sa peau pour être belle.

–Elle vous demande comment faire pour être bien dans sa peau.

–Vous lui donnez des conseils pour se sentir à l'aise avec son corps.

–Elle vous remercie pour vos conseils.

Communiquez!

25 Citations sur la beauté

Presentational Writing

Lisez les citations. Ensuite, faites les activités qui les suivent.

« Les privilèges de la beauté sont immenses. Elle agit même sur ceux qui ne la constatent pas. »
  —*Cocteau, Jean. Les Enfants terribles*

« La différence entre la beauté et la laideur, c'est que la laideur, elle, au moins elle dure ! »
  —*Gainsbourg, Serge*

« Demandez à un crapaud ce qu'il pense de la beauté... Il vous répondra que c'est sa femelle avec deux gros yeux ronds sortant de sa petite tête, une gueule large et plate, un ventre jaune, un dos brun. »
  —*Voltaire. Dictionnaire philosophique.*

« Ce qui fait la beauté des choses est invisible. »
  —*Saint-Exupéry, Antoine de*

« La nature ignore l'imperfection : l'imperfection est une notion de l'homme qui perçoit la nature. Dans la mesure où nous faisons partie de la nature, nous sommes également parfaits ; c'est notre humanité qui est imparfaite. »
  —*Pagels, Heinz. L'Univers Quantique.*

A. *Lisez la première citation et choisissez la phrase qui la résume.*
- Tout le monde est beau potentiellement.
- Personne n'est insensible à la beauté.
- Il n'existe pas de plus grand privilège que celui d'être beau.

B. *Lisez la deuxième citation. Dites si vous êtes d'accord avec cette affirmation.*

C. *Lisez la troisième citation. Donnez le sens du message.*

D. *Lisez la quatrième citation. Expliquez le sens de cette phrase avec vos propres mots. Ecrivez un essai sur la beauté.*

E. *Ecrivez un essai à partir d'une citation sur la beauté. Dites pourquoi vous l'avez choisie et donnez des exemples des textes. Développez l'idée principale et soutenez vos propos.*

Communiquez!

26 Créons la plus belle personne du monde !

Presentational Speaking : Oral Presentation

Vous allez créer la plus belle femme, ou le plus bel homme du monde à partir des critères culturels que vous avez vus dans la leçon. Faites des groupes de trois personnes.

A. Chaque groupe se renseigne sur les critères de beauté d'une zone géographique, par exemple : Amérique du nord – Amérique du sud – Europe occidentale – Europe de l'est – Asie du Sud-Est. Recherchez les informations dans les articles de cette leçon, sur Internet ou dans des encyclopédies.

B. Réalisez une description physique et psychologique de la femme ou de l'homme idéal(e) de votre zone géographique.

C. Fabriquez son image ! Pour cela, vous pouvez :
- faire un collage avec plusieurs photos ;
- faire un croquis.

D. Préparez un profil : nom, âge, profession, passe-temps…

E. Présentez votre personne parfaite à la classe. Expliquez en quoi elle correspond aux critères de beauté de la zone géographique que vous avez choisie.

F. Votez pour élire la plus belle femme et le plus bel homme du monde.

Lecture 1

Dolly... on est comme on est

Interpretive Communication : Print Texts

France d'Amour.

Rencontre avec l'auteur

France d'Amour (1967–) est une chanteuse québécoise. En 1992, elle se fait connaître du grand public avec son premier album *Animal*, qui devient disque d'or. En 1998, elle incarne Esméralda pendant la tournée française de la comédie musicale *Notre-Dame-de-Paris*. Elle sort, en 2011, l'album *Bubble Bath & Champagne*, très apprécié du public québécois. Est-ce une bonne chose, selon vous, de ne pas pouvoir changer son apparence ?

Pré-lecture

A votre avis, la plupart des jeunes de votre âge sont-il bien ou mal dans leur peau ? Pourquoi ?

« Dolly... on est comme on est » par France d'Amour

¹ On peut courir on peut s'enfuir*
Plus on va loin plus on va nulle part
Quel plaisir de se mentir
Quand on veut pas s'voir dans l'miroir

⁵ On peut se faire du cinéma
Puisqu'on est tous des mégastars
On ferait bien n'importe quoi
Pour aller chercher son Oscar

On est comme on est
¹⁰ A quoi servent les regrets
On est mieux que parfait
Quand on se reconnaît

On a le droit de changer d'peau
Mais la nôtre n'a pas de prix
¹⁵ Après la peau restent les os
Mais qui tiendra le bistouri* ?

> **Rappel**
> Les prépositions interrogatives peuvent se placer en début de phrase ou en fin de phrase. Accompagnées d'une préposition, elles ont automatiquement fonction d'objet du verbe, et ne modifient pas ce dernier. Comment diriez-vous : « To whom are you sending the song ? »

> **Pendant la lecture**
> 1. Est-ce que s'enfuir est une réaction productive ?

> **Pendant la lecture**
> 2. Qui sont les mégastars ?

> **Pendant la lecture**
> 3. A quoi les gens sont-ils prêts à faire pour être reconnus ?

> **Pendant la lecture**
> 4. Quand est-ce qu'on est « parfait » ?

> **Pendant la lecture**
> 5. Quelle est la réponse à cette question ?

> **Pendant la lecture**
> 6. De quelle procédure parle l'auteur ?

---

s'enfuir *to run away* ; **le bistouri** couteau de chirurgien

Si la beauté est impossible
Sans le recours du silicone
Les saints de la nouvelle bible[1]
[20] Ont déjà prévu* d'autres clones

(Refrain)

Peu importent les effets
Peu importent les trucages*
On ne pourra jamais
[25] Changer notre vrai visage

On est comme on est
On est comme on est
On est comme on est
On est comme on est

Pendant la lecture
7. Qui sont ces « clones » ?

Pendant la lecture
8. Est-il possible de transformer son apparence physique ?

Source : « Dolly... on est comme on est », par France d'Amour. Paroles: France D'Amour, Roger Tabra. Musique : Jean-François Pednault 1998 "Le silence des roses" © Tacca Musique.

prévu (prévoir) planifié (planifier) ; **un trucage** *theatrical effect*

1. La nouvelle bible fait référence à la Scientologie ; jeu de mots sur seins-saints

Langue vivante
Aidez-vous du contexte pour expliquer l'expression « sans le recours de » dans la proposition « sans le recours du silicone ».

Post-lecture
Quelle est la morale de la chanson ?

Ecoutez la chanson en la lisant. Puis, faites les activités.

A. La chanteuse décrit des comportements humains. Dites lesquels.

MODÈLE   **Prendre plaisir à se mentir**

B. Dans la deuxième strophe choisissez une reformulation de l'expression « On peut se faire du cinéma » .
   • On peut jouer au cinéma.
   • On peut aller au cinéma.
   • On peut s'imaginer une vie fictive.

C. Dans la troisième strophe, expliquez le sens de la phrase : « On est mieux que parfait quand on se reconnaît » .

D. Dites à quoi la chanteuse fait référence dans la quatrième strophe.

28 **Réflexion**

Le titre fait référence à Dolly, la première brebis clonée. Expliquez pourquoi.

29 **Activités d'expansion**

Faites les activités suivantes.

1. Ecoutez la chanson. Puis, écrivez un essai qui critique la chanson comme chanson : paroles, rythme, instrumentation, genre, voix...
2. Ecrivez un essai dans lequel vous décrivez une personne que vous trouvez belle. Elle a des atouts physiques, moraux ou des deux catégories ?

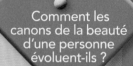

T'es branché ?

Faisons le point !

A. *Pour retrouver les principales idées développées au cours de la leçon, notez dans votre cahier un ou deux exemple(s) en face de chacun des points de repère qui vous sont proposés. Reportez-vous à tous les documents de la leçon (écrits journalistiques, témoignages, interviews, analyses, chanson).*

Question centrale

?

Comment les canons de la beauté d'une personne évoluent-ils ?

Le beau	Notes
La recherche de la beauté	
• souffrir pour être belle	
• s'accepter soi-même	
Changer son physique	
• changer sa couleur de peau	
• faire appel à la chirurgie esthétique	
L'évolution temporelle des canons de beauté	
• de la préhistoire à l'époque contemporaine	
• Art Nouveau	
L'évolution culturelle des canons de beauté	
• dans les différentes régions du monde	
• Miss Monde	

B. *Discutez en groupes. Que répondriez-vous à la question posée au début de l'unité : Comment les canons de la beauté d'une personne évoluent-ils ?*

Vocabulaire actif

Les arts littéraires

Victor Marie Hugo est le plus grand écrivain du XIXème siècle.

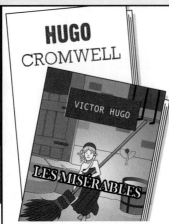

Son œuvre comprend des romans et des pièces de théâtre, …

Demain, dès l'aube
Demain, dès l'aube, à l'heure où blanchit la campagne,
Je partirai. Vois-tu, je sais que tu m'attends.
J'irai par la forêt, j'irai par la montagne.
Je ne puis demeurer loin de toi plus longtemps.
Je marcherai les yeux fixés sur mes pensées,
Sans rien voir au dehors, sans entendre aucun bruit,
Seul, inconnu, le dos courbé, les mains croisées,
Triste, et le jour pour moi sera comme la nuit.
Je ne regarderai ni l'or du soir qui tombe,
Ni les voiles au loin descendant vers Harfleur,
Et quand j'arriverai, je mettrai sur ta tombe
Un bouquet de houx vert et de bruyère en fleur.

Victor Hugo (1802-1885)

… de la poésie, …

VICTOR HUGO « DISCOURS SUR LA MISÈRE » À L'ASSEMBLÉE NATIONALE LE 9 JUILLET 1849

… et de la critique.

Les genres littéraires

• Le genre littéraire est une catégorie qui permet de rassembler les textes par « familles ».

• On distingue cinq grands **genres** selon l'usage courant des bibliothèques : **la poésie**, **le théâtre**, **le roman**, **la critique**, **le genre argumentatif** (**essais**, **discours**, etc.). Cette classification repose à la fois sur des critères formels (usage de **la prose**, **du vers** ou **du dialogue**), pragmatiques (un texte écrit pour être joué, lu ou dit), **sémantiques** (textes créant un univers fictif, textes parlant d'autres textes) et **narratologiques** (selon l'identité et la place du narrateur dans **le récit**).

Les grands genres se subdivisent en de multiples sous-genres : par exemple, le poème en prose se distingue du poème en vers, **la tragédie**, de **la comédie**, **la nouvelle**, du **roman**, etc.

Source : ASP. ASSISTANCE SCOLAIRE PERSONNALISEE. « Lexique, genre littéraire ». www.assistancescolaire.com (1 juin 2013).

Il existe là encore des sous-catégories qu'on présente à la page suivante.

Il y a, par exemple, des **romans historiques**, des **romans épistolaires** ou encore **d'aventure, de science-fiction, d'horreur, de fantaisie**, etc.

Dans le genre de la biographie, il faut différencier **l'autobiographie** de **l'autofiction**, du **journal intime** ou encore **des mémoires**.

L'auteur et son œuvre

Une personne qui écrit des textes est **un auteur**. Par exemple, quelqu'un qui écrit des textes de chanson est un « auteur-compositeur ». S'il écrit des livres, il est **écrivain**.

En fonction du genre littéraire, il peut être **romancier, poète, dramaturge, écrivain biographe, essayiste, pamphlétaire**, etc.

Le mot **livre** a plusieurs synonymes : **ouvrage, œuvre**, etc. Dans le langage familier, on dit « **bouquin** ».

Il existe plusieurs types de livre dans le commerce : **le livre électronique** se lit sur des « **liseuses** ». En format papier, « **le livre de poche** » est un petit format qui se différencie du livre « grand format ». Il y a également les « **beaux livres** » qui sont généralement des ouvrages photographiques et les livres rares, anciens ou encore de collection.

Avant d'être imprimé, le « livre » est **un manuscrit**.

L'autobiographie

Le terme « **autobiographie** » provient des trois mots grecs : « autos » (*soi-même*) ; « bios » (*la vie*) et « grafein » (*écrire*). Une autobiographie est donc un récit dans lequel une personne raconte sa propre vie.

Le héros de l'histoire est donc à la fois l'auteur et **le narrateur**. Tous les événements n'existent que par rapport à lui. Tout est rapporté selon son propre point de vue. Lorsqu'il publie son autobiographie, l'auteur passe une sorte de pacte avec son lecteur, appelé « pacte autobiographique » : il s'engage à dire le vrai, à être sincère. Il se pose à la fois comme auteur, narrateur, personnage principal du récit, respectant la règle de la vérité. Le lecteur, de son côté, devient témoin, juge, confident, voire complice de l'auteur dont il lit la vie.

Le souvenir

L'auteur fait souvent appel à **sa mémoire** pour écrire.

Pour transformer ses expériences personnelles en littérature, il doit « se remémorer » ou « se souvenir » des instants qu'il a vécus.

Quand les souvenirs sont lointains ou manquent de clarté, on dit qu'ils sont **flous** ou **vagues** en comparaison de souvenirs **précis, limpides**. Les souvenirs impérissables sont ceux qui ne meurent jamais, qui durent depuis très longtemps.

> ### Langue vivante
>
> Quand une personne cherche un mot et qu'elle ne le trouve pas, elle dit « je l'ai sur le bout de la langue ». Cela signifie qu'elle est sur le point de se souvenir du mot mais qu'elle n'arrive pas à le formuler.

Pour la conversation

How do I describe a repeated pattern ?

> **C'est la formule de** Freud.

It's the formula used by Freud.

How do I describe the starting point ?

> ... **dès** la première phrase posée, j'ouvre grand les bras, les yeux, les oreilles et aspire la vie.

From the first sentence put down, I open wide my arms, eyes, ears and breathe life.

How do I describe that someone's good at something ?

> Il y a beaucoup de romanciers policiers historiens **qui ont une très bonne facilité à** emmener le lecteur dans des temps anciens...

There are a lot of crime and historical novelists who are really good at taking the reader into the past...

1 Définitions

Trouvez à quels mots du vocabulaire présenté ci-dessus correspondent ces définitions.

1. S'écrit en prose ou en rimes. Elle évoque ou suggère souvent des émotions.
2. Ecrit littéraire qui traite d'un sujet en le développant méthodiquement. Synonyme d'exposé.
3. Ensemble de textes destinés à être joués par des comédiens.
4. Histoire fictive composée d'une intrigue et de personnages.
5. Œuvre de réflexion explorant un sujet donné.
6. Examen d'une œuvre visant à porter un jugement de valeur.

2 Les différences de genres

Dites ce qui différencie ces sous-genres littéraires. Ensuite, nommez un exemple d'une œuvre en anglais pour chaque catégorie (il y en a dix).

MODÈLE nouvelle/roman
La nouvelle est un ouvrage fictif plus court que le roman. (« *The Gift of the Magi* »)

1. poème en prose/poème en vers
2. comédie/tragédie
3. autobiographie/autofiction
4. roman noir/roman policier
5. roman de science-fiction/roman de fantaisie

3 Les sous-genres de la biographie

Faites les activités.

A. *Associez chaque sous-genre littéraire à un des extraits proposés.*

| biographie | autobiographie | autofiction | journal intime | mémoires |

1. Samedi, 18 mai 1861

   Il est près de six heures et je suis réveillée. J'écris ces quelques lignes à la hâte. Aujourd'hui est un grand jour, celui de mon mariage.

   > Extrait d'un texte de Louis Deville

2. Je doute très sérieusement que quiconque veuille m'embaucher. Les employeurs perçoivent en moi la négation de leurs valeurs. Ils me craignent. Je les soupçonne d'être capables de se rendre compte que je vis dans un siècle que j'exècre.

   > Extrait de *La conjuration des imbéciles* de John Kennedy Toole

3. Je suis née pendant une alerte, le 17 janvier 1944, vers vingt et une heures trente, à la clinique Marie-Louise, en haut de la rue des Martyrs, dans le IXème arrondissement de Paris [...]. Ma mère a souvent raconté que j'avais pleuré chaque nuit du premier mois de ma vie, mais qu'elle n'était jamais venue.

   > Extrait de *Le désespoir des singes et autres bagatelles* de Françoise Hardy

4. Le 22 mars 1959, le drapeau mauritanien est hissé pour la première fois dans l'histoire de notre pays ! Et, coïncidence heureuse, la météo fêta cet événement historique.

   > Extrait de *La Mauritanie contre vent et marée* de Moctar Ould Daddah

5. Après avoir fréquenté une école primaire bilingue arabo-francophone, il étudie au lycée français de Tanger jusqu'à l'âge de dix-huit ans, puis fait des études de philosophie à l'université Mohammed V de Rabat, où il écrit ses premiers poèmes.

   > Extrait de wikipedia : Tahar ben Jelloun

B. *Lisez ces trois extraits et dites lequel provient d'une autobiographie. Justifiez votre choix.*

1. Sylvie allait au collège tous les matins avec son sac à dos rose. Ses amis se moquaient d'elle car il n'avait pas de marque, mais cela n'avait aucune importance pour elle.

2. La première fois que j'ai rencontré Blopz, c'était le jour de mes 8 ans. J'ai eu très peur, car de ma vie je n'avais jamais vu d'extraterrestre !

3. J'ai habité pendant toute mon enfance dans cette maison. J'ai vécu toutes mes expériences en ces lieux, mes frayeurs, mes joies, mes tristesses...

4 La mémoire

Complétez les phrases avec les mots suivants à la forme correcte.

> se souvenir   impérissable   mémoire   flou   précis

1. Après mon accident, j'ai perdu la... Je ne me rappelle plus de rien.
2. Cette époque de ma vie est très... J'ai du mal à me souvenir où et avec qui j'étais.
3. L'important, dans la vie, c'est de... des belles choses.
4. Je me rappelle de chaque détail de manière très...
5. Jamais je n'oublierai ces moments. C'est un souvenir...

5 Identifiez !

Indiquez de la formule littéraire ou cinématographique des choses suivantes. Suivez le modèle.

MODÈLE   L'intrigue avance avec les chansons et parfois la danse.
C'est la formule des comédies musicales.

> une comédie romantique   les romans policiers d'Agatha Christie   les films de Superman
> les films de Charlie Chaplin   les films de Sherlock Holmes   les comédies musicales

1. La femme et l'homme se rencontrent, mais quelque chose les sépare jusqu'à la fin.
2. L'investigateur a de la facilité à déduire les faits d'un crime et à trouver le criminel.
3. On voit la malchance d'un vagabond qui fait rire.
4. Un homme en costume sauve un bon nombre d'êtres humains.
5. On révèle l'identité du meurtrier dans le salon.

6 Questions personnelles

Répondez aux questions.

1. Te sers-tu d'une liseuse ? Pour lire quels sortes d'ouvrages littéraires ?
2. Quel est ton genre de roman préféré ?
3. Es-tu inspiré(e) par l'écriture, la danse, l'art, les films, etc. pour créer une œuvre littéraire toi-même ?
4. As-tu une assez bonne mémoire pour raconter ton enfance ?
5. As-tu jamais assisté à des pièces ? Auxquelles ?
6. Si tu étais écrivain ou écrivaine, qu'est-ce que tu écrirais ?
7. Si tu étais narrateur ou narratrice, tu décrirais quel milieu ?

Narratives

Où trouver son inspiration pour écrire un roman ?

Narrative 1

Interpretive Communication : Print Texts

Introduction

L'étudiante Arliss Ambour parle de son inspiration pour écrire. Croit-elle à l'inspiration classique ?

Pré-lecture

Sur quelle sorte de site web pensez-vous qu'on a trouvé ce texte : un site gouvernemental, commercial... ?

« Personnellement j'ai déjà écrit un roman et plusieurs nouvelles. Mais j'avoue que cette question est difficile... en fait, pour mon roman, c'est à la base une image qui m'a frappée, qui m'est resté d'un rêve ; un visage en particulier. Un visage mauvais, terrifiant et attirant. Je ne sais plus qui était cet homme, dans mon rêve. Mais il est devenu le démon de mon roman. Et je me suis levée à 4 h du matin avec juste cette image en tête et j'ai écrit. J'avoue que les mots se sont posés tout seuls sur le papier. J'ai décrit ce visage, mes sentiments et sans même m'en rendre compte j'ai peint un cadre, un Enfer. Et en me levant le lendemain, j'ai relu mon mini-texte nocturne et j'ai écrit en une heure, le schéma, le résumé de mon roman qui n'a presque pas changé.

Après chaque passage est inspiré sur le coup d'une expérience de vie, parfois d'un fantasme, il faut l'avouer et d'autre fois je ne sais même pas. En fait j'écris comme si je lis, c'est une suite logique à la phrase qui précède.

Pour mes nouvelles en général (comme c'est plus court, l'intrigue est moins longue bien que plus intense), c'est une muse qui m'inspire. C'est quelqu'un. Typiquement, une amie me dit quelque chose de totalement anodin et dans ma petite tête tout un mécanisme se met en place pour transformer ce qu'elle a dit en une histoire... l'inspiration vient souvent de pas grand-chose...

J'espère avoir répondu à ta question, mais sache que souvent quand on cherche l'inspiration, on la trouve pas (ou on en trouve une qui ne nous plaît pas) ».

—Arliss Ambor

> **Rappel**
> As-tu compris que « j'ai relu » veut dire « J'ai lu encore une fois » ? Le préfixe **re–** ou **r–** indique la répétition d'une activité. Donne l'équivalent de ces verbes en anglais : reparaître, renommer, réévaluer, reconstruire, ramener.

Source : AMBOR, Arliss « Où trouver son inspiration pour écrire un roman ? » www.doc-etudiant.fr (31 mai 2013).

Citation

Arliss Ambor dit : « ... sache que souvent quand on cherche l'inspiration, on la trouve pas... » Comment décririez-vous l'inspiration d'Arliss ?

Répondez aux questions.

A. *Lisez le premier paragraphe.*
  1. Quel événement a donné à l'auteur l'inspiration de son premier roman ?
  2. Qu'a-t-elle écrit pendant la nuit ? Et le lendemain matin ?
B. *Lisez la suite du texte.*
  3. Quelles sont les différentes sources d'inspiration de l'auteur pour son livre et ses nouvelles ?
  4. En quoi la lecture l'aide-t-elle à écrire ?
  5. Quelle comparaison fait-elle entre son roman et ses nouvelles ?
  6. Quel conseil implicite donne-t-elle à la fin du texte ?

Interview d'Amélie Nothomb

Interpretive Communication : Print Texts

Introduction

Vous allez lire un texte biographique sur l'écrivain Amélie Nothomb. (Vous pouvez lire un extrait de son roman de science-fiction *Péplum* dans l'*Unité 9* de *T'es branché ? Niveau 2*.) Le premier texte est suivi d'une interview avec Nothomb au sujet de son dernier roman, *Tuer le père*, qui raconte l'histoire de Joe, un adolescent peu sociable et mis à la porte par sa mère. Il occupe ses journées à s'entraîner à la magie dans un bar. Ses tours de cartes impressionnent et il est vite repéré par un homme qui le confie à Norman, un magicien renommé. Il va l'héberger et le former. Une relation unique s'établira entre les deux magiciens. Qu'est-ce qui, dans le personnage Joe, vous semble autobiographique de l'auteur ?

Issue d'une famille belge de la petite aristocratie où la politique et la littérature ont toujours fait bon ménage, elle a atteint, pratiquement depuis son premier récit, *Hygiène de l'assassin* (1992), un lectorat que n'ont jamais connu ses ancêtres. Sa production oscille entre les textes à contenu plus ouvertement autobiographique comme *Le Sabotage amoureux* (1993) ou *Stupeur et tremblements* (1999) et des récits plus fictionnels tels *Mercure* (1998) ou *Les Combustibles* (1994), une pièce de théâtre. Chez cet écrivain, une forme de cruauté et d'humour se mêle à un romantisme qui plonge dans l'univers actuel.

Source : QUAGHEBEUR, Marc. *Anthologie de la littérature française de Belgique, entre réel et surréel*. Racine. Bruxelles : 2005.

Pré-lecture

Lisez les questions du reporter de France Soir. Les questions posées sont sur l'œuvre de l'auteure ou sa vie personnelle ?

France Soir : Votre nouveau roman s'intitule *Tuer le père*, votre papa ne l'a pas mal pris ?

Amélie Nothomb : Il a bien compris que ce n'était pas de lui dont il était question. C'est la formule de Freud. On doit tous « tuer le père » pour exister. Même les meilleurs pères du monde peuvent brider votre liberté. Nos parents placent un espoir en nous. C'est beau, mais il faut s'en libérer.

France Soir : Vous êtes-vous affranchie des espoirs de vos parents ?

Amélie Nothomb : Oui. Mes parents ne voulaient absolument pas que je sois écrivaine. Ils me voyaient en politique. C'est raté.

France Soir : Votre personnage principal est un adolescent. Comment étiez-vous à 15 ans ?

Amélie Nothomb : Très mal. Je me demandais si j'allais survivre. J'étais d'une noirceur absolue. J'étais anorexique et livrée à moi-même.

France Soir : Et vos parents ?

Amélie Nothomb : Ils ne m'ont jamais proposé d'aller chez le psy. Et j'ai trouvé l'écriture. Mes parents ne voyaient pas à quel point j'allais mal. Ils ne l'ont jamais su. Ils ont lu mes livres, même ceux qui sont autobiographiques, mais ne les ont pas compris. Ce n'est pas grave, on n'écrit pas pour ses parents.

> **Rappel**
> L'expression « chez le psy » est familière pour dire « chez le psychologue » ou « psychiatre » et remplace « au cabinet du psy ». Reformez les propositions suivantes en utilisant « chez » : *à la charcuterie, au cabinet du dentiste, à l'épicerie, à la librairie ?*

Source : « Interview d'Amélie Nothomb pour France Soir ». Magali Vogel. 18 aout 2011. www.francesoir.fr (31 mai 2013).

8   Amélie Nothomb

Répondez aux questions.

A. *Lisez le texte jusqu'à « s'en libérer ».*
1. Pourquoi le titre « Tuer le père » ?
2. Quelle est l'opinion d'Amélie Nothomb concernant cette théorie ?

B. *Lisez la suite de l'interview.*
3. Pourquoi Amélie Nothomb se dit-elle affranchie des espoirs de ses parents ? Que souhaitaient-ils pour elle ?
4. Quels étaient les problèmes d'Amélie Nothomb adolescente ?
5. D'après vous, ce livre est-il autobiographique ? Justifiez votre réponse.

Communiquez!

Interpersonal Speaking : Discussion

Amélie Nothomb dit « Ils ne m'ont jamais proposé d'aller chez le psy. Et j'ai trouvé l'écriture. ». Pensez-vous que les arts littéraires puissent être une forme de remède psychologique ? Echangez votre point de vue avec ceux de vos voisins. Donnez des exemples personnels ou de votre entourage.

Interview de Katerine Pancol

Interpretive Communication : Print Texts

Introduction

Vous allez lire une interview de Katerine Pancol, un autre écrivain populaire contemporain. Dans cette interview, elle fait référence aux personnages de sa trilogie. Elle voit la vie autour d'elle de quel œil, celui d'une participante ou d'une observatrice ?

Pré-lecture

Vous avez déjà lu des informations sur la manière dont les deux auteures précédentes s'inspirent. Quelle question sur l'inspiration voudriez-vous poser à Pancol ?

Amazon.fr : Vous vous inspirez beaucoup de ce qui vous entoure ?

Katherine Pancol : Enormément ! J'ai même l'impression physique que, dès la première phrase posée, j'ouvre grand les bras, les yeux, les oreilles et aspire la vie. Avec une grande paille. Je deviens une sorte de bouche vorace qui avale tout ce qui passe... Par exemple, je suis accoudée au zinc[1] d'un café et j'entends un habitué qui dit au garçon « tu me ressers ou t'attends que les mouches s'assoient au fond de mon verre ? »... Je sors mon petit carnet noir et note la phrase pour Josiane ou Marcel. Le personnage d'Hortense est né d'une gamine de 11 ans entrevue dans un magasin de chaussures rue de Passy. Elle m'avait jeté un lourd regard de mépris parce que ce jour-là, je ne m'étais ni habillée, ni coiffée, ni « apprêtée » et que je devais avoir l'air d'une serpillière[2] dans un magasin chic. Oh, ce regard ! Je l'ai reçu en plein visage et quand il a fallu construire les personnages des filles de Joséphine, cette gamine est revenue et s'est faufilée[3] dans Hortense. Je fais feu de tout bois. J'observe, je note, je transforme...

> **Rappel**
>
> « Je sors mon carnet » veut dire « *I take out my notebook* ». Ici le verbe *sortir* ne veut pas dire « *to go out* » parce qu'il ne s'agit pas d'une personne, mais d'une chose. Comment diriez-vous : *We went out to the nightclub ? We took out the box ?*

1. Zinc : le comptoir d'un café.
2. Serpillière : toile absorbante que l'on utilise pour nettoyer les sols.
3. Se faufiler : rentrer dans quelque chose, s'introduire adroitement.

Amazon.fr : Vous avez un site Katherine-pancol.com et vous recevez de nombreux mails. Est-ce vous qui y répondez personnellement ? Et quelle est la phrase qui revient le plus ?

Katherine Pancol : C'est moi qui réponds. Personne d'autre... Cela me prend d'ailleurs beaucoup de temps ! Et chaque semaine, j'écris un texte que je mets sur le « blablablog » sur le site...

La phrase qui revient le plus ? « Joséphine, c'est moi » ou « Joséphine m'a aidée à traverser une crise, une période difficile ». Que ce soient des hommes ou des femmes, des jeunes ou des moins jeunes qui m'écrivent. J'ai reçu un message d'un soldat chinois de 22 ans qui m'écrivait — en anglais — pour me dire qu'à travers Joséphine, il avait appris à affronter les difficultés de sa vie !

Source : AMAZON.FR. « Interview de Katherine Pancol ». www.amazon.fr (31 mai 2013).

Langue vivante

- Retrouvez, dans le premier paragraphe, les métaphores employées par l'auteur pour dire qu'elle est en permanence à l'écoute.
- Que signifie « Je fais feu de tout bois » ?

---

10 Une vie dans la littérature

Répondez aux questions.

1. Lisez la première réponse de Katerine Pancol. Où trouve-t-elle son inspiration ?
2. Qui sont Josiane et Marcel ?
3. Comment est né le personnage d'Hortense ?
4. Pourquoi la gamine a-t-elle regardé l'auteure étrangement ?
5. Quelle phrase donne l'impression que l'auteure n'est pas complètement maîtresse de la construction de ses personnages ?
6. Comment Katherine Pancol procède-t-elle pour écrire ses romans ? Dites les différentes étapes.
7. Qu'est-ce qui prouve que l'auteur est proche de ses lecteurs ?
8. Quel message revient le plus souvent ?

Communiquez !

11 Mon chef-d'œuvre

Presentational Communication : Creative Writing

Allez à un endroit, par exemple, un café, un parc, une bibliothèque et observez les gens. Choisissez une personne à décrire en tirant l'inspiration de ce que vous observez pour créer le premier paragraphe d'un ouvrage littéraire original.

Interpretive Communication : Audio Texts

Introduction

Michel Bussi est auteur et professeur de géographie à l'Université de Rouen. Comme chercheur universitaire, il publie des articles et ouvrages scientifiques, principalement sur la géographie politique. Passionné d'écriture depuis son enfance, il écrit des romans policiers et a reçu de nombreux prix littéraires dont le prix du « Meilleur polar francophone 2012 ».

Ecoutez l'extrait de l'interview et répondez aux questions.

1. Quel est le métier de cet écrivain ?
2. Quelle comparaison fait-il entre les auteurs/historiens et lui ?
3. Qu'est-ce que ses connaissances lui apportent dans son travail d'écrivain ?
4. Qu'est-ce qu'il ne souhaite pas faire ?
5. D'après l'auteur, quel est le résultat de cette démarche ?

Ensemble des textes

Les gens qui s'entretiennent de littérature s'emparent de quelles ressources ou outils pour créer leurs mondes fictifs ?

L'art dans la vie de l'homme

Interpretive Communication : Print Texts

Introduction

L'art améliore-t-il la vie de l'homme ? C'est la question que Dr d'Arcy Hayman se pose. Si oui, tout le monde peut-il en profiter ?

L'art découvre, élève et affine* les expériences de la vie, il nous rend attentif à nos émotions et nous permet de les ressentir* dans leur plénitude*. C'est une prospection du monde physique et social qui nous fait saisir*, dans leur simplicité idéale, les valeurs et les caractères essentiels dont l'expérience ordinaire ne nous donne généralement qu'une vision vague sinon inexistante.

L'art nous permet de clarifier nos sentiments. Pour connaître nos émotions, il faut d'abord les exprimer. La vision de l'artiste, à la fois analytique et panoramique, rend perceptibles à la fois les parties et le tout. Par l'inspection et l'introspection, l'art révèle à l'homme ce qu'il ignore encore de lui-même. On a dit que l'homme ne crée pas, mais qu'il régénère. Cela signifie peut-être que l'homme ne donne pas vraiment naissance à de nouvelles formes, à un nouvel ordre, à une nouvelle vie, mais plutôt qu'il découvre les formes et les mouvements fondamentaux de son univers et qu'il leur donne une impulsion et des fonctions nouvelles. Ce que nous appelons création, chez les êtres humains, c'est en somme cette découverte d'un fait préexistant, d'une « vérité cosmique ».

La perception, c'est la découverte par l'homme du milieu ambiant* suivant les mécanismes établis en lui par des découvertes antérieures. La découverte dans l'art et par l'art, c'est autant* celle que l'artiste fait de son œuvre que celle que l'œuvre d'art fait de l'artiste. L'objet d'art résume et reflète ce que l'artiste a découvert de son milieu et de lui-même. Pour l'enfant, comme pour l'homme, l'art est un moyen de découverte qui le conduit à une meilleure compréhension du monde physique qui l'entoure et de sa propre personnalité ; l'art donne ainsi une signification et une forme nouvelle à sa vie.

L'expérience vitale de l'homme est une suite d'engagements. L'être humain s'insère* plus ou moins profondément dans la vie suivant les circonstances qui déterminent les différentes phases de son existence et leur donnent une forme. L'art approfondit cet engagement, il en est le témoignage et le symbole de l'énergie humaine ; il éclaire* et vivifie l'expérience humaine.

L'art opère dans le royaume affectif de l'homme, dont il stimule la capacité de sentir et de réagir ; il étend le champ de sa sensibilité. L'émotion artistique affine les sens et les comble* et développe ainsi toutes les facultés humaines.

---

affine (affiner) *refines (to refine)* ; **ressentir** *to feel* ; **la plénitude** *fullness, richness* ; **saisir** *to seize* ; **ambiant(e)** *surrounding, ambient* ; **autant** *as much* ; **s'insère dans (s'insérer dans)** *fits into (to fit into)* ; **éclaire (éclairer)** *lights up (to light up)* ; **comble (combler)** *fills in (to fill in)*

Le rôle de l'art est de développer chez l'homme l'aptitude à sentir et à connaître la beauté : Delacroix écrivait dans son journal : « Beaucoup de gens ont l'œil faussé ou inerte : ils ont des objets une vision littérale ; de l' exquis, ils ne distinguent rien ».

—Dr d'Arcy Hayman

Source : LE COURRIER. « L'art dans la vie de l'homme ». http://unesdoc.unesco.org (31 mai 2013).

 Search words : la nature de l'art (et les sciences cognitives), docteur d'arcy hayman

Produits

Pendant la période romantique des arts littéraires, Théophile Gautier et ses proches forment **l'école de l'art pour l'art**, dont le mot d'ordre se résume ainsi : « Il n'y a de vraiment beau que ce qui ne peut servir à rien ».

Savez-vous... ?

• Eugène Delacroix (1798–1863) est l'un des plus importants artistes du romantisme, mouvement arrivé en France au début du XIXème siècle. Beaucoup d'œuvres de Delacroix sont d'inspiration littéraire. Cherchez ces tableaux en ligne pour comprendre son style : *La Liberté guidant le peuple, Le Sacre de Napoléon* et *Femmes d'Alger dans leur appartement.*

• Victor Hugo a dit : « En art point de frontière ». Etes-vous d'accord avec cette citation ?

Sa perspective

Gautier aurait-il accepté des romans réalistes qui montrent un désir de l'auteur de faire des réformes sociales ?

Ma perspective

Quel est votre avis sur la philosophie de l'art pour l'art ? Pensez-vous qu'il y ait des produits artistiques qui « servent à quelque chose » ?

Langue vivante

Dans le cinquième paragraphe, retrouvez...
• les mots se rapportant à la notion d'affectivité.
• les verbes qui montrent les actions de l'art. Quel point de vue est clairement identifiable ?

COMPARAISONS

Qu'est-ce que vous avez appris de la nature de l'art à l'école ?

Répondez aux questions.

A. *Lisez le premier paragraphe.*
  1. En quoi l'art agit sur nos expériences et nos sentiments ?
  2. Qu'apporte-t-il à l'homme ?

B. *Lisez le deuxième paragraphe.*
  3. Que doit faire l'artiste pour mieux se connaître lui-même ?
  4. Que veut dire cette phrase : « On dit que l'homme ne crée pas mais qu'il régénère » ? Expliquez avec vos propres mots.

C. *Lisez le troisième paragraphe.*
  5. Quelles sont les notions de « perception » et de « découverte » dans le paragraphe ? Expliquez-les.
  6. En quoi l'art donne une signification et une forme nouvelle à la vie de l'homme ?

D. *Lisez l'article jusqu'à la fin.*
  7. Qu'est-ce qui détermine le niveau d'engagement de l'humain dans sa propre vie ? Qu'est-ce que l'art apporte à cet engagement ?
  8. L'auteur affirme que le rôle de l'art est de développer chez l'homme une certaine connaissance de la beauté. Qu'en pensez-vous ?

Dai Sijie : Portrait

Dai Sijie.

Interpretive Communication : Print Texts

Introduction

Dai Sijie est originaire de Chine, mais réside actuellement en France. Il a vécu une période tumultueuse dans l'histoire moderne, la révolution culturelle, qui fait le milieu de son premier roman, *Balzac et la petite tailleuse chinoise*. Comment transforme-t-il l'histoire en fiction ? Qu'est-ce qu'il emprunte de la vie réelle pour créer son ouvrage ?

Balzac et la petite tailleuse chinoise où l'histoire autobiographique de la rééducation à la campagne[1] d'un jeune intellectuel chinois dans les années 70 fut une des belles surprises littéraires de l'année 2000. Son auteur, un cinéaste* chinois peu connu, vivant en France depuis 1984, publiait un premier roman qui devenait un vrai succès de librairie, remportant* plusieurs prix littéraires. Dai Sijie est né en Chine, dans la province de Fujian, en 1954. De 1971 à 1974, victime comme des centaines de milliers d'autres jeunes citadins* de la Révolution culturelle, il est envoyé en camp de rééducation dans la province de Sichuan en tant qu'intellectuel bourgeois. « Au début, dit-il, c'était un événement presque heureux. Les petits prenaient leur revanche* sur les grands. On se croyait libres. Puis, peu à peu, on avait le cerveau vidé*. L'histoire de la petite tailleuse est vraie. Dans

---

un(e) cinéaste un metteur en scène ; **remportant (remporter)** gagnant (gagner) ; **un(e) citadin(e)** quelqu'un qui habite en ville ; **prendre sa revanche** to get revenge ; **vidé(e)** emptied

---

1. En 1966, Mao Tsé Toung a lancé la révolution culturelle en Chine. Les gardes rouges, groupes de jeunes inspirés par les principes du leader, ont remis en cause toute hiérarchie, y compris les intellectuels, qui ont été publiquement humiliés.

cette valise cachée que découvre l'héroïne, il y avait tous ces livres occidentaux interdits : Balzac, Alexandre Dumas, Kipling et quelques Russes, et c'est ainsi que nous avons découvert cette idée incroyable, insoupçonnée* chez nous ; un être humain peut faire quelque chose tout seul ».

A la mort de Mao Tsé Toung en 1976, il entre à l'université, suit des cours d'histoire de l'art, puis fait une école de cinéma avant de réussir un concours qui lui permet de partir pour la France. « On nous a soumis pendant quelques mois à un apprentissage* intensif du français, et en 1978, je me suis retrouvé à Bordeaux, du jour au lendemain avec un ami musicien. [...] Il fait alors l'Idhec[2], puis repart en Chine. C'est en 1989 qu'il tourne son premier long métrage*, *Chine ma douleur*, après avoir débuté dans *Le Temple de la montagne*. Son film, qui remporte le Prix *Jean Vigo* la même année et qui est présenté à la Quinzaine des réalisateurs de Cannes ainsi qu'à plusieurs festivals est directement inspiré de son emprisonnement, adolescent, en camp de rééducation. En 1993, il signe *Le Mangeur de Lune*, qui reçoit le prix spécial du jury au festival de Prague. *Tang le Onzième*, son troisième long métrage, sorti en 1998, raconte la vie difficile d'un enfant maudit* dans un petit village vietnamien. Fin 2002, *Balzac et la petite tailleuse chinoise* sort en film. Il ne laisse à personne le soin* de l'adapter, et c'est dans le cadre somptueux des montagnes de Zhangjiajie, dans le nord-ouest de la province chinoise du Hunan, que Dai Sijie a choisi de tourner l'adaptation de son roman. Lorsqu'on demande à Dai Sijie, ce qui lui a donné envie d'écrire un roman, il répond, à propos de la *Petite tailleuse* : « L'histoire que je raconte est en grande partie du vécu*. C'est une histoire sur l'amour du livre, je tenais à écrire un petit roman pour rendre hommage à la littérature qui a rythmé ma vie. Je ne me remémore* les souvenirs que par des livres. Chaque période de ma vie est marquée par des romans que j'ai lus. Je ressentais aussi le besoin d'écrire en français, après quinze années passées ici, et c'était aussi pour me rendre compte si je pouvais raconter une histoire dans cette langue ». Aujourd'hui, il récidive*, avec un second roman *Le complexe de Di*. Le personnage principal Muo, a été frappé par la grâce psychanalytique, alors qu'il vivait en France pour poursuivre ses études. En 2000, il repart pour la Chine à la recherche de Volcan de la Vieille Lune, sa fiancée emprisonnée des années plus tôt pour avoir divulgué* des photographies interdites*. Or*, pour délivrer sa belle, Muo doit s'attirer les grâces du cruel juge Di. Il s'achète un vélo, l'orne d'un drapeau, fait office de psychanalyste ambulant*, et sous l'étendard[3] freudien claquant au-dessus de sa bicyclette, il progresse vers son aimée à travers un pays qu'il ne reconnaît plus. Après *Balzac et la petite tailleuse chinoise*, *Le complexe de Di* dit toute l'originalité d'une écriture due à une histoire personnelle, une façon d'écrire, un sens de la parabole*, entre deux mondes, deux cultures, deux langues.

Source : FONDATION LA POSTE. « Dai Sijie : Portrait », par Corinne Amar. 4 septembre 2003. www.fondationlaposte.org (5 juin 2013).

 Search words : **mao zedong, révolution culturelle chine, Balzac et la petite tailleuse chinoise critique, chine ma douleur critique, le mangeur de lune critique, tang le onzième critique**

---

insoupçonné(e) *not dreamed of* ; **un apprentissage** *apprenticeship* ; **un long métrage** *full-length film* ; **maudit(e)** *beastly* ; **le soin** responsabilité ; **du vécu** *of real life* ; **Je ne me remémore...** Je ne me souviens pas... ; **récidive (récidiver)** comet/commettre une faute de nouveau ; **pour avoir divulgué** *for having disclosed* ; **interdit(e)** *forbidden* ; **or** maintenant ; **fait office de psychanalyste ambulant** *acts as a traveling psychoanalyst* ; **un étendard** un drapeau, une enseigne ; **la parabole** *parable*

---

2. IDHEC : Institut Des Hautes Etudes Cinématographiques
3. Un étendard : un drapeau, une enseigne

Langue vivante

Qu'est-ce que le verbe « soumettre » donne comme information dans la phrase « On nous a soumis pendant quelques mois à un apprentissage intensif du français » ? Aidez-vous du contexte politique de l'époque pour répondre à la question.

14 Dai Sijie

Répondez aux questions.

A. *Lisez la première partie du texte.*
   1. Quel type de roman est *Balzac et la petite tailleuse chinoise ?*
   2. Pourquoi Dai Sijie est-il envoyé en camp de rééducation ?
   3. Comment sa perception de la révolution culturelle a-t-elle évoluée avec le temps ?
   4. Qu'est-ce que les livres lui ont permis de comprendre ?
   5. En quoi cette découverte a été un déclencheur pour l'écriture de son roman ?
B. *Lisez le texte jusqu'à la fin.*
   6. Qui a fait l'adaptation de son livre au cinéma ? Pourquoi ?
   7. Pourquoi a-t-il écrit ce roman ?
   8. Quel rapport Dai Sijie semble-t-il entretenir avec la France et la langue française ?
   9. Quel thème revient souvent dans ses œuvres littéraires et cinématographiques ? Pourquoi ?

Ensemble des documents

Est-ce que le deuxième document confirme les propos du premier ? Recherchez des liens entre les deux textes pour répondre à cette question.

La Francophonie : Les arts littéraires

En Guadeloupe

Introduction

Maryse Condé est l'auteure de nombreux romans. Son dernier ouvrage, *La vie sans fards*, est autobiographique. Comment cet ouvrage est-il différent d' autres mémoires ?

« *La vie sans fards* répond à une double ambition. D'abord je me suis toujours demandé pourquoi toute tentative* de se raconter aboutissait* à un fatras* de demi-vérités. Trop souvent les autobiographies et les mémoires deviennent des constructions de fantaisie. Il semble que l'être humain soit tellement désireux de se peindre une existence différente de celle qu'il a vécue, qu'il l'embellit*, souvent malgré* lui. Il faut donc considérer *La vie sans fards* comme une tentative de parler vrai, de rejeter les mythes et les idéalisations flatteuses* et faciles.

C'est aussi une tentative de décrire la naissance d'une vocation mystérieuse qui est celle de l'écrivain. Est-ce vraiment un métier ? Y gagne-t-on sa vie ? Pourquoi inventer des existences, pourquoi inventer des personnages sans rapport direct avec la réalité ? Une existence ne pèse-t-elle pas d'un poids déjà trop lourd sur les épaules de celui ou celle qui la subit* ?

La vie sans fards est peut-être le plus universel de mes livres. J'emploie ce mot universel à dessein bien qu'il déplaise fortement à certains ». En dépit du contexte très précis et des références locales, il ne s'agit pas seulement d'une Guadeloupéenne tentant de découvrir son identité en Afrique. Il s'agit d'abord et avant tout d'une femme aux prises avec les difficultés de la vie. Elle est confrontée à ce choix capital et toujours actuel : être mère ou exister pour soi seule.

« Je pense que *La vie sans fards* est surtout la réflexion d'un être humain cherchant à se réaliser pleinement*. Mon premier roman s'intitulait *En attendant le bonheur : Heremakhonon*, ce livre affirme : il finira par arriver ».

Source : EDITIONS JC LATTES. « La vie sans fards de Maryse Condé ». www.editions-jclattes.fr (7 juin 2013).

---

une tentative *attempt* ; **aboutissait à (aboutir)** *ends up (to end up) as* ; **un fatras** *jumble* ; **embellit (embellir)** *embellishes (to embellish)* ; **malgré** *in spite of* ; **flatteur, flatteuse** *flattering* ; **subit (subir)** *is subjected to (to be subjected to)* ; **pleinement** *fully*

Mémoires : Les jeunes années de Maryse Condé

Répondez aux questions.

1. Quelle est la « double ambition » de l'auteure ?
2. Comment Condé critique-t-elle les mémoires en général ?
3. Quelle question se pose-t-elle sur la vocation de l'écrivain ?
4. Qu'est-ce qui fait de *La vie sans fards* un livre guadeloupéen ?
5. Comment ce livre est-il universel ?
6. Quelle connexion fait-elle entre son premier livre et ce dernier ?

La culture de tous les jours

Lisez la bande dessinée. Ensuite, répondez anx questions.

16 **L'explication de texte... difficile pour Lakeisha !**

Répondez aux questions.

1. Qui fait un séjour scolaire en France ?
2. Où est-elle ?
3. Quelle difficulté a Lakeisha, selon Jérémy ?
4. Qui parle à Lakeisha ? Que dit-elle ?
5. Quelle est la première étape en faisant une explication de texte ?

Structure de la langue

Révision : Le point sur l'article

A. Révision : Les articles indéfinis

Les articles indéfinis sont : *un* (masculin singulier), *une* (féminin singulier), *des* (masc./fém. pluriel).

- **Ils s'utilisent devant des noms qui désignent une personne ou une chose parmi d'autres personnes ou d'autres choses.**

  *Je viens de lire **un livre** intéressant.*

- **Ils introduisent un nom exprimant l'unité (= 1)**

  *J'ai acheté **un** roman de Balzac et **un** roman d'Amélie Nothomb.*

B. Révision : Les articles définis

Les articles définis sont : *le* (masculin singulier), *la* (féminin singulier), *les* (masc./fém. pluriel).

- **Ils s'utilisent devant les noms qui désignent une personne ou une chose *unique*.**

  *J'ai emprunté **le** livre de Bernard Werber sur la vie dans l'espace.*

- **Ils s'utilisent également devant des noms pour leur donner une valeur générale.**

  ***La** lecture est fondamentale pour le développement intellectuel des jeunes.*

- **Ils s'utilisent aussi pour donner une précision sur un nom.**

  *J'ai vu un château délabré, on aurait dit **le** château de Dracula.*

- avec un verbe de goût (*aimer, détester*, etc.) : *J'adore **les** romans policiers.*

Attention ! On procède à l'élision des articles *le* et *la* devant une voyelle ou un « h » met. On ne dit pas : « *le écrivain* » mais *l'écrivain*.

---

17 Articles définis ou indéfinis ?

Complétez les phrases avec un article défini ou indéfini.

1. J'ai lu un roman captivant. ... personnage principal du livre est un jeune écrivain. Il rencontre... femme aveugle qui lui demande de lui lire des histoires.
2. Pour les libraires, ... fait que de moins en moins de jeunes aiment lire est... problème majeur.
3. Passez-moi... livre qui est sur... étagère, s'il vous plaît.
4. La poésie est... art qui est souvent inné. ... personnes qui en vivent ont de la chance.
5. C'est... auteur que j'apprécie beaucoup. J'aime surtout... intrigue et... personnages de ses romans.
6. J'ai emprunté... album dont tu m'avais parlé. ... illustrations sont belles, mais c'est dommage car il y a... tâches de café sur plusieurs pages.
7. C'était... expérience extraordinaire, j'ai envie de la raconter dans... roman !

C. Révision : Les partitifs

Les articles partitifs sont : *du* (masculin singulier), *de la* (féminin singulier), *des* (masc./fém. pluriel).

« *du* » est la contraction de « *de + le* », « *des* » est la contraction de « *de + les* ».

On les trouve généralement :

- avec des noms de nourriture : ***des*** *tomates,* ***du*** *fromage.*

- pour parler d'activités et de loisirs : *faire* ***du*** *théâtre, jouer* ***de la*** *guitare.*

- pour parler du temps : *Il y a* ***du*** *vent,* ***de la*** *pluie,* ***du*** *soleil.*

- avec les noms abstraits : *avoir* ***de la*** *sagesse,* ***du*** *courage,* ***de l'****expérience.*

- avec toutes les quantités globales non comptables :

Pour faire des crêpes, il faut : ***de la*** *farine,* ***des*** *œufs,* ***du*** *sucre,* ***de l'****eau et* ***du*** *lait.*

(Si on connaissait les mesures, on dirait : 500 grammes de farine, 4 œufs, 60 grammes de sucre, 25 centilitres d'eau et 75 centilitres de lait.)

de la *tarte aux myrtilles = une part de tarte aux myrtilles*

On procède à l'élision des articles *du* et *de la* devant une voyelle ou un « h » muet.

de l'*estragon,* ***de l'****herbe*

18 Du, de la, des ou de...

Complétez.

1. Le matin, au petit déjeuner, je mange... tartines avec... confiture. Mon frère mange ... céréales au chocolat et ma mère boit beaucoup... café. A midi, nous mangeons souvent... viande et... frites avec un peu... ketchup. Le soir, pour le dîner, ma mère prépare généralement... soupe ou... légumes. Moi, je déteste les épinards, mais ma mère dit que ça donne... force.

2. Ce matin, il y aura un peu... nuages, mais tout de même... soleil. En fin d'après-midi, il y aura... pluie sur le littoral et... vent dans le sud de la France. ... neige est prévue dans les Alpes et les Pyrénées. Attention aux automobilistes qui circulent dans la région de Lille, il y a beaucoup... brouillard sur l'autoroute en direction de Paris.

3. Pour écrire un roman, il faut avoir une bonne idée mais surtout avoir... patience, ... persévérance et beaucoup... courage, car cela demande... temps. Souvent, pour trouver un éditeur, il faut avoir... contacts dans le milieu de l'édition ou avoir... chance. C'est difficile, mais il ne faut pas perdre espoir et continuer à écrire... histoires pour s'améliorer.

Complétez avec du, de la, de l', des *ou* de.

La majorité... gens pensent que les auteurs de romans ne travaillent que quelques heures par jour, qu'ils font... promenades, ... sport, bref, ... activités de détente. Il est vrai qu'un auteur doit avoir... temps libre pour faire... rencontres et s'imprégner... vie afin d'avoir... inspiration, mais la plupart... écrivains doivent avoir un deuxième travail pour vivre. Ils n'ont donc pas assez... temps pour écrire et encore moins pour se détendre. Pour découvrir la vraie vie... écrivains, vous pouvez contacter les éditions... *lune et*... *soleil* afin d'assister à nos conférences et discussions sur ce thème.

Faites les activités.

A. *Transformez les ingrédients comme dans l'exemple puis complétez la recette.*

Mousse au chocolat

MODÈLE   175 g de chocolat noir
              du chocolat noir

- 15 g de beurre
- 3 jaunes d'œufs
- un sachet de sucre vanillé
- 25 cl de crème liquide

Préparation de la recette :

1. Faire fondre... chocolat avec 3 cuillères à soupe d'eau au micro-ondes.
2. Y ajouter... beurre et... jaunes d'œufs un par un.
3. Fouetter... crème en chantilly en ajoutant... sucre vanillé.
4. Mélanger au chocolat fondu. Repartir... mousse dans 4 ramequins et les placer une heure au réfrigérateur avant de déguster.

B. *Complétez.*

Sauce Maminou

Ingrédients (pour 4 personnes)

- 2 cuillères à soupe de crème épaisse
- 1 cuillère à café de moutarde forte
- 1 cuillère à soupe d'estragon sec
- 1 filet de jus de citron
- 1 pincée de curry jaune
- sel et poivre

Préparation de la recette :

1. Mélanger... crème et... moutarde, et ajouter ensuite... estragon, ... jus de citron et... curry.
2. Mélanger... tout, ajouter... sel et... poivre.
3. Déguster froid avec... poisson et... légumes vapeur. Excellent !

C. *Complétez.*

Tarte thon et tomates

Ingrédients (pour 6 personnes) :

- 1 pâte brisée
- 1 briquette de crème épaisse (20 cl)
- 1 petite boîte de concentré de tomate
- 1 boîte de thon (150 g)

- sel
- herbes de Provence
- fromage râpé
- 1 œuf

Préparation de la recette :

1. Etaler... pâte brisée et la piquer avec... fourchette.
2. Emietter... thon sur... pâte.
3. Mélanger dans un gros bol : ... crème, ... concentré de tomate, ... œuf et ... sel ; verser... préparation sur... thon.
4. Saupoudrer... herbes de Provence, recouvrir... fromage râpé, puis faire cuire 25 minutes à 210° C.

Révision : L'absence d'article

On n'emploie pas d'article après...

- des expressions de quantité : *un peu de, beaucoup de, moins de, un kilo de, trop de, un groupe de,* etc. :

  *Dans cette bibliothèque, il y a **beaucoup de** romans francophones.*

Attention ! On dit « la majorité des », « bien des », « la moitié des », « la plupart des ».

- les prépositions *par, avec* et *sans* suivies d'un nom abstrait : *sans peur/par hasard/avec attention*

L'article réapparaît si on ajoute un adjectif.

*Il l'écoutait avec **une** grande attention.*
*Nous nous sommes revus par **un** heureux hasard.*

- la négation :

  *Il **n'**y a **pas de** succès sans sacrifice.*
  *Vous **n'**avez **pas de** chance.*

L'article indéfini « des » disparaît quand un adjectif est placé devant le nom.

*Ce personnage a **de grandes** espérances.*
*Cette jeune fille a **de bonnes** dispositions pour l'écriture.*

Ecrivez les articles qui ne sont pas nécessaires.

| MODÈLE | J'ai commencé à écrire par un hasard. |

un

1. J'ai toujours écrit sans l'espoir de publier un roman.
2. J'ai rencontré mon éditeur par une heureuse coïncidence.
3. Par l'expérience, je sais qu'il est très difficile de se faire éditer.
4. J'ai donc reçu sa réponse avec une grande joie.
5. Aujourd'hui, j'écris par le plaisir mais aussi pour gagner ma vie.
6. J'ai eu raison de travailler avec la persévérance, car aujourd'hui je suis récompensé de mes efforts.
7. Aux jeunes qui souhaitent écrire des romans, je leur conseille de travailler avec un plaisir et sans la crainte.
8. Quand on écrit par l'amour, on est toujours sincère et c'est cela le plus important.

A vous la parole

emcl.com
WB 18–21

Question centrale

?

Comment les expériences personnelles nourrissent-elles l'art ?

Communiquez!

22 Mon auteur préféré

Presentational Speaking : Oral Presentation

Présentez votre auteur préféré. Expliquez son/ses genre(s), ses sujets, un ou plusieurs personnages. Faites des recherches pour dire comment il/elle imagine ses histoires et d'où il ou elle tire son inspiration.

Communiquez!

23 Vivre ou lire, faut-il choisir ?

Presentational Writing : Blog Posting

Lisez le blog de Camille. Répondez-lui dans le « courrier des lecteurs ». Exposez votre opinion sur son choix de vie. Donnez-lui des conseils pour résoudre son problème avec son père et son entourage.

Courrier des lecteurs : Vous et les livres

Je ne pourrais pas vivre sans mes livres, ils sont toute ma vie. C'est mon refuge, mon univers. Dehors le monde est tellement horrible et laid... Je n'ai pas envie de sortir, je suis tellement mieux avec mes bouquins ! Mes parents disent que je suis timide, repliée sur moi-même, d'autres disent même que je suis asociale. Les gens sont méchants, hypocrites et mesquins alors que dans les livres, il existe de vrais héros, des personnes pures et intègres. Mon père se désespère car je n'ai aucun ami... et pourtant, j'en ai tellement, mais je ne peux pas les lui présenter... il ne comprendrait pas qu'un « personnage » puisse être mon ami. Je me sens pourtant si proche et je vis tellement d'aventures avec eux, je suis heureuse comme ça, mais personne ne me comprend et tout le monde veut que je change. Alors je m'enferme dans ma chambre et le lis.

—Camille, La tour-sur-Tinée

Communiquez!

24 Dialogue guidé

Interpersonal Speaking : Conversation

Vous discutez avec un ami du processus de l'écriture. Votre conversation doit suivre le canevas qui vous est donné ci-dessous. Vous allez entendre les répliques de votre ami et vous réagirez comme le canevas l'indique.

–Votre ami vous dit qu'il vient d'écrire une chanson.

–**Vous êtes surpris(e) parce que vous ne saviez pas qu'il était compositeur.**

–Il parle de son processus d'écrire cette chanson, commençant avec son inspiration.

–**Vous lui posez une question sur la nature de son art (la musique).**

–Il répond.

–**Vous partagez votre expérience avec l'art visuel.**

–Votre ami voudrait en savoir d'avantage.

–**Vous répondez avec plus de détails.**

Communiquez!

25 L'art dans ma vie

Presentational Writing : Persuasive Essay

Vous allez écrire un essai persuasif sur l'article de Dr d'Arcy Hayman dans la section Culture. Choisissez une de ses généralisations sur l'art. Expliquez-la, puis, soutenez votre position (pour ou contre ?) avec une argumentation qui comprend des exemples de vos expériences avec l'art ; cela peut être des tableaux, des sculptures, de la poésie, des pièces, des films, des romans, etc. Vous pouvez aussi parler de vos observations de l'art.

- « Le rôle de l'art est de développer chez l'homme à connaître la beauté. »
- « Par l'inspection et l'introspection, l'art révèle à l'homme ce qu'il ignore encore de lui-même ».
- « L'art nous rend attentif à nos émotions et nous permet de les ressentir dans leur plénitude ».
- « L'art découvre, élève et affine les expériences de la vie. »

Lectures thématiques

Lecture
1

Page blanche
Interpretive Communication : Print Texts

Rencontre avec l'auteur

Cette poésie a été écrite par **Pierralun**, un poète amateur, et mise en ligne sur un site belge, Oniris, site internet collaboratif qui permet à toute une communauté d'auteurs et de passionnés de littérature de se retrouver et d'échanger autour de leurs écrits, qu'il s'agisse de poésie, de romans, de nouvelles ou de récits.

Pré-lecture

Dans quelles sources puisez-vous pour trouver de l'inspiration ?

« Page blanche » par Pierralun

Il laissait reposer au creux de l'écritoire*,
Depuis de nombreux mois le fil* de son histoire ;
En poudre de Saphir* au fond de l'encrier*,
Les pigments desséchés* se faisaient oublier.

Sans cesse il ruminait˚ devant la page vierge*,
Et implorait sa plume* afin qu'il en émerge
Le plus petit quatrain à faire battre un cœur ;
Sur son dernier cahier saillait˚ un blanc moqueur*.

Il avait su pourtant en homme de science,
Harmoniser les mots avec la patience,
Et l'amour du travail propre aux sûrs plumitifs* ;
Mais de son esprit sec les vers restaient captifs*.
Un matin délaissant ses devoirs trop sévères,
Il courut le chemin jonché* de primevères*
Qui partout en campagne annonçaient le printemps.
Il emplit* ses poumons* de l'air fleuri du temps,

Pendant la lecture
1. Que faisait la personne décrite ?

Pendant la lecture
2. Que désire le poète ?

Pendant la lecture
3. A-t-il réussi à écrire son poème ?

Rappel
Le poète se sert du passé simple, le temps littéraire du verbe « courir » : *il courut*. « Courir » est irrégulier. Quelles sont les autres formes de « courir » au passé simple ?

Pendant la lecture
4. Quelles sont les qualités de cet écrivain ?

Pendant la lecture
5. Qu'a-t-il fait quand il a abandonné son travail ?

l'écritoire (f.) un bureau ; **le fil** *thread* ; **le saphir** *sapphire* ; **l'encrier (m.)** *inkwell* ; **desséché(e)** *dried out* ; **ruminait (ruminer)** *was ruminating (to ruminate)* ; **vierge** *virgin* ; **la plume** *pen made from bird's feather* ; **saillait (saillir)** *was gushing forth (to gush forth)* ; **moqueur, moqueuse** *mocking* ; **un plumitif (péj.)** auteur ; **captif, captive** *captive, prisoner* ; **jonché(e)** *strewn with* ; **une primevère** *primrose* (fleur) ; **emplit (emplir)** *filled (to fill)* ; **un poumon** *lung*

Noya, dans l'herbe* haute et le lit des rivières,
Dans l'odeur des buissons*, la fraîcheur des clairières*,
Le chant gai de l'oiseau, les sauts d'un écureuil*,
La tristesse émanant de son poème en deuil*.

Est-ce à trop respirer ? se dit-il, ma main tremble,
Et ce murmure gai qui m'appelle... : « Il me semble
Que tes doigts frémissant* à ce regain* joyeux,
Brûlent d'encrer la plume à ce qu'ont bu tes yeux ;

Vois-tu ! Je suis la muse et ton cœur me réclame*,
Ton poème n'est rien s'il est écrit sans âme* ;
Tu voles hors de ta cage en ce bel univers,
Sache y puiser* enfin l'essence de tes vers. »

Source : ONIRIS. « Page blanche ». 20 janvier 2010. www.oniris.be (4 juin 2013).

l'herbe (f) *grass* ; **un buisson** *bush* ; **une clairière** *clearing* ; **un écureuil** *squirrel* ;
le deuil *mourning* ; **frémissant (frémir)** *trembling (to tremble)* ; **le regain** *renewal* ;
réclame (réclamer) *calls for (to call for)* ; **l'âme (f.)** *soul* ; **puiser** *to draw from*

Pendant la lecture
6. Contre quoi échange-t-il sa tristesse ?

Pendant la lecture
7. Qu'est-ce qu'il entend ?

Pendant la lecture
8. Que dit la voix ?

Pendant la lecture
9. A qui appartient la voix ?

Pendant la lecture
10. Quels sont les conseils de la muse ?

Langue vivante

Quel synonyme de l'adjectif *joyeux* est répété deux fois ?
Expliquez avec vos propres mots la signification de « brûler
de » et « boire des yeux » dans la phrase « Que tes doigts [...]
brûlent d'encrer la plume à ce qu'ont bu tes yeux ».

Post-lecture

Ce poème est-il écrit dans un style classique ou moderne ? (Vous pouvez analyser le vocabulaire,
l'agencement des rimes et le temps des verbes.)

26 Compréhension du poème

Répondez aux questions.

A. *Lisez le titre.*
   1. Comment le comprenez-vous ?
B. *Lisez les trois premières strophes du poème.*
   2. Quelle difficulté rencontre le poète ?
   3. Quelle strophe indique l'inactivité du poète, ses tentatives et son désespoir ?
C. *Lisez la quatrième et la cinquième strophe.*
   4. Que fait le personnage ?
   5. Que noie-t-il métaphoriquement dans la cinquième strophe ?
   6. Quels noms et adjectifs montrent les bénéfices de la nature ?
   7. Quelle émotion ressent-il ?
D. *Lisez les sixième et septième strophes.*
   8. Qui parle au personnage ? Quel message lui donne-t-il ?

27 Activités d'expansion

Faites les activités suivantes.

1. Ecrivez un essai dans lequel vous expliquez l'idée classique de l'inspiration illustrée dans ce poème.
2. Complétez ces poèmes de l'écrivain romantique Lamartine avec un vocabulaire classique.

   Souvent sur *(n.)*, à l'ombre du vieux *(n.)*,

   Au coucher du soleil, tristement je *(v.)* ;

   Je *(v.)* au hasard mes regards sur la plaine,

   Dont le tableau changeant se déroule *(phrase verbale)*.

   O *(n.)* paternels, doux *(n.)* humble chaumière

   Au bord penchant des bois *(p.p.)* aux coteaux,

   Dont *(adj.)* toit, caché sous des touffes de lierre,

   Ressemble au *(n.)* sous les rameaux

3. Ecrivez une bande dessinée dans laquelle un jeune artiste de nos jours trouve de l'inspiration.

2 Les Mémoires

Interpretive Communication : Print Texts

Rencontre avec l'auteur

François-René de Chateaubriand, (1768–1848) est un écrivain romantique et un homme politique français. Il est considéré comme l'un des précurseurs du romantisme français et un des grands noms de la littérature française en général. En effet, ses descriptions de la nature et son analyse des sentiments du « moi » en ont fait un modèle pour la génération des écrivains romantiques en France (« Je veux être Chateaubriand ou rien » proclamait le jeune Victor Hugo .) Pour quelles raisons Chateaubriand a-t-il décidé d'écrire ses mémoires ?

Chateaubriand.

Pré-lecture

Avez-vous lu des mémoires, ou des extraits ? Que pensez-vous de ce genre d'écriture ?

Les Mémoires de Chateaubriand

Je me suis souvent dit : « Je n'écrirai point les mémoires de ma vie ; je ne veux point imiter ces hommes qui, conduits par la vanité et le plaisir qu'on trouve naturellement à parler de soi, révèlent au monde des secrets inutiles, des faiblesses qui ne sont pas les leurs et compromettent la paix des familles ». Après ces belles réflexions, me voilà écrivant les premières lignes de mes mémoires. Pour ne pas rougir à mes propres yeux, et pour me faire illusion, voici comment je pallie* mon inconséquence. D'abord, je n'entreprends* ces mémoires qu'avec le dessein* formel de ne disposer d'aucun nom que du mien propre dans tout ce qui concernera ma vie privée ; j'écris principalement pour rendre compte de moi à moi-même. Je n'ai jamais été heureux ; je n'ai jamais atteint* le bonheur que j'ai poursuivi avec une persévérance qui tient à l'ardeur naturelle de mon âme. Personne ne sait quel était le bonheur que je cherchais ; personne n'a connu entièrement le fond de mon cœur. La plupart des sentiments y sont restés ensevelis*, ou ne se sont montrés dans mes ouvrages que comme appliqués à des êtres imaginaires. Aujourd'hui que je regrette encore mes chimères* sans les poursuivre, que parvenu au sommet de la vie je descends vers la tombe, je veux avant de mourir remonter vers mes belles années, expliquer mon inexplicable cœur, voir enfin ce que je pourrai dire lorsque ma plume, sans contrainte s'abandonnera à tous mes souvenirs.

Pendant la lecture
1. Qu'est-ce que Chateaubriand s'est souvent dit ?

Pendant la lecture
2. Quel est son but principal en écrivant ses mémoires ?

Pendant la lecture
3. Que regrette-t-il ?

Pendant la lecture
4. Que veut-il exprimer avant de mourir ?

Pendant la lecture
5. Que va-t-il décrire ?

---

pallie (pallier) *get round (to get round)* ; **entreprends (entreprendre)** *undertake (to undertake)* ; **le dessein** *intention, design* ; **atteint (atteindre)** *achieved (to achieve)* ; **enseveli(e) (ensevelir)** *buried (to bury)* ; **une chimère** *projet séduisant mais irréalisable*

Rappel

Après la préposition « de », le pronom interrogatif *lequel* change à *duquel, de laquelle, desquels* ou *desquelles*. Formulez des questions pour répondre aux phrases suivantes en vous servant de « de » + *lequel* : *Je parle des mémoires. On discute d'un poème classique.*

En rentrant au sein de ma famille qui n'est plus ; en rappelant des illusions passées, des amitiés évanouies*, j'oublierai le monde au milieu duquel je vis et auquel je suis si parfaitement étranger. Ce sera de plus un moyen agréable pour moi d'interrompre des études pénibles* ; et quand je me sentirai las* de tracer les tristes vérités de l'histoire des hommes, je me reposerai en écrivant l'histoire de mes songes*. Je considère ensuite que ma vie appartenant au public par un côté, je n'aurais pas échappé à tous ces faiseurs de mémoires, à tous ces biographes marchands qui couchent le soir sur le papier ce qu'ils ont entendu dire le matin dans les antichambres. J'ai eu des succès littéraires ; j'ai attaqué toutes les erreurs de mon temps ; j'ai démasqué les hommes, blessé une multitude d'intérêts, je dois donc bien avoir réuni contre moi la double phalange des ennemis littéraires et politiques ; ils ne manqueront de me peindre à leur manière. Et ne l'ont-ils pas déjà fait ? Dans un siècle où les plus grands crimes commis ont dû faire naître les haines* les plus violentes, dans un siècle corrompu* où les bourreaux* ont un intérêt à noircir les victimes, où les plus grossières calomnies sont celles que l'on répand avec le plus de légèreté, tout homme qui a joué un rôle dans la société doit pour la défense de sa mémoire, laisser un monument par lequel on puisse le juger. Mais avec cette idée je vais me montrer meilleur que je ne suis ? J'en serai peut-être tenté : à présent je ne le crois pas ; je suis résolu à dire toute la vérité. Comme j'entreprends d'ailleurs l'histoire de mes idées et de mes sentiments plutôt que l'histoire de ma vie, je n'aurai pas autant de raisons de mentir*. Au reste si je me fais illusion sur moi, ce sera de bonne foi*, et par cela même on verra encore la vérité au fond de mes préventions personnelles.

Pendant la lecture
6. Est-il tout à fait un homme privé ?

Pendant la lecture
7. Qu'a-t-il fait dans sa vie publique ?

Pendant la lecture
8. Quelle question se pose-t-il ?

Pendant la lecture
9. Quel sera son « monument ? »

Pendant la lecture
10. Quelle est sa résolution ?

Pendant la lecture
11. Que comprendront ses mémoires ?

Source : CHATEAUBRIAND, François-René. *Mémoires de ma vie.* 1809.

évanoui(e) qui a disparu (*lit., fainted*) ; **pénible** *difficile* ; **las, lasse** fatigué(e) ; **un songe** un rêve ; **la haine** *hate* ; **corrompu(e)** *corrupted* ; **un bourreau** *executioner* ; **mentir** *to lie* ; **la foi** *faith*

Langue vivante

Retrouvez, au début du texte, le mot en ancien français qui sert à la négation et remplace « pas ».

Post-lecture

Faites des recherches sur la vie de Chateaubriand. Pensez-vous qu'un homme comme lui ait eu raison d'écrire ses mémoires ? Pourquoi ? Pourquoi pas ?

28 Compréhension de l'extrait des mémoires

Répondez aux questions.

A. *Lisez le texte jusqu'à « s'abandonnera à tous mes souvenirs ».*
   1. Pour quelles raisons Chateaubriand ne souhaitait pas écrire ses mémoires ?
   2. Que reproche-t-il aux auteurs qui publient leur autobiographie ?
   3. Quelles sont ses nouvelles résolutions concernant cet ouvrage ? Retrouvez ses motivations et dites quel est son objectif .
   4. Relisez les passages où l'auteur parle de ses souvenirs. Comment décririez-vous sa vie en quelque mots ?
B. *Continuez avec son défi autobiographique. Lisez la suite du texte de « En rentrant au sein de ma famille » jusqu'à la fin.*
   5. Dans quel passage Chateaubriand semble vouloir fuir le monde dans lequel il vit ?
   6. Pourquoi a-t-il des ennemis dans les milieux littéraires et politiques ?
   7. Que lui reproche-t-on ?
   8. Pourquoi pense-t-il qu'il réussira à se décrire de manière neutre et véridique ?

29 Activités d'expansion

Faites les activités suivantes.

1. Chateaubriand critique « tous ces biographes marchands ». Ecrivez un essai qui explique comment ses mémoires sont différents, de son point de vue.
2. Vous voudriez lire les mémoires de quel personnage public ? Imaginez qu'il ou qu'elle veuille bien répondre à vos questions. Ecrivez une liste de questions que vous voudriez lui poser.
3. Imaginez que vous avez mis 35 ans à réussir dans la profession de vos rêves. Expliquez dans un paragraphe ce qui caractériserait vos mémoires. Vos réussites ? Votre formation ? Votre vie intérieure ? Ou autre chose ?

Synthèse

Quel est le rôle de l'inspiration dans la vie de l'auteur ?

Faisons le point !

A. *Pour retrouver les principales idées développées au cours de la leçon, notez dans votre cahier un ou deux exemple(s) en face de chacun des points de repère qui vous sont proposés. Reportez-vous à tous les documents de la leçon (écrits journalistiques, témoignages, analyses, textes littéraires).*

Question centrale

?

Comment les expériences personnelles nourrissent-elles l'art ?

Les arts littéraires	Notes
L'impact de l'art dans nos vies	
L'inspiration de l'auteur • dans les romans, poèmes, mémoires, etc. • dans la vie quotidienne • classique ou moderne ?	
Les expériences personnelles • la sagesse • les connaissances acquises • un déclencheur pour l'écriture	
L'autobiographie • les motivations • les dangers et difficultés • les bénéfices	

B. *Discutez en groupes. Que répondriez-vous à la question posée au début de l'unité : Comment les expériences personnelles nourrissent-elles l'art ?*

Leçon C

L'architecture

Question centrale

?

En quoi l'architecture reflète et modifie l'environnement culturel ?

Citation

« L'architecture est le grand livre de l'humanité, l'expression principale de l'homme à ses divers états de développement, soit comme force, soit comme intelligence. »

—Victor Hugo, dans *Notre-Dame de Paris*

Le charpentier travaille sur la structure du bâtiment, alors que le couvreur couvre les toits de métaux. L'architecte d'intérieur est un entrepreneur. Le paysagiste analyse et aménage les dynamiques naturelles et culturelles comme les jardins et parcs.

Les métiers d'architecte	Les responsabilités
un(e) architecte : charpentier (charpentière)/couvreur (couvreuse)/menuisier (menuisière)/maçon(ne)	créer/concevoir un projet/réaliser un bâtiment/construire un bâtiment/poser un toit/poser des fondations/fabriquer des portes et fenêtres
un(e) architecte paysagiste : un(e) paysagiste, un(e) urbaniste/un ingénieur paysagiste	faire des recherches/dessiner des plans/diriger un projet/innover
un(e) architecte naval	concevoir un navire/une structure flottante/conseiller
un(e) architecte d'intérieur : un décorateur (une décoratrice) (d'intérieur)/un(e) entrepreneur(e)/un(e) designer	recomposer l'espace intérieur/créer des aménagements/choisir le mobilier/décorer un intérieur/prévoir les coûts

un édifice – une construction – un bâtiment – un espace – une structure

utilitaire – monumental(e) – miniature – militaire – religieux, religieuse

naturel, naturelle – culturel, culturelle – atypique – bizarre – curieux, curieuse

Les missions confiées aux architectes sont multiples. Elles vont de la conception et la réalisation de bâtiments à l'architecture d'intérieur et aux interventions dans la ville et sur le territoire.

La profession se divise en plusieurs catégories : il y a les **architectes** qui conçoivent et construisent des bâtiments, mais aussi des **architectes paysagistes**, des **architectes navals**, des **urbanistes**, des **décorateurs d'intérieur**, des **designers**, etc.

Les actions des architectes sont : **concevoir une idée**, **faire des recherches**, **dessiner des plans**, **prévoir les coûts**, **diriger les travaux**, **conseiller**.

Le panel de bâtiments construits par l'homme est très vaste. Parler d'un édifice ou d'un bâtiment englobe les immeubles, les maisons, les tours, les gratte-ciel et autres constructions fabriquées par l'homme dans une ville.

Architecture et environnement culturel

L'architecture est une dynamique artistique, historique et naturelle. Elle demande un savoir-faire de l'imagination pour concevoir et réaliser des espaces et des édifices.

L'architecture touche à tous les espaces que l'humanité a su construire de façon structurale : **pensées**, **organisations**, **habitats**, etc. Ces espaces sont **utilitaires**, **monumentaux** ou **miniatures**, **religieux** ou **militaires**, etc.

En France, l'architecture est définie comme « une expression de la culture ». Cela signifie que l'importance est donnée non pas aux dimensions commerciales, industrielles ou scientifiques de l'architecture, mais à ce qu'elle apporte au niveau culturel.

L'environnement culturel est l'ensemble des éléments « naturels » et « culturels » dans lequel les êtres vivants évoluent.

Quand l'architecture fait bouger la société

Un architecte qui **innove**, fait des expérimentations et prend des risques, est **un créateur**, **un initiateur**, **un inventeur**. On dira de lui qu'il est **un pionnier**, **un précurseur** ou encore **un inspirateur**, si d'autres personnes poursuivent son œuvre dans le futur.

Pour changer, apporter quelque chose de nouveau, il faut transformer ce qui existe déjà. Cela s'appelle **« renouveler ».**

Certaines constructions peuvent étonner ou surprendre. On dira qu'elles sont **anticonformistes**, **atypiques**, **bizarres**, **curieuses.** D'autres peuvent même choquer ou déplaire de par leur trop grande originalité, elles peuvent indigner ou offenser, voire scandaliser les gens.

L'architecture fascine l'homme. Quand des **édifices** plaisent, on les décrit comme étant admirables ou encore **somptueux.**

Pour la conversation

How do I describe that I do something with all my might ?

> Nous venons... protester **de toutes** nos **forces**.

We came... to protest with all our might.

How do I say that something is so in its own way ?

> Ne sera-t-elle donc pas grandiose aussi **à sa façon** ?

Will it not be grandiose too, in its own way ?

1 Texte à trous

Complétez les phrases avec les mots suivants.

anticonformiste	inventeur	précurseur	urbaniste	renouveler
paysagiste	sompteux	transforme		

1. Picasso est l'... du cubisme.
2. Il est considéré comme un... par de nombreux peintres et architectes.
3. On doit ces nombreux changements à Philippe Starck. Il a su... les pratiques de décoration.
4. Comme dit le dicton : « Rien ne se... rien ne se perd, tout se... ».
5. Cette maison n'est pas comme les autres, elle est...
6. Ce palais est magnifique, il est...
7. L'... est à la ville ce que le... est aux espaces verts.

2 Les missions de l'architecte

Faites les activités.

A. *Reliez chaque mission de l'architecte à son explication.*

1. Concevoir une idée	A. Visiter des lieux, s'inspirer d'autres constructions, se renseigner sur Internet.
2. Faire des recherches	B. Faire le budget pour savoir à combien s'élèveront les frais et vérifier la faisabilité financière du projet.
3. Dessiner des plans	C. Aider les clients dans leurs choix, former les étudiants en architecture ou les stagiaires en entreprise.
4. Prévoir les coûts	D. Donner des indications aux différents corps de métier sur le chantier.
5. Diriger les travaux	E. Mettre ses idées sur papier et définir chaque espace au centimètre près.
6. Conseiller	F. Imaginer un bâtiment et son utilité.

B. *Trouvez des synonymes dans les deux colonnes (verbes ou noms).*

MODÈLE   **travaux/chantier**

3 Les branches de l'architecture

Lisez les descriptions ci-dessous, puis dites quel type d'architecte a réalisé ces œuvres.

architecte paysagiste architecte naval urbaniste décorateur d'intérieur designer

1. La conception d'un stade ultra-moderne dans la ville de Bron.
2. L'aménagement d'un jardin avec piscine dans une propriété privée.
3. La restauration intérieure et extérieure du vieux théâtre de la commune : pour conserver l'apparence historique du vieil édifice.
4. Un plan pour l'aménagement et l'ameublement des chambres d'hôtel du nouvel hôtel de la ville.
5. La conception d'un navire militaire avec système de défense hyper-développé.

4 Les types de construction

Faites les activités.

A. *Observez ces photos et dites de quoi il s'agit, et qui a réalisé ces projets.*

MODÈLE

Il s'agit d'un centre commercial. C'est un designer qui a conçu l'espace intérieur moderne.

1.

2.

3.

4.

5.

B. *Dites à quelles catégories appartiennent les monuments que vous venez d'observer.*
   C'est un édifice...

religieux décoratif habitable utilitaire monumental esthétique

5 Les réactions face à l'architecture

Faites les activités.

A. *Reliez les verbes à leur définition.*

1. Déplaire	A. Blesser dans sa dignité, son honneur.
2. Choquer	B. Attirer irrésistiblement le regard.
3. Indigner	C. Causer de la colère ou de la révolte provoquée par quelqu'un ou quelque chose.
4. Fasciner	D. Ne pas plaire, causer de l'aversion.
5. Offenser	E. Déranger les habitudes de quelqu'un, ne pas correspondre à ses goûts en matière esthétique.

B. *Ecrivez une phrase pour chaque type de réaction.*

MODÈLE **Choquer : Je n'ai jamais vu une maison pareille, elle est vraiment horrible ! Je n'ai pas de mots pour qualifier ce que je vois !**

6 Le projet d'une commune Lyonnaise

Dites qui va faire quoi de toutes ses forces pour terminer la reconstruction du quartier de Villeurbanne d'ici la fin de l'année.

MODÈLE concevoir une structure flottante sur la rive du Rhône
Un architecte naval va concevoir de toutes ses forces une structure flottante sur la rive du Rhône.

> un ingénieur paysagiste   une designer italienne   les décorateurs
> le maire de Villeurbanne   le paysagiste   les maçons

1. évaluer les coûts du projet
2. recomposer l'espace intérieur de l'hôtel de ville
3. concevoir une piscine extérieure
4. inspecter la sécurité des parcs près des HLM
5. fabriquer des structures plus solides pour les nouvelles résidences
6. décorer la salle d'exposition pour l'inauguration

7 Questions personnelles

Répondez aux questions.

1. Es-tu attiré(e) par les métiers d'architecture ? Pourquoi ou pourquoi pas ?
2. As-tu jamais assisté ou participé à une construction ? Explique.
3. Selon toi, quel professionnel de construction a une meilleure rémunération ?
4. Si tu étais designer, dans quels bâtiments aimerais-tu travailler ?
5. Qu'est-ce que tu aimerais faire si tu étais urbaniste ?
6. A qui ferais-tu appel si tu voulais rénover ta maison ?

Narratives

La maison du futur

Interpretive Communication : Audio Texts

Introduction

Vous allez entendre un reportage sur les nouvelles constructions écologistes. Qu'est-ce qui fait d'une maison une propriété moderne ?

Avant l'écoute

A quoi les nouveaux propriétaires en France attachent le plus d'importance, à votre avis ?

Question centrale

En quoi l'architecture reflète et modifie l'environnement culturel ?

---

8 J'ai bien compris !

Répondez aux questions.

A. *Ecoutez la première partie du reportage jusqu'à « une absence totale de toison ».*
1. Quelle est la tendance des nouveaux propriétaires ?
2. Dans quelle région de France a été réalisé le reportage ?
3. Quelles comparaisons le journaliste fait-il pour décrire la maison ?

> **MODÈLE**   **Elle ressemble à une soucoupe.**

4. Quelles sont les spécificités de cette maison ? Elle coûte moins cher en électricité. Pourquoi ?
5. Quels sont les autres avantages pour le propriétaire ?

> **MODÈLE**   **Bénéficier d'un grand volume...**

B. *Ecoutez la suite du reportage jusqu'à la fin.*
6. Quel est le style de cette deuxième maison ? La maison est faite d'un seul matériau. Lequel ?
7. Quel système permet au propriétaire de se fournir en électricité ? Quelles sont les deux particularités de cette maison ?

> **MODÈLE**   **Elle se construit rapidement.**

8. Cette maison est ... % plus cher qu'une maison traditionnelle. Que faut-il faire pour que le prix ne soit pas trop élevé ?
9. Quel est le projet du maire de Silfiac ?

 Search words : silfiac, maisons écologiques

Langue vivante

A. Que signifie le mot « ostentation » dans la phrase : « La tendance n'est plus à l'ostentation » ?

B. Trouvez, dans cette liste, les deux synonymes du mot maligne : « la maison écolo, plus respectueuse [...], en un mot plus maligne ».

astucieuse	chère	économe	ingénieuse	écologique	robuste	respectueuse

COMPARAISONS

Ce type d'habitation est-il développé dans votre pays ou votre état ? Aimeriez-vous habiter dans ce genre de maison ?

Critiques sur la tour Eiffel et réponse

Interpretive Communication : Print Texts

Introduction

Vous allez lire des commentaires de la réaction des gens face à la construction monumentale de Gustave Eiffel, ainsi que la réponse de ce dernier. Qu'a inventé Gustave Eiffel ?

Pré-lecture

A votre avis, comment a été la réaction du public français après la construction de la tour Eiffel ? Quel était le but de cette construction ?

Dès ses débuts, la tour Eiffel ne laisse pas indifférent, et la polémique se crée. A peine les travaux de construction de la Tour avaient-ils commencé, que paraît dans la gazette *Le Temps* du 14 février 1887, sous le titre *Protestation contre la tour de Mr Eiffel*, une lettre adressée à M. Alphand, directeur des travaux de l'Exposition et signée par de grands noms des lettres et des arts. On nommera Guy de Maupassant, Alexandre Dumas, Charles Gounod, Ernest Meissonnier et bien d'autres.

Lettre des critiques

Nous venons, écrivains, peintres, sculpteurs, architectes, amateurs passionnés de la beauté jusqu'ici intacte de Paris, protester de toutes nos forces, de toute notre indignation, au nom du goût français méconnu, au nom de l'art et de l'histoire français menacés, contre l'érection, en plein cœur de notre capitale, de l'inutile et monstrueuse tour Eiffel, que la malignité publique, souvent empreinte de bon sens et d'esprit de justice, a déjà baptisée du nom de tour de Babel. [...] La ville de Paris va-t-elle donc s'associer plus longtemps aux baroques, aux mercantiles imaginations d'un constructeur de machines, pour s'enlaidir irréparablement et se déshonorer ? [...] Il suffit d'ailleurs, pour se rendre compte de ce que nous avançons, de se figurer un instant une tour vertigineusement ridicule, dominant Paris, ainsi qu'une noire et gigantesque cheminée d'usine, écrasant de sa masse barbare [...] tous nos monuments humiliés, toutes nos architectures rapetissées, qui disparaîtront dans ce rêve stupéfiant. Et, pendant vingt ans, nous verrons s'allonger sur la ville entière, frémissante encore du génie de tant de siècles, nous verrons s'allonger comme une tache d'encre l'ombre odieuse de l'odieuse colonne de tôle boulonnée.

Extrait de la réponse de Gustave Eiffel

Je crois, moi, que ma tour sera belle. Parce que nous sommes des ingénieurs, croit-on donc que la beauté ne nous préoccupe pas dans nos constructions et qu'en même temps que nous faisons solide et durable nous ne nous efforçons pas de faire élégant ? [...] Le premier principe de l'esthétique architecturale est que les lignes essentielles d'un monument soient déterminées par la parfaite appropriation à sa destination. De quelle condition ai-je eu, avant tout, à tenir compte dans ma tour ? De la résistance au vent. Eh bien, je prétends que les courbes des quatre arêtes du monument telles que le calcul me les a fournies, donneront une impression de beauté, car elles traduiront aux yeux la hardiesse de ma conception.

> **Rappel**
>
> Pour construire au négatif une structure avec un verbe réfléchi, il faut considérer le pronom réfléchi comme indissociable au verbe, puis suivre la règle du *ne pas* qui entoure le verbe. Mettez au négatif les propositions suivantes :
> • Tu te tiens assez droit.
> • Les amants se sont retrouvés.

Il y a du reste dans le colossal une attraction, un charme propre auxquels les théories d'art ordinaires ne sont guère applicables. Soutiendra-t-on que c'est par leur valeur artistique que les pyramides ont si fortement frappé l'imagination des hommes ? [...] Qui n'en est pas revenu rempli d'une irrésistible admiration ? Et où est la source de cette admiration, sinon dans l'immensité de l'effort et dans la grandeur du résultat ? Ma tour sera le plus haut édifice qu'aient jamais élevé les hommes. Ne sera-t-elle donc pas grandiose aussi à sa façon ? Et pourquoi ce qui est admirable en Egypte deviendrait-il hideux et ridicule à Paris ? Je cherche et j'avoue que je ne trouve pas.

Sources : OLYBRIUS.NET. « Histoire des Arts : La tour Eiffel ». www.olybrius.net (7 juin 2013).

---

9 L'attaque

Lisez la première partie (« ...tôle boulonnée. ») et répondez aux questions.

1. Quand commencent les protestations et sous quelle forme ? Qui critique la tour Eiffel ?
2. Quel ton est utilisé dans cette lettre ? Citez un extrait pour justifier votre réponse. Que représente Paris pour ces auteurs ?
3. Quels sont les jugements portés sur la tour Eiffel et sur son créateur ?
4. Quel surnom a été donné à la tour Eiffel ?
5. Qu'est-ce que les auteurs de cette lettre souhaitent sauvegarder ? De quoi ont-ils peur ?

Lisez la réponse de monsieur Eiffel et répondez.

1. Pourquoi pense-t-il que sa tour sera belle ?
2. D'après lui, quels sont les fondements de l'esthétique architecturale ?
3. Quelle comparaison fait-il avec les pyramides égyptiennes ?

Langue vivante

A. Retrouvez, dans la première lettre, les adjectifs négatifs au sujet de la tour Eiffel.

MODÈLE   **La monstrueuse tour Eiffel.**

B. Recherchez à présent les adjectifs positifs dans la deuxième lettre.

MODÈLE   **belle**

Ensemble des documents

Retrouvez la problématique présente dans les deux documents.

emcl.com
WB 8–13

En quoi l'architecture reflète et modifie l'environnement culturel ?

Interview de l'architecte Kazuyo Sejima

Interpretive Communication : Print Texts

Introduction

Vous allez lire la perspective d'une architecte sur les objectifs principaux de cet art. Quel bénéfices l'architecture apporte-t-elle à l'humanité, selon vous ?

Pré-lecture

Lisez la première question du reporter. Quels aspects de l'architecture semblent être prédominants aux yeux de l'auteur ?

La nature, l'environnement sont des thèmes de notre époque, et depuis toujours au cœur de votre philosophie ?

L'homme étant né et vivant de la nature, nous avons toujours voulu créer une architecture proche de celle-ci. Bien sûr l'architecture est conçue pour les hommes et censée* les protéger de cette nature, du vent ou de la pluie par exemple, mais elle ne doit pas être en opposition avec son environnement. Nous cherchons la communion.

Quand un de nos bâtiments est au milieu d'une ville, nous essayons tout de même de le faire vivre avec son environnement, sans jamais l'isoler. Quel que soit le lieu, nous voulons que l'espace intérieur soit en relation avec l'espace extérieur.

Cette interactivité avec l'environnement est frappante dans le cas de votre New Museum du quartier de Bowery dans le bas de Manhattan à New York...

Oui, sa structure extérieure, la perception de la façade change selon les quatre saisons. Comme c'est un musée et que l'on a besoin de larges murs vides, nous n'avions pas la possibilité de réaliser de grandes fenêtres, mais nous voulions tout de même garder une relation avec le monde extérieur. Ainsi, avons-nous réalisé la façade avec un matériau de mèche métallique, une espèce d'aluminium, un peu brillant, dans les tons des ciels nuageux de l'hiver new-yorkais afin que notre bâtiment disparaisse dans son ciel, comme par enchantement. A la fin de l'été au contraire, la douce lumière de l'ouest donne une certaine force au métal et met le bâtiment en relief*, comme un rocher du Grand Canyon. Je voulais donner plusieurs visages à ce musée. En ce qui concerne sa forme, pour éviter d'en faire un grand cube fermé, j'ai assemblé plusieurs boîtes ouvertes empilées* et un peu décalées*. Par ces légers décalages* j'ai fait entrer la lumière, j'y ai aussi installé des petites terrasses.

Pour vous l'architecture est avant tout l'expression de l'architecte, un peu comme une œuvre d'art, ou est-ce comme le disait Oscar Niemeyer d'abord un bâtiment qui doit faciliter la vie des hommes, c'est-à-dire un objet fait pour être utilisé ?

Contrairement à l'art, l'architecture est aussi objet que l'on utilise, en cela Niemeyer a sûrement raison. Elle doit être au service des hommes, mais elle n'est pas que cela.

---

censé(e) *supposed to* ; **en relief** en évidence ; **empilé(e)** les unes sur les autres ; **décalé(e)** *spaced out* ; **un décalage** *discrepancy*

J'aimerais que l'on se sente bien dans les lieux que je crée, comme moi je me sens bien à la montagne, à l'air pur ou près de la mer. Mon ambition d'architecte, quand je construis un bâtiment, est d'en faire aussi un lieu de communication. En effet, celle-ci ne passe pas seulement par les médias, les téléphones portables ou les ordinateurs. L'architecture doit tenir ce rôle de liaison entre les hommes afin qu'ils réfléchissent ensemble. L'architecture est une création au milieu de laquelle naît la création.

Source : HUFFINGTONPOST.FR. « Interview de l'architecte Kazuyo Sejima, mère du Louvre-Lens ». 4 décembre 2012. www.huffingtonpost.fr (8 juin 2013).

11 Nature et environnement en architecture

Répondez aux questions.

A. *Lisez la réponse à la première question.*
   1. D'après Kazuyo Sejima, quel est le rôle de l'architecture depuis toujours ?
   2. Quel est l'engagement et la philosophie de Kazuyo Sejima en tant qu'architecte ?

B. *Lisez la réponse à la deuxième question.*
   3. Quelle est la particularité architecturale du New Museum de New York ?
   4. Comment Kazuyo Sejima a-t-elle réussi à lui donner « plusieurs visages » ?

C. *Lisez la réponse à la troisième question.*
   5. D'après Kazuyo Sejima, quels sont les différents rôles de l'architecture ?
   6. « L'architecture est une création au milieu de laquelle naît la création ». Comment reformuleriez-vous la phrase ?

Langue vivante

A. Trouvez l'antonyme du mot « opposition » dans la première réponse de l'architecte.
B. Que signifie l'expression « disparaître comme par enchantement » dans sa deuxième réponse ?
C. Retrouvez tous les mots du texte ayant rapport avec la nature.

Sa perspective

L'auteur dit que l'architecture joue un rôle similaire aux médias et à la télévision. De quel rôle s'agit-il ?

Ma perspective

Etes-vous d'accord avec l'auteur que, par sa fonction artistique, l'architecture est plus une entreprise commune qu'individuelle ? Expliquez votre point de vue.

Histoire de la Tour Eiffel

Interpretive Communication : Print Texts

Introduction

Vous allez lire des événements intéressants sur la construction de la tour Eiffel à Paris. A votre avis, quel était le but de la France en construisant un tel édifice ?

Pré-lecture

Lisez les sous-titres. Quelle avancée technologique est liée à la construction de la tour ?

1889, 31 mars
Présentation de la Tour Eiffel à Paris

L'œuvre de Gustave Eiffel est présentée en avant-première* de l'Exposition universelle de Paris. La cérémonie est présidée par Eiffel lui-même et le Premier ministre Pierre Tirard. L'ingénieur français a imaginé cette tour de 318 mètres de haut en participant à un concours ouvert par le ministre du Commerce et de l'Industrie Lockroy pour célébrer le centenaire de la révolution française. Après deux ans de travaux la Tour Eiffel est enfin montrée au public. Elle sera officiellement inaugurée le 6 mai. Malgré la véhémence des protestations «contre l'érection en plein cœur de notre capitale de l'inutile et monstrueuse tour... », elle deviendra le symbole de Paris.

1889, 6 mai
La tour Eiffel, vedette de l'Exposition universelle

L'ouverture de la 4ème Exposition universelle de Paris célèbre le 100ème anniversaire de la Révolution. Pour l'occasion, un concours a été lancé visant à ériger* une tour temporaire de 300 mètres de haut. Le projet de l'ingénieur Gustave Eiffel est retenu parmi 700 concurrents*. L'Exposition accueillera 33 millions de visiteurs et la tour d'acier connaîtra un grand succès. A l'expiration de la concession en 1909, elle sera sauvée grâce à sa reconversion militaire puis civile avec l'installation d'un émetteur* radio.

1921, 24 décembre
Première émission radiophonique en France

Après des essais en novembre, la Station Tour Eiffel émet* la première émission française de radio. Mise en place sous l'impulsion du Général Ferrié, elle dure une demi-heure avec au programme une revue de presse*, un bulletin météo et un morceau de musique au violon.

1923, 27 décembre
Décès* de l'ingénieur français Gustave Eiffel

Le 27 décembre 1923, Gustave Eiffel décède* à Paris à l'âge de 91 ans. Ingénieur et industriel français de renommée internationale, Gustave Eiffel aura passé la plus grande partie de sa vie

en avant-première *preview* ; **ériger** construire ; **un(e) concurrent(e)** un compétiteur, une compétitrice ; **un émetteur** *transmitter* ; **emet (émettre)** transmet transmettre ; **une revue de press** *press release* ; **le décès** la mort ; **a décéder** est mort

à concevoir des bâtiments, hangars*, gares, galeries, ponts, viaducs ou autres monuments toujours plus audacieux. C'est au Français que l'on doit notamment la statue de la Liberté inaugurée en 1886 à New York, ainsi que le symbole de la capitale française qui porte son nom, la tour Eiffel, construite entre 1887 et 1889.

Source : CCM BENCHMARK. « Histoire de la tour Eiffel ». www.linternaute.com (8 juin 2013).

 Search words : gustave eiffel, exposition universelle de paris

---

un hangar *shed*

12 La tour Eiffel

Répondez aux questions.

A. *Lisez les deux premiers paragraphes.*
1. La construction de la tour Eiffel préparait quelle occasion ?
2. Quelles personnes étaient impliquées dans cet événement ?
3. Quelle a été la première réaction du public ?
4. Comment l'ingénieur Eiffel a-t-il été choisi pour ce projet ?
5. Au début, était-ce l'intention du gouvernement français de garder la tour Eiffel ? Pourquoi n'a-t-elle pas été déconstruite ?

B. *Lisez les deux derniers paragraphes.*
6. Combien de temps après son inauguration a-t-on trouvé une utilité pratique pour la tour Eiffel ? Qui a pensé à cela ?
7. Qu'y avait-il au programme de cette émission ?
8. Gustave Eiffel a-t-il eu une longue vie ?
9. Bien qu'il soit connu pour le symbole de Paris, quels autres travaux a-t-il faits en tant qu'ingénieur architecte ?

Communiquez!

13 Utopie

Presentational Speaking

Imaginez que vous aviez été l'un des concurrents de la 4ᵉᵐᵉ Exposition universelle de Paris. Qu'auriez-vous construit ? En groupes, faites un projet d'architecture détaillé.

A. Détaillez votre projet en grandes lignes. Dites quoi (Qu'est-ce que c'est ?), ou (Où sera cet édifice ?), et pourquoi (Quel est le but de cette construction ?).

B. Dites de quel professionnel vous ferez appel, et pour quelle partie du projet. Enfin, évaluez le coût du projet.

C. Faites un dessin schématique ou une maquette de votre projet.

Langue vivante

Donnez le juste équivalent des expressions suivantes :

A. « grâce à »
- de même que
- avec l'aide de
- à cause de

B. « dans le but de »
- visant à
- sous l'impulsion de
- enfin

Inauguration de l'Exposition universelle de Montréal

Interpretive Communication : Print Texts

Introduction

Vous allez lire un article sur l'Exposition universelle de Montréal de 1967. Que connaissez-vous de Montréal ? Pourquoi choisir cette ville pour une telle exposition ?

Pré-Lecture

Parcourez le texte. L'exposition a-t-elle rencontré un grand succès ? Pourquoi ou pourquoi pas ?

[27 avril 1967]

L'inauguration de l'Exposition universelle de Montréal consacre* d'une certaine façon l'ouverture de la société québécoise sur le monde. Plus d'une centaine de pays participeront à cette exposition qui attirera des foules importantes à Montréal tout au long de l'été sur l'île Sainte-Hélène et l'île Notre-Dame, cette dernière ayant été créée spécialement pour l'occasion.

Projet initié au début des années 60, l'Exposition universelle de Montréal devient réalité lorsqu'elle reçoit la reconnaissance du Bureau des expositions internationales, en 1962. Financée par les trois paliers* de gouvernement, elle est rapidement identifiée au maire Jean Drapeau qui siège à ce poste au moment de l'obtention et de la présentation de l'Expo. Sous le thème « Terre des hommes », celle-ci se tient d'avril à octobre 1967. Elle permet aux Québécois de prendre contact avec la culture d'une centaine de pays représentés dans une soixantaine de pavillons dont les coûts s'élèvent, dans certains cas, à plusieurs millions de dollars. D'autre part, en venant à l'Expo, où le pavillon du Québec est très remarqué, de nombreux visiteurs étrangers se familiarisent avec les réalités du Québec moderne. Tous les chefs d'Etat des pays participants ont été invités à venir au Canada à cette occasion : 44 d'entre eux, ou leurs représentants, accepteront cette invitation. Le gouvernement du Québec recevra officiellement ces dignitaires à Québec ou à Montréal, ce qui lui permettra d'établir des contacts directs avec les autorités de plusieurs pays ainsi que les dirigeants de nombreux organismes internationaux. Au total, les coûts de l'organisation et de la tenue* de cet évènement sont évalués à 283 millions de dollars.

Source : UNIVERSITE DE SHERBROOKE, Faculté des Langues et Sciences Humaines. *Bilan du siècle*. « Inauguration de l'exposition universelle de Montréal ». http://bilan.usherbrooke.ca (8 juin 2013).

Search words : exposition universelle de montréal

---

consacre (consacrer) représente (représenter) ; **un palier** un niveau ; **la tenue** *staging*

Produits L'**Exposition universelle de Montréal** est la première exposition mondiale à présenter le design comme élément essentiel.

COMPARAISONS

Comparez dans les grandes lignes l'Exposition de Montréal de 1967 et l'Expo de New York en 1964. Remarquez-vous une évolution ?

14 · Activités

Faites les activités suivantes.

A. *Répondez aux questions suivantes.*
1. Qu'a apporté l'Exposition universelle de Montréal au Québec ?
2. Combien de pays ont participé à cette exposition ?
3. Qui était Jean Drapeau ?
4. Comment l'exposition a avancé la société québécoise sur le plan politique ?

B. *Trouvez le thème de cette exposition et dites quel en est l'auteur.*
- Charles Baudelaire
- Antoine de St-Exupéry
- Jacques Prévert

La biosphère construite pour l'Exposition universelle de Montréal.

Ensemble des documents

En revoyant ces trois documents, la perspective historique de l'architecture a-t-elle changé ? Progressé ? Expliquez votre opinion.

La culture de tous les jours

Lisez la bande dessinée. Ensuite, répondez aux questions.

Ma classe d'architecture moderne a passé la semaine à Paris...

Montre-moi tes photos !

L'architecte du Centre Pompidou a mis les tuyaux à l'extérieur; les conduites d'air climatisé sont bleues, les tuyaux d'eau sont verts, les lignes électriques sont jaunes et les ascenseurs sont rouges...

15 Le Centre Pompidou

1. Où Clément est-il allé la semaine dernière ? Pourquoi ?
2. Qu'est-ce que Leïla voudrait voir ?
3. Comment s'appelle le musée moderne sur la photo ?
4. Où l'architecte de ce musée a-t-il mis les tuyaux ?
5. De quelle couleur sont les tuyaux d'eau? D'air climatisé ?

Révision : Les prépositions

A. Les prépositions

Il existe de nombreuses prépositions en français. Elles sont très utilisées et remplissent différentes fonctions. Par exemple :

J'admire beaucoup le style de Gaudi. (possession)
Ce nouveau bâtiment est situé entre la fontaine et la bibliothèque. (localisation)

1. Points communs

Toutes les prépositions sont invariables. Elles servent à créer un lien entre deux mots, le deuxième mot complète le premier. Elles apportent ainsi une précision, qu'on appelle complément.

Nous voyagerons de nuit. (« *de nuit* » précise le moment du voyage. La préposition « **de** » introduit donc ici un complément de temps.)

Exception : les compléments d'objet direct (COD) ne sont pas précédés d'une préposition. Dans la phrase suivante, « la robe violette » est un COD aucun mot ne l'introduit.

Demain, elle mettra la robe violette.

2. Utilisation

Les prépositions introduisent principalement :
- un complément du nom : *C'est un bureau **en** acajou.*

- un complément de l'adjectif : *Il est honteux de sa conduite.*

- un complément d'objet indirect (COI) : *Tous les dimanches, je téléphone **à** ma sœur.*

- un complément circonstanciel qui répond aux questions qu'on peut se poser sur les circonstances d'un événement (*où ? quand ? comment ? pourquoi ?*, etc.)

Les jeunes sont partis vers la montagne en ski.
(complément de lieu = *où ?* + complément de moyen = *comment ?*).
Ils reviendront à seize heures pour le dîner. (complément de temps = *quand ?* + complément de but = *pourquoi ?*)

Attention ! Une même préposition sert à introduire différents types de compléments.
Il travaille souvent   à la maison. (complément circonstanciel de lieu)
*   à minuit.* (complément circonstanciel de temps)

3. Prépositions les plus fréquemment utilisées :
Parmi les prépositions les plus courantes, il y a :
- *à/de/en*

- *par/pour*

- *devant/derrière/sur/sous/dans/près/entre/en face de*, etc.

- *avant/après/dès/jusque/depuis/pendant/durant*

- *avec/sans/chez/contre/parmi*, etc.

Complétez le texte avec des prépositions. (Attention, certaines prépositions se répètent.)

| à | au | chez | contre | dans | de | dès | en | par | parmi | pour | sur |

1. Je vais... cinéma ce soir. Il y a un documentaire... 19 heures... les grands architectes.
2. Mes clefs sont restées... la poche de mon manteau.
3. La tour Eiffel a été construite... 2 ans, ... 1887...1889.
4. Les *restaurants du Cœur* ont été fondés... Coluche, ... les personnes qui n'ont pas de logement.
5. Les gens qui sont... la modernité n'apprécient pas les nouvelles constructions architecturales.
6. L'architecture baroque apparaît... le XVIIème siècle... Italie et se propage rapidement ... toute l'Europe.
7. C'est chaleureux... toi, j'aime bien tes décorations.
8. ... tous les architectes, celui que je préfère c'est Gaudi.

4. Particularités des prépositions « de » et « à »

• La préposition « **de** » se contracte devant un article au masculin singulier ou pluriel.
  On ne dit pas : *Ils ont oublié les valises **de les** jumeaux/**de le** directeur.*
  Mais : *Ils ont oublié les valises **des** jumeaux/**du** directeur.* (complément de possession)
• La préposition « **à** » se contracte de la même manière.
  On ne dit pas : *Ce soir nous allons **à le** cinéma.*
  Mais : *Ce soir nous allons **au** cinéma.* (complément circonstanciel de lieu)

Remplacez les espaces blancs avec la forme correcte de « a » ou « de ».

| MODÈLE | Les architectes construisent ... rêves qui se concrétisent. |

  Les architectes construisent **des** rêves qui se concrétisent.
1. Les étudiants ... architecture font de longues études.
2. Le concours est difficile réussir, peu ... personnes y arrivent.
3. Beaucoup ont étudié ... Paris.
4. Les architectes doivent étudier la faisabilité ... projet.
5. Ils dessinent ... ordinateur les plans bâtiments à construire.
6. Ils parlent ... client pour connaître ses désirs et le budget dont ils disposent.
7. L'architecte suit chaque étape ... construction au fur et à mesure de l'avancement ... chantier.

5. Particularités des prépositions de localisation géographique

Pour les villes, les pays, les îles, les régions, il existe des règles d'utilisation des prépositions.
- **Villes**

Les noms de ville sont précédés de la préposition **« à »** sauf s'ils possèdent un article :
>   *à Toulouse, à Madrid, à Prague*
>   Mais : *au Caire (Le Caire)*

- **Pays**

au + **pays masculin**, aux + **pays pluriel** : *au Portugal, au Japon, aux Etats-Unis*
Exception : si le nom commence par une voyelle : *en Iran, en Israël*
en + pays féminin
en Italie, en Pologne

- **Iles**

Pour les noms d'îles, on utilise **« à »** sauf si le nom est précédé d'un article : *à Chypre, à Malte*
Mais : *en Sardaigne* (la Sardaigne), *en Corse* (la Corse)

- **Régions, provinces**

en + nom féminin : *en Bretagne, en Bavière*
dans le + nom masculin : *dans le Cantal, dans le Devon*
dans les + nom au pluriel : *dans les Alpes, dans les Andes*

---

18 **Villes et pays**

Complétez les phrases avec des prépositions.

1. La tour Eiffel est... France, ... Paris.
2. La tour de Pise est... Italie, ... Pise.
3. Big Ben est... Angleterre, ... Londres.
4. La Statue de la Liberté est... Etats-Unis, ... New York.
5. La porte de Brandebourg est... Allemagne, ... Berlin.
6. Les pyramides de Gizeh sont... Egypte, ... Caire.
7. Le Taj Mahal est... Inde, ... Agra.
8. La Mosquée Bleue est... Turquie, ... Istanbul.

Révision : La place des adjectifs

emcl.com
WB 16–18

- **De manière générale, les adjectifs sont placés après le verbe.**

  un immeuble gigantesque/une église monumentale

- Pour mettre en valeur l'adjectif dans la phrase on peut le placer avant suivi du verbe *être*.

  L'homme était fier → Fier était l'homme

- **Certains adjectifs se placent naturellement devant le nom. C'est le cas de :**

  bon/mauvais → un bon élève

  petit/grand/gros → un petit chat

  beau/joli → une jolie fille

  jeune/vieux/nouveau → un vieux monsieur

  double/demi → un demi-verre

  autre/même → un autre immeuble

On remarquera que ces adjectifs sont courts, ils se composent d'une ou deux syllabes.

- **Pour une série, les adjectifs « premier », « prochain » et « dernier » se placent devant le nom.**

  *La **première** réponse, la **prochaine** réponse, la **dernière** réponse*

Pour la date, ils se placent après le nom.

  *le mois **prochain**, l'été **dernier***

- **Les nombres se placent toujours devant le nom.**

  *Les **cinq** continents.*

  *Le **quarantième** candidat.*

  *Les **trois** gagnants.*

Dans le cas ou plusieurs adjectifs s'enchaînent dans une même phrase, les nombres sont placés en premier.

  *Mes **deux** grands frères.*

  *Les **deux** jeunes hommes.*

- **Quelques adjectifs changent de sens selon leur place.**

  *un **brave** homme* (qui a bon cœur, honnête)/*un homme **brave*** (courageux)

  *une **curieuse** fille* (étrange)/*une fille **curieuse*** (qui est désireuse de savoir)

- **Certains adjectifs à valeur subjective (jugement, impression) prennent une valeur plus emphatique quand on les place devant le nom.**

  *une histoire **incroyable**/une **incroyable** histoire*

  *un personnage **étonnant**/un **étonnant** personnage*

19 Place de l'adjectif

Mettez les adjectifs à la bonne place.

MODÈLE   J'habite dans un appartement avec mes chats. (grand/trois)
J'habite dans un <u>grand</u> appartement avec mes <u>trois</u> chats.

1. Ma maison est située dans le village de Valdeblore. (beau)
2. C'est une maison avec des murs.(ancienne/orange)
3. Mon chien et mes chats dorment dehors. (gros, deux, petits)
4. Dans le jardin, il y a chênes et un arbuste. (deux, grands)
5. Au printemps, il y a des fleurs partout, c'est un spectacle. (magnifiques, merveilleux)
6. Dans la chambre, il y a une porte pour aller sur la terrasse. (grande/petite)
7. Dans le salon, j'ai des chaises, une table, et un canapé. (quatre, vieille, neuf)
8. Dans le grenier, il y a mes souvenirs d'enfance dans des malles en bois. (inestimables, anciennes, noir)

20 Place de l'adjectif

Placez les adjectifs suivants au bon endroit dans le texte. (Ils sont présentés par ordre d'apparition dans le texte.). Attention : le texte est au passé simple !

| étrange et inquiétante   petite   immense   longs   magistral |
| grandes   jaunes   nouvelle |

Je marchais dans la forêt quand j'aperçus une forme au loin. Je gravis la montée pour arriver en haut de la colline. Il y avait là un château du Moyen Age avec ses remparts et son pont-levis. Je fus ému de voir cet édifice. Les pierres du bâtiment semblaient me transmettre un message lorsque je posai mes mains sur elles. Toute une histoire était gravée dans ces pierres. Je repartis chez moi empli de cette énergie.

A vous la parole

 emcl.com
WB 19–22

Question centrale

?

En quoi l'architecture reflète et modifie l'environnement culturel ?

Communiquez !

21 Mail de protestation

Interpersonal Writing : Email Reply

Lisez le document et faites les activités.

Une maison extravagante domine Mumbai !

On en parle beaucoup ici, elle a fait même la première page de *Indian Daily*... La maison privée la plus chère au monde se trouve à Mumbai, en plein centre ville, une maison qui d'ailleurs ressemble plus à un building puisqu'elle est constituée de 27 étages. Alors difficile d'échapper à l'envie d'aller voir de près à quoi ressemble cette maison qui fait tant scandale.

Etonnante par son architecture, choquante par son arrogance, elle est implantée dans une zone résidentielle de la ville, non loin de la mer, mais parmi de vétustes habitations et toute proche de bidonvilles, c'est presque insolent... Elle aura coûté un milliard de US dollars, c'est la maison privée du magnat Mukesh Ambani, industriel indien, Président de *Reliance Industries*, déclaré tout dernièrement 4ᵉ fortune mondiale, et deuxième fortune du pays.

Source : LE BLOG DES CHEFS POURCEL. « Une maison extravagante domine Mumbai ! »

A. *Lisez le texte. Puis, répondez aux questions.*
   1. Où se trouve cette maison ? Dans quel quartier ?
   2. Pourquoi le journaliste dit que son emplacement est « presque insolent » ?
   3. A qui appartient cette maison et combien a-t-elle coûté ?
B. *Imaginez que cette maison se construise en face de chez vous. Cet édifice vous cache le soleil et vous ne voyez que ça depuis la fenêtre de votre chambre. Envoyez un email pour poster votre réaction sur le blog du magazine pour exprimer votre point de vue.*

Conseil :
Vous pouvez vous inspirer de la lettre de contestation contre la tour Eiffel dans la partie *Culture*.

Langue vivante

Retrouvez, dans le texte, les mots ou adjectifs qui caractérisent la maison.

MODÈLE **extravagante...**

Communiquez !

22 Faut-il pendre les architectes ?

Interpersonal Speaking : Debate

Lisez le document et faites l'activité.

Richard Tanniger, enseignant lausannois[1], préconise de faire comparaître pour crimes contre l'humanité certains architectes.

Faut-il pendre les architectes ? La question, que posait l'auteur français Philippe Trétiack il y a dix ans, résonne étrangement en 2012. [...] Rarement les critiques à leur égard ont été formulées avec autant de violence qu'aujourd'hui. [...] En Suisse comme ailleurs, certains en viennent à exiger des sanctions pour les auteurs de « crimes urbanistiques ». Les architectes, entend-on, ont trop longtemps nié leur responsabilité dans les dérives des villes modernes.

Source : LE MATIN. « L'architecture peut être criminelle ». 13 avril 2013. www.lematin.ch/ (1er juin 2013).

Vous débattez sur la question : *Doit-on sanctionner les architectes pour crime contre l'humanité ?*

En deux groupes séparés, vous cherchez des arguments et des exemples pour défendre vos opinions. Interrogez-vous sur le rôle, les devoirs et les responsabilités des architectes ainsi que sur les conséquences de leurs actes pour l'environnement et la société.

Conseil : Vous pouvez créer des personnages fictifs qui soulignent votre point de vue. Par exemple : des architectes, des défenseurs de l'environnement, des promoteurs immobiliers, etc.

1. De la ville de Lausanne en Suisse francophone.

Communiquez !

23 Charte pour les architectes du futur

Presentational Writing : Charter

En groupes de deux, vous allez définir un règlement pour les architectes du futur. Vos propositions devront :

- rapprocher les hommes de la nature (localisation, espaces verts, etc.) ;
- respecter l'environnement (matériaux non polluants, énergies renouvelables, etc.) ;
- permettre la communication entre les habitants (ponts, passerelles, balcons, etc.).

MODÈLE   **Article 1 : La destruction de forêts pour la construction d'édifices sera interdite.**

Vous présenterez votre règlement au reste de la classe. Puis vous sélectionnerez les meilleures propositions pour rédiger la charte d'architecture de la classe.

Communiquez!

24 **L'architecture du futur**

Presentational Writing : Project

1.
Une habitation amphibienne.[1]

Faites les activités suivantes.

Face aux menaces planétaires, notamment au danger de l'augmentation de la masse des eaux des océans, l'architecte Vincent Callebaut a réalisé le plan de villes amphibiennes. Prévues pour les années 2100, ces villes flottantes fonctionneront comme de gigantesques navires, et auront une capacité de 50,000 habitants.

2.
Concept d'une ville écologique.

Un modèle architectonique d'une ville coréenne écologique et auto-suffisante a été conçu pour envisager l'accueil de 70,000 habitants.

Un centre de vacances carbone neutre et auto-suffisant, paysage architectonique sur une île de la mer Caspienne, aurait la capacité de reproduire un paysage naturel dans un écosystème autonome.

3.
Une zone carbone neutre.

A. *Observez les photos.*

1. Quel est le point commun de ces trois photos ?
2. Trouvez quelle habitation est représentée dans les phrases suivantes:

A. une habitation amphibienne   B. une ville écologique   C. une zone carbone-neutre

- **On ne consomme pas de chauffage en hiver.**
- **Tout le monde conduit une voiture electro-hydraulique.**
- **On ne sort jamais de cette habitation car suite à la 3ème guerre mondiale l'atmosphère extérieure est inabitale.**

B. *Lisez les descriptions.*

Ces informations sont-elles plausibles ? Dites quel projet vous semble le plus pertinent et original.

1. Qui peut se déplacer dans l'air et dans l'eau.

C. *Par groupe de deux, vous allez imaginer la maison de demain. Votre projet architectural devra se situer dans une des trois villes illustrées plus haut et respecter le règlement que vous avez créé dans l'activité précédente.*

Quelques conseils pour créer votre maison du futur :

- Vous choisissez les matériaux que vous allez utiliser.

> **MODÈLE** **Le bois et le verre.**

- Vous imaginez sa forme et comment elle s'intègre à l'environnement.

> **MODÈLE** **Notre maison est de couleur marron et verte comme les arbres qui l'entourent.**

- Vous imaginez une particularité de votre maison.

> **MODÈLE** **La salle de bain sera très grande. Il y aura à l'intérieur des plantes et des arbres tropicaux. La douche sera une cascade naturelle dont l'eau aura été chauffée par l'énergie solaire.**

- Vous faites le dessin de votre maison et vous imaginez le type de décoration. (Vous pouvez créer facilement votre maison en 3 dimensions sur Internet.)
- Pour finir, vous présentez votre maison écologique du futur à la classe.

Communiquez!

25 **Dialogue guidé**

Interpersonal Speaking : Conversation

Vous discutez avec un ami des missions de l'architecture. Votre conversation doit suivre le canevas qui vous est donné ci-dessous. Vous allez entendre les répliques de votre ami et vous réagirez comme le canevas l'indique.

- Votre ami vous demande ce que vous allez étudier à l'université.
- **Vous répondez que vous voulez faire des études d'architecture et vous expliquez pourquoi.**
- Votre ami est intéressé et vous demande de lui expliquer quels projets vous souhaiteriez réaliser.
- **Vous donnez un exemple de construction que vous aimeriez faire.**
- Il vous trouve un peu utopiste et critique vos projets.
- **Vous lui répondez.**
- Votre ami vous demande comment vous comptez faire réaliser vos projets financièrement.
- **Vous lui expliquez où, comment et avec qui vous financerez vos projets.**
- Votre ami vous félicitez et dit pourquoi.

Lecture 1

Germinal

Interpretive Communication : Print Texts

Question centrale ? En quoi l'architecture reflète et modifie l'environnement culturel ?

Rencontre avec l'auteur

Emile Zola (1840–1902) était écrivain et journaliste français. Considéré comme le chef de file du naturalisme, c'est l'un des romanciers français les plus populaires, les plus publiés, traduits et commentés au monde. Ses romans ont connu de très nombreuses adaptations au cinéma et à la télévision. Dans *Germinal*, Emile Zola décrit les conditions de vie des ouvriers à l'époque de la révolution industrielle, en France. Le récit parle de la vie de ces hommes, femmes et enfants qui, de père en fils, travaillent durement à des mètres de profondeur sans pouvoir manger à leur faim. Un personnage venant de Paris, Etienne Lantier, vient bouleverser la vie du coron où il est embauché, en semant des idées de révolte. Dans quel paragraphe le milieu devient-il évident ?

Emile Zola.

Pré-lecture

Que savez-vous de la révolution industrielle, dans le monde, et en Europe ?

Germinal par Emile Zola

Extrait 1 : Le quotidien des Maheu

Au milieu des champs de blé et de betteraves*, le coron[1] des Deux-Cent-Quarante dormait sous la nuit noire. On distinguait vaguement les quatre immenses corps de petites maisons adossées*, des corps de caserne ou d'hôpital, géométriques, parallèles, que séparaient les trois larges avenues, divisées en jardins égaux. Et, sur le plateau désert, on entendait la seule plainte des rafales, dans les treillages* arrachés des clôtures*.

Chez les Maheu, au numéro 16 du deuxième corps, rien ne bougeait. Des ténèbres épaisses noyaient* l'unique chambre du premier étage, comme écrasant* de leur poids le sommeil des êtres que l'on sentait là, en tas, la bouche ouverte, assommés* de fatigue. Malgré le froid vif du dehors, l'air alourdi* avait une

Pendant la lecture
1. Où sont les ouvriers ?

Pendant la lecture
2. Que se passe-t-il ce soir-là ?

Pendant la lecture
3. Comment dorment les Maheu ?

---

une betterave *beet* ; **adossé(e)** les unes sur les autres ; **un treillage** *lattice work* ; **une clôture** *fence* ; **noyaient (noyer)** *drowned (to drown)* ; **écrasant (écraser)** *crushing (to crush)* ; **assommé(e)** frappé(e) ; **alourdi(e)** *thick*

1. coron : ensemble de logement ouvrier.

chaleur vivante, cet étouffement* chaud des chambrées les mieux tenues*, qui sentent le bétail* humain.

Quatre heures sonnèrent au coucou* de la salle du rez-de-chaussée, rien encore ne remua*, des haleines grêles* sifflaient, accompagnées de deux ronflements* sonores. Et, brusquement, ce fut Catherine qui se leva. [...]. Puis, les jambes jetées hors des couvertures, elle tâtonna*, frotta enfin une allumette* et alluma la chandelle*. Mais elle restait assise, la tête si pesante, qu'elle se renversait entre les deux épaules, cédant au besoin invincible de retomber sur le traversin².

Pendant la lecture
4. Quelle heure est-il ?

Pendant la lecture
5. Comment allume-t-elle la chambre ?

Maintenant, la chandelle éclairait la chambre, carrée, à deux fenêtres, que trois lits emplissaient*. Il y avait une armoire, une table, deux chaises de vieux noyer*, dont le ton fumeux* tachait durement les murs, peints en jaune clair. Et rien autre, des hardes* pendues à des clous, une cruche* posée sur le carreau*, près d'une terrine* rouge servant de cuvette*. Dans le lit de gauche, Zacharie, l'aîné, un garçon de vingt et un ans, était couché avec son frère Jeanlin, qui achevait sa onzième année ; dans celui de droite, deux mioches³, Lénore et Henri, la première de six ans, le second de quatre, dormaient aux bras l'un de l'autre ; tandis que Catherine partageait le troisième lit avec sa sœur Alzire, si chétive* pour ses neuf ans, qu'elle ne l'aurait même pas sentie près d'elle, sans la bosse* de la petite infirme qui lui enfonçait* les côtes*. La porte vitrée* était ouverte, on apercevait le couloir du palier*, l'espèce de boyau* où le père et la mère occupaient un quatrième lit, contre lequel ils avaient dû installer le berceau* de la dernière venue, Estelle, âgée de trois mois à peine.

Pendant la lecture
6. La famille est-elle affluente ou pauvre ?

Pendant la lecture
7. Combien d'enfants dorment dans cette chambre ?

Pendant la lecture
8. Qui d'autre habite dans cette maison ? Combien de lits ont-ils en tout ?

Pendant la lecture
9. Combien d'enfants ont-il en tout ?

Source : ZOLA, Emile. *Germinal*. Ed. Gil Blas, 1885.

---

un étouffement *stifling feeling* ; **tenu(e)** rangé(e) ; **le bétail** *cattle* ; **le coucou** *horloge* ; **remua (remuer)** bougea (bouger) ; **des haleines (f.) grêles** *moist breath* ; **un ronflement** bruit quand on dort ; **tâtonna (tâtonner)** chercha (chercher) dans le noir ; **une allumette** *match* ; **la chandelle** *candle* ; **emplissaient (emplir)** *filled (to fill)* ; **un noyer** *almond tree* ; **fumeux, fumeuse** *smoky* ; **des hardes (f.)** des vieux vêtements ; **une cruche** un pot ; **le carreau** une plaque en céramique ; **une terrine** un pot en terre ; **une cuvette** pot rond pour aller aux toilettes ; **chétif, chétive** *puny* ; **une bosse** *hump* ; **enfonçait (enfoncer)** poussait (pousser) ; **les côtes (f.)** *ribs* ; **vitré(e)** *with a glass window* ; **le palier** *threshold* ; **le boyau** *small tube-shaped room* ; **le berceau** le lit du bébé

2. traversin : un long oreiller qui traverse le lit entier.
3. mioche (fam.) : enfant.

Post-lecture

Comment liez-vous la description de cette famille à la Révolution industrielle ?

Répondez aux questions.

A. **Description** : *Lisez les deux premiers paragraphes.*
1. En quoi la description des lieux nous renseigne sur la pauvreté des personnages ?
2. « ...des êtres que l'on sentait là, en tas, la bouche ouverte, assommés de fatigue ». Quelle information cette description nous donne-t-elle sur les personnages ?

B. **Le réveil** : *Lisez le troisième paragraphe.*
3. Quelles tournures indiquent que le réveil de Catherine est difficile ?

| MODÈLE | **La tête si pesante...** |

C. **L'habitat** : *Lisez le quatrième paragraphe.*
4. Comment est la chambre ? Justifiez votre réponse en citant le texte.

| MODÈLE | **Le mobilier est ancien : « deux chaises de vieux noyer »** |

5. Combien sont-ils dans cette famille ? Combien y a-t-il de lits ? Qu'est-ce que cette constatation nous apprend sur les conditions de vie de ces gens ?

Langue vivante

Retrouvez les formulations de Zola qui dramatisent la situation et donnent une impression de dureté et d'abandon.

| MODÈLE | **« Des ténèbres épaisses noyaient l'unique chambre... »** |

Extrait 2 : Le quotidien des Grégoire

La propriété des Grégoire, la Piolaine, se trouvait à deux kilomètres de Montsou, vers l'est, sur la route de Joiselle. C'était une grande maison carrée, sans style, bâtie au commencement du siècle dernier. Des vastes terres qui en dépendaient d'abord, il ne restait qu'une trentaine d'hectares, clos de murs, d'un facile entretien. On citait surtout le verger* et le potager*, célèbres par leurs fruits et leurs légumes, les plus beaux du pays. D'ailleurs, le parc manquait*, un petit bois en tenait lieu. L'avenue de vieux tilleuls*, une voûte* de feuillage* de trois cents mètres, plantée de la grille au perron*, était une des curiosités de cette plaine rase*, où l'on comptait les grands arbres, de Marchiennes à Beaugnies.

Pendant la lecture
1. Où habite cette famille ?

Pendant la lecture
2. Pourquoi cette résidence est-elle connue ?

Pendant la lecture
3. Qu'est-ce qui était une curiosité ?

un verger *orchard* ; **un potager** *vegetable garden* ; **manquait (manquer)** était (être) absent(e) ; **un tilleul** *lime tree* ; **une voûte** *arc shaped ceiling* ; **le feuilletage** *foliage* ; **le perron** la porte d'entrée ; **ras(e)** *open*

Ce matin-là, les Grégoire s'étaient levés à huit heures. D'habitude, ils ne bougeaient guère qu'une heure plus tard, dormant beaucoup, avec passion ; mais la tempête de la nuit les avait énervés*. Et, pendant que son mari était allé voir tout de suite si le vent n'avait pas fait de dégâts, Mme Grégoire venait de descendre à la cuisine, en pantoufles* et en peignoir de flanelle. Courte, grasse, âgée déjà de cinquante-huit ans, elle gardait une grosse figure poupine* et étonnée, sous la blancheur éclatante de ses cheveux.

- Mélanie, dit-elle à la cuisinière, si vous faisiez la brioche ce matin, puisque la pâte* est prête. Mademoiselle ne se lèvera pas avant une demi-heure, et elle en mangerait avec son chocolat... Hein ! ce serait une surprise. La cuisinière, vieille femme maigre qui les servait depuis trente ans, se mit à rire.
- Ça, c'est vrai, la surprise serait fameuse... Mon fourneau* est allumé, le four doit être chaud ; et puis, Honorine va m'aider un peu.

Honorine, une fille d'une vingtaine d'années, recueillie* enfant et élevée à la maison, servait maintenant de femme de chambre*. Pour tout personnel, outre* ces deux femmes, il n'y avait que le cocher*, Francis, chargé des gros ouvrages*. Un jardinier et une jardinière s'occupaient des légumes, des fruits, des fleurs et de la basse-cour*. Et, comme le service était patriarcal, d'une douceur familière, ce petit monde vivait en bonne amitié.

Mme Grégoire, qui avait médité dans son lit la surprise de la brioche, resta pour voir mettre la pâte au four. La cuisine était immense, et on la devinait la pièce importante, à sa propreté extrême, à l'arsenal des casseroles, des ustensiles, des pots qui l'emplissaient. Cela sentait bon la bonne nourriture. Des provisions débordaient* des râteliers* et des armoires.

Source : ZOLA, Emile *Germinal*. Ed. Gil Blas, 1885.

énervé (e) irrité(e) ; **des pantoufles (f.)** *slippers* ; **poupin(e)** comme une poupée ; **la pâte** *dough* ; **un fourneau** un vieux four ; **recueilli(e)** trouvé(e) ; **une femme de chambre** *house maid* ; **outre** autrement que ; **le cocher** *coachman* ; **un ouvrage** un travail ; **la basse-cour** *barnyard* ; **débordaient (déborder)** *overflowed (to overflow)* ; **un râtelier** *rack*

Pendant la lecture
4. Pourquoi les Grégoire se sont réveillés tôt ?

Pendant la lecture
5. Quelle est la marque de son âge ?

Pendant la lecture
6. Qui est Mélanie ?

Pendant la lecture
7. Qu'est-ce que Mademoiselle va prendre pour le petit déjeuner ?

Pendant la lecture
8. Combien d'employés ont les propriétaires ?

Pendant la lecture
9. Les propriétaires sont-ils méchants ?

Pendant la lecture
10. Qu'est-ce qui est le plus important dans cette maison ?

Post-lecture

Comment cette famille semble-t-elle tirer avantage de la Révolution industrielle ?

27 Compréhension du texte

Répondez aux questions.

A. **Description du lieu :** *Lisez le texte à la page 597.*

1. Quels passages du texte indiquent que la maison appartient à une famille bourgeoise ?
2. Quels mots ou passages la dévalorisent, montrent que sa splendeur n'est plus aussi importante ?

MODÈLE **Sans style...**

3. Quel passage indique que la maison est isolée du monde extérieur ?

B. **La bourgeoisie :** *Lisez le deuxième et le troisième paragraphe.*

4. Quelle phrase indique que les Grégoire ont l'habitude de se lever tard ?
5. Quels indices montrent qu'ils vivent dans un certain confort ?
6. Comment la description physique de madame Grégoire permet d'identifier sa classe sociale ?
7. Quels sont les contrastes, entre madame Grégoire et sa cuisinière, qui permettent à Zola de faire le portrait de deux classes sociales opposées ?

C. **Conditions de vie :** *Lisez le quatrième et le cinquième paragraphe.*

8. Qu'y a-t-il d'ironique dans la formulation « Pour tout personnel [...] il n'y avait que... » ? Comptez le nombre de domestiques.
9. Dans la description de la cuisine, qu'est-ce qui indique que la famille possède des biens et qu'elle ne souffre pas de la faim ?

28 Activités d'expansion

Faites les activités suivantes.

1. Ecrivez un essai dans lequel vous comparez les conditions de vie de ces familles.
2. *Germinal* est un roman naturaliste qui décrit le monde réel. Analysez l'esthétique du naturalisme en prenant vos exemples de *Germinal*.

Faisons le point !

A. *Pour retrouver les principales idées développées au cours de la leçon, notez dans votre cahier un ou deux exemple(s) en face de chacun des points de repère qui vous sont proposés. Reportez-vous à tous les documents de la leçon (écrits journalistiques, témoignages, analyses, textes littéraires).*

Question centrale

? En quoi l'architecture reflète et modifie l'environnement culturel ?

L'architecture	Notes

L'architecture et l'environnement
- la maison écologique
- l'intégration dans le paysage
- la tour Eiffel
- l'architecture du futur

Les enjeux de l'architecture
- son rôle
- ses devoirs
- ses limites
- bénéfices
- l'aesthétique

Dimension culturelle
- l'architecture comme indicateur social
- l'architecture comme reflet de la société

B. *Discutez en groupes. Que répondriez-vous à la question posée au début de l'unité : En quoi l'architecture reflète et modifie l'environnement culturel ?*

Vocabulaire de l'Unité 6

à : à sa façon in its own way *C*

l' **âme (f.)** soul *A*

un **aménagement** layout *C*

l' **apparence (f.)** appearance *A*

aquilin(e) aquiline *A*

un(e) architecte architect *C* ; **architecte d'intérieur** interior designer *C* ; **architecte naval** naval architect *C* ; **architecte paysagiste** landscape architect *C*

l' **architecture (f.)** architecture *A*

arqué(e) bowed *A*

des **artifices (m.)** artifices *A*

artificiel, artificielle artificial *A*

aspirer to breathe *B*

assumer to assume *A*

atypique atypical *C*

l' **autofiction (f.)** autofiction *B*

avoir : avoir le cœur sur la main to be very generous *A* ; **avoir une très bonne facilité à** to be really good at *B*

un **bâtiment** building *C*

le **beau** beauty *A*

bien : bien bâti(e) well-built *A* ; **bien fait(e)** good-looking *A*

un(e) biographe biographer *B*

bizarre strange, weird *C*

bridé(e) slanted *A*

c'est : c'est à l'autre de it's up to others *A*

un **canon** ideal, model *A*

charismatique charismatic *A*

le **charisme** charisma *A*

charitable charitable *A*

un **charpentier, une charpentière** carpenter *C*

compatissant(e) compassionate *A*

concevoir to envisage *C*

une **construction** building *C*

coquet, coquette *[inform.]* stylish *A*

un **couvreur, une couvreuse** roofer *C*

un **créateur, une créatrice** creator *C*

les **critères (m.)** criteria *A*

de : de toutes ses forces with all one's might *C*

un **décorateur, une décoratrice (d'intérieur)** (interior) decorator *C*

décorer to decorate *C*

dès from *B*

diriger to manage *C*

double double *A*

droit(e) straight *A*

un **édifice** building, structure *C*

égocentrique self-absorbed *A*

emmener to take *B*

enfoncé(e) deep-set *A*

ensorcelant(e) bewitching *A*

un(e) entrepreneur(e) contractor *C*

envoûtant(e) spellbinding *A*

épais(e) thick *A*

épaté(e) flat *A*

un **espace** space *C*

un(e) essayiste essayist *B*

l' **esthétique (f.)** aesthetics *A*

être : être bien dans sa peau to feel good about oneself *A*

extérieur(e) external *A*

fabriquer to make *C*

faire : faire des recherches to research *C* ; **faire le bien** to do good *A*

se **faire : se faire beau/belle** to dress (oneself) up *A*

fascinant(e) fascinating *A*

flottant(e) floating *C*

flou(e) blurred, fuzzy *B*

une **fondation** foundation *C*

une **formule** formula *B*

un **genre** genre *B* ; **genre argumentatif** argumentative genre *B*

globuleux, globuleuse globulous *A*

grandiose grandiose *C*

historien(ne) historical *B*

un **ingénieur : ingénieur paysagiste** landscape engineer *C*

un **initiateur, une initiatrice** initiator *C*

innover to innovate *C*

un **inspirateur, une inspiratrice** inspiration *C*

un **intérieur** interior *C*

intérieur(e) inner *A* ; interior *C*

un **journal** diary, journal *B* ; **journal intime** private diary/journal *B*

un **lecteur, une lectrice** reader *B*

limpide clear *B*

une **liseuse** e-reader *B*

un **livre : livre électronique** e-book *B* ; **beau livre** coffee-table book *B*

un(e) maçon(ne) mason *C*

un **manuscrit** manuscript *B*

le **mémoire** memoir *B*

la **mémoire** memory *B*

un **menuisier, une menuisière** carpenter *C*

mignon(ne) cute *A*

militaire military *C*

miniature miniature *C*

le **mobilier** furniture *C*

monumental(e) enormous *C*

un **narrateur** narrator *B*

la **narratologique** narratology *B*

un **navire** ship *C*

nourrir to nourish *A*

une **organisation** organization *C*

un **ouvrage** work *B*

ouvrir : ouvrir grand to open wide *B*

un(e) **pamphlétaire** lampoonist *B*

un(e) **paysagiste** landscaper *C*

une **phrase** sentence *B*

un **pionnier, une pionnière** pioneer *C*

un **plan** plan *C*

se **pomponner** to dress up *A*

posé(e) put down *B*

la **pragmatique** pragmatics *B*

précis(e) precise *B*

un **précurseur** trailblazer *C*

premier, première : du premier coup the first time *A*

prendre : prendre soin de soi to take care of yourself *A*

prévoir to anticipate *C*

la **prose** prose *B*

protester to protest *C*

pulpeux, pulpeuse full *A*

ravissant(e) ravishing *A*

le **récit** story *B*

recomposer to rebuild *C*

rembourré(e) chubby *A*

un **roman : roman d'aventure** adventure story *B* ; **roman de fantaisie** fantasy novel *B* ; **roman de science-fiction** science fiction novel *B* ; **roman d'horreur** horror novel *B* ; **roman épistolaire** epistolary novel *B* ; **roman historique** historical novel *B*

sage wise *A*

la **sémantique** semantics *B*

sexy sexy *A*

un **siècle** century *B*

les **sourcils (m.)** eyebrows *A*

une **structure** structure *C*

superbe superb *A*

le **temps : temps ancien** past *B*

la **tragédie** tragedy *B*

un **trait** trait *A*

le **travail** job *C*

un **travaux** construction *C*

un(e) **urbaniste** urban planner *C*

utilitaire useful *C*

vague vague *B*

vaniteux, vaniteuse vain *A*

le **vers** verse *B*

vertueux, vertueuse virtuous *A*

vilain(e) ugly *A*

Vocabulaire

Français–Anglais

A

à: à disposition available 5; *à force de* through 4; *à l'aise* at ease 1; *à sa façon* in its own way 6

abracadabrant(e) ludicrous 5

l' **absolutisme (m.)** absolutism 4

l' **accélération (f.)** acceleration 5; *hyper accélération* hyper acceleration 5

acceptable acceptable 4

l' **acceptation (f.)** acceptance 4

accomplir to complete 5

accordé(e) granted 4

un **accro branche** rope course 2

s' **accroître** to increase 5

un **accueil: un pays d'accueil** host country 3

acquérir to acquire 3

une **action: passer à l'action** to take action 4

s' **adapter (à)** to get used (to) 3

les **additions (f.)** addition 3

un **adepte** supporter 5; *faire des adeptes* to gain popularity 5

adhérer (à) to join 1

admettre to accept 4

une **admiration** admiration 1; *valoir à quelqu'un l'admiration* to acknowledge someone with admiration 5

admissible acceptable 4

l' **adolescence (f.)** adolescence 1

une **adoption** adoption 3; *d'adoption* by adoption 3

s' **affaiblir** to weaken 2

des **affaires (f.)** affairs 4; *le droit de prendre part à la direction des affaires publiques de son pays* right to participate in one's country's public affairs 4

s' **affilier (à)** to become affiliated (with) 4; *le droit de s'affilier à des syndicats pour la défense de ses intérêts* right to affiliate with unions to defend one's interests 4

s' **affranchir** to emancipate oneself 4

affronter to confront 2; to fight against 4

âgé(e) old 1

une **agence** agency 2

s' **agir: il ne s'agit pas de** it is not time to 5

agresser to mug 4

agressif, agressive aggressive 1

une **agression** attack 4

l' **agressivité (f.)** aggressiveness 4

l' **aide (f.): venir en aide** to help 3

un **aile: l'aile delta** hang gliding 2

aimer: aimer à la folie to love like crazy 1

l' **aise (f.): à l'aise** at ease 1; *se mettre à l'aise* to put (someone) at ease 1

aller: aller dans les brocantes to go to secondhand stores 2; *aller vers l'avant* to move forward 5

alors: alors que while 5

une **alternative** alternative 4

un **alto** viola 2

ambivalent(e) ambivalent 4

une **âme** soul 6

s' **améliorer** to improve 1

un **aménagement** layout 6

un(e) **ami(e): une petite amie** girlfriend 1; *un petit ami* boyfriend 1

l' **amitié (m.)** friendship 1

amoureux, amoureuse: amoureux fou de madly in love 1

analyser to analyze 5

ancien(ne) ancient 2; *le temps ancien* past 6

un **androïde** android 5

l' **angoisse (f.)** anxiety 5

un **annonceur, une annonceuse** advertiser 2

une **anomalie** anomaly 5

l' **antimatière (f.)** antimatter 5

antipersonnel antipersonnel 4; *une mine antipersonnel* antipersonnel mine 4

l' **apathie (f.)** apathy 4

un(e) **apatride** stateless person 3

une **apparence** appearance 6

appartenir (à) to belong (to) 1

un **appel: faire appel à** to resort to 5

apporter: apporter la preuve to prove 5

une **appréciation** appreciation 4

un **apprentissage** learning 3

l' **aquagym (m.)** water aerobics 2

aquilin(e) aquiline 6

un(e) **Arabe** Arab 2; *Arabe non musulman* non-religious Muslim 2

un(e) **architecte** architect 6; *architecte d'intérieur* interior designer 6; *architecte naval* naval architect 6; *architecte paysagiste* landscape architect 6

l' **architecture (f.)** architecture 6

argumentatif, argumentative argumentative 6; *le genre argumentatif* argumentative genre 6

une **arme** weapon 4; *rendre les armes* to disarm 4

armer to arm 4

un **armistice** armistice 4

arqué(e) bowed 6

un **artifice** artifice 6

artificiel, artificielle artificial 6

l' **asile (m.)** asylum 3; *le droit d'asile* right to asylum 4

aspirer to breathe 6

un **assassin** murderer 4

un **assassinat** assassination 4

l' **assimilation (f.)** assimilation 3

s' **assimiler** to assimilate 3

une **association** association 1; *la liberté de réunion et d'association pacifiques* right to peaceful meetings and associations 4

assumer to assume 6

un(e) **astronome** astronomer 5

un **attachement** attachment 1

attaquer to attack 4

s' **attaquer (à)** to target 4

une **atteinte (à)** assault (on) 4; *porter atteinte (à)* to affect 4

un **attentat** attack 4

attiré(e) attracted 1; *être attiré(e) par* to be attracted by 1

attirer to attract 1

s' **attirer** to attract to oneself 5; *s'attirer les foudres* to attract opposition 5

une **attitude** attitude 3

l' **attrait (m.)** attraction 3

atypique atypical 6

au: au cas où in case 1; *au fur et à mesure que* progressively as 3

augmenté(e) enhanced 5; *la réalité augmentée* Augmented Reality 5

augmenter to increase 3

l' **autofiction (f.)** Autofiction 6

autonome independent 4

l' **autonomie (f.)** autonomy, independence 1

autoriser to authorize 4

l' **autorité (f.)** authority 1

un **autre: l'autre** others 6; *c'est à l'autre de* it's up to others 6

autrement in any other way 4; *faire autrement* to act another way 4

autrui others 4

avancer to make progress 3; to move forward 5

l' **avant (m.)** front 5; *aller vers l'avant* to move forward 5

une **avant-garde** vanguard 3

une **aventure: un roman d'aventure** adventure story 6

l' **aviron (m.)** rowing 2

avoir: avoir de bonnes/ mauvaises relations (avec) to have a good/bad relationship (with) 1; *avoir le cœur sur la main* to be very generous 6; *avoir le/un coup de foudre pour* to fall head over heels for 1; *avoir l'intuition de* to have inspiration 5; *avoir une très bonne facilité à* to be really good at 6; *avoir un impact sur* to have an impact on 2; *avoir un penchant pour* to have a fondness for 1

B

bafoué(e) denied 4

un **bagage** education 5

se **bagarrer** *[inform.]* to fight 4

un **baiser** kiss 1; *échanger des baisers* to kiss 1

un **baptême** baptism 2

une **barrière** barrier 3

basé(e) based 1

une **bataille** battle 4

bâti(e) built 6; *bien bâti(e)* well-built 6

un **bâtiment** building 6

se **battre** to fight 4

le **beau** beauty 6

beau, belle: se faire beau/belle to dress (oneself) up 6; *un beau livre* coffee-table book 6

belliciste warmongering 4

un **belligérant** combatant 4

belliqueux, belliqueuse aggressive 4

bénéficier (de) to benefit (from) 4

bien: bien bâti(e) well-built 6; *bien fait(e)* good-looking 6; *être bien dans sa peau* to feel good about oneself 6; *faire le bien* to do good 6

un(e) **biographe** biographer 6

un(e) **biologiste** biologist 5

bizarre strange, weird 6

le **bizutage** hazing 2

un **bombardement** bombing 4

bon(ne): avoir de bonnes/ mauvaises relations avec to have a good/bad relationship with 1; *avoir une très bonne facilité à* to be really good at 6; *une bonne bouffonne* clown 2

bouffer *[inform.]* to eat 4

un(e) **bouffon(ne): bonne bouffonne** clown 2

bouleverser to devastate 5

un **bourreau** executioner 4

la **boxe** boxing 2

une **branche: un accro branche** rope course 2

un **braquage** *[inform.]* robbery 4

bridé(e) slanted 6

brimer to bully 4

une **brocante** secondhand store 2; *aller dans les brocantes* to go to secondhand stores 2

une **brouille** disagreement 1

se **brouiller** to fall out, to quarrel 1

brutal(e) brutal 4

la **brutalité** brutality 4

bruyant(e) noisy 1

C

c'est: c'est à l'autre de it's up to others 6; *c'est la zone* it's a travesty 4; *c'est pour cela que* that's why 3; *c'est réservé à* this happens only in 5

un **camp** campsite 3

une **campagne** campaign 2

un **canon** ideal, model 6

le **canyoning** canyoning 2

un **CAP** vocational school certificate 1

un **cas: au cas où** in case 1

un **casque** helmet 2

un **causer: causer à quelqu'un des ennuis** to cause problems for someone 5; *causer à quelqu'un des problèmes* to cause problems for someone 5

cela it, that, this 3; *c'est pour cela que* that's why 3

célébrer to celebrate 2

cérémonial(e) ceremonial 2

une **cérémonie** ceremony 2

certain(e) some 5

le **cerveau** brain 4; *laver le cerveau* to brainwash 4

cesser de to stop 1

un **cessez-le-feu** ceasefire 4

un **chagrin** heartbreak 1

un **chambouler** *[inform.]* to shake up 5

charismatique charismatic 6

le **charisme** charisma 6

charitable charitable 6

un **charpentier, une charpentière** carpenter 6

un(e) **chimiste** chemist 5

un **circuit** track 2

un **circuler: le droit de circuler librement** right to move around freely 4

un **clan** group 1

un **cloisonnement** isolation 3

le **clonage** cloning 5

un **code** code 2

le **cœur: avoir le cœur sur la main** to be very generous 6

la **cohabitation** cohabitation 1

la **colère** anger 4; *par colère* due to anger 4

coléreux, coléreuse quick-tempered 4

collaborer (à) to take part (in) 5

collectif, collective collective 2

colossal(e) colossal 5

un **combat** battle 4

un **combattant** soldier 4

comblé(e) fulfilled 1

comme: comme de as well as 4

commencer: en commençant par beginning with 5

communautaire community 1

une **communauté** community 1

la **communion** communion 2

communiquer to communicate 4

compatissant(e) compassionate 6

un(e) **compatriote** compatriot 3

la **compétition** competition 4

un **comportement** behavior 3

compréhensif, compréhensive understanding 1

un **compromis** compromise 4

un **compte: prendre en compte** to take into account 1

une **conception** concept, idea 5; conception 2

concevoir to design 2; to envisage 6

conciliant(e) accommodating 1

conclure to end 4

condamnable reprehensible 4

condamné(e) condemned 4

la **condescendance** condescension 4

condescendant(e) condescending 4

conduire to lead 4

la **confession** confession 2

la **confiance** trust 1; *faire confiance à* to trust 1

confiant(e) confident 1

confirmer to confirm 5

un **conflit** conflict 1

se **conformer (à)** to conform (to) 2

le **conformisme** conformity 1

conformiste conformist 1

une **connaissance** understanding 3

connaître: connaître la gloire to become famous 5; *connaître le succès* to be successful 5

conquérir to conquer 4

une **conquête** conquest 5

conquis(e) conquered 4

la **conscience** consciousness 4; *la liberté de conscience* freedom of conscience 4

conscient(e) aware 4

un **conseiller, une conseillère** school counselor 1

une **conséquence** result 5

consister (à) to consist (in) 5

se **consoler** to take comfort 1

un **consommateur, une consommatrice** consumer 2

la **consommation** consumption 2

la **consternation** consternation 5

une **construction** building 6; *la construction* construction 5

construire to construct 3

se **construire** to find one's identity 1

le **contact** contact 1

contenir to include 5

la **contestation** contesting 5

contester to contest 5

contribuer to contribute 5

une **controverse** controversy 5

convenable decent 4

se **convenir (à)** to work for 1

la **convivialité** friendliness 1

la **coopération** cooperation 3

un **copain: un petit copain** boyfriend 1

une **copine: une petite copine** girlfriend 1

coquet, coquette *[inform.]* stylish 6

un **coup** blow, knock 1; punch 4; *coup de foudre* love at first sight 1; *avoir le/un coup de foudre pour* to fall head over heels for 1; *donner un coup de...* to give a blow 4; *du premier coup* the first time 6

la **courage** courage 2

couronné(e) crowned 5; *couronné(e) de succès* fruitful 5; *être couronné(e) de succès* to be fruitful 5

un **court** court 2

un **coût** cost 5

un **couvreur, une couvreuse** roofer 6

un **craquer: craquer pour** *[inform.]* to fall in love with 1

un **créateur, une créatrice** creator 6

un **crime** crime 4

un **criminel, une criminelle** criminal 4

un **critère** criterion 6

un **croisement** meeting 3

la **curieux, curieuse** curious 1

la **curiosité** curiosity 3

le **cyberharcèlement** cyberbullying 4

D

dans: aller dans les brocantes to go to secondhand stores 2; *taper dans l'œil de [inform.]* to be taken with 1

de: d'adoption by adoption 3; *de souche (+ origin)* ethnic (+ origin) 3; *de toujours* lifelong 1; *de toutes ses forces* with all one's might 6

déboucher sur *[inform.]* to lead to 5

la **décence** decency 5

décent(e) decent 4

décevant(e) disappointing 5

déclarer to declare 4

un **déclic** trigger 5

un **décorateur, une décoratrice** decorator 6; *décorateur, décoratrice d'intérieur* interior decorator 6

décorer to decorate 6

décrocher *[inform.]* to give up 1

un **décrocheur, une décrocheuse** dropout 1

déçu(e) disappointed 1

déduire to deduce 5

défendre to defend 4

se **défendre** to defend oneself 4

défendu(e) defended 4

la **défense** defense 4; *le droit de s'affilier à des syndicats pour la défense de ses intérêts* right to affiliate with unions to defend one's interests 4; *prendre la défense de* to stand up for 4

se **définir** to be defined as 5

une **définition** definition 5

dégénérer to degenerate 5

se **dégrader** to turn sour 1

delta: l'aile (m.) delta hang gliding 2

une **demande** application 3

une **démarche** approach 5

démontrer to demonstrate 5

une **déontologie** moral code 5

la **dépendance** dependence 1

dès from 6

désarmer to disarm 4

désintéressé(e) disinterested 1

se **détériorer** to deteriorate 1

déterminer to determine 2

un **détracteur** critic 5

détrôné(e) dethroned 5; *être détrôné(e) par* to be edged out by 5

détruire to destroy 4

un **devoir** duty 3

un **dialecte** dialect 3

une **différence** difference 1

différer to differ 2

se **diffuser** to spread 5

digne (de) worthy (of) 3

la **dignité** human dignity 4; *le droit à la dignité* right to human dignity 4

un **diplôme** diploma 1

se **dire** to tell oneself 2

une **direction: le droit de prendre part à la direction des affaires publiques de son pays** right to participate in one's country's public affairs 4

diriger to manage 6

discret, discrète reserved 1

la **discrimination** discrimination 4

une **disposition: à disposition** available 5; *mettre à disposition* to make available 5

distribuer to distribute 2

un **distributeur, une distributrice** distributer 2

la **distribution** distribution 2

la **dit(e) de** called 5

la **diversité** diversity 4

dogmatique dogmatic 4

le **dogmatisme** dogmatism 4

la **domination** domination 3

dominer to prevail 2

se **dominer** to control oneself 4

dominical(e) Sunday 2

donner: donner un coup de... to give a blow 4

un **dossier** application 5

doté(e) de equipped with 5

double double 6

un **doute: mettre en doute** to doubt 5

draguer to hit on 1

dresser to raise 3

un **droit: droit à la dignité** right to human dignity 4; *droit à l'éducation* right to education 4; *droit à l'égalité* right to equality 4; *droit à la justice* right to justice 4; *droit à la liberté* right to freedom 4;

droit à la propriété right to property 4; *droit à la sécurité sociale* right to social security 4; *droit à la sûreté* right to safety 4; *droit à la vie* right to life 4; *droit à une rémunération équitable et satisfaisante* right to fair and satisfying wages 4; *droit à un procès équitable* right to a fair trial 4; *droit au repos* right to rest when sick 4; *droit au travail* right to work 4; *droit d'asile* right to asylum 4; *droit de circuler librement* right to move around freely 4; *droit de fonder une famille* right to have a family 4; *droit de prendre part à la direction des affaires publiques de son pays* right to participate in one's country's public affairs 4; *droit de s'affilier à des syndicats pour la défense de ses intérêts* right to affiliate with unions to defend one's interests 4; *droit de se marier* right to marry 4; *droit de vote* right to vote 4

droit(e) straight 6

la **droiture** righteousness 5

un **duo** duet 3

dur(e): le plus dur the hardest thing 1

durant during 2

E

un **échange** exchange 1

échanger to exchange 1; *échanger des baisers* to kiss 1

l' **échec (m.)** failure 1

échouer to fail 1

un **édifice** building, structure 6

éducatif, éducative educational 5

une **éducation: le droit à l'éducation** right to education 4

l' **effarement (m.)** alarm 5

également equally 5

l' **égalité (m.)** equality 3; *le droit à l'égalité* right to equality 4

l' **égard (m.)** consideration 4

égocentrique self-absorbed 6

électronique: un livre électronique e-book 6

un **élément** thing 2

l' **émancipation (f.)** liberation 1

s' **émanciper** to liberate oneself 1

s' **embrasser** to kiss (one another) 1

émettre to put forward 5

emmener to take 6

empêcher to prevent 5

un **emprunt** loan 3

en: en commençant par beginning with 5; *en matière de* in what concerns 4; *en sorte que* so that 3; *en venir aux mains* to come to blows 4

l' **endurance (f.)** endurance 2

enfoncé(e) deep-set 6

engager to engage 4

un **ennemi** enemy 5; *se faire des ennemis* to make enemies (for yourself) 5

un **ennui** problem 5; *l'ennui* boredom 1; *causer à quelqu'un des ennuis* to cause problems for someone 5; *valoir à quelqu'un des ennuis* to cause problems for someone 5

enregistrer to observe 5

un(e) **enseignant(e)** teacher 5; *enseignant(e) scientifique* science teacher 5

un **ensemble** set 5

ensorcelant(e) bewitching 6

l' **entente (f.)** understanding 1

l' **enthousiasme (m.)** enthusiasm 5

un **entourage** entourage 1

s' **entraider** to help one another 1

un **entraîneur, une entraîneuse** instructor 1

un(e) **entrepreneur(e)** contractor 6

entretenir to have 1

envers towards 4

envoûtant(e) spellbinding 6

épais(e) thick 6

s' **épanouir** to flourish 1

l' **épanouissement (m.)** blossoming 1

épaté(e) flat 6

éphémère fleeting, short-lived 1

l' **Épiphanie (f.)** Epiphany 2

épistolaire epistolary 6; *un roman épistolaire* epistolary novel 6

épouvantable terrible 5

une **épreuve** test, hardship 2

un **équilibre** equilibrium 2

équitable fair 4; *le droit à une rémunération équitable et satisfaisante* right to fair and satisfying wages 4; *le droit à un procès équitable* right to a fair trial 4

un **ère** period 4

l' **esclavage (m.)** slavery 4

un(e) **esclave** slave 4

un **espace** space 6

une **espérance** expectation 5

l' **esprit (m.)** mind 4; *une ouverture d'esprit* open-mindedness 4

un **essai: faire des essais** to test 5

un(e) **essayiste** essayist 6

l' **esthétique (f.)** aesthetics 6

établir to establish 1

une **étape** stage 2

l' **éthique (f.)** ethics 5

éthique ethical 4

étranger, étrangère foreign 3

être: être à la pointe (de) to be at the cutting edge (of) 5; *être attiré(e) par* to be attracted by 1; *être bien dans sa peau* to feel good about oneself 6; *être couronné(e) de succès* to be fruitful 5; *être détrôné(e) par* to be edged out by 5; *être en progrès* to make progress 5; *être en regression* to be in decline 5; *être fidèle (à)* to be faithful (to) 1; *être hors de soi* to be beside oneself 4; *être initié(e) à* to be initiated into 2; *être issu(e) de* to be born of 5; *être jugé(e) sans intérêt* to be dismissed 5; *être le souffre-douleur* to be the punching bag 4; *être membre (de)* to be a member (of) 1; *être porté(e) aux nues* to be idolized 5; *être victime (de)* to be a victim (of) 4

une **étude** study 2; *étude de marché* market research study 2

évacuer to evacuate 5

une **évidence** obvious fact 5; *mettre en évidence* to highlight 5

évoluer to change 1; to evolve 2

l' **exclusion (f.)** exclusion 4

exigé(e) demanded 4

exigeant(e) demanding 1

s' **expatrier** to emigrate 3

une **expérience** experiment 5; *faire des expériences* to experiment 5

expérimenter to experiment 5

explorer to explore 5

l' **expression (f.)** expression 4; *la liberté d'expression* freedom of expression 4; *un mode d'expression* mode of expression 4

extérieur(e) external 6

un(e) **extraterrestre** alien 5

extravagant(e) extravagant 5

F

fabriquer to make 6

se **fâcher (avec)** to get angry 1

une **facilité** ease 6; *avoir une très bonne facilité à* to be really good at 6

une **façon: à sa façon** in its own way 6

façonner to shape 2

faire: faire appel à to resort to 5; *faire autrement* to act another way 4; *faire confiance à* to trust 1; *faire de la photographie* to practice photography 2; *faire des adeptes* to gain popularity 5; *faire des essais* to test 5; *faire des expériences* to experiment 5; *faire des recherches* to research 6; *faire du scrapbooking* to scrapbook 2; *faire honneur à* to honor 4; *faire la guerre* to wage war 4; *faire la preuve* to prove 2; *faire le bien* to do good 6; *faire le premier pas* to make the first move 1; *faire preuve de* to show 4; *faire sortir de ses gonds* to infuriate someone 4

se **faire: se faire beau/belle** to dress (oneself) up 6; *se faire des ennemis* to make enemies (for yourself) 5

fait: bien fait(e) good-looking 6

familial(e) family 1

une **famille: le droit de fonder une famille** right to have a family 4

fanatique fanatic 4

le **fanatisme** fanaticism 4

la **fantaisie: un roman de fantaisie** fantasy novel 6

fascinant(e) fascinating 6

favorable (à) in favor (of) 5

favoriser to favor 4

fédéral(e) federal 3

ferme firm 1

fidèle faithful 1; *être fidèle (à)* to be faithful (to) 1

la **fidélité** fidelity 1

la **filiation** filiation 1

une **fleur: fleur de lys** fleur-de-lis 3

un **flirt** fling 1

flottant(e) floating 6

flou(e) blurred, fuzzy 6

la **folie** madness 1; *aimer à la folie* to love like crazy 1

une **fondation** foundation 6

fonder to create 4; *le droit de fonder une famille* right to have a family 4

une **force** might 6; *à force de* through 4; *de toutes ses forces* with all one's might 6

une **formule** formula 6

fou, folle crazy 1; *amoureux fou de* madly in love 1

la **foudre** lightning 1; *avoir le/un coup de foudre pour* to fall head over heels for 1; *s'attirer les foudres* to attract opposition 5; *un coup de foudre* love at first sight 1

fragile fragile 1

frapper to hit 4

fraternel, fraternelle fraternal 1

la **fraternité** fraternity 3

freiner to slow down 5

la **frustration** frustration 4

funèbre funeral 2; *un rite funèbre* funeral rite 2

funéraire funeral 2; *un rite funéraire* funeral rite 2

fur: au fur et à mesure que progressively as 3

une **fusion** merger 3

le **futur** future 5

futuriste futuristic 5

G

un **gadget** gadget, widget 5

une **galette: galette des Rois** king cake 2

un **garanti(e)** assured 4

un **genre** genre 6; *genre argumentatif* argumentative genre 6

une **geste** gesture 2

la **globalisation** globalization 3

globuleux, globuleuse globulous 6

la **gloire** fame, glory 5; *connaître la gloire* to become famous 5

un **gond** hinge 4; *faire sortir de ses gonds* to infuriate someone 4

gouvernemental(e) governmental 3

grâce (à) thanks (to) 1

grand(e): ouvrir grand to open wide 6

grandiose grandiose 6

un(e) **graphiste: un ingénieur graphiste** design engineer 5

grave: kiffer grave [inform.] to be crazy about 1

grincheux, grincheuse grumpy 1

une **guerre: faire la guerre** to wage war 4; *va-t'en guerre* hawkish 4

guerrier, guerrière belligerent 4

le **gui** mistletoe 2

H

le **harcèlement** harassment 4

harceler to harass 4

l' **harmonie (f.)** harmony 4

harmonieux, harmonieuse harmonious 4

une **hégémonie** hegemony 3

une **herbe: l'herbe** grass 2; *le ski sur herbe* grass skiing 2

historien(ne) historical 6

historique historical 6; *un roman historique* historical novel 6

homophobe homophobic 4

l' **homophobie (f.)** homophobia 4

l' **honnêteté (f.)** honesty 5

l' **honneur (m.): faire honneur à** to honor 4

l' **horreur (f.): un roman d'horreur** horror novel 6

hors beyond, outside 4; *être hors de soi* to be beside oneself 4; *mettre (qqn) hors de soi* to make one mad 4

hospitalisé(e) hospitalized 5

hostile hostile 5

l' **hostilité (f.)** hostility 4

une **humiliation** humiliation 4

humilier to humiliate 4

l' **hyper accélération (f.)** hyper acceleration 5

une **hypothèse** hypothesis 5

I

une **idéologie** ideology 4

un **idiome** idiom, language 3

un **idiotisme** idiom 3

ignoré(e) ignored 5

ignorer to ignore 1

il: il ne s'agit pas de it is not time to 5

une **image: image de marque** corporate image 2

immigrer to immigrate 3

un **impact** impact 2; *avoir un impact sur* to have an impact on 2

impartial(e) unbiased 4

imposer to impose 4

inacceptable unacceptable 4

inadmissible unacceptable 4

inaperçu(e) unnoticed 5; *passer inaperçu(e)* to go unnoticed 5

une **inauguration** inauguration 2

incarner to embody 5

incitatif, incitative incentivizing 2

inciter (à) to encourage (to) 2

l' **indépendance (f.)** independence 1

l' **indifférence (f.)** indifference 1

indifférent(e) indifferent 1; *laisser indifférent(e)* to not have an effect 1

indiscret, indiscrète tactless 1

indulgent(e) indulgent 4; lenient 1

industriel, industrielle industrial 5

inespéré(e) undreamt of 5

un(e) **informaticien(ne)** computer engineer 5

informatif, informative informative 2

un **ingénieur: ingénieur graphiste** design engineer 5; *ingénieur paysagiste* landscape engineer 6

un **initiateur, une initiatrice** initiator 6

une **initiation** initiation 2; *des rites (m.) d'initiation* initiation rites 2

initié(e) enlightened 2; *être initié(e) à* to be initiated into 2

une **injure** insult 4

injurier to insult 4

l' **injustice (f.)** injustice 4

innover to innovate 6

inséparable inseparable 1

insolite unusual 5

un **inspirateur, une inspiratrice** inspiration 6

instantané(e) instantaneous 5

institutionnel, institutionnelle institutional 3

une **instruction** education 5

une **insulte** insult 4

insulter to insult 4

insupportable unbearable 4

s' **insurger** to stand against 4

l' **intégration (f.)** integration 3

l' **intégrité (f.)** integrity 5

intellectuel, intellectuelle intellectual 3

une **interdiction** ban 1

interdit(e) forbidden 1

un **intérêt** interest 3; *être jugé(e) sans intérêt* to be dismissed 5; *le droit de s'affilier à des syndicats pour la défense de ses intérêts* right to affiliate with unions to defend one's interests 4; *susciter l'intérêt* to arouse interest 5

intergénérationnel, intergénérationnelle intergenerational 1

un **intérieur** interior 6

intérieur(e) inner, interior 6; *un(e) architecte d'intérieur* interior designer 6; *un décorateur, une décoratrice d'intérieur* interior decorator 6

s' **interposer** to interpose oneself 4

intime private 6; *un journal intime* private diary/journal 6

intimider to intimidate 4

intolérable intolerable 4

l' **intolérance (f.)** intolerance 4

intolérant(e) intolerant 4

intransigeant(e) inflexible 1

une **intuition** feeling 5; *avoir l'intuition de* to have inspiration 5

un **inventer** to invent 5

un **inventeur, une inventrice** inventor 5

une **invention** invention 5

isolé(e) isolated 1

issu(e) de born of 5; *être issu(e) de* to be born of 5

J

la **jalousie** jealousy 1

jaloux, jalouse jealous 1

jardiner to garden 2

un **journal** diary, journal 6; *journal intime* private diary/journal 6

un(e) **journaliste** journalist 5

jugé(e) considered 5; *être jugé(e) sans intérêt* to be dismissed 5

juger to judge 2

la **justice** justice 3; *le droit à la justice* right to justice 4

justifier to justify 4

K

un **kart** go-kart 2

le **karting** karting 2

le **kayak** kayaking 2

kiffer: kiffer grave *[inform.]* to be crazy about 1

L

un **laboratoire: un(e) technicien(ne) de laboratoire** laboratory technician 5

laïc, laïque non-religious 2

laisser: laisser indifférent(e) to not have an effect 1; *laisser tomber* to let go of 1

un **lancement** launch 2

laver: laver le cerveau to brainwash 4

laxiste indulgent 1

un **lecteur, une lectrice** reader 6

lever to lift 3

la **lévitation** levitation 5

la **libération** freedom, liberation 3

libérer to free 3

la **liberté** freedom 1; liberty 3; *liberté de conscience* freedom of conscience 4; *liberté d'expression* freedom of expression 4; *liberté de pensée* freedom of thought 4; *liberté de religion* freedom of religion 4; *liberté de réunion et d'association pacifiques* right to peaceful meetings and associations 4; *liberté d'opinion* freedom of opinion 4; *le droit à la liberté* right to freedom 4

librement freely 4; *le droit de circuler librement* right to move around freely 4

un **lien** connection, relationship 1

une **limite** limit 4

limité(e) limited 4

limpide clear 6

linguistique linguistic 3

une **liseuse** e-reader 6

une **liturgie** liturgy 2

un **livre: livre électronique** e-book 6; *beau livre* coffee-table book 6

un **logo** logo 2

une **loi** law 5

lointain distant 1

lors de during 2

la **loyauté** loyalty 5

un **loyer** rent 1

un **lys** lily 3; *une fleur de lys* fleur-de-lis 3

M

un(e) **maçon(ne)** mason 6

la **main: avoir le cœur sur la main** to be very generous 6; *en venir aux mains* to come to blows 4; *se tenir la main* to hold hands 1

maîtriser to master 2

se **maîtriser** to control oneself 4

mal: pas mal de quite a few 3

malheureux, malheureuse unhappy 1

maltraité(e) mistreated 4

un **manège** riding stable 2

un **manuscrit** manuscript 6

le **marché: une étude de marché** market research study 2

la **marche** walking 2; *marche nordique* Nordic walking 2

la **marginalisation** marginalization 4

un **mariage** marriage 2

se **marier: le droit de se marier** right to marry 4

une **marque: une image de marque** corporate image 2

massif, massive massive 4

maternel, maternelle maternal 3

un(e) **mathématicien(ne)** mathematician 5

une **matière** matter 4; *en matière de* in what concerns 4

mauvais(e): avoir de bonnes/ mauvaises relations avec to have a good/bad relationship with 1

le **mécontentement** dissatisfaction 4

une **médiation** mediation 4

la **méfiance** distrust 1

méfiant(e) suspicious 1

un **mélange** mixture 3

se **mêler (de)** to meddle (in) 1

un **membre** member 1; *être membre (de)* to be a member (of) 1

un **mémoire** memoir 6

une **mémoire** memory 6

menacé(e) threatened 4

menacer to threaten 4

mental(e) mental 2

un **menuisier, une menuisière** carpenter 6

le **mépris** contempt 3

méprisable detestable 4

méprisé(e) despised 5

une **mère: mère porteuse** surrogate 5

une **mesure** measure 3; *au fur et à mesure que* progressively as 3

une **métamorphose** metamorphosis 1

une **méthodologie** methodology 2

le **métissage** interbreeding 3

mettre to take 3; *mettre à disposition* to make available 5; *mettre au point* to develop 5; *mettre en doute* to doubt 5; *mettre en évidence* to highlight 5; *mettre en question* to question 5; *mettre (qqn) hors de soi* to make one mad 4

se **mettre: se mettre à l'aise** to put (someone) at ease 1

un **meurtre** murder 4

un **meurtrier, une meurtrière** murderer 4

mignon(ne) cute 6

militaire military 6

militer to protest 4

une **mine** mine 4; *mine antipersonnel* antipersonnel mine 4

miniature miniature 6

la **mixité** diversity 3

le **mobilier** furniture 6

se **mobiliser** to mobilise 4

un **mode** mode 4; *mode d'expression* mode of expression 4

un **modèle** model 5

modifier to modify 5

se **modifier** to change oneself 2

une **monarchie** monarchy 3

mondial(e) worldwide 4

la **montgolfière** hot air ballooning 2

monumental(e) enormous 6

moral(e) moral 5

la **moralité** morality 5

motiver to motivate 1

une **moto** motorbike 2; *moto tout terrain* all-terrain motorbike 2

mulâtre(e) mulatto 4

un(e) **musulman** Muslim 2; *un(e) Arabe non musulman* non-religious Muslim 2

un **mutant** mutant 5

N

un **naissant(e)** budding 1

un **narrateur** narrator 6

la **narratologique** narratology 6

le **nationaliser** to nationalize 3

nationalisme nationalism 3

nationaliste nationalist 3

une **nationalité** nationality 3

la **naturalisation** naturalization 3

naturel, naturelle natural 5

naval(e) naval 6; *un(e) architecte naval* naval architect 6

un **navire** ship 6

négatif, négative negative 3

négliger to disregard 2

une **négociation** negotiation 1

négocier to negotiate 4

un(e) **nègre** African slave 4

un **néologisme** neologism 3

nié(e) denied 4

nier to deny 5

nombreux, nombreuse many, numerous 5

non: un(e) Arabe non musulman non-religious Muslim 2

nordique Nordic 2; *la marche nordique* Nordic walking 2

nouer to build up 1

nourrir to nourish 6

nouveau, nouvelle: ouvrir de nouvelles perspectives to open up new perspectives 5

une **nouvelle: des nouvelles** news 1; *prendre des nouvelles de* to ask after 1

les **nues (f.)** heavens 5; *être porté(e) aux nues* to be idolized 5

O

l' **obéissance (f.)** obedience 1

obtenu(e) obtained 4

un(e) **océanologue** oceanographer 5

l' **œil (m.): taper dans l'œil de [inform.]** to be taken with 1

offrir: offrir un service (à) to do a favor (for) 1

un **OGM** GMO 5

une **oligarchie** oligarchy 3

l' **ombre (f.)** shade 5; *sortir de l'ombre* to step into the limelight 5

une **opinion** opinion 4; *la liberté d'opinion* freedom of opinion 4

s' **opposer (à)** to be opposed (to) 5

opprimer to oppress 4

ordinaire ordinary 5

une **organisation** organization 6

une **orientation** counseling 1

orienter (à) to guide (to) 1

l' **originalité (f.)** originality 3

une **origine: pays d'origine** country of origin 3

où: au cas où in case 1

l' **oubli (m.)** oblivion 5; *tomber dans l'oubli* to fade from memory 5

outrer to cause outraged feelings 4

ouvert(e) open 4

une **ouverture: ouverture d'esprit** open-mindedness 4

un **ouvrage** work 6

ouvrir: ouvrir de nouvelles perspectives to open up new perspectives 5; *ouvrir grand* to open wide 6; *ouvrir la voie (à)* to open the way (to) 5

s' **ouvrir (à)** to open up (to) 3

P

pacifier to pacify 4

pacifique peaceful 4; *la liberté de réunion et d'association pacifiques* right to peaceful meetings and associations 4

le **pacifisme** pacifism 4

pacifiste pacifist 4

la **paix: signer la paix** to sign a peace declaration 4

un **palet** puck 2

un(e) **pamphlétaire** lampoonist 6

par: par colère due to anger 4

un **parachute** parachute 2

le **parapente** paragliding 2

une **part** piece 5; share 4; *le droit de prendre part à la direction des affaires publiques de son pays* right to participate in one's country's public affairs 4; *prendre part (à)* to participate (in) 4

partagé(e) mutual 1

partial(e) biased 4

la **particularité** particularity 3

particulier, particulière particular 3

pas: pas mal de quite a few 3

un **pas** step 1; *le premier pas* first move 1; *faire le premier pas* to make the first move 1

un **passage** passage 2; *un rite de passage* rite of passage 2

passer: passer à l'action to take action 4; *passer à la trappe [inform.]* to be forgotten 5; *passer inaperçu(e)* to go unnoticed 5

une **passerelle** link 3
la **pasteurisation** pasteurization 5
patient(e) patient 1
une **patinoire** skating rink 2
un **patois** patois 3
une **patrie** homeland 3
un(e) **patriote** patriot 3
le **patriotisme** patriotism 3
un **pays: pays d'accueil** host country 3; *pays d'origine* country of origin 3; *le droit de prendre part à la direction des affaires publiques de son pays* right to participate in one's country's public affairs 4
un(e) **paysagiste** landscaper 6
paysagiste landscape 6; *un(e) architecte paysagiste* landscape architect 6; *un ingénieur paysagiste* landscape engineer 6
la **peau: être bien dans sa peau** to feel good about oneself 6
un **penchant** fondness 1; *avoir un penchant pour* to have a fondness for 1
une **pensée** thought 4; *la liberté de pensée* freedom of thought 4
perdurer to carry on 2
perfectionné(e) sophisticated 5
perfectionner to improve 5
se **perfectionner** to improve (itself) 5
permettre (de) to allow (to) 2
un **personnage** person 5
une **perspective: ouvrir de nouvelles perspectives** to open up new perspectives 5
persuasif, persuasive persuasive 2
pester to rail against 4
petit(e): une petite amie/copine girlfriend 1; *un petit ami/ copain* boyfriend 1
peu: peu à peu little by little 3
pharamineux, pharamineuse enormous 5
un **phénomène** phenomenon 5
la **photographie** photography 2; *faire de la photographie* to practice photography 2
une **phrase** sentence 6
un(e) **physicien(ne)** physicist 5
physique physical 2
un **piercing** body piercing 2
un **pionnier, une pionnière** pioneer 6
une **piste** piste 2
se **plaire** to like each other 1
un **plan** plan 6
plaquer *[inform.]* to dump 1

platonique platonic 1
le **pluralisme** pluralism 4
le **pluriculturalisme** multicuturalism 3
pluriel, plurielle plural 3
plus: plus tard later 1; *le plus dur* the hardest thing 1; *le plus (+ adjective) possible* as (+ adjective) as possible 3
un **point** point, stage 5; *mettre au point* to develop 5
une **pointe** point, tip 5; *être à la pointe (de)* to be at the cutting edge (of) 5
se **pomponner** to dress up 6
porté(e) taken 5; *être porté(e) aux nues* to be idolized 5
porter: porter atteinte (à) to affect 4
porteur, porteuse surrogate 5; *une mère porteuse* surrogate 5
posé(e) put down 6
positif, positive positive 3
possible: le plus (+ adjective) possible as (+ adjective) as possible 3
un **pot** pot 1
une **pote** *[inform.]* mate 1
pour: c'est pour cela que that's why 3
poursuivre to continue 4
un **pouvoir** ability 5
la **pragmatique** pragmatics 6
pratiquer to practice 2
précis(e) precise 6
un **précurseur** trailblazer 6
une **prédiction** prediction 5
premier, première: du premier coup the first time 6; *faire le premier pas* to make the first move 1; *le premier pas* first move 1
prendre: prendre des nouvelles de to ask after 1; *prendre en compte* to take into account 1; *prendre la défense de* to stand up for 4; *prendre part (à)* to participate (in) 4; *prendre sa revanche* to take revenge 4; *prendre soin de soi* to take care of yourself 6; *le droit de prendre part à la direction des affaires publiques de son pays* right to participate in one's country's public affairs 4
la **prescience** foreknowledge 5
présent(e) present 5
une **preuve** proof 2; *apporter la preuve* to prove 5; *faire la preuve* to prove 2; *faire preuve de* to show 4

prévoir to anticipate 6
un **principe** rule 4
privé(e): privé(e) (de) deprived (of) 4
un **prix** award 5; *valoir à quelqu'un un prix* to give someone an award 5
la **probité** integrity 5
un **problème: causer à quelqu'un des problèmes** to cause problems for someone 5; *valoir à quelqu'un des problèmes* to cause problems for someone 5
un **procès** trial 4; *le droit à un procès équitable* right to a fair trial 4
un **processus** process 5
un **prochain** peer 4
proche close 1
prodigieux, prodigieuse prodigious 5
se **produire** to occur 5
profane secular 2
profond(e) deep 1; deeper 3
le **progrès: être en progrès** to make progress 5
progresser to advance 5
progressiste progressive 5
prometteur, prometteuse promising 5
une **promotion** promotion/sale 2
proposer to propose 4
une **propriété** property 4; *le droit à la propriété* right to property 4
la **prose** prose 6
protester to protest 6
prouver to prove 5
la **pub (publicité)** advertising 2
le **public** public 2
public, publique public 1; *le droit de prendre part à la direction des affaires publiques de son pays* right to participate in one's country's public affairs 4
pulpeux, pulpeuse full 6

Q

un **quad** ATV 2; *une randonnée en quad* ATV ride 2
que let 3; *alors que* while 5
quelqu'un: causer à quelqu'un des ennuis to cause problems for someone 5; *causer à quelqu'un des problèmes* to cause problems for someone 5; *valoir à quelqu'un des ennuis* to cause problems for someone 5; *valoir à quelqu'un des problèmes* to cause problems for someone 5; *valoir à quelqu'un l'admiration* to acknowledge

someone with admiration 5; *valoir à quelqu'un le respect* to acknowledge someone with respect 5; *valoir à quelqu'un un prix* to give someone an award 5

une **querelle** quarrel 5

une **question: mettre en question** to question 5; *remettre en question* to call into question 5

une **quête** quest 3

le **quotidien** daily life 2

R

raccrocher *[inform.]* to finish 1

un **raccrocheur, une raccrocheuse** former dropout resuming studies 1

des **racines (f.)** roots 3

un **racket** extortion 4

le **rafting** rafting 2

le **raisonnement** reasoning 4

raisonner to reason 4

râleur, râleuse *[inform.]* always complaining 1

la **randonnée: randonnée en quad** ATV ride 2

rapatrier to repatriate 3

une **raquette** racket 2

rattraper to catch up with 5

ravissant(e) ravishing 6

réaliser to make 5

la **réalité: réalité augmentée** Augmented Reality 5

rebelle rebellious 1

une **rébellion** rebellion 1

récemment recently 4

une **réception-cadeaux (pour bébé)** baby shower 2

la **recherche: faire des recherches** to research 6

un **récit** story 6

recomposer to rebuild 6

se **réconcilier** to make up 1

reconnu(e) acknowledged 4

reculer to move back(wards) 5

refléter to reflect 2

un **réfugié** refugee 3

se **réfugier** to take refuge 3

refusé(e) denied 4

réfuter to refute 5

régir to govern 5

une **règle** rule 2

régresser to regress 5

la **régression** decline 5; *être en régression* to be in decline 5

se **regrouper** to group together 1

le **rejet** rejection 3

une **relation** relationship 1; *avoir de bonnes/mauvaises relations (avec)* to have a good/bad relationship (with) 1

religieux, religieuse religious 2

une **religion** religion 4; *la liberté de religion* freedom of religion 4

rembourré(e) chubby 6

remettre: remettre en question to call into question 5

remporter to achieve 5

une **rémunération** pay 4; *le droit à une rémunération équitable et satisfaisante* right to fair and satisfying wages 4

rendre: rendre les armes to disarm 4; *rendre service à (qqn)* to help (someone) 1; *rendre uniforme* to make uniform 3

se **rendre: se rendre service** to help one another 1

renier to deny 3

une **répercussion** repercussion 5

le **repli** withdrawal 3

se **replier sur soi** to withdraw into yourself 3

le **repos** rest 4; *le droit au repos* right to rest when sick 4

la **répression** oppression 4

un **réseau** network 1

réservé(e) reserved 1; *c'est réservé à* this happens only in 5

la **résignation** resignation 4

la **résistance** resistance 3

le **respect** respect 1; *valoir à quelqu'un le respect* to acknowledge someone with respect 5

respecter to respect 2

respectueux, respectueuse respectful 4

restreint(e) restricted 4

un **résultat** result 5

rétabli(e) reestablished 4

un **retentissement** impact 5

rétrograde regressive 5

retrouver to find something (again) 3

une **réunion** meeting 4; *la liberté de réunion et d'association pacifiques* right to peaceful meetings and associations 4

la **réussite** success 1

la **revanche** revenge 4; *prendre sa revanche* to take revenge 4

revendiqué(e) claimed 4

réviser to revise 1

une **révolte** rebellion 1; revolt 4

se **révolter** to rebel 4

révolutionner to revolutionize 5

la **richesse** wealth 4

un **rite** rite 2; *rite de passage* rite of passage 2; *rites d'initiation* initiation rites 2; *rite funèbre* funeral rite 2; *rite funéraire* funeral rite 2

un **rituel** ritual 2

rituel, rituelle ritual 2

un **robot** robot 5

un **roi: une galette des Rois** king cake 2

un **roman: roman d'aventure** adventure story 6; *roman de fantaisie* fantasy novel 6; *roman de science-fiction* science fiction novel 6; *roman d'horreur* horror novel 6; *roman épistolaire* epistolary novel 6; *roman historique* historical novel 6

rompre *[inform.]* to break up 1

un **ruban** ribbon 2

une **rupture** break-up 1

S

sage wise 6

sans: être jugé(e) sans intérêt to be dismissed 5

sans-gêne shameless 1

satisfaisant(e) satisfying 4; *le droit à une rémunération équitable et satisfaisante* right to fair and satisfying wages 4

le **savoir** knowledge 5

un **scandale** scandal 4

scandaliser to offend 4

se **scandaliser** to take offense 4

la **science-fiction: un roman de science-fiction** science fiction novel 6

scientifique scientific 5; *un(e) enseignant(e) scientifique* science teacher 5

scolaire school 3

le **scrapbooking** scrapbooking 2; *faire du scrapbooking* to scrapbook 2

sécher: sécher sur *[inform.]* to blank out 3

secourir to help 4

sectaire sectarian 4

le **sectarisme** sectarianism 4

la **sécurité: le droit à la sécurité sociale** right to social security 4

la **ségrégation** segregation 3

une **selle** saddle 2

la **sémantique** semantics 6

un **sentiment** feeling 1

se **séparer** to get separated, to split up 1

serviable helpful 1

un **service: offrir un service (à)** to do a favor (for) 1; *rendre service à (qqn)* to help (someone) 1;

se rendre service to help one another 1

seul(e) single 2

sévère strict 1

sexy sexy 6

un **siècle** century 6

signer: signer la paix to sign a peace declaration 4

signifier *[form.]* to mean, to signify 3

sincère sincere 1

la **singularité** uniqueness 3

singulier, singulière different 3

le **ski: ski sur herbe** grass skiing 2

un **slogan** slogan 2

la **sociabilité** sociability 1

social(e): le droit à la sécurité sociale right to social security 4

soi (one)self 3; *être hors de soi* to be beside oneself 4; *mettre (qqn) hors de soi* to make one mad 4; *prendre soin de soi* to take care of yourself 6; *se replier sur soi* to withdraw into yourself 3

soi-même oneself, yourself 4

le **soin** care 6; *prendre soin de soi* to take care of yourself 6

solide solid 1

somatiser to suffer psychosomatically from 2

une **sorte: en sorte que** so that 3

sortir: sortir de l'ombre to step into the limelight 5; *faire sortir de ses gonds* to infuriate someone 4

la **souche** origin 3; *de souche (+ origin)* ethnic (+ origin) 3

un(e) **souffre-douleur** punching bag 4; *être le souffre-douleur* to be the punching bag 4

un **soulèvement** upheaval 4

soumis(e) submissive 1

la **soumission** submission 1

le **sourcil** eyebrow 6

sourd(e) deaf 1

souverain(e) sovereign 3

spatial(e) space 5

spécialisé(e) en specialized (in) 5

stable stable 1

un **statut** status 3

le **stress** stress 2

strictement strictly 2

une **structure** structure 6

subaquatique subaquatic 5

subir to suffer 4; *subir (de)* to submit (to) 2

un **succès** success 5; *connaître le*

succès to be successful 5; *être couronné(e) de succès* to be fruitful 5

suggestif, suggestive suggestive 2

superbe superb 6

superficiel, superficielle superficial 1

supportable supportable 4

supporter to tolerate 4

supposer to suppose 5

la **sûreté** safety, security 4; *le droit à la sûreté* right to safety 4

un **surhomme** superman 5

surmonter to overcome 2

surnaturel, surnaturelle supernatural 5

surprendre to surprise 1

susciter to arouse, to inspire, to set off 5; *susciter des vocations* to inspire new vocations 5; *susciter l'intérêt* to arouse interest 5

un **syndicat** union 4; *le droit de s'affilier à des syndicats pour la défense de ses intérêts* right to affiliate with unions to defend one's interests 4

un **synonyme** synonym 5

T

tant de so many 1

taper: taper dans l'œil de *[inform.]* to be taken with 1; *taper sur* to hit 4

tard: plus tard later 1

un **tatami** tatami 2

un **tatouage** tattoo 2

un(e) **technicien(ne): technicien(ne) de laboratoire** laboratory technician 5

la **technologie** technology 5

technologique technological 5

la **télépathie** telepathy 5

la **télé transportation** teleportation 5

un **tempérament** temperament 4

le **temps: temps ancien** past 6

une **tendance** tendancy 2

se **tenir: se tenir la main** to hold hands 1

tenter to attempt 4

le **terrain** terrain 2; *une moto tout terrain* all-terrain motorbike 2

terrible terrible 5

tester to test 5

tisser to build 1

tolérable tolerable 4

tolérant(e) tolerant 4

tolérer to tolerate 4

tomber: tomber dans l'oubli to fade from memory 5; *laisser tomber* to let go of 1

un(e) **tortionnaire** torturer 4

la **torture** torture 4

totalement totally 2

toujours: de toujours lifelong 1

tout(e): de toutes ses forces with all one's might 6; *une moto tout terrain* all-terrain motorbike 2

une **traduction** translation 5

une **tragédie** tragedy 6

trahi(e) betrayed 1

un **trait** trait 6

traiter de to call 4

transformé(e) transformed 2

transformer to transform 5

transgresser to transgress 2

une **transgression** transgression 1

se **transmettre** to be passed 2

la **transportation** transportation 5; *la télé transportation* teleportation 5

une **trappe: passer à la trappe** *[inform.]* to be forgotten 5

un **travail** job 6; *le travail* work 4; *des travaux* construction 6; *le droit au travail* right to work 4

une **trêve** truce 4

une **tribu** tribe 1

le **tricolore** red, white, and blue 3

tromper to cheat 1

trompeur, trompeuse deceptive 2

un **type** *[inform.]* guy 1

U

l' **ULM (ultra-léger motorisé) (m.)** ultralight aviation 2

ultra-moderne state-of-the-art 5

uniforme uniform 3; *rendre uniforme* to make uniform 3

uniformiser to standardize 3

l' **uniformité (f.)** uniformity 3

l' **universalité (f.)** universality 3

un(e) **urbaniste** urban planner 6

utilitaire useful 6

V

vague vague 6

une **valeur** value 4

valider to validate 5

valoir: valoir à quelqu'un des ennuis to cause problems for someone 5; *valoir à quelqu'un des problèmes* to cause problems for someone 5; *valoir à quelqu'un l'admiration* to acknowledge someone with admiration 5;

valoir à quelqu'un le respect to acknowledge someone with respect 5; *valoir à quelqu'un un prix* to give someone an award 5

vaniteux, vaniteuse vain 6

va-t'en: va-t'en guerre hawkish 4

la **vengeance** revenge 4

se **venger** to get revenge 4

venir: venir en aide to help 3; *en venir aux mains* to come to blows 4

verbal(e) verbal 4

vérifier to verify 5

un **vers** verse 6

vers: aller vers l'avant to move forward 5

vertueux, vertueuse virtuous 6

une **victime** victim 4; *être victime (de)* to be a victim (of) 4

une **vie: le droit à la vie** right to life 4

vilain(e) ugly 6

une **violation** violation 4

violé(e) violated 4

violent(e) violent 4

vis-à-vis vis-à-vis 3

viser to aim for 2

une **vision** vision 5

vivant(e) alive 2

une **vocation** vocation 5; *susciter des vocations* to inspire new vocations 5

une **voie** way 5; *ouvrir la voie (à)* to open the way (to) 5

un **voisinage** neighborhood 1

un **volcanologue** vulcanologist 5

un **vote** vote 4; *le droit de vote* right to vote 4

un **VTT (vélo tout-terrain)** mountain bike 2

Z

une **zone** *[inform.]* travesty 4; *c'est la zone* it's a travesty 4

Vocabulary

English–French

A

ability un pouvoir 5
absolutism l'absolutisme (m.) 4
about: to be crazy about kiffer grave [inform.] 1
acceleration l'accélération (f.) 5; *hyper acceleration* l'hyper accélération (f.) 5
to **accept** admettre 4
acceptable acceptable 4; admissible 4
acceptance l'acceptation (f.) 4
accommodating conciliant(e) 1
account: to take into account prendre en compte 1
to **achieve** remporter 5
to **acknowledge: to acknowledge someone with admiration** valoir à quelqu'un l'admiration 5; *to acknowledge someone with respect* valoir à quelqu'un le respect 5
acknowledged reconnu(e) 4
to **acquire** acquérir 3
to **act: to act another way** faire autrement 4
action: to take action passer à l'action 4
addition les additions (f.) 3
admiration une admiration 1; *to acknowledge someone with admiration* valoir à quelqu'un l'admiration 5
adolescence l'adolescence (f.) 1
adoption une adoption 3; *by adoption* d'adoption 3
to **advance** progresser 5
adventure: adventure story un roman d'aventure 6
advertiser un annonceur, une annonceuse 2
advertising la pub (publicité) 2
aerobics: water aerobics l'aquagym (m.) 2
aesthetics l'esthétique (f.) 6
affairs des affaires (f.) 4; *right to participate in one's country's public affairs* le droit de prendre part à la direction des affaires publiques de son pays 4
to **affect** porter atteinte (à) 4
to **affiliate: right to affiliate with unions to defend one's**

interests le droit de s'affilier à des syndicats pour la défense de ses intérêts 4
affiliated: to become affiliated (with) s'affilier (à) 4
African: African slave un(e) nègre 4
after: to ask after prendre des nouvelles de 1
against: to fight against affronter 4; *to rail against* pester 4; *to stand against* insurger 4
agency une agence 2
aggressive agressif, agressive 1; belliqueux, belliqueuse 4
aggressiveness l'agressivité (f.) 4
to **aim for** viser 2
air: hot air ballooning la montgolfière 2
alarm l'effarement (m.) 5
alien un(e) extraterrestre 5
alive vivant(e) 2
all: with all one's might de toutes ses forces 6
to **allow (to)** permettre (de) 2
all-terrain motorbike une moto tout terrain 2
alternative une alternative 4
always: always complaining râleur, râleuse [inform.] 1
ambivalent ambivalent(e) 4
to **analyze** analyser 5
ancient ancien(ne) 2
android un androïde 5
anger la colère 4; *due to anger* par colère 4
angry: to get angry se fâcher (avec) 1
anomaly une anomalie 5
another: to act another way faire autrement 4; *to help one another* s'entraider, se rendre service 1
to **anticipate** prévoir 6
antimatter l'antimatière (f.) 5
antipersonnel antipersonnel 4; *antipersonnel mine* une mine antipersonnel 4
anxiety l'angoisse (f.) 5
any: in any other way autrement 4
apathy l'apathie (f.) 4
appearance une apparence 6
application un demande 3; un dossier 5

appreciation une appréciation 4
approach une démarche 5
aquiline aquilin(e) 6
Arab un(e) Arabe 2
architect un(e) architecte 6; *landscape architect* un(e) architecte paysagiste 6; *naval architect* un(e) architecte naval 6
architecture l'architecture (f.) 6
argumentative argumentatif, argumentative 6; *argumentative genre* le genre argumentatif 6
to **arm** armer 4
armistice un armistice 4
around: right to move around freely le droit de circuler librement 4
to **arouse** susciter 5; *to arouse interest* susciter l'intérêt 5
artifice un artifice 6
artificial artificiel, artificielle 6
as: as (+ adjective) as possible le plus (+ adjective) possible 3; *as well as* comme de 4
ask: to ask after prendre des nouvelles de 1
assassination un assassinat 4
assault (on) une atteinte (à) 4
to **assimilate** assimiler 3
assimilation l'assimilation (f.) 3
association une association 1; *right to peaceful meetings and associations* la liberté de réunion et d'association pacifiques 4
to **assume** assumer 6
assured garanti(e) 4
astronomer un(e) astronome 5
asylum l'asile (m.) 3; *right to asylum* le droit d'asile 4
at: at ease à l'aise 1; *to put (someone) at ease* se mettre à l'aise 1
attachment un attachement 1
to **attack** attaquer 4
attack une aggression, un attentat 4
to **attempt** tenter 4
attitude une attitude 3
to **attract** attirer 1; *to attract opposition* s'attirer les foudres 5; *to attract to oneself* s'attirer 5
attracted attiré (e) 1; *to be*

attracted by être attiré(e) par 1

attraction l'attrait (m.) 3

ATV un quad 2; *ATV ride* une randonnée en quad 2

atypical atypique 6

Augmented Reality la réalité augmentée 5

authority l'autorité (f.) 1

to **authorize** autoriser 4

Autofiction l'autofiction (f.) 6

autonomy l'autonomie (f.) 1

available à disposition 5; *to make available* mettre à disposition 5

aviation: ultralight aviation l'ULM (ultra-léger motorisé) (m.) 2

award un prix 5; *to give someone an award* valoir à quelqu'un un prix 5

aware conscient(e) 4

B

baby: baby shower une réception-cadeaux (pour bébé) 2

back: to move back(wards) reculer 5

bad: to have a good/bad relationship (with) avoir de bonnes/mauvaises relations (avec) 1

bag: punching bag un(e) souffre-douleur 4; *to be the punching bag* être le souffre-douleur 4

ballooning: hot air ballooning la montgolfière 2

ban une interdiction 1

baptism un baptême 2

barrier une barrière 3

based basé(e) 1

battle une bataille, un combat 4

to **be: to be at the cutting edge (of)** être à la pointe (de) 5; *to be a member (of)* être membre (de) 1; *to be attracted by* être attiré(e) par 1; *to be a victim (of)* être victime (de) 4; *to be beside oneself* être hors de soi 4; *to be born of* être issu(e) de 5; *to be crazy about* kiffer grave [inform.] 1; *to be defined as* se définir 5; *to be dismissed* être jugé(e) sans intérêt 5; *to be edged out by* être détrôné(e) par 5; *to be faithful (to)* être fidèle (à) 1; *to be forgotten* passer à la trappe [inform.] 5; *to be fruitful* être couronné(e) de succès 5; *to be idolized* être porté(e) aux nues 5;

to be in decline être en regression 5; *to be initiated into* être initié(e) à 2; *to be opposed (to)* s'opposer (à) 5; *to be passed* se transmettre 2; *to be really good at* avoir une très bonne facilité à 6; *to be successful* connaître le succès 5; *to be taken with* taper dans l'œil de [inform.] 1; *to be the punching bag* être le souffre-douleur 4; *to be very generous* avoir le cœur sur la main 6

beauty le beau 6

to **become: to become affiliated (with)** s'affilier (à) 4; *to become famous* connaître la gloire 5

beginning: beginning with en commençant par 5

behavior un comportement 3

to **belong (to)** appartenir (à) 1

to **benefit (from)** bénéficier (de) 4

beside: to be beside oneself être hors de soi 4

betrayed trahi(e) 1

bewitching ensorcelant(e) 6

beyond hors 4

biased partial(e) 4

bike: mountain bike un VTT (vélo tout-terrain) 2

biographer un(e) biographe 6

biologist un(e) biologiste 5

to **blank out** sécher sur [inform.] 3

blossoming l'épanouissement (m.) 1

blow un coup 1; *to come to blows* en venir aux mains 4; *to give a blow* donner un coup de... 4

blue: red, white, and blue le tricolore 3

blurred flou(e) 6

body: body piercing un piercing 2

bombing un bombardement 4

book: coffee-table book un beau livre 6

boredom l'ennui (m.) 1

born: to be born of être issu(e) de 5

bowed arqué(e) 6

boxing la boxe 2

boyfriend un petit ami, un petit copain 1

brain le cerveau 4

to **brainwash** laver le cerveau 4

to **break: to break up** rompre [inform.] 1

break-up une rupture 1

to **breathe** aspirer 6

brutal brutal(e) 4

brutality la brutalité 4

budding naissant(e) 1

to **build** tisser 1; *to build up* nouer 1

building un bâtiment, un construction, un édifice 6

built bâti(e) 6

to **bully** brimer 4

by: by adoption d'adoption 3

C

cake: king cake une galette des Rois 2

to **call** traiter de 4; *to call into question* remettre en question 5

called dit(e) de 5

campaign une campagne 2

campsite un camp 3

canyoning le canyoning 2

care le soin 6; *to take care of yourself* prendre soin de soi 6

carpenter un charpentier, une charpentière, un menuisier, une menuisière 6

to **carry on** perdurer 2

case: in case au cas où 1

to **catch: to catch up with** rattraper 5

to **cause: to cause outraged feelings** outrer 4; *to cause problems for someone* causer à quelqu'un des ennuis, causer à quelqu'un des problèmes, valoir à quelqu'un des ennuis, valoir à quelqu'un des problèmes 5

ceasefire un cessez-le-feu 4

to **celebrate** célébrer 2

century un siècle 6

ceremonial cérémonial(e) 2

ceremony une cérémonie 2

certificate: vocational school certificate un CAP 1

to **change** évoluer 1; *to change oneself* se modifier 2

charisma le charisme 6

charismatic charismatique 6

charitable charitable 6

to **cheat** tromper 1

chemist un(e) chimiste 5

chubby rembourré(e) 6

claimed revendiqué(e) 4

clear limpide 6

cloning le clonage 5

close proche 1

clown une bonne bouffonne 2

code un code 2; *moral code* une déontologie 5

coffee-table book un beau livre 6

cohabitation la cohabitation 1

collective collectif, collective 2

colossal colossal(e) 5

to **combatant** un belligérant 4

to **come: to come to blows** en venir aux mains 4

comfort: to take comfort se consoler 1

to **communicate** communiquer 4

communion la communion 2

community une communauté 1

community communautaire 1

compassionate compatissant(e) 6

compatriot un(e) compatriote 3

competition la compétition 4

complaining: always complaining râleur, râleuse *[inform.]* 1

to **complete** accomplir 5

compromise un compromis 4

computer: computer engineer un(e) informaticien(ne) 5

concept une conception 5

conception une conception 2

to **concern: in what concerns** en matière de 4

condemned condamné(e) 4

condescending condescendant(e) 4

condescension la condescendance 4

confession la confession 2

confident confiant(e) 1

to **confirm** confirmer 5

conflict un conflit 1

to **conform (to)** se conformer (à) 2

conformist conformiste 1

conformity le conformisme 1

to **confront** affronter 2

connection un lien 1

to **conquer** conquérir 4

conquered conquis(e) 4

conquest une conquête 5

conscience: freedom of conscience la liberté de conscience 4

consciousness la conscience 4

consideration l'égard (m.) 4

considered jugé(e) 5

to **consist (in)** consister (à) 5

consternation la consternation 5

to **construct** construire 3

construction la construction 5

consumer un consommateur, une consommatrice 2

consumption la consommation 2

contact le contact 1

contempt le mépris 3

to **contest** contester 5

contesting la contestation 5

to **continue** poursuivre 4

to **contractor** un(e) entrepreneur(e) 6

to **contribute** contribuer 5

to **control oneself** se dominer, se maîtriser 4

controversy une controverse 5

cooperation la coopération 3

corporate image une image de marque 2

cost un coût 5

course: rope course un accro branche 2

counseling une orientation 1

counselor: school counselor un conseiller, une conseillère 1

country: country of origin un pays d'origine 3; *host country* un pays d'accueil 3; *right to participate in one's country's public affairs* le droit de prendre part à la direction des affaires publiques de son pays 4

courage la courage 2

court un court 2

crazy fou, folle 1; *to be crazy about* kiffer grave *[inform.]* 1; *to love like crazy* aimer à la folie 1

to **create** fonder 4

creator un créateur, une créatrice 6

crime un crime 4

criminal un criminel, une criminelle 4

criterion un critère 6

critic un détracteur 5

crowned couronné(e) 5

curious curieux, curieuse 1

curiosity la curiosité 3

cute mignon(ne) 6

cutting: to be at the cutting edge (of) être à la pointe (de) 5

cyberbullying le cyberharcèlement 4

D

daily: daily life le quotidien 2

deaf sourd(e) 1

decency la décence 5

decent convenable, décent(e) 4

deceptive trompeur, trompeuse 2

declaration: to sign a peace declaration signer la paix 4

to **declare** déclarer 4

decline la régression 5; *to be in decline* être en regression 5

to **decorate** décorer 6

decorator un décorateur, une décoratrice 6; *interior decorator* un décorateur, une décoratrice d'intérieur 6

to **deduce** déduire 5

deep profond(e) 1

deeper profond(e) 3

deep-set enfoncé(e) 6

to **defend** défendre 4; *to defend oneself* se défendre 4; *right to affiliate with unions to defend one's interests* le droit de s'affilier à des syndicats pour la défense de ses intérêts 4

defended défendu(e) 4

defense la défense 4

defined: to be defined as se définir 5

definition une définition 5

to **degenerate** dégénérer 5

demanded exigé(e) 4

demanding exigeant(e) 1

to **demonstrate** démontrer 5

denied bafoué(e), nié(e), refusé(e) 4

to **deny** nier 5; renier 3

dependence la dépendance 1

deprived (of) privé(e) (de) 4

to **design** concevoir 2

design: design engineer un ingénieur graphiste 5

designer: interior designer un(e) architecte d'intérieur 6

despised méprisé(e) 5

to **destroy** détruire 4

to **deteriorate** se détériorer 1

to **determine** déterminer 2

detestable méprisable 4

dethroned détrôné(e) 5

to **devastate** bouleverser 5

to **develop** mettre au point 5

dialect un dialecte 3

diary un journal 6; *private diary* un journal intime 6

to **differ** différer 2

difference une différence 1

different singulier, singulière 3

dignity: human dignity la dignité 4; *right to human dignity* le droit à la dignité 4

diploma un diplôme 1

disagreement une brouille 1

disappointed déçu(e) 1

disappointing décevant(e) 5

to **disarm** désarmer, rendre les armes 4

discrimination la discrimination 4

to **disregard** négliger 2

to **distribute** distribuer 2

distributer un distributeur, une distributrice 2

distribution la distribution 2

distrust la méfiance 1

disinterested désintéressé(e) 1

dismissed: to be dismissed être jugé(e) sans intérêt 5

dissatisfaction le mécontentement 4

distant lointain 1

diversity la diversité 4; la mixité 3

to **do: to do a favor (for)** offrir un service (à) 1; *to do good* faire le bien 6

dogmatic dogmatique 4

dogmatism le dogmatisme 4

domination la domination 3

double double 6

to **doubt** mettre en doute 5

down: put down posé(e) 6; *to slow down* freiner 5

to **dress: to dress up** se pomponner 6; *to dress (oneself) up* se faire beau/belle 6

dropout un décrocheur, une décrocheuse 1; *former dropout resuming studies* un raccrocheur, une raccrocheuse 1

due: due to anger par colère 4

duet un duo 3

to **dump** plaquer *[inform.]* 1

during durant, lors de 2

duty un devoir 3

E

each: to like each other se plaire 1

to **eat** bouffer *[inform.]* 4

ease une facilité 6; *at ease* à l'aise 1; *to put (someone) at ease* se mettre à l'aise 1

e-book un livre électronique 6

edge: to be at the cutting edge (of) être à la pointe (de) 5

edged: to be edged out by être détrôné(e) par 5

education un baggage, une instruction 5; *right to education* le droit à l'éducation 4

educational éducatif, éducative 5

effect: to not have an effect laisser indifférent(e) 1

to **emancipate oneself** s'affranchir 4

to **embody** incarner 5

to **emigrate** s'expatrier 3

to **encourage (to)** inciter (à) 2

to **end** conclure 4

endurance l'endurance (f.) 2

enemy un ennemi 5; *to make enemies (for yourself)* se faire des ennemis 5

to **engage** engager 4

engineer: computer engineer un(e) informaticien(ne) 5; *design engineer* un ingénieur graphiste 5; *landscape engineer* un ingénieur paysagiste 6

enhanced augmenté(e) 5

enlightened initié(e) 2

enormous monumental(e) 6; pharamineux, pharamineuse 5

enthusiasm l'enthousiasme (m.) 5

entourage un entourage 1

Epiphany l'Épiphanie (f.) 2

epistolary épistolaire 6; *epistolary novel* un roman épistolaire 6

equality l'égalité (m.) 3; *right to equality* le droit à l'égalité 4

equally également 5

equilibrium un équilibre 2

equipped with doté(e) de 5

e-reader une liseuse 6

essayist un(e) essayiste 6

to **establish** établir 1

ethical éthique 4

ethics l'éthique (f.) 5

ethnic (+ origin) de souche (+ origin) 3

to **evacuate** évacuer 5

to **evolve** évoluer 2

to **exchange** échanger 1

exchange un échange 1

exclusion l'exclusion (f.) 4

executioner un bourreau 4

expectation une espérance 5

to **experiment** expérimenter, faire des expériences 5

experiment une expérience 5

to **explore** explorer 5

expression l'expression (f.) 4; *freedom of expression* la liberté d'expression 4; *mode of expression* un mode d'expression 4

external extérieur(e) 6

extortion un racket 4

extravagant extravagant(e) 5

eyebrow le sourcil 6

F

fact: obvious fact une évidence 5

to **fade from memory** tomber dans l'oubli 5

fail échouer 1

failure l'échec (m.) 1

fair equitable 4; *right to a fair trial* le droit à un procès équitable 4; *right to fair and satisfying wages* le droit à une rémunération équitable et satisfaisante 4

faithful fidèle 1; *to be faithful (to)* être fidèle (à) 1

to **fall: to fall head over heels for** avoir le/un coup de foudre pour 1; *to fall in love with* craquer pour *[inform.]* 1; *to fall out* se brouiller 1

fame la gloire 5

family: right to have a family le droit de fonder une famille 4

family familial(e) 1

famous: to become famous connaître la gloire 5

fanatic fanatique 4

fanaticism le fanatisme 4

fantasy: fantasy novel un roman de fantaisie 6

fascinating fascinant(e) 6

to **favor** favoriser 4

favor: in favor (of) favorable (à) 5; *to do a favor (for)* offrir un service (à) 1

federal fédéral(e) 3

to **feel: to feel good about oneself** être bien dans sa peau 6

feeling un sentiment 1; *to cause outraged feelings* outrer 4

few: quite a few pas mal de 3

fidelity la fidélité 1

to **fight** se bagarrer *[inform.]*, se battre 4; *to fight against* affronter 4

filiation la filiation 1

to **find: to find one's identity** se construire 1; *to find something (again)* retrouver 3

to **finish** raccrocher *[inform.]* 1

firm ferme 1

first: first move le premier pas 1; *love at first sight* un coup de foudre 1; *the first time* du premier coup 6; *to make the first move* faire le premier pas 1

flat épaté(e) 6

fleeting éphémère 1

fleur-de-lis une fleur de lys 3

fling un flirt 1

floating flottant(e) 6

to **flourish** s'épanouir 1

fondness un penchant 1; *to have a fondness for* avoir un penchant pour 1

for: to aim for viser 2

forbidden interdit(e) 1

foreign étranger, étrangère 3

foreknowledge la prescience 5

forgotten: to be forgotten passer à la trappe *[inform.]* 5

former: former dropout resuming studies un raccrocheur, une raccrocheuse 1

formula une formule 6

forward: to move forward aller vers l'avant, avancer 5; *to put forward* émettre 5
foundation une fondation 6
fragile fragile 1
fraternal fraternel, fraternelle 1
fraternity la fraternité 3
to **free** libérer 3
freedom la liberation 3; la liberté 1; *freedom of conscience* la liberté de conscience 4; *freedom of expression* la liberté d'expression 4; *freedom of opinion* liberté d'opinion 4; *freedom of religion* liberté de religion 4; *freedom of thought* liberté de pensée 4; *right to freedom* le droit à la liberté 4
freely librement 4; *right to move around freely* le droit de circuler librement 4
friendliness la convivialité 1
friendship l'amitié (m.) 1
from dès 6
front l'avant (m.) 5
fruitful couronné(e) de succès 5; *to be fruitful* être couronné(e) de succès 5
frustration la frustration 4
fulfilled comblé(e) 1
full pulpeux, pulpeuse 6
funeral funèbre, funéraire 2; *funeral rite* un rite funèbre, un rite funéraire 2
furniture le mobilier 6
future le futur 5
futuristic futuriste 5
fuzzy flou(e) 6

G

gadget un gadget 5
to **gain: to gain popularity** faire des adeptes 5
generous: to be very generous avoir le cœur sur la main 6
genre un genre 6; *argumentative genre* le genre argumentatif 6
gesture une geste 2
to **get: to get angry** se fâcher (avec) 1; *to get revenge* se venger 4; *to get separated* se séparer 1; *to get used (to)* s'adapter (à) 3
girlfriend une petite amie, une petite copine 1
to **give: to give a blow** donner un coup de... 4; *to give someone an award* valoir à quelqu'un un prix 5; *to give up* décrocher [inform.] 1
gliding: hang gliding l'aile (m.) delta 2

globalization la globalisation 3
globulous globuleux, globuleuse 6
glory la gloire 5
GMO un OGM 5
to **go: to go to secondhand stores** aller dans les brocantes 2; *to go unnoticed* passer inaperçu(e) 5; *to let go of* laisser tomber 1
go-kart un kart 2
good: to be really good at avoir une très bonne facilité à 6; *to do good* faire le bien 6; *to feel good about oneself* être bien dans sa peau 6; *to have a good/bad relationship (with)* avoir de bonnes/mauvaises relations (avec) 1
good-looking bien fait(e) 6
to **govern** régir 5
governmental gouvernemental(e) 3
grandiose grandiose 6
granted accordé(e) 4
grass l'herbe 2; *grass skiing* le ski sur herbe 2
to **group: to group together** regrouper 1
group un clan 1
grumpy grincheux, grincheuse 1
to **guide (to)** orienter (à) 1
guy un type [inform.] 1

H

hand: to hold hands se tenir la main 1
hang gliding l'aile (m.) delta 2
happen: this happens only in c'est réservé à 5
to **harass** harceler 4
harassment le harcèlement 4
hardest: the hardest thing le plus dur 1
hardship une épreuve 2
harmonious harmonieux, harmonieuse 4
harmony l'harmonie (f.) 4
to **have** entretenir 1; *to have a fondness for* avoir un penchant pour 1; *to have a good/bad relationship (with)* avoir de bonnes/mauvaises relations (avec) 1; *to have an impact on* avoir un impact sur 2; *to have inspiration* avoir l'intuition de 5; *right to have a family* le droit de fonder une famille 4; *to not have an effect* laisser indifférent(e) 1
hawkish va-t-en guerre 4
hazing le bizutage 2

head: to fall head over heels for avoir le/un coup de foudre pour 1
heartbreak un chagrin 1
heavens les nues (f.) 5
heels: to fall head over heels for avoir le/un coup de foudre pour 1
hegemony une hégémonie 3
helmet un casque 2
to **help** secourir 4; venir en aide 3; *to help (someone)* rendre service à (qqn) 1; *to help one another* s'entraider, se rendre service 1
helpful serviable 1
to **highlight** mettre en évidence 5
hinge un gond 4
historical historien(ne), historique 6; *historical novel* un roman historique 6
to **hit** frapper, taper sur 4; *to hit on* draguer 1
to **hold hands** se tenir la main 1
homeland une patrie 3
homophobia l'homophobie (f.) 4
homophobic homophobe 4
honesty l'honnêteté (f.) 5
to **honor** faire honneur à 4
horror: horror novel un roman d'horreur 6
hospitalized hospitalisé(e) 5
host: host country un pays d'accueil 3
hostile hostile 5
hostility l'hostilité (f.) 4
hot: hot air ballooning la montgolfière 2
human: human dignity la dignité 4; *right to human dignity* le droit à la dignité 4
to **humiliate** humilier 4
humiliation une humiliation 4
hyper acceleration l'hyper accélération (f.) 5
hypothesis une hypothèse 5

I

idea une conception 5
ideal un canon 6
identity: to find one's identity se construire 1
ideology une idéologie 4
idiom un idiome, un idiotisme 3
idolized: to be idolized être porté(e) aux nues 5
to **ignore** ignorer 1
ignored ignoré(e) 5

image: corporate image une image de marque 2
to **immigrate** immigrer 3
impact un impact 2; un retentissement 5; *to have an impact on* avoir un impact sur 2
to **impose** imposer 4
to **improve** perfectionner 5; s'améliorer 1; *to improve (itself)* se perfectionner 5
in: in any other way autrement 4; *in case* au cas où 1; *in favor (of)* favorable (à) 5; *in its own way* à sa façon 6; *in what concerns* en matière de 4; *madly in love* amoureux fou de 1
inauguration une inauguration 2
incentivizing incitatif, incitative 2
to **include** contenir 5
to **increase** augmenter 3; s'accroître 5
independence l'autonomie (f.), l'indépendance (f.) 1
independent autonome 4
indifference l'indifférence (f.) 1
indifferent indifférent(e) 1
indulgent indulgent(e) 4; laxiste 1
industrial industriel, industrielle 5
informative informatif, informative 2
to **infuriate someone** faire sortir de ses gonds 4
initiated: to be initiated into être initié(e) à 2
initiation une initiation 2; *initiation rites* des rites (m.) d'initiation 2
initiator un initiateur, une initiatrice 6
injustice l'injustice (f.) 4
inner intérieur(e) 6
to **innovate** innover 6
inseparable inséparable 1
inspiration un inspirateur, une inspiratrice 6; *to have inspiration* avoir l'intuition de 5
to **inspire** susciter 5; *to inspire new vocations* susciter des vocations 5
instantaneous instantané(e) 5
institutional institutionnel, institutionnelle 3
instructor un entraîneur, une entraîneuse 1
to **insult** injurier, insulter 4
insult une injure, une insulte 4

integration l'intégration (f.) 3
integrity la probité, l'intégrité (f.) 5
intellectual intellectuel, intellectuelle 3
interbreeding le métissage 3
interest un intérêt 3; *right to affiliate with unions to defend one's interests* le droit de s'affilier à des syndicats pour la défense de ses intérêts 4; *to arouse interest* susciter l'intérêt 5
intergenerational intergénérationnel, intergénérationnelle 1
interior un intérieur 6
interior intérieur(e) 6; *interior decorator* un décorateur, une décoratrice d'intérieur 6; *interior designer* un(e) architecte d'intérieur 6
to **interpose oneself** s'interposer 4
into: to withdraw into yourself se replier sur soi 3
isolation un cloisonnement 3
it cela 3; *it is not time to* il ne s'agit pas de 5; *it's a travesty* c'est la zone 4; *it's up to others* c'est à l'autre de 6

J

job un travail 6
to **join** adhérer (à) 1
journal un journal 5; *private journal* un journal intime 6
journalist un(e) journaliste 5
to **judge** juger 2
justice la justice 3; *right to justice* le droit à la justice 4
to **justify** justifier 4

K

karting le karting 2
kayaking le kayak 2
king: king cake une galette des Rois 2
to **kiss** échanger des baisers 1; *to kiss (one another)* s'embrasser 1
kiss un baiser 1
knock un coup 1
knowledge le savoir 5

L

laboratory: laboratory technician un(e) technicien(ne) de laboratoire 5
lampoonist un(e) pamphlétaire 6

landscape paysagiste 6; *landscape architect* un(e) architecte paysagiste 6; *landscape engineer* un ingénieur paysagiste 6
landscaper un(e) paysagiste 6
language un idiome 3
later plus tard 1
launch un lancement 2
law une loi 5
layout un aménagement 6
to **lead** conduire 4; *to lead to* déboucher sur [inform.] 5
learning un apprentissage 3
lenient indulgent(e) 1
to **let: to let go of** laisser tomber 1
let que 3
levitation la lévitation 5
to **liberate oneself** s'émanciper 1
liberation l'émancipation (f.) 1; la libération 3
liberty la liberté 3
life: daily life le quotidien 2; *right to life* le droit à la vie 4
lifelong de toujours 1
to **lift** lever 3
lightning la foudre 1
to **like: to like each other** se plaire 1
like: to love like crazy aimer à la folie 1
lily un lys 3
limelight: to step into the limelight sortir de l'ombre 5
limit une limite 4
limited limité(e) 4
linguistic linguistique 3
link une passerelle 3
little: little by little peu à peu 3
liturgy une liturgie 2
loan un emprunt 3
logo un logo 2
to **love: to love like crazy** aimer à la folie 1
love: love at first sight un coup de foudre 1; *madly in love* amoureux fou de 1; *to fall in love with* craquer pour [inform.] 1
loyalty la loyauté 5
ludicrous abracadabrant(e) 5

M

mad: to make one mad mettre (qqn) hors de soi 4
madly in love amoureux fou de 1
madness la folie 1
to **make** fabriquer 6; réaliser 5; *to make available* mettre à disposition 5;

to make enemies (for yourself) se faire des ennemis 5; *to make one mad* mettre (qqn) hors de soi 4; *to make progress* avancer 3; être en progrès 5; *to make the first move* faire le premier pas 1; *to make uniform* rendre uniforme 3; *to make up* se réconcilier 1

to manage diriger 6

manuscript un manuscrit 6

many nombreux, nombreuse 5; *so many* tant de 1

marginalization la marginalisation 4

marriage un mariage 2

market: market research study une étude de marché 2

to marry: right to marry le droit de se marier 4

mason un(e) maçon(ne) 6

massive massif, massive 4

to master maîtriser 2

mate une pote [*inform.*] 1

maternal maternel, maternelle 3

mathematician un(e) mathématicien(ne) 5

matter une matière 4

to mean signifier [*form.*] 3

measure une mesure 3

to meddle (in) se mêler (de) 1

mediation une médiation 4

meeting un croisement 3; une réunion 4; *right to peaceful meetings and associations* la liberté de réunion et d'association pacifiques 4

member un membre 1; *to be a member (of)* être membre (de) 1

memoir un mémoire 6

memory une mémoire 6; *to fade from memory* tomber dans l'oubli 5

mental mental(e) 2

merger une fusion 3

metamorphosis une métamorphose 1

methodology une méthodologie 2

might une force 6; *with all one's might* de toutes ses forces 6

military militaire 6

mind l'esprit (m.) 4

mine une mine 4; *antipersonnel mine* une mine antipersonnel 4

miniature miniature 6

mistletoe le gui 2

mistreated maltraité(e) 4

mixture un mélange 3

to mobilise se mobiliser 4

mode un mode 4; *mode of expression* un mode d'expression 4

model un canon 6; un modèle 5

to modify modifier 5

monarchy une monarchie 3

moral moral(e) 5; *moral code* une déontologie 5

morality la moralité 5

to motivate motiver 1

motorbike une moto 2; *all-terrain motorbike* une moto tout terrain 2

mountain: mountain bike un VTT (vélo tout-terrain) 2

to move: to move back(wards) reculer 5; *to move forward* aller vers l'avant, avancer 5; *right to move around freely* le droit de circuler librement 4

move: first move le premier pas 1; *to make the first move* faire le premier pas 1

to mug agresser 4

mulatto mulâtre(e) 4

multicuturalism le pluriculturalisme 3

murder un meurtre 4

murderer un assassin, un meurtrier, une meurtrière 4

Muslim un(e) musulman 2; *non-religious Muslim* un(e) Arabe non musulman 2

mutant un mutant 5

mutual partagé(e) 1

N

narratology la narratologique 6

narrator un narrateur 6

nationalism le nationalisme 3

nationalist nationaliste 3

nationality une nationalité 3

to nationalize nationaliser 3

natural naturel, naturelle 5

naturalization la naturalisation 3

naval naval(e) 6; *naval architect* un(e) architecte naval 6

negative négatif, négative 3

to negotiate négocier 4

negotiation une négociation 1

neighborhood un voisinage 1

neologism un néologisme 3

network un réseau 1

new: to inspire new vocations susciter des vocations 5; *to open up new perspectives* ouvrir de nouvelles perspectives 5

news des nouvelles (f.) 1

noisy bruyant(e) 1

non-religious laïc, laïque 2; *non-religious Muslim* un(e) Arabe non musulman 2

Nordic nordique 2; *Nordic walking* la marche nordique 2

not: to not have an effect laisser indifférent(e) 1

to nourish nourrir 6

novel: epistolary novel un roman épistolaire 6; *fantasy novel* un roman de fantaisie 6; *historical novel* un roman historique 6; *horror novel* un roman d'horreur 6; *science fiction novel* un roman de science-fiction 6

numerous nombreux, nombreuse 5

O

obedience l'obéissance (f.) 1

oblivion l'oubli (m.) 5

to observe enregistrer 5

obtained obtenu(e) 4

obvious: obvious fact une évidence 5

to occur se produire 5

oceanographer un(e) océanologue 5

off: to set off susciter 5

to offend scandaliser 4

offense: to take offense se scandaliser 4

old âgé(e) 1

oligarchy une oligarchie 3

one: to help one another s'entraider, se rendre service 1

oneself soi 3; soi-même 4; *(one) self* soi 3; *to attract to oneself* s'attirer 5; *to be beside oneself* être hors de soi 4; *to change oneself* se modifier 2; *to control oneself* se dominer, se maîtriser 4; *to defend oneself* se défendre 4; *to emancipate oneself* s'affranchir 4; *to feel good about oneself* être bien dans sa peau 6; *to interpose oneself* s'interposer 4; *to liberate oneself* s'émanciper 1; *to tell oneself* se dire 2

only: this happens only in c'est réservé à 5

to open: to open the way (to) ouvrir la voie (à) 5; *to open up (to)* s'ouvrir (à) 3; *to open up new perspectives* ouvrir de nouvelles perspectives 5; *to open wide* ouvrir grand 6

open ouvert(e) 4

open-mindedness une ouverture d'esprit 4

opinion une opinion 4; *freedom of opinion* liberté d'opinion 4

opposed: to be opposed (to) s'opposer (à) 5

opposition: to attract opposition s'attirer les foudres 5

to **oppress** opprimer 4

oppression la répression 4

ordinary ordinaire 5

organization une organisation 6

origin la souche 3; *country of origin* un pays d'origine 3

originality l'originalité (f.) 3

other: in any other way autrement 4; *to like each other* se plaire 1

others autrui 4; l'autre (m.) 6; *it's up to others* c'est à l'autre de 6

out: to be edged out by être détrôné(e) par 5; *to blank out* sécher sur *[inform.]* 3

outraged: to cause outraged feelings outrer 4

outside hors 4

over: to fall head over heels for avoir le/un coup de foudre pour 1

to **overcome** surmonter 2

own: in its own way à sa façon 6

P

pacifism le pacifisme 4

pacifist pacifiste 4

to **pacify** pacifier 4

parachute un parachute 2

paragliding le parapente 2

part: to take part (in) collaborer (à) 5

to **participate: to participate (in)** prendre part (à) 4; *right to participate in one's country's public affairs* le droit de prendre part à la direction des affaires publiques de son pays 4

particular particulier, particulière 3

particularity la particularité 3

passage un passage 2; *rite of passage* un rite de passage 2

passed: to be passed se transmettre 2

past le temps ancien 6

pasteurization la pasteurisation 5

patient patient(e) 1

patois un patois 3

patriot un(e) patriote 3

patriotism le patriotisme 3

pay une rémunération 4

peace: to sign a peace declaration signer la paix 4

peaceful pacifique 4; *right to peaceful meetings and associations* la liberté de réunion et d'association pacifiques 4

peer un prochain 4

period un ère 4

person un personnage 5; *stateless person* un(e) apatride 3

perspective: to open up new perspectives ouvrir de nouvelles perspectives 5

persuasive persuasif, persuasive 2

phenomenon phénomène 5

photography la photographie 2; *to practice photography* faire de la photographie 2

physical physique 2

physicist un(e) physicien(ne) 5

piece un part 5

piercing: body piercing un piercing 2

pioneer un pionnier, une pionnière 6

piste une piste 2

plan un plan 6

planner: urban planner un(e) urbaniste 6

platonic platonique 1

plural pluriel, plurielle 3

pluralism le pluralisme 4

point un point, une pointe 5

popularity: to gain popularity faire des adeptes 5

positive positif, positive 3

possible: as (+ adjective) as possible le plus (+ adjective) possible 3

pot in pot 1

to **practice** pratiquer 2; *to practice photography* faire de la photographie 2

pragmatics la pragmatique 6

precise précis(e) 6

prediction une prédiction 5

present présent(e) 5

prevail dominer 2

to **prevent** empêcher 5

private intime 6; *private diary/ journal* un journal intime 6

problem un ennui 5; *to cause problems for someone* causer à quelqu'un des ennuis, causer à quelqu'un des problèmes, valoir à quelqu'un des ennuis, valoir à quelqu'un des problèmes 5

process un processus 5

prodigious prodigieux, prodigieuse 5

progress: to make progress avancer 3; être en progress 5

progressive progressiste 5

progressively as au fur et à mesure que 3

promising prometteur, prometteuse 5

promotion une promotion 2

proof une prevue 2

property une propriété 4; *right to property* le droit à la propriété 4

to **propose** proposer 4

to **prose** la prose 6

to **protest** militer 4; protester 6

to **prove** apporter la prevue, prouver 5; faire la preuve 2

psychosomatically: to suffer psychosomatically from somatiser 2

public le public 2

public public, publique 1; *right to participate in one's country's public affairs* le droit de prendre part à la direction des affaires publiques de son pays 4

puck un palet 2

punch un coup 4

punching bag un(e) souffre-douleur 4; *to be the punching bag* être le souffre-douleur 4

to **put: to put (someone) at ease** se mettre à l'aise 1; *to put forward* émettre 5

put down posé(e) 6

Q

to **quarrel** se brouiller 1

quarrel une querelle 5

quest une quête 3

to **question** mettre en question 5

question: to call into question remettre en question 5

quick-tempered coléreux, coléreuse 4

quite: quite a few pas mal de 3

R

to **rebuild** recomposer 6

racket une raquette 2

rafting le rafting 2

to **rail against** pester 4

to **raise** dresser 3

ravishing ravissant(e) 6

reader un lecteur, une lectrice 6

reality: Augmented Reality la réalité augmentée 5

really: to be really good at avoir une très bonne facilité à 6

to **reason** raisonner 4
reasoning le raisonnement 4
to **rebel** se révolter 4
rebellion une rebellion, une révolte 1
rebellious rebelle 1
recently récemment 4
red: red, white, and blue le tricolore 3
reestablished rétabli(e) 4
to **reflect** refléter 2
refuge: to take refuge se réfugier 3
refugee un réfugié 3
to **refute** réfuter 5
to **regress** régresser 5
regressive rétrograde 5
rejection le rejet 3
relationship un lien, une relation 1; *to have a good/ bad relationship (with)* avoir de bonnes/mauvaises relations (avec) 1
religion une religion 4; *freedom of religion* la liberté de religion 4
religious religieux, religieuse 2
rent un loyer 1
to **repatriate** rapatrier 3
repercussion une répercussion 5
reprehensible condamnable 4
to **research** faire des recherches 6
research: market research study une étude de marché 2
reserved discret, discrète, réservé(e) 1
resignation la résignation 4
resistance la résistance 3
to **resort to** faire appel à 5
to **respect** respecter 2
respect le respect 1; *to acknowledge someone with respect* valoir à quelqu'un le respect 5
respectful respectueux, respectueuse 4
rest le repos 4; *right to rest when sick* le droit au repos 4
restricted restreint(e) 4
result une conséquence, un résultat 5
resuming: former dropout resuming studies un raccrocheur, une raccrocheuse 1
revenge la revanche, la vengeance 4; *to get revenge* se venger 4; *to take revenge* prendre sa revanche 4
to **revise** réviser 1
revolt une révolte 4
to **revolutionize** révolutionner 5

ribbon un ruban 2
ride: ATV ride une randonnée en quad 2
riding: riding stable un manège 2
right: right to a fair trial le droit à un procès équitable 4; *right to affiliate with unions to defend one's interests* le droit de s'affilier à des syndicats pour la défense de ses intérêts 4; *right to asylum* le droit d'asile 4; *right to education* le droit à l'éducation 4; *right to equality* le droit à l'égalité 4; *right to fair and satisfying wages* le droit à une rémunération équitable et satisfaisante 4; *right to freedom* le droit à la liberté 4; *right to have a family* le droit de fonder une famille 4; *right to human dignity* le droit à la dignité 4; *right to justice* le droit à la justice 4; *right to life* le droit à la vie 4; *right to marry* le droit de se marier 4; *right to move around freely* le droit de circuler librement 4; *right to participate in one's country's public affairs* le droit de prendre part à la direction des affaires publiques de son pays 4; *right to peaceful meetings and associations* la liberté de réunion et d'association pacifiques 4; *right to property* le droit à la propriété 4; *right to rest when sick* le droit au repos 4; *right to safety* le droit à la sûreté 4; *right to social security* le droit à la sécurité sociale 4; *right to vote* le droit de vote 4; *right to work* le droit au travail 4
righteousness la droiture 5
rink: skating rink une patinoire 2
rite un rite 2; *rite of passage* un rite de passage 2; *funeral rite* un rite funèbre, un rite funéraire 2; *initiation rites* des rites (m.) d'initiation 2
ritual un rituel 2
ritual rituel, rituelle 2
robbery un braquage *[inform.]* 4
robot un robot 5
roofer un couvreur, une couvreuse 6
roots des racines (f.) 3

rope: rope course un accro branche 2
rowing l'aviron (m.) 2
rule un principe 4; une règle 2

S

saddle une selle 2
safety la sûreté 4; *right to safety* le droit à la sûreté 4
sale une promotion 2
satisfying satisfaisant(e) 4; *right to fair and satisfying wages* le droit à une rémunération équitable et satisfaisante 4
scandal un scandale 4
school scolaire 3; *school counselor* un conseiller, une conseillère 1; *vocational school certificate* un CAP 1
science: science fiction novel un roman de science-fiction 6; *science teacher* un(e) enseignant(e) scientifique 5
scientific scientifique 5
to **scrapbook** faire du scrapbooking 2
scrapbooking le scrapbooking 2
secondhand store une brocante 2; *to go to secondhand stores* aller dans les brocantes 2
sectarian sectaire 4
sectarianism le sectarisme 4
secular profane 2
security la sûreté 4; *right to social security* le droit à la sécurité sociale 4
segregation la ségrégation 3
self soi 3
self-absorbed égocentrique 6
semantics la sémantique 6
sentence une phrase 6
separated: to get separated se séparer 1
to **set: to set off** susciter 5
set un ensemble 5
sexy sexy 6
shade l'ombre (f.) 5
to **shake up** chambouler *[inform.]* 5
shameless sans-gêne 1
to **shape** façonner 2
share un part 4
ship un navire 6
short-lived éphémère 1
to **show** faire preuve de 4
shower: baby shower une réception-cadeaux (pour bébé) 2
sick: right to rest when sick le droit au repos 4
sight: love at first sight un coup de foudre 1

to **sign: to sign a peace declaration** signer la paix 4

to **signify** signifier *[form.]* 3

sincere sincère 1

single seul(e) 2

skating: skating rink une patinoire 2

skiing: grass skiing le ski sur herbe 2

slanted bridé(e) 6

slave un(e) esclave 4; *African slave* un(e) nègre 4

slavery l'esclavage (m.) 4

slogan un slogan 2

to **slow down** freiner 5

so: so many tant de 1; *so that* en sorte que 3

sociability la sociabilité 1

social: right to social security le droit à la sécurité sociale 4

soldier un combattant 4

solid solide 1

some certain(e) 5

someone: to acknowledge someone with admiration valoir à quelqu'un l'admiration 5; *to acknowledge someone with respect* valoir à quelqu'un le respect 5; *to cause problems for someone* causer à quelqu'un des ennuis, causer à quelqu'un des problèmes, valoir à quelqu'un des ennuis, valoir à quelqu'un des problèmes 5; *to give someone an award* valoir à quelqu'un un prix 5; *to infuriate someone* faire sortir de ses gonds 4

something: to find something (again) retrouver 3

sophisticated perfectionné(e) 5

soul une âme 6

sour: to turn sour se dégrader 1

sovereign souverain(e) 3

space un espace 6

space spatial(e) 5

specialized (in) spécialisé(e) en 5

to **split up** se séparer 1

to **spread** se diffuser 5

stable: riding stable un manège 2

stable stable 1

stage une étape 2; un point 5

to **stand: to stand against** insurger 4; *to stand up for* prendre la défense de 4

to **standardize** uniformiser 3

stateless person un(e) apatride 3

state-of-the-art ultra-moderne 5

status un statut 3

to **step: to step into the limelight** sortir de l'ombre 5

step un pas 1

to **stop** cesser de 1

store: secondhand store une brocante 2; *to go to secondhand stores* aller dans les brocantes 2

story un récit 6; *adventure story* un roman d'aventure 6

straight droit(e) 6

strange bizarre 6

stress le stress 2

strict sévère 1

strictly strictement 2

structure un edifice, une structure 6

study une étude 2; *market research study* une étude de marché 2; *former dropout resuming studies* un raccrocheur, une raccrocheuse 1

stylish coquet, coquette *[inform.]* 6

subaquatic subaquatique 5

submission la soumission 1

submissive soumis(e) 1

to **submit (to)** subir (de) 2

success la réussite 1; un success 5

successful: to be successful connaître le succès 5

to **suffer** subir 4; *to suffer psychosomatically from* somatiser 2

suggestive suggestif, suggestive 2

Sunday dominical(e) 2

superb superbe 6

superficial superficiel, superficielle 1

superman un surhomme 5

supernatural surnaturel, surnaturelle 5

supportable supportable 4

supporter un adepte 5

to **suppose** supposer 5

to **surprise** surprendre 1

surrogate une mère porteuse 5

surrogate porteur, porteuse 5

suspicious méfiant(e) 1

synonym un synonyme 5

T

tactless indiscret, indiscrète 1

to **take** emmener 6; mettre 3; *to take action* passer à l'action 4; *to take care of yourself* prendre soin de soi 6; *to take comfort* se consoler 1; *to take into account* prendre en compte 1; *to take offense* se scandaliser 4;

to take part (in) collaborer (à) 5; *to take refuge* se réfugier 3; *to take revenge* prendre sa revanche 4

taken porté(e) 5; *to be taken with* taper dans l'œil de *[inform.]* 1

to **target** s'attaquer (à) 4

tatami un tatami 2

tattoo un tatouage 2

teacher un(e) enseignant(e) 5; *science teacher* un(e) enseignant(e) scientifique 5

technician: laboratory technician un(e) technicien(ne) de laboratoire 5

technological technologique 5

technology la technologie 5

telepathy la télépathie 5

teleportation la télé transportation 5

to **tell: to tell oneself** se dire 2

temperament un tempérament 4

tendancy une tendance 2

terrain le terrain 2

terrible épouvantable, terrible 5

to **test** faire des essais, tester 5

test une épreuve 2

thanks (to) grâce (à) 1

that cela 3; *that's why* c'est pour cela que 3; *so that* en sorte que 3

thick épais(e) 6

thing un élément 2; *the hardest thing* le plus dur 1

this cela 3; *this happens only in* c'est réservé à 5

thought une pensée 4; *freedom of thought* liberté de pensée 4;

to **threaten** menacer 4

threatened menacé(e) 4

through à force de 4

time: it is not time to il ne s'agit pas de 5; *the first time* du premier coup 6

tip une pointe 5

together: to group together regrouper 1

tolerable tolérable 4

tolerant tolérant(e) 4

to **tolerate** supporter, tolérer 4

torture la torture 4

torturer un(e) tortionnaire 4

totally totalement 2

towards envers 4

track un circuit 2

tragedy une tragédie 6

trailblazer un précurseur 6

trait un trait 6

to **transform** transformer 5

transformed transformé(e) 2

to **transgress** transgresser 2
transgression une transgression 1
translation une traduction 5
transportation la transportation 5
travesty une zone [inform.] 4; *it's a travesty* c'est la zone 4
trial un process 4; *right to a fair trial* le droit à un procès équitable 4
tribe un tribu 1
trigger un déclic 5
truce une trêve 4
to **trust** faire confiance à 1
trust la confiance 1
to **turn sour** se dégrader 1

U

ugly vilain(e) 6
ultralight aviation l'ULM (ultra-léger motorisé) (m.) 2
unacceptable inacceptable, inadmissible 4
unbiased impartial(e) 4
unbearable insupportable 4
understanding une connaissance 3; l'entente (f.) 1
understanding compréhensif, compréhensive 1
undreamt of inespéré(e) 5
unhappy malheureux, malheureuse 1
uniform uniforme 3; *to make uniform* rendre uniforme 3
uniformity l'uniformité (f.) 3
union un syndicat 4; *right to affiliate with unions to defend one's interests* le droit de s'affilier à des syndicats pour la défense de ses intérêts 4
uniqueness la singularité 3
universality l'universalité (f.) 3
unnoticed inaperçu(e) 5; *to go unnoticed* passer inaperçu(e) 5
unusual insolite 5
up: it's up to others c'est à l'autre de 6; *to build up* nouer 1; *to make up* se réconcilier 1; *to split up* se séparer 1; *to stand up for* prendre la défense de 4

upheaval un soulèvement 4
urban: urban planner un(e) urbaniste 6
used: to get used (to) s'adapter (à) 3
useful utilitaire 6

V

vague vague 6
vain vaniteux, vaniteuse 6
to **validate** valider 5
value une valeur 4
vanguard une avant-garde 3
verbal verbal(e) 4
to **verify** vérifier 5
verse un vers 6
very: to be very generous avoir le cœur sur la main 6
victim une victime 4; *to be a victim (of)* être victime (de) 4
viola un alto 2
violated violé(e) 4
violation une violation 4
violent violent(e) 4
virtuous vertueux, vertueuse 6
vis-à-vis vis-à-vis 3
vision une vision 5
vocation une vocation 5; *to inspire new vocations* susciter des vocations 5
vocational school certificate un CAP 1
to **vote: right to vote** le droit de vote 4
vote un vote 4
vulcanologist un volcanologue 5

W

to **wage war** faire la guerre 4
wages: right to fair and satisfying wages le droit à une rémunération équitable et satisfaisante 4
walking la marche 2; *Nordic walking* la marche nordique 2
war: to wage war faire la guerre 4
warmongering belliciste 4
water: water aerobics l'aquagym (m.) 2

way une voie 5; *in any other way* autrement 4; *in its own way* à sa façon 6; *to act another way* faire autrement 4; *to open the way (to)* ouvrir la voie (à) 5
to **weaken** s'affaiblir 2
weapon une arme 4
wealth la richesse 4
weird bizarre 6
well: as well as comme de 4
well-built bien bâti(e) 6
what: in what concerns en matière de 4
while alors que 5
white: red, white, and blue le tricolore 3
why: that's why c'est pour cela que 3
wide: to open wide ouvrir grand 6
wise sage 6
with: with all one's might de toutes ses forces 6; *beginning with* en commençant par 5; *to catch up with* rattraper 5
to **withdraw into yourself** se replier sur soi 3
withdrawal le repli 3
widget un gadget 5
to **work: to work for** se convenir (à) 1
work le travail 4; un ouvrage 6; *right to work* le droit au travail 4
worldwide mondial(e) 4
worthy (of) digne (de) 3

Y

yourself soi-même 4; *to take care of yourself* prendre soin de soi 6; *to withdraw into yourself* se replier sur soi 3

Grammar Index

Abbreviations: top (t), bottom (b), right (r), center (c), left (l)

Photo Credits

3Djml/iStockphoto: 593 (#15)
4x6/iStockphoto p. 136
AM29/iStockphoto: 245 (tr)
Andersen, Ulf/SIPA Press: iii (tc); 236; 469; 507 (b); 551
Anderson, Leslie: 003 (cl, br); 016; 051 (tl, tr, bl, br); 068; 071; 081; 130; 203; 272; 304; 534
Ansazan/iStockphoto: 043
Argus/Fotolia. com: 279 (French flag)
Arneonreloi, Creative Commons/Free Software Foundation, Inc.: 342 (b)
Association Immeubles en fête: 002; 080
Atkins, Peter/Fotolia.com: 511 (#4)
Auremar/Fotlia.com: 001 (b); 209 (tr)
Baltel/SIPA Press: 053
Beauregard, Mario/Fotolia: 100 (#2)
Benhamou, Laurent/SIPA Press: iii (tr); 168
Bernaroch/Sipa Press: iii (tl); 497
Blocquaux, Vincent: 062
Bowdenimages/iStockphoto: 001 (tr)
Braun, Svetlana/iStockphoto: 140 (#1)
Cairns, George/iStockphoto: 443 (#6)
Canal +: 139
Carmine, Salvatore/iStockphoto: 100 (#5)
Chandlerphoto/iStockphoto: 573 (#5)
Chernaev, Petar/iStockphoto: 443 (#5)
Chine Nouvelle/SIPA Press: 094
Choudhry, Naheed/iStockphoto:210 (Tunisian woman)
Combo Design/iStockphoto: 311 (br); 360
Comugnero Silvana/Fotolia.com: 209 (tl)
Creadesigner/Fotolia.com: 407 (tl)
CTRphotos/Fotolia.com: 093 (b)
Cyclopes Photographie/iStockphoto: xi (bl)
Dalmas /SIPA Press: 369
Delkoo/Fotolia.com: 209 (b)
Desscouleurs, Marco/Fotolia.com com: 279 (fleur de lys)
Digital Skillet/iStockphoto: 508 (r); 511 (#1)
Drivepix/Fotolia.com: 140 (#5)
Duncan1890/iStockphoto: 408
Duris, Guillaume/Fotolia.com: 040
Dzinnik, Darius/Fotolia.com: 093 (tl)
Eddies Images/iStockphoto: 342 (t)
Edstock/iStockphoto: xi (tr, br), 309 (tr); 310
Ericsphotography/iStockphoto: 001 (tl)
Fayolle, Pascal/SIPA Press: 126
Fluxfoto/iStockphoto: 210 (Eiffel tower)
Fotokate/Fotola.com: 100 (#4)
Franckreporter /iStockphoto: 093 (tr)
Gajic, Vladislav/Fotolia.com: 096 (c)
Girodet, Anne-Louis de Roussy-Trioson (1767–1824), Public Domain /Wikipedia: 566
Grantham, Jen/iStockphoto: 138 (*Adidas*)
Guilane-Nachez, Erica/Fotolia.com
Guimbert, Thierry/Fotolia.com: 279 (cross)
Henrysalome (bonnet phrygien); Michel,Frédérik (aigle)/Wikipedia: 279 (flag with eagle and hat)
Herreneck/Fotolia. com: 279 (*Mariane*)
Hoch2wo photo & design/iStockphoto: 138 (*Peugeot*)
HultonArchive/iStockphoto: 309 (tl)
Isakovich, Alina/Fotolia.com: 095 (br); 192
Jones, Nathan/iStockphoto: 140 (#2)
Kali Nine LLC/iStockphoto: 013; 035
Kasto/Fotolia.com: 407 (tr)
Kawalski, Martin/iStockphoto: 443 (#4)
Kestas/iStockphoto: 210 (Canadian man)
Kickers/ iStockphoto: 443 (#7)
Klairon/SIPA Press: 052
Koya79/ iStockphoto: 443 (#1)
Livingtomorrow-Belgium: 409 (b); 452

Manu1174/iStockphoto: 508 (l)
ManuWe/iStockphoto: 138 (*Vittel*)
Maridav/iStockphoto: 100 (#1)
Matsou/iStockphoto: 585
Microcozm/iStockphoto: 573 (#3)
Microsoft: 279 (bee, Eiffel tower)
Mikhail/iStockphoto: 443 (*Modèle*)
Mladn61/ iStockphoto: 443 (#3)
Mmac72/iStockphoto: 511 (#2
Mmeee/iStockphoto: 140 (#4)
Monino, Juan /iStockphoto: 511 (#3)
MsLexx/iStockphoto: 407 (b)
Nasa/Wikipedia: 409(cl); 425 (c)
NDS/iStockphoto: 573 (#31)
Nel, Daniel/Fotolia.com: 015
Nivens, Sergey/Fotolia.com: 279 (Marseillaise)
Nono07/ iStockphoto: xi (tl)
Ollo/iStockphoto: 138 (*AirFrance*)
Ozkok/SIPA Press: 239
Paha L./iStockphoto: 573 (*Modèle*)
Pajot, Thomas/Fotolia. com: 279 (*Devise*)
Palto/iStockphoto: 394 (tl)
Pawel, Gaul/iStockphoto: 211 (cl); 226
PDN/Villard/SIPA Press: 507 (tl); 519
Pgiam/iStockphoto: 573 (#2)
Popovaphoto/iStockphoto: 211 (cl); 286
Portrait by Nadar. Bibliothèque Nationale de Paris. Domaine Public: 084
Présence Africaine: 336; 338
Prescott, Paul/Fotolia.com: 506
PressFoto/iStockphoto: 140 (*Modèle*)
Ramisa, Jordi/iStockphoto: 245 (bl)
Rehan, Muhammad/iStockphoto: 309 (b)
Release Images/iStockphoto:210 (African man)
Robert/Fotolia.com: 505 (tr)
Roland, Yves/Fotolia.com: 096 (b)
Saponjic, Dragan/iStockphoto: 096 (t)
Sebastien/SIPA Press: 311 (cl); 322
Shank, Ali/iStockphoto: 573 (#1)
Simon, Isabelle/SIPA Press: 087
Stachowiak, Jowita/iStockphoto: 279 (stamp)
Staas Photo/iStockphoto: 511 (*Modèle*)
Steve Debenport Imagery/iStockphoto: 245 (tl)
Subbotina, Anna/Fotolia.com: 505 (tl)
Syda Productions/Fotolia.com: 443 (#2)
Talaj/iStockphoto: 394 (tr)
Techno/iStockphoto: 140 (#3)
The Kooples, Paris: 151
To_csa/iStockphoto: 573 (#4)
Tomazl/iStockphoto: 100 (#3)
Tulcarion/iStockphoto: 505 (b)
Tupungato/iStockphoto: 138 (*La Poste*)
Velasko, Manuel/iStockphoto: 138 (*FNAC*)
Viennet Photo/iStockphoto: 100 (*Modèle*)
Viisimaa, Peeter/iStockphoto: 245 (br)
Villard/SIPA Press: 027
Vinogradova, Lilyana/iStockphoto: 095 (cl); 138 (*Babybel*)
Warrin/Leroux/SIPA Press: 436
Wikipeda Commons/Public Domain: 169 (Honoré de Balzac, after the daguerreotype by Louis-Auguste Bisson, 1842/Nadar); 595
Zhev/iStockphoto: 394 (tc); Free image/ Gift of Mr. Charles Floquet/public domain: 399
Zoliky/ iStockphoto: 138 (*L'Oréal*)
Zveiger, Alexandre/iStockphoto: 573 (#2)

Recording Credits

CANAL 9. «Jacques Séguéla : Le futur de la publicité ». (22 février 2010) : 147

CANAL ACADÉMIE. « *Eclairage*: La Déclaration universelle des droits de l'homme, 1948-2008». Mireille Delmas-Marty. (7 décembre 2008) : 333

EDUSCOL. Ministère de l'Education Nationale. « Cours le matin, sport l'après-midi ». (4 août 2011) : 199

FONDATION CHARLES DE GAULLE. www.charles-de-gaulle.org :281

FRANCE 2. « *Double je* : Spécial Congrès de la FIPF Atlanta ». Bernard Pivot. (octobre 2004) : 232

 FRANCE CULTURE. RUE DES ÉCOLES : *Magazine de l'éducation de France culture.* « La mixité sociale à l'école ».[mp3]. 2012. www.franceculture.fr: 64 « *La Grande table* (2ème partie): Entretien avec Rokia Traoré ». Caroline Broué. (29 octobre 2012) : 220; « *La fabrique de l'histoire* : 14-18 naissance d'une nation 3/4». Emmanuel Laurentin. (10 novembre 2010) : 358; « *Le racisme au quotidien 1/3* : Les mots pour le dire ». Jérôme Sandlarz. (07 février 2011) : 384, 393

 FRANCE INFO. « Le Plus France Info-Neuromarketing : consommateurs sous influence ? » Isabelle Chaillou. (5 juillet 2012) : 162; « Modes de vie-Les activités extra-scolaires : un choix pas si anodin ». Rédaction de France Info. (3 Octobre 2012) : 191; « Chronique-Photos, Photographes-*Les Français dans l'objectif* ». Pascal Delannoy. (28 avril 2012) : 287; « Cette violence ordinaire qui pèse sur la vie des collèges et lycées». Antoine Krempf. (26 février 2013) : 366; « Info Sciences-Vivre au temps du transhumanisme ». Marie-Odile Monchicourt. (6 août 2012) : 432

GENTILvsZOG. « L'obsession du métissage ». Axel Kahn. (7 mars 2009) : 261

INA.fr « *Soir 3* : Les maisons du futur ». (18 mai 2005) : 575

Additional Credits

CIEL & ESPACE. David Fossé. « Planck : le père de la mission témoigne ». 21 mars 2013. www.cieletespace.fr (21 mai 2013): 426

CONSEIL CANADIEN SUR L'APPRENTISSAGE (CCA). «L'enseignement en immersion française au Canada». 17 mai 2007. Figure 4. www.ccl-cca.ca/CCL/Reports LessonsInLearning/ LinL20070517_French_Immersion_programs-2.html : 235

CNRS. Extrait de l'article « L'art des mélanges » de Géraldine Véron, paru dans Le journal du CNRS n° 221, juin 2008. www.cnrs.com: 256

DE VOUS A MOI. « Si la terre pouvait s'exprimer, que dirait-elle ? ». Commentaires de lecteurs internautes. www.bernardwerber.com (28 mai 2013) : 500

EN SAVOIR PLUS. 2011. Love.ados.fr. Julia Guez. 30 septembre 2012: 38-39

FONDATION LA POSTE. « Dai Sijie : Portrait, PAR CORINNE AMAR » www.fondationlaposte. org/article.php3?id_article=506 (avec l'aimable accord de la Fondation d'entreprise La Poste): 551-552

LA VOITURE HYBRIDE. Cédric Hostyn. « Peugeot 308 HDI hybride: silence, on roule! » 5 avril 2009. www.lavoiturehybride.com : 422

LE FIGARO. « Stéphane Hessel Diplomate, écrivain et ancien résistant français » © Evène / Lefigaro.fr / 10.05.2013: 322; « Casino accélère sa lutte contre la discrimination à l'embauche » ©Isabelle de Foucaud/lefigaro.fr / 13 juillet 2012: 395

JEAN-MARIE GUILLON, « LIBÉRATION, France (1944-1946) », Encyclopædia Universalis (www.universalis.fr/encyclopedie/liberation-france/)

LE MONDE. « La religion musulmane fait l'objet d'un profond rejet de la part des Français. », Stéphanie Le Bars, Le Monde, 24 janvier 2013.: 386

MARIE-CLAIRE. « Papa, maman, mon mec et moi ». Corine Goldberger. www.marieclaire.fr (31 septembre 2012): 44-45

ONIRIS. « Page blanche ». Alain Peyre. 20 janvier 2010. www.oniris.be (4 juin 2013): 564

OUEST FRANCE. Florence Pitard. « Lina Ben Mhenni, blogueuse de la révolution tunisienne ». 14 juin 2011. www.ouestfrance.fr: 320

PARIS MATCH.« Jean-Michel et Fabien Cousteau : l'océan en héritage ». Anne-Sophie Lechevallier. 29 juin 2012. www.parismatch.com: 423-424

PAULETTE MAGAZINE. « Rencontre avec Alix Petit, créatrice d'Heimstone». Article de Morgane Nicolas. 2 mai 2011. www.paulette-magazine.com: 251

JOSH THE CHINESE. « L'influence des parents sur nos choix amoureux ». (21 juillet 2012) : 050

LA CROIX. « Je t'invite à mon anniversaire. » Christian Heslon. (13 avril 2011) : 122

LA VIE. « *Témoignages* : Chez les ados, quelle amitié entre filles et garçons ? » (16 juillet 2012) : 042

P DE. « La collection Terres de France : L'auteur Michel Bussi évoque son travail d'écriture. » (27 avril 2012) : 548

RADIO CANADA. « *Téléjournal RDI* : Nation, Quebec, Definition ». (28 novembre 2006) : 277, 299

RADIO FRANCE INTERNATIONAL. « *7 milliards de voisins* : La pension : punition ou émancipation ? » Emanuelle Bastide. (17 août 2012): 012; « *Priorité santé* : Un ado à la maison ». Claire Hédon. (23 mai 2012) : 024; « *7 milliards de voisins* : Quelles relations avec nos voisins? » Alice Milot. (4 juillet 2012) : 080; « *En Sol Majeur* : Emile Biayenda (fondateur des Tambours de Brazza)». Murielle Maalouf. (23 janvier 2013) : 268; « Michel Lacroix : Le patriotisme en France vit à l'état latent ». Asbel Lopez. (2 février 2012) : 292; « *Reportage Afrique*. Maroc: les internautes militent pour la liberté d'expression.» Léa-Lisa Westerhoff. (8 janvier 2012) : 326; « Le concours Lépine à la Foire de Paris ». Anthony Fouchard. (5 mai 2013) : 450; « À qui profitent les OGM ?» Dominique Desaunay. (18 février 2013) : 486; « Production de cerveaux artificiels en série ». Dominique Desaunay. (27 janvier 2013) : 493; « T7 *milliards de voisins* : Les nouveaux canons de la beauté ». Emmanuelle Bastide. (03 janvier 2011) : 515

RÉSEAU ACCORDERIE. « Le temps, une richesse ». (2012) : 066

YANNAKI. « *Ecoforum* : Claudie Haigneré ». (13 mai 2009) : 420

We have attempted to locate owners of copyright materials used in this book. If an error or omission has occurred, EMC Publishing, LLC will acknowledge the contribution in subsequent printings.

PFIZER/IPSOS. Enquête Fondation Pfizer/Ipsos Santé 2012, menée dans le cadre du 8e Forum Adolescences de la Fondation Pfizer « Les adolescents ont-ils encore besoin de modèles pour se construire ? »: 26 (graphique)

SCIENCES HUMAINES. Flora Yacine. « Prendre son envol » Sciences Humaines n0 226 - mai 2011: p. 13; Martine Fournier « Filles-Garçons, des univers séparés » Sciences Humaines n0 226 - mai 2011: p. 43

SWISSWORLD. « Neutralité et isolationisme ». swissworld.org / FDFA, Presence Switzerland : 359-360

UNESCO. Le Courrier. « L'art dans la vie de l'homme ». juillet-août 1961. (p.9). unesdoc. unesco.org : 449-450

WOMENOLOGY, laboratoire marketing du groupe aufeminin.com. www.womenology.fr/fr/ reflexions/les-femmes-et-leur-physique-une-relation-plus-apaisee-que-lon-pourrait-croire/. 3 juin 2013—Tiré de « sondage Ipsos-Logica Business Consulting pour Psychologies magazine réalisé en mars 2011 sur un échantillon national représentatif de 1 055 femmes âgées de 15 ans et plus » : 530